REPENSANDO
A SAÚDE

Michael E. Porter é professor universitário, titular da cátedra Bishop William Lawrence, na Harvard Business School. Autoridade em estratégia competitiva e competitividade de países, regiões e cidades, suas idéias e sua liderança pessoal têm influenciado governos, empresas e líderes de todo o planeta. Sua linha de pensamento sobre competitividade integra a teoria e a prática de desenvolvimento econômico da atualidade. O trabalho do professor Porter sobre assistência à saúde teve início há mais de uma década.

Graduado em engenharia aeroespacial pela Princeton, mestre em administração pela Harvard Business School, onde recebeu o título George F. Baker Scholar, e doutor em economia empresarial pela Harvard University, Porter tem inúmeros prêmios e distinções, inclusive o Prêmio Adam Smith da National Association of Business Economists, prêmios nacionais em diversos países e o grande prêmio da Academy of Management por contribuições acadêmicas à área da administração.

Elizabeth Olmsted Teisberg é professora associada na Darden Graduate School of Business da University of Virginia, onde recebeu o Prêmio Frederick S. Morton de liderança. Suas áreas de interesse são estratégia, inovação e análise de risco. Foi professora da Harvard Business School.

Além de se dedicar à pesquisa sobre assistência à saúde há mais de uma década, Teisberg tem realizado análises de estratégias em empresas fabricantes de equipamentos médicos e de biotecnologia, opções reais, decisões relativas a pesquisa e desenvolvimento, inovações médicas e resposta estratégica à incerteza. É autora de inúmeros casos e artigos em periódicos especializados e co-autora de *The Portable MBA*, publicado em cinco idiomas.

Bacharel em Ciências e PhD pela School of Engineering da Stanford University, tem mestrado em Engenharia pela University of Virginia e bacharel *summa cum laude* pela Washington University em St. Louis. Elizabeth é integrante da sociedade de honra acadêmica Phi Beta Kappa.

P847r Porter, Michael E.
         Repensando a saúde : estratégias para melhorar a qualidade e reduzir os custos / Michael E. Porter, Elizabeth Olmsted Teisberg; tradução de Cristina Bazan. – Porto Alegre : Bookman, 2007.
         432 p. : il. ; 25 cm.

         ISBN 978-85-7780-002-5

         1. Administração. 2. Gestão: Saúde. 3. Gestão da Qualidade I. Teisberg, Elizabeth Olmsted. II. Título.

         CDU 65.011.4

Catalogação na publicação: Juliana Lagôas Coelho – CRB 10/1798

Michael E. Porter
Elizabeth Olmsted Teisberg

REPENSANDO A SAÚDE

ESTRATÉGIAS PARA MELHORAR
A QUALIDADE E REDUZIR OS CUSTOS

Tradução:
Cristina Bazan

Consultoria, supervisão e revisão técnica desta edição:
Equipe do Grupo Amil

2007

Obra originalmente publicada sob o título
Redefining Health Care: Creating Value-Based Competition on Results
ISBN 1-59139-778-2

Copyright original © 2006 Michael E.Porter and Elizabeth Olmsted Teisberg
Publicado conforme acordo com a Harvard Business School Press.

Capa: *Henrique Caravantes, sobre capa original*

Preparação do original: *Elisa Viali*

Supervisão editorial: *Arysinha Jacques Affonso*

Editoração eletrônica : *Laser House*

Reservados todos os direitos de publicação, em língua portuguesa, à
ARTMED® EDITORA S. A.
(BOOKMAN® COMPANHIA EDITORA é uma divisão da ARTMED® EDITORA S.A.)
Av. Jerônimo de Ornelas, 670 - Santana
90040-340 Porto Alegre RS
Fone (51) 3027-7000 Fax (51) 3027-7070

É proibida a duplicação ou reprodução deste volume, no todo ou em parte, sob quaisquer formas ou por quaisquer meios (eletrônico, mecânico, gravação, fotocópia, distribuição na Web e outros), sem permissão expressa da Editora.

SÃO PAULO
Av. Angélica, 1091 - Higienópolis
01227-100 São Paulo SP
Fone (11) 3665-1100 Fax (11) 3667-1333

SAC 0800 703-3444

IMPRESSO NO BRASIL
PRINTED IN BRAZIL
Impresso sob demanda na Meta Brasil a pedido de Grupo A Educação.

Para Lara, Sonia,
Tyler e Thomas

Apresentação à Edição Brasileira

A obra *Repensando a Saúde*, de Michael E. Porter e Elizabeth Olmsted Teisberg, já nasce com as características de um clássico, de leitura obrigatória para as pessoas ligadas às áreas de saúde e estratégia empresarial.

As idéias do livro lançam uma visão inteiramente nova para os sistemas de saúde e estão remodelando o debate sobre a atual crise dos sistemas de saúde em diversos países. Em essência, os autores destacam um aspecto do sistema que é normalmente desconsiderado: na maioria dos países o tipo de competição existente na assistência à saúde é aquela em que todos se preocupam basicamente em transferir custos. Criar a competição em resultados para o paciente e redirecionar o foco de redução de custos para agregação de valor ao paciente é o único caminho para um mercado de saúde eficiente e competitivo. Ou, nas palavras dos próprios autores: "A solução para a crise, ironicamente, está em trazer de volta o foco do sistema de saúde para a saúde".

O livro contribui com uma nova perspectiva estratégica, destinada a melhorar dramaticamente a qualidade e a eficiência do atendimento médico. É valioso para políticos, legisladores, médicos e gestores da área da saúde, pois oferece inspiração e orientação, e mostra com surpreendente clareza como realizar na prática esta reorientação do sistema de saúde, centrando-o no paciente.

A visão dos autores do livro pode ainda parecer utópica, porque é muito diferente do atual universo do serviço de saúde. Mas a obra começa com uma apresentação clara e simples dos objetivos do sistema de saúde e oferece medidas práticas para planos de saúde, hospitais, médicos, empregados de governo reorganizarem o sistema em torno dos pacientes. "O objetivo certo", dizem os autores, "é aumentar o valor para os pacientes, ou seja, a qualidade dos resultados para o paciente em relação ao dinheiro gasto. Minimizar custos é uma meta equivocada, que leva a resultados contraproducentes. Eliminar desperdícios e serviços desnecessários é benéfico, mas a economia de custos deve decorrer de eficiências verdadeiras, não de transferências de custos, restrições nos cuidados (racionamento) ou redução da qualidade".

* * *

Michael Porter, professor de Estratégia da Escola de Negócios de Harvard, é uma referência mundial em estratégias competitivas e em competitividade das nações, dos estados e de regiões. Seus trabalhos são a base dos cursos atuais de estratégia da Escola de Negócios de Harvard e em escolas de negócios do mundo todo. Suas idéias na área de desenvolvimento econômico também norteiam hoje boa parte da política e da prática da moderna economia em todo o mundo. Teisberg, também professora de estratégia, trabalha na Universidade da Virgina. É colega de longa data de Porter. Ambos estão muito envolvidos na elaboração de propostas para a reforma dos sistemas de saúde dos Estados Unidos e de outros países, incluindo Holanda, Alemanha, Cingapura, Suécia, Suíça e Reino Unido.

Para a realização deste livro, os autores contaram com grande esforço de pesquisa focada no estudo da estratégia de muitos serviços de saúde e reuniram uma vasta bibliografia, que constitui outro tesouro desta obra.

* * *

Tive a honra de receber Porter e suas filhas no Brasil e confirmar a minha admiração pelas suas lições sobre posicionamento e competitividade. A estratégia continua a ser uma arma decisiva e fazer as coisas de um modo diferente da concorrência é ainda mais importante devido à intensidade da competição e à dificuldade cada vez maior de manter vantagens operacionais.

* * *

Repensando a Saúde é um livro revolucionário e prático, que propõe converter o sistema disfuncional de hoje em um sistema no qual a competição conduza a melhorias na saúde e à maior eficiência. Ele aborda as causas do fracasso do tipo de competição atual nos sistemas de saúde, mostra por que as reformas feitas nos Estados Unidos e em outros países deram errado, enumera os princípios da competição baseada em valor e suas implicações estratégicas para provedores, planos de saúde, fornecedores, consumidores e empregadores. É um livro que deve ser lido com atenção por todos os envolvidos com o futuro dos cuidados com a saúde.

Edson de Godoy Bueno,
médico, OMP Harvard,
Presidente do Grupo Amil

Prefácio

ESTE LIVRO PARTIU de um enigma: por que a competição no sistema de saúde não está funcionando? Em toda a história da economia, a competição entre rivais do setor privado foi a grande impulsionadora de melhorias na qualidade e nos custos dos produtos e serviços. Isso é demonstrado todos os dias, em inúmeros setores em todo o mundo.

Como é que o sistema de saúde dos EUA, em grande parte privado e supostamente caracterizado por uma competição mais intensa do que a de qualquer outro sistema de saúde no mundo, pode estar apresentando um desempenho tão ruim? Por que os custos nos Estados Unidos estão entre os mais altos do mundo, embora muitos cidadãos sequer tenham um plano de saúde? Como é que os custos, já tão altos, podem estar subindo com tanta rapidez? Por que a qualidade varia tanto? A que se deve a crescente evidência de problemas de qualidade alarmantes no sistema?

Dispusemo-nos a abordar essas questões num campo que impõe desafios de aterrorizar qualquer observador. O campo é imenso, multifacetado e hermético. Os estudiosos das questões de saúde tendem a se dedicar exclusivamente à saúde, por questões compreensíveis. Existe muita literatura sobre medicina e políticas de saúde. A complexidade do sistema de saúde é assustadora. A prática da medicina é complicada e misteriosa, e os médicos são sabidamente céticos em relação a contribuição de leigos. "A questão da saúde é diferente" ou "você não entende" são frases que se ouvem repetidamente nesse campo.

Trazemos para a nossa pesquisa um ponto de vista que não tem sido particularmente bem-vindo. Existe na área médica uma conotação pejorativa associada à "gerência", e *negócio* é praticamente um palavrão. A literatura sobre estratégia para organizações de saúde é quase inexistente. Finalmente, na assistência à saúde, muitos dos envolvidos consideram suspeita toda a idéia de competição. Os médicos são ensinados que competição significa perda de recursos, promove comportamento em benefício próprio e prejudica o tratamento do paciente. Muitos igualam competição a cortes nos preços. Um número significativo de pessoas está convencido de que um sistema monopolista controlado pelo Estado é a única maneira de os EUA se livrar deste crescente problema de assistência à saúde.

Nosso interesse pela assistência à saúde data do início dos anos 90. Como ocorre com tantos cidadãos americanos, nos deparamos com o sistema de saúde ao enfrentar uma questão pessoal. Quando o bebê recém-nascido de Elizabeth foi submetido a uma cirurgia complexa – e extremamente bem-sucedida – para corrigir um problema que poucos anos antes teria sido fatal ou a deixaria gravemente debilitada, vivenciamos de primeira mão o que há de melhor no sistema de saúde dos Estados Unidos com todas as suas inovações, habilidade médica e compaixão humana. Ainda assim, mesmo nessa ocasião em que o sistema estava realizando um milagre, para conseguir os médicos certos foi preciso contornar o sistema tradicional. Mais difícil ainda foi a prolongada luta, que se tornou um verdadeiro pesadelo, para receber o pagamento do suposto melhor plano de saúde existente. Outras experiências que tivemos com o sistema de saúde continham elementos problemáticos.

Fomos levados a tentar compreender o porquê da disfuncionalidade da competição no sistema de saúde. Dada nossa experiência na área empresarial, o enigma da competição na assistência à saúde ficou logo aparente. Concluímos, em um artigo com o Dr. Gregory Brown, publicado em 1994, que as forças da competição eram poderosas no que se refere à assistência à saúde, mas que incentivos oblíquos estavam levando a resultados previsíveis, porém indesejáveis, no que se refere à elevação dos custos. Esse artigo previa que a estrutura do setor se consolidaria com rapidez e apontava algumas prescrições para modificar os inventivos oblíquos no sistema. Em seguida, voltamos a nossa atenção para outra pesquisa.

No entanto, o enigma da competição na assistência à saúde não se dissiparia. A assistência gerenciada foi estabelecida e, de fato, a consolidação do setor acelerou-se notavelmente no restante da década de 90, conforme previmos. Apesar da adoção da assistência gerenciada, então vista por muitos especialistas como facilitadora do controle de custos, as coisas só pioraram. As propostas de reforma continuaram a vicejar, incluindo esforços para gerenciar e realinhar os incentivos, mas nenhuma delas parecia abordar as questões mais profundas do sistema.

Enquanto isso, novas pesquisas começavam a documentar os problemas de qualidade que proliferavam. Fomos intensamente informados e influenciados pelas pesquisas de Jack Wennberg, Elliot Fisher e outros do grupo de Ciências Clínicas Avaliativas da Dartmouth Medical School, que encontraram grandes e injustificadas variações em qualidade entre prestadores de serviços e regiões; pelo trabalho do Institute of Medicine sobre os altos índices de erros médicos e a lacuna entre o tratamento que deveria ter sido e o que foi de fato aplicado; pelo trabalho de Don Berwick e Maureen Bisognano, no Institute of Health Care Improvement, ilustrando as enormes oportunidades de melhorar os processos de assistência e a qualidade; pelo trabalho de Brent James e do Intermountain Health Care, sobre a melhoria dos processos clínicos e gestão do conhecimento; pelo trabalho de Bill Knaus sobre o desenvolvimento de medidas de resultados ajustadas ao risco para fins de avaliação e comparação da assistência dispensada nas UTIs; e por outros profissionais que clarearam as muitas dimensões da qualidade na assistência à saúde.

Esta nova pesquisa revelou que o enigma era ainda muito maior do que pensávamos. A qualidade era uma questão tão crucial quanto os custos. Havia não somente tratamentos demais, mas também tratamentos de menos e tratamentos errados. Havia não apenas incentivos oblíquos na regulamentação e no setor privado, mas também um fundamental desalinho entre a natureza da competição e o valor para o paciente.

Ficava cada vez mais claro que a natureza da prestação dos serviços de saúde precisava ser transformada. Também começamos a acreditar que para reformar o sistema de assistência à saúde, seria preciso reformar a própria competição. E que, para reformar a competição, seria necessário transformar as estratégias, as estruturas organizacionais, as abordagens aos preços e as práticas de avaliação dos vários atores no sistema. Concluímos que o problema era menos de tecnologia e regulamentação do que gerencial e organizacional. O resultado geral era que muitos indivíduos talentosos e bem-intencionados que trabalham no sistema estavam muitas vezes atuando contra o valor para o paciente e, cada vez mais cientes disso, sentiam-se desanimados pelo conflito.

Uma nova corrente de pesquisa teve início em 2000, e em 2003 começamos a divulgar um novo trabalho. Nosso ponto de vista foi recebido com entusiasmo, mas também com crítica ferrenha. Muitos especialistas em assistência à saúde mantêm fortes crenças e pressupostos sobre o sistema – por exemplo, que os pacientes sempre vão querer mais tratamentos, que melhorar a qualidade significa elevar os custos, que a tecnologia está causando a elevação dos custos, que a qualidade não pode ser medida de forma significativa, que a cobertura universal é a única resposta, ou que dar autoridade e responsabilidade aos consumidores é a única solução. Fomos forçados uma vez mais a confrontar essas perspectivas e a aprofundar nossas reflexões.

Um artigo nosso publicado na *Harvard Business Review* em junho de 2004 explica por que a competição na assistência à saúde fracassou. A julgar pela experiência com nosso trabalho anterior, estávamos preparados para uma forte dose de crítica, mas, em vez disso, começamos a receber uma volumosa correspondência de indivíduos representando praticamente todos os campos da assistência à saúde, inclusive de outros países. Embora tenha havido críticas, a grande maioria dos que escreveram ou fizeram comentários não desejava desafiar a nossa tese básica; estava, sim, interessada em saber como operacionalizá-la. Mais interessante ainda foi que muitas organizações estavam dando passos na direção certa sem o benefício de uma estratégia e um referencial organizacional mais amplos. Começamos a perceber que grandes melhorias poderiam ocorrer de dentro do sistema sem a necessidade de uma reforma conduzida pelo governo.

Em conseqüência disso, decidimos publicar este livro. Ele começa com as idéias básicas apresentadas em nosso artigo, mas dois anos adicionais de intensa pesquisa nos permitiu ir muito além. Desenvolvemos aqui as implicações estratégicas e organizacionais de nossas idéias para cada um dos principais atores no sistema, e as ilustramos com inúmeros exemplos. No processo de condução dessa pesquisa, nos deparamos com um grupo extraordinariamente dedicado e talentoso de profissionais da área de saúde. Foi comovente ver que tantos participantes do sistema se importam em entregar valor para os pacientes, apesar dos obstáculos e dos incentivos debilitantes. Os esforços e a inspiração de muitos desses indivíduos nos fez acreditar que repensar a gestão da saúde não é apenas possível, mas já está em curso.

Em vista do escopo e da complexidade do campo de assistência à saúde e à amplitude de nossa agenda, este livro não teria sido possível sem a ajuda de muitos indivíduos. Nossa equipe em Harvard e na Virgínia, composta por Natalya Vinokurova, Daniel Rueda Posada e Kjell Carlsson, contribuiu enormemente a esta pesquisa. David Chen, Andrew Funderburk, Steve Godfrey, K. C. Hasson, Diem Nguyen e Cathy Turco forneceram inestimável assistência na pesquisa. Colleen Kaftan, nossa editora, e Sarah Weaver, nossa editora de produção, tornaram nosso texto bem mais claro. Lyn Pohl supervisionou a preparação do manuscrito, com a hábil assistência de Kathy Kane, Alfredo Montes, Michelle Walker e Kathleen Custodio. Lana Porter e Tyler Teisberg ofereceram comentários editoriais muito úteis.

Nessa área, fomos inspirados e informados por tantas pessoas, que seria impossível mencionar todas. Reconhecemos aqui somente uma parcela, cujo trabalho, comentários e perguntas foram de suma importância.

Temos uma enorme gratidão por algumas pessoas que desempenharam papéis fundamentais na motivação e no apoio a este projeto e na revisão de grandes partes do manuscrito. Nosso agradecimento, de coração, vai para Charlie Baker, Donald Berwick, Maureen Bisognano, Toby Cosgrove, Ray Gilmartin, Jeff Kang, Bill Knaus, Joan Magretta, Tom Stewart e Henri Termeer. As perspectivas e o encorajamento desses indivíduos foram essenciais na produção deste livro, e os eventuais equívocos presentes na obra são exclusivamente de nossa responsabilidade. Entre os professores e pesquisadores, nosso agradecimento especial vai para Tenley Albright, David Blumenthal, Bob Bruner, Cindy Collier, David Cutler, Lauren Dewey-Platt, Lynn Etheredge, Elliott Fisher, Steven Hyman, Kenneth Kaplan, John McArthur, Stacey Ober, Gary Pisano, Carl Sloane, Tom Teisberg, Eoin Trevelyan, Myrl Weinberg, Chuck Weller e Patricia Werhane.

Entre os prestadores de serviços e médicos, agradecimentos especiais vão para Elissa Altin, Robert Banco, Robert Bode, Kline Bolton, Mark Chassin, Joseph Dionisio, Andrew Fishleder, Robert Flaherty, Bruce Ferguson, Arthur (Tim) Garson, Jim Green, Marjorie Godfrey, Michael Goldstein, Gil Gonzalez, Gary Gottlieb, Frederick Grover, Martin Harris, Alan Henry, Jeff Hunter,

Robert Kolodner, Wayne Lerner, Paul Levy, Bruce Marshall, John Mendelsohn, John E. Mayer, Leonard Miller, Kalani Olmsted, Jeffrey Reynolds, Lidia Schapira, Gail Sebet, Jo Shapiro, Michael Singer, Joanne Smith, John Toussaint, John Triano, Scott Tromanhauser, Kelly Victory, Kanh Vu, Beverly Walters e Jim Weinstein.

Entre os líderes de planos de saúde, agradecimentos especiais vão para Stephen Barlow, Dave Burton, David Crowder, Mike Ferris, Brent James, Cleve Killingsworth, Karen Sanders, Sharon Smith e Bill Van Faasen.

Entre os fornecedores, agradecimentos especiais a Ashoke Bhattacharjya, Kay Deguchi, Jonathan Hartmann, Elliott Hillback, Hank McKinnell, Lisa Raines e Brad Sheares.

Entre prestadores de serviços, agradecimentos especiais a Paul Eckbo, Kenneth Falchuk, Luciano Grubissich, Mike Hogan, Brian Hughes, Jim Hummer, Harold Jacks, Cynthia Lambert, Richard Marks, Richard Migliori, Lynette Nilan, Robert Reznik, David Seligman, Jeff Wagener e Rob Webb.

Entre líderes do governo, nossos agradecimentos vão para Melanie Bella, Göran Henriks, Peter Koutoujian, Mark McClellan, Ron Preston, Mitt Romney e Gaudenz Silberschmidt.

Somos também gratos à Harvard Business School, à Darden Business School e ao Batten Institute pelo financiamento da pesquisa e o apoio dispensado.

E agradecimentos especiais pela inspiração são dirigidos a Dr. John Mayer, Dr. Jane Newburger e Dr. Gil Wernovsky, cujo domínio do assunto e acolhimento foram cruciais para o início deste projeto, há quase 15 anos.

Sumário

Introdução	**19**
O fracasso da competição	20
Competindo em valor	21
Competindo em resultados	23
A estrutura deste livro	25
Como ocorrerá a reformulação do sistema de saúde?	28
1. Definindo o Escopo do Problema	**31**
2. Identificando as Causas-Raízes	**45**
Competição em valor com soma positiva	45
Competição de soma zero na assistência à saúde	46
A causa-raiz: competição no nível errado	53
Por que a competição nos serviços de saúde se dá no nível errado?	55
3. O que Houve de Errado na Reforma?	**77**
A ascensão do seguro-saúde em grupo	77
Limites nos pagamentos a médicos e hospitais	79
Assistência médica gerenciada (*managed care*)	81
A corrida armamentista na medicina	82
O Plano Clinton	84
Direitos dos pacientes	85
Assistência à saúde dirigida pelo consumidor	86
Qualidade e pagamento por desempenho	88
Um sistema de um único pagador	91

Poupança para despesas médicas ou cuidados com a saúde ... 92
Não-reformas ... 94
Reformar a competição: a única resposta ... 96

4. Princípios da Competição Baseada em Valor ... 97

Foco no valor, e não nos custos ... 98
A competição é baseada em resultados ... 100
A competição é centrada nas condições de saúde durante todo o ciclo do tratamento ... 103
Tratamento de alta qualidade deveria ser menos dispendioso ... 105
O valor é gerado pela experiência, pela escala e pelo aprendizado do prestador sobre a doença em questão ... 108
A competição é em nível regional ou nacional ... 112
As informações sobre os resultados são amplamente disponibilizadas ... 116
Inovações que aumentam o valor são altamente recompensadas ... 130
A oportunidade da competição baseada em valor ... 136

5. Implicações Estratégicas para os Prestadores de Serviços de Saúde ... 139

O vácuo estratégico na prestação do serviço de saúde ... 140
Definir a meta correta: valor superior para o paciente ... 144
Mudança para a competição baseada em valor: imperativos para os provedores de serviços de saúde ... 145
Que mudanças na estrutura do setor afetariam a prestação dos serviços de saúde? ... 178
Possibilitando a transformação ... 180
Superando barreiras à competição baseada em valor ... 192
As vantagens de começar logo ... 200

6. Implicações Estratégicas para os Planos de Saúde ... 201

Papéis passados e papéis futuros dos planos de saúde ... 202
A mudança para a competição baseada em valor: imperativos para os planos de saúde ... 208
Superando barreiras à transformação dos planos de saúde ... 235
Os benefícios de mudar logo ... 240

7. Implicações para Fornecedores, Consumidores e Empregadores ... 243

Implicações para os fornecedores ... 244
Implicações para consumidores na condição de segurados e pacientes ... 252
Implicações para os empregadores ... 260

8. **Políticas de Assistência à Saúde e Competição Baseada em Valor**   275
Implicações para o governo

    Questões amplas nas políticas de assistência à saúde   278
    Mudar para a competição baseada em valor: melhorar o seguro-saúde e o acesso a ele   279
    Mudar para a competição baseada em valor: estabelecer normas de cobertura   287
    Mudando para a competição baseada em valor: melhorar a estrutura da prestação dos serviços de saúde   289
    Implicações para as políticas de assistência à saúde em outras nações   315

Conclusão   321

Apêndice A   325
The Cleveland Clinic

Apêndice B   335

Notas   349

Referências   379

Índice   417

Lista de Figuras

1.1	Total das despesas per capita com a saúde e taxa composta anual de crescimento nos EUA *versus* em outros países desenvolvidos	31
1.2	Porcentagem de cidadãos com problemas de saúde e que não obtiveram tratamento ou medicação devido ao custo, por país, 2004	32
1.3	Porcentagem de cidadãos que acham que o sistema de saúde do seu país precisa ser reformulado, 2004	33
1.4	Satisfação dos pacientes de baixa renda nos EUA *versus* em outros países	33
1.5	Relação entre gastos com assistência à saúde e expectativa de vida em 29 países da OCDE, em 1996	34
1.6	Lacuna entre o que sabidamente funciona e o tratamento de fato dispensado, por categoria (ampla) de tratamento	34
1.7	Lacuna entre o tratamento adequado recomendado e o tratamento dispensado, por natureza do tratamento	35
1.8	Lacuna entre o tratamento adequado recomendado e o tratamento dispensado, por doença específica	36
1.9	Mortes em hospitais atribuídas a erro médico *versus* outras principais causas de morte nos EUA, 1998	37
1.10	Mortes em hospitais atribuídas a erro médico *versus* outras principais causas de morte nos EUA, 2002	37
1.11	Custos e permanência adicionais, por paciente, em decorrência de efeitos adversos de medicamentos em pacientes hospitalizados	38
1.12	Distribuição cumulativa de despesas por dia de internação nos 50 estados dos EUA mais Porto Rico, 2001	39
1.13	Gastos com Medicaid, Medicare e instituições privadas por beneficiário, por estado, 2001	40
1.14	Gastos com Medicare e qualidade do tratamento por estado, 2001	41
1.15	Carga administrativa (tempo) por tipo de assistência prestada	41
1.16	Custos administrativos da assistência à saúde, por estado (EUA), como porcentagem do total dos gastos hospitalares, 1990 e 1994	42
1.17	Crescimento anual dos preços de seguro-saúde nos EUA *versus* inflação e salários	42
1.18	Valor mensal médio pago pelos empregadores a seguros/planos de saúde, por empregado, 1996-2004	43
2.1	Coeficientes pagamentos-custos hospitalares: pagamentos pelo governo *versus* por entidades privadas	48
2.2	Despesas dos EUA com o sistema de saúde, 1990 e 2003	49
2.3	Crescimento do preço do seguro de responsabilidade civil pago pelos hospitais e profissionais, 2000-2002	53
2.4	Transplantes de coração: taxa de sobrevivência em um ano, janeiro-dezembro 2002	59
2.5	Taxa de aumento anual do Índice de Preços ao Consumidor (IPC), geral e relativo a serviços de saúde	60

2.6	Taxa de mortalidade e melhoria das cirurgias de ponte de safena: estado de Nova York *versus* outros estados, 1987-1992	65
2.7	Melhoria nos resultados das cirurgias de ponte de safena no estado de Nova York	66
2.8	Tendências nas internações: total de dias de internação e número de admissões, 1980-2002	72
3.1	A evolução dos modelos de reforma	78
4.1	Princípios da competição baseada em valor	98
4.2	Fronteira de produtividade: eficácia operacional *versus* posicionamento estratégico	106
4.3	O círculo virtuoso na assistência à saúde	109
4.4	Taxas de mortalidade de pacientes do Medicare em entidades prestadoras de baixo volume *versus* em entidades prestadoras de alto volume, por tratamento, 1994-1999	110
4.5	Hierarquia das informações	117
4.6	Efeitos das inovações no tratamento de infarto agudo do miocárdio (IAM)	132, 133
4.7	Melhorias nos custos e nos resultados das cirurgias de catarata, 1947-1998	134
4.8	Diferencial de preço entre cirurgias plásticas com procedimentos tradicionais *versus* inovadores, 2002	136
5.1	Mudança para a competição baseada em valor: imperativos para os prestadores de serviços de saúde	145
5.2	O círculo virtuoso na assistência à saúde	148
5.3	O ciclo de atendimento em transplantes de órgãos	155
5.4	Informações clínicas e de resultados coletadas e analisadas pelo Boston Spine Group	167
5.5	A cadeia de valor da prestação de serviço de saúde por uma unidade de prática integrada	181
6.1	Transformando os papéis dos planos de saúde	203
6.2	Imperativos para os planos de saúde	209
7.1	Novas oportunidades para fornecedores	247
7.2	Novas responsabilidades dos consumidores	254
7.3	Mudanças nos benefícios de saúde oferecidos pelo empregador, 2003 e 2004	261
7.4	Novos papéis dos empregadores	266
7.5	Medidas representativas do valor recebido em saúde	273
8.1	Questões a serem abordadas na reforma do sistema de saúde	279
8.2	Imperativos para os formuladores de políticas: melhorando o seguro-saúde e o acesso a ele	280
8.3	Imperativos para os formuladores de políticas: estabelecendo normas de cobertura	287
8.4	Imperativos para os formuladores de políticas: melhorando a estrutura da prestação dos serviços de saúde	290
B.1	A cadeia de valor na prestação de tratamento de doenças renais crônicas	340
B.2	A cadeia de valor na prestação de tratamento de AVCs envolvendo um vaso sanguíneo importante	344
B.3	A cadeia de valor na prestação de tratamento de câncer de mama	345

Lista de Quadros

Os Estados Unidos gastam demais com a assistência à saúde?	99
A importância da competição regional: tratamento de acidente vascular cerebral (AVC)	114
Como surgiram boas informações sobre resultados	121
Implicações para os médicos	179
Transformando a cadeia de valor da prestação dos serviços de saúde	186
Repercussões na educação médica	195
Assistência à saúde para cidadãos de baixa renda	277
Implementando a cobertura universal: o caso de Massachusetts	285
Repercussões para as associações de medicina	294

Introdução

O SISTEMA DE SAÚDE DOS EUA é conhecido pelo seu alto custo, o que os americanos, por tradição, presumem ser o preço da excelência. Parte da assistência à saúde nos Estados Unidos é de fato excelente, mas sabemos que nele também existem sérios problemas de qualidade. Há forte evidência de que grande parte dos tratamentos está bastante aquém da excelência, sendo aplicados em demasia ou em dose insuficiente, e que os índices de erro médico continuam alarmantes.

Quase todo mundo tem um caso desses para contar. Muitos têm um final feliz e revelam uma extraordinária capacidade e sentimento humanitário por parte dos médicos e de outros profissionais. No entanto, com muita freqüência, esses finais felizes se devem a uma grande determinação, a relacionamentos pessoais ou a uma insistência por parte da família. Alguns bons resultados parecem ter ocorrido quase que a despeito do sistema, e não por causa dele.

Nas últimas duas décadas, o sistema de saúde passou de uma fonte de orgulho nacional para uma das mais prementes preocupações do país. Os Estados Unidos gastam quase US$ 2 trilhões anuais com assistência à saúde, e os custos continuam se elevando a níveis que se aproximam de uma crise nacional. À medida que os custos aumentam, mais e mais americanos deixam de ter acesso a seguro-saúde. Como esses indivíduos recebem pouca ou nenhuma assistência primária ou preventiva, a qualidade geral da saúde se deteriora e os custos se elevam ainda mais. A menos que haja uma drástica mudança, o envelhecimento da geração *baby boomer** (hoje em torno dos 60) fará os custos se elevarem ainda mais, acarretando mais pressões para transferência dos custos, controle dos preços, racionamento e redução dos serviços para um número ainda maior de americanos.

A combinação de altos custos, qualidade insatisfatória e acesso limitado à assistência à saúde tem criado ansiedade e frustração em todos os participantes. Ninguém está feliz com o atual sistema – nem os pacientes, que se preocupam com o custo do seguro e com a qualidade dos tratamentos; nem os empregadores, que arcam com apólices mais onerosas e funcionários insatisfeitos; nem os médicos e demais prestadores, com rendimentos reduzidos, pareceres ignorados e dias de trabalho sobrecarregados de papelada burocrática; tampouco os planos de saúde, sempre criticados; tampouco os fornecedores de medicamentos e equipamentos, que lançaram várias terapias que salvam ou melhoram a vida, mas são acusados de provocar a elevação dos custos; e tampouco o governo, cujos orçamentos estão fugindo do controle.

---

* N. de R. T.: Nascidos nos EUA logo após a Segunda Guerra Mundial.

Décadas de "reforma" não conseguiram melhorar a situação; aliás, as coisas pioraram ainda mais. Os custos continuam a subir, apesar dos insistentes esforços de contenção. Mais e mais problemas de qualidade vêm à tona. Os infindos debates sobre o que fazer com o sistema de saúde assumiram um crescente caráter de urgência, mas uma solução abrangente jamais foi discutida.

Os responsáveis pela reforma tendem a focar numa questão ou num problema isolado, como o preço dos medicamentos e da nova tecnologia; os elevados números de indivíduos não-segurados; os desnecessários custos administrativos impostos pelos planos de saúde; os incentivos aos prestadores, estimulando-os a aplicar tratamentos em demasia; a falta de responsabilidade do consumidor em relação aos custos; ou a baixa penetração da tecnologia da informação. Muitos vilões diferentes foram destacados – na verdade, quase todo participante do sistema toma a forma de vilão aos olhos de alguns reformadores.

As soluções tendem a ter como alvo um ou dois aspectos do sistema, tomados como o problema essencial. Muitos ativistas, por exemplo, procuram controlar o custo de medicamentos negociando preços mais baixos, encorajando o uso de genéricos e comprando do Canadá. Um número considerável de pessoas se diz a favor de um sistema com um único pagador, pelo qual o governo provê o seguro universal e tem o poder de controlar os custos, eliminando por completo o seguro-saúde privado. Alguns defendem a mudança para grandes sistemas de saúde integrados, que combinam um plano de saúde com uma rede cativa de prestadores, como a única forma de melhorar a qualidade e controlar a quantidade de tratamento prestado. Outros vêem como solução dotar os consumidores de mais autoridade e responsabilidade, fazendo-os ter um interesse (ganho/perda) pessoal no custo do seu tratamento. E outros, ainda, defendem os avanços da tecnologia da informação (TI) como uma espécie de panacéia.

Contudo, nenhuma dessas soluções funcionou, e nem poderá funcionar. Todas são incompletas e acarretam novos problemas. Como discutiremos, existem boas razões para outros países avançados estarem se afastando do sistema de um único pagador. Sistemas de saúde grandes e integrados eliminam a competição onde ela é mais necessária. Consumidores, por si só, independentemente do quanto tenham que pagar, jamais serão especialistas em medicina e capazes de transitar por todo o sistema. Pode ser desejável estimular a caderneta de poupança destinada à saúde, ajudar os idosos a pagar pelos medicamentos e exigir o uso de TI, mas nenhuma dessas medidas trata a raiz do problema.

A nação precisa de uma nova forma de pensar sobre o sistema de saúde. Não há vilão. Nem o problema nem a solução serão encontrados em um aspecto isolado do sistema. De fato, toda tentativa de acomodar interesses conflitantes está fadada ao fracasso. A única real solução é unir num propósito comum todos os participantes do sistema.

O fracasso da competição

Há muitas dimensões no sistema de saúde, e é fácil ser solapado pela sua complexidade. De uma perspectiva estratégica, no entanto, as questões da assistência à saúde podem ser divididas em três amplas áreas. A primeira refere-se ao custo e ao acesso ao seguro-saúde. A segunda abrange as normas de cobertura ou os tipos de tratamento que devem ser cobertos pelo seguro *versus* os que deveriam ser de responsabilidade do indivíduo. A terceira é a própria estrutura da prestação dos serviços de saúde. Todas são importantes e abordadas neste livro.

Embora a maior parte da atenção recaia sobre seguro, cremos que a estrutura da prestação dos serviços de saúde seja a questão mais fundamental. A estrutura da prestação dos serviços de saúde governa os custos e a qualidade de todo o sistema e, em última análise, o custo do seguro e a amplitude de cobertura viável.

O problema fundamental no sistema de saúde dos EUA é a falência da estrutura da prestação dos serviços. É isso que todos os dados sobre os custos crescentes e o alarmante nível de qualidade apontam. E a estrutura da prestação dos serviços de saúde está falida porque a competição está falida. Todos os bem-intencionados movimentos de reforma fracassaram porque não abordaram a subjacente natureza da competição.

Em um mercado normal, a competição gera melhorias contínuas em qualidade e custo. Rápidas inovações levam à rápida difusão de novas tecnologias e de melhores formas de fazer as coisas. Concorrentes excelentes prosperam e crescem, ao passo que os rivais mais fracos se reestruturam ou fecham as portas. Os preços ajustados à qualidade caem, o valor melhora e o mercado se expande para atender às necessidades de mais consumidores. Essa é a trajetória de todos os setores que funcionam bem – computadores, comunicação móvel, bancos de varejo, e muitos outros.

A competição na assistência à saúde não poderia ser diferente. Os custos são altos e crescentes, apesar do intenso esforço para controlá-los. Os problemas de qualidade persistem. O fracasso da competição evidencia-se nas grandes e inexplicáveis diferenças em custo e qualidade, entre prestadores e entre áreas geográficas, para o mesmo tipo de tratamento. A competição não recompensa os melhores prestadores, e os piores não vão à falência. A inovação tecnológica se difunde lentamente e não gera melhorias de valor como deveria; ao contrário, é vista por alguns como parte do problema. Juntos, esses resultados são inconcebíveis em um mercado que funcione a contento. São intoleráveis na assistência à saúde, onde estão em risco a vida e a qualidade de vida. São insustentáveis em um setor que consome uma grande e crescente porção do orçamento nacional.

Por que a competição não está funcionando no sistema de saúde? Por que o valor aos pacientes não é mais alto e não melhora com rapidez? A razão não é falta de competição, mas o tipo errado de competição. A competição acontece nos níveis errados e nas coisas erradas. Gravitou para uma competição de soma zero, na qual os ganhos de um participante do sistema são auferidos a expensas dos outros. Os participantes competem na transferência de custos, uns para os outros, no acúmulo de poder de barganha e na limitação de serviços. Esse tipo de competição não gera valor para os pacientes, mas corrói a qualidade, nutre a ineficiência, cria capacidade excessiva e eleva os custos administrativos, entre outros efeitos abomináveis.

A competição de soma zero não é inerente à natureza da competição nem à natureza da assistência à saúde. A competição disfuncional na assistência à saúde resulta de incentivos mal alinhados e de uma série de escolhas estratégicas, organizacionais e regulamentares compreensíveis, porém infelizes, pelos participantes do sistema, que se alimentam uns dos outros e se exacerbam reciprocamente. Todos os atores no sistema compartilham responsabilidade pelo problema.

No sistema atual, atores isolados da competição às vezes alcançam um progresso marcante. Por exemplo, alguns sistemas grandes e integrados, como o dos hospitais da Veterans Administration, o da Intermountain Health Care e o da Kaiser, evitaram a competição de soma zero entre prestadores e planos de saúde, o que trouxe melhorias na qualidade na eficiência.

Entretanto, limitar a competição, como discutiremos, não é a solução. A única maneira de reformar de fato o sistema de saúde é reformando a própria natureza da competição. Como fazê-lo é o foco central deste livro.

Competindo em valor

A maneira de transformar o sistema de saúde é realinhar a competição com o *valor para os pacientes*. O valor na assistência à saúde é o resultado obtido na saúde por dólar gasto. Se todos os participantes do sistema tiverem que competir em valor, o valor melhorará drasticamente. No entanto, por mais simples e óbvio que isso possa parecer, a melhoria do valor não tem sido a meta central dos participantes do sistema. Em vez disso, o foco tem recaído na minimização dos custos e na luta sobre quem vai pagar pelo quê. O resultado é que muitas das estratégias, estruturas organizacionais e práticas dos vários atores no sistema estão seriamente desalinhadas com o valor para o paciente.

Este livro concentra-se no valor entregue pelo sistema de saúde e em como ele pode ser melhorado. Esta abordagem de análise acaba se traduzindo em lentes altamente reveladoras para examinar as atuais práticas de cada participante do sistema. O simples teste é: como cada uma dessas práticas contribui para o valor para o paciente? Aplicando o teste, descobrimos que as respostas são apaziguadoras para todos os participantes.

No nível mais básico, a competição na assistência à saúde deve acontecer onde o valor é de fato criado. E aqui reside uma parte bem grande do problema. O valor na assistência à saúde é determinado considerando-se a condição de saúde do paciente durante todo o ciclo de atendimento, desde a monitoração e prevenção, passando pelo tratamento e estendendo-se até o gerenciamento da doença. (Usamos o termo condição de saúde em vez de *doença, sistema respiratório, circulatório, etc.* ou *mal* – por ele estar mais estreitamente ligado ao valor para o paciente.) O problema é que a competição não vem acontecendo no nível de condição de saúde, nem no nível de ciclo de vida completo de atendimento.

No atual sistema, a competição é, ao mesmo tempo, demasiadamente ampla, demasiadamente restrita e demasiadamente local. Da perspectiva de valor, os participantes do sistema definiram equivocadamente o negócio relevante. A competição se dá em linhas amplas de serviços, e não nos serviços individuais. Os prestadores oferecem todos os serviços possíveis e se dispõem a tratar de qualquer paciente que entre pela porta. Os planos de saúde contratam prestadores de todo tipo. No entanto, a amplitude dos serviços oferecidos tem pouco impacto no valor para o paciente. O que importa é a capacidade do prestador de entregar valor em cada condição de saúde específica. Os planos de saúde e os prestadores de serviços fundiram-se e consolidaram-se, e, assim, a busca pela amplitude e a duplicação dos serviços só aumentaram. À medida que os participantes passaram a competir em amplitude, a competição em nível de condição de saúde foi restringida ou eliminada pelas redes dos planos de saúde, pelas referências cativas em âmbito de grupos de prestadores e pela quase completa ausência de informações relevantes.

A competição no atual sistema é também restrita demais, um resultado aparentemente paradoxal. A razão é que a competição ocorre em nível de intervenções isoladas, e não no ciclo completo do atendimento, onde o valor é determinado. O valor só pode ser medido tomando-se por base o ciclo de atendimento, e não um procedimento, serviço, consulta ou exame isoladamente. Os médicos atuam como livres agentes, atuando na sua especialidade e faturando separadamente. Transitar pelo ciclo de atendimento é um desafio e tanto. Ninguém assume uma perspectiva de ciclo de atendimento completo, incluindo medidas para evitar a necessidade de intervenções (prevenção) e o contínuo gerenciamento das condições de saúde para evitar a recorrência (gerenciamento de doenças). A atual estrutura mantém formas de organizar uma medicina que há muito já se tornou obsoleta. As conseqüências adversas para o valor ao paciente são enormes.

Finalmente, a competição no atual sistema é demasiadamente local, porque é centrada em instituições locais relativamente pequenas e herméticas, que só atendem a necessidades locais. Os serviços são prestados e gerenciados localmente. Esse viés de "localidade" na assistência à saúde é um retrocesso a uma era anterior, a uma época em que a assistência à saúde era menos complicada e viajar era mais difícil. Ele foi institucionalizado pelas estruturas de propriedade e governança prevalecentes nas instituições prestadoras de serviço, pelas práticas regulamentares e de pagamento, e por não haver uma prestação de contas por parte dos prestadores locais. O viés de "localidade" no sistema de saúde significa que muitos prestadores oferecem serviços nos quais eles carecem de volume e experiência para serem realmente excelentes, e também que o excesso de capacidade e a tendência de a oferta criar demanda são quase garantidos.

Como redefinir a competição em torno de valor e transferir a competição para o nível em que o valor é determinado será um foco central nos capítulos a seguir. Para tanto será preciso reestruturar a prestação dos serviços de saúde a fim de fornecer um atendimento verdadeiramente integrado durante todo o ciclo de atendimento. Mudanças significativas serão necessárias não apenas por parte dos prestadores, mas por parte de todos os participantes do sistema. Como veremos, sistemas de saúde integrados que combinam um plano de saúde com uma rede cativa de prestadores não garantem um atendimento integrado. Tais sistemas não são o único meio, nem mesmo o melhor meio, de se criar competição baseada em valor durante o ciclo de atendimento no nível de condição de saúde.

Competindo em resultados

A competição em valor deve girar em torno de resultados. Os resultados que interessam são os efeitos no paciente por unidade de custo no nível de condição de saúde. Competição em resultados significa que todos os prestadores, planos de saúde e fornecedores que alcançarem excelência são recompensados com mais negócios, ao passo que os que deixarem de demonstrar bons resultados perderão negócios ou terão que deixar de prestar aquele serviço. Competição por transferência de custos e limitação de serviços é uma competição de soma zero – o ganho de um ator é uma perda para os demais. Competição nos resultados para o paciente é uma competição de soma positiva, com a qual todos os participantes podem se beneficiar. Quando os prestadores têm êxito na entrega de valor superior, os pacientes ganham, os empregadores ganham e os planos de saúde também ganham, por meio de melhores resultados alcançados a custos mais baixos. Quando os planos de saúde têm êxito em informar melhor os pacientes, em coordenar melhor o atendimento e em recompensar o bom atendimento, os prestadores excelentes se beneficiam, assim como os pacientes.

Para competir em resultados é preciso que estes sejam mensurados e amplamente difundidos. O desempenho do sistema de saúde só vai ser significantemente melhorado se os resultados forem mensurados e cada participante do sistema, responsabilizado pelos seus resultados. A possibilidade de medir os resultados e de usar eqüidade no controle das circunstâncias iniciais do paciente (ajuste de risco) já foi demonstrada de forma conclusiva, conforme discutiremos. Também foram demonstradas melhorias marcantes no valor para o paciente quando os resultados são medidos e comparados. No entanto, a medição de resultados tem sofrido resistência por parte de prestadores, que temem vieses e comparações, e tem sido totalmente ignorada pelo governo, pelos planos de saúde, pelos empregadores e até pelos fornecedores de tecnologia. *A obrigatoriedade de mensuração e a emissão de boletins de resultados talvez seja o passo mais importante de todos na reforma do sistema de saúde.*

Em vez de proceder à medição e competir em resultados, os esforços para melhorar a prestação dos serviços de saúde têm cometido o erro fundamental de tentar controlar a oferta e microgerenciar as práticas dos prestadores. Os planos de saúde tentam antecipar alternativas às decisões dos prestadores. Juntas de avaliação tentam julgar se novas capacidades ou investimentos de capital são necessários. Em vez de medir os resultados e recompensar os prestadores excelentes com mais pacientes, a abordagem tem sido indiscriminada, tentando elevar todos os prestadores de um serviço a um nível aceitável. As principais ferramentas têm sido diretrizes para a prática e normas de atendimento, a que todos os prestadores têm que atender. Medicina baseada em evidência é um outro termo para prática baseada em padrões aceitos de atendimento.

Iniciativas recentes em benefício da qualidade e do pagamento por desempenho tratam da conformidade dos processos em vez da qualidade dos resultados alcançados. Essas iniciativas pressupõem que boa qualidade é mais cara; buscam recompensar o bom desempenho com pequenos diferenciais em preço, o que assegura a marcha ascendente do pagamento aos prestadores de serviços. Diretrizes de processos são cômodas para os prestadores, pois prestadores competentes podem cumpri-las de imediato. Portanto, competição baseada no valor dos resultados alcançados e pagamento por desempenho são modelos bem diferentes.

No entanto, a abordagem orientada a processos é, toda ela, mal conduzida. Diretrizes para a normalização de processos desconsideram a complexidade das circunstâncias individuais do paciente e congelam os processos da prestação de atendimento em vez de estimular a inovação. É preciso competição nos resultados, e não atendimento padronizado. É preciso competição nos resultados, e não apenas medicina baseada em evidência. Não deveria haver o pressuposto de que boa qualidade é cara. Na assistência à saúde, mais do que em qualquer outra indústria com que nos deparamos, os melhores prestadores de serviço são normalmente mais eficientes. Boa qualidade é menos onerosa em razão de diagnósticos mais precisos, menos erros nos tratamentos, menores taxas de complicações, recuperação mais rápida, menos tratamentos invasivos e minimização da necessidade de tratamento. Em termos mais amplos, saúde melhor é menos cara do que doença. Prestadores melhores conseguem com freqüência ganhar mais com preços iguais ou menores, como discutiremos, de forma que melhoria da qualidade não implica custos continuamente ascendentes.

É necessário migrar os pacientes para os prestadores verdadeiramente excelentes, o que alimenta um círculo virtuoso de melhoria de valor pelo prestador através de maior escala, melhor eficiência, experiência mais aprofundada, aprendizagem mais rápida, equipes mais dedicadas e instalações no nível da condição de saúde. Em contraste, o modelo que eleva toda a massa de prestadores perpetua o círculo vicioso, no qual muitos prestadores com escala insuficiente carecem das capacidades necessárias para alcançar excelência.

A competição baseada no valor dos resultados é o único antídoto para os problemas de ineficiência e de qualidade que infestam o sistema de saúde. Prestadores com resultados abaixo do padrão se sentirão altamente motivados a melhorá-los. Os que permanecerem ineficientes ou que não conseguirem prestar o atendimento apropriado perderão pacientes. A taxa de erros cairá. Quando os prestadores tiverem que competir em resultados, o problema de demanda acionada pela oferta, caso em que a capacidade disponível leva a um atendimento com benefícios questionáveis, desaparecerá em grande parte.

A ausência de competição baseada em valor condenará as prescrições de reforma a permanecerem no espectro político. O pagamento por desempenho só elevará os custos se os prestadores ganharem mais em razão da conformidade dos seus processos mas não tiverem que competir pelos resultados. Alguns observadores argumentam que um monopólio saudável – como um único pagador ou um único plano de saúde integrado servindo uma região geográfica – evitará a duplicação e as ineficiências do sistema atual. Mas a história mostra que monopólios verdadeiramente saudáveis e eficazes são raros. A competição em resultados é uma rota muito, muito mesmo, mais confiável em direção à eficiência, à qualidade e a rápidas melhorias em valor. O sucesso no atual sistema depende imensamente de liderança pessoal e extraordinária visão para contrabalançar a competição de soma zero. Com a competição em resultados, entregar valor não será mais uma questão discricionária.

A competição baseada em valor focada em resultados vai muito além da assistência à saúde dirigida pelo consumidor. Os consumidores só conseguirão desempenhar um papel maior no seu atendimento e fazer melhores escolhas se os prestadores e os planos de saúde realinharem a competição em torno dos resultados aos pacientes e disseminarem as informações e orientações relevantes. A reforma não exige que os consumidores se tornem especialistas em medicina ou que gerenciem o seu próprio atendimento; ela exige que os prestadores e planos de saúde adotem a competição baseada em valor, o que permitirá que os consumidores façam melhores escolhas e sejam mais responsáveis. Quando os médicos forem levados a competir em resultados – melhorando assim tanto a qualidade quanto a eficiência – mesmo os consumidores com baixo ou nenhum nível de informação e envolvimento serão beneficiados. *Como criar competição em resultados através de todo o sistema e os tipos de informações que precisam ser mensuradas, analisadas e disseminadas aparecem como temas recorrentes ao longo deste livro.*

Quando a competição em resultados estiver funcionando no nível adequado, ela se reproduzirá por todo o sistema, com efeitos que se pode começar a imaginar. Não haverá necessidade de predeterminar a melhor forma de estruturar o sistema, de especificar os processos de tratamento a serem usados, de ditar como os sistemas de TI devem ser projetados ou que novas tecnologias devem ser adotadas. Se cada ator no sistema tiver que mensurar e relatar os resultados, o orgulho profissional motivará a implementação de melhorias. Se cada ator tiver que competir por cada cliente/associado, segurado ou paciente, as melhorias e inovações ocorrerão mais rapidamente ainda.

A competição baseada em valor e focada em resultados levará a grandes melhorias em valor para todos os cidadãos, inclusive os de baixa renda. A qualidade melhorará em todas as pontas, inclusive nos prestadores que atendem aos pobres. À medida que o valor ao paciente melhorar, a sociedade terá mais recursos para proporcionar mais serviços. Neste livro, traçamos um caminho para a cobertura universal, que a competição baseada em valor tornará financeiramente mais acessível. O atendimento primário e preventivo pode ser estendido a todos os cidadãos, que, por sua vez, serão capazes de produzir economias na forma de poupança. Finalmente, a obrigatoriedade de mensuração dos resultados significará que o atendimento abaixo dos padrões, a qualquer grupo, inclusive os minoritários e os de baixa renda, ficará mais evidente do que nunca. Todos os prestadores sofrerão uma grande pressão para fornecer tratamento excelente a todos os pacientes. A mensuração dos resultados, mais do que qualquer outra política, é a melhor maneira de eliminar do sistema o atendimento abaixo dos padrões.

A mudança para a competição baseada em valor vai exigir mudanças significativas por todos os integrantes do sistema. No entanto, o sistema pode, e vai, mudar de dentro para fora. Cada participante do sistema pode melhorar significativamente o valor, e colher os resultados, mesmo que nada mais mude no sistema.

A estrutura deste livro

Este livro começa descrevendo o desempenho insatisfatório do sistema de saúde dos EUA, as suas causas e as razões pelas quais as reformas anteriores não alteraram a trajetória do sistema. Em seguida, apresenta os princípios da competição baseada em valor focada em resultados, necessários para reformar de fato o sistema, e os passos que cada participante do sistema precisa tomar para abraçar o novo modelo.

Capítulos exclusivos são dedicados às respectivas implicações para prestadores de serviços, planos de saúde, outros participantes do sistema (fornecedores, consumidores e empregadores) e governo. Como esperamos que o leitor se concentre no capítulo correspondente ao seu papel no sistema, incluímos nesses capítulos exclusivos uma breve revisão de alguns dos princípios básicos da competição baseada em valor. Contudo, como o valor entregue pelos participantes do sistema pode ser afetado pelas escolhas dos demais participantes, aconselhamos nossos leitores que leiam o livro inteiro.

O Capítulo 1 detalha os assombrosos desafios de desempenho enfrentados pelo sistema de saúde dos EUA, em termos de custo e qualidade. Ele se apóia em evidência extraída de um amplo espectro de fontes e estudos, que, no seu conjunto, sublinham a profundidade e a abrangência do problema.

O Capítulo 2 aborda as causas do problema. Descreve a competição de soma zero nos custos, que infestou o sistema, e por que ela se alastrou. Fundamentalmente, a competição ocorreu no nível errado e nas coisas erradas, como resultado de uma série de incentivos oblíquos, pressupostos falsos, escolha de estratégias infelizes e regulamentações contraproducentes, que são compreensíveis porém inconsistentes com a maneira como o valor é de fato criado na prestação dos serviços de saúde.

O Capítulo 3 examina as razões do fracasso de décadas de esforços para reformar o sistema de saúde. Desde os primeiros dias dos seguros-saúde a "custos normais e razoáveis" até o surgimento do Sistema de Pagamento Prospectivo do Medicare, o advento das HMOs (Organizações de Manutenção de Saúde) e o extinto Plano Clinton, a competição não tem sido baseada em resultados, nem tem sido alinhada com valor. Os esforços mais recentes, inclusive o movimento pela assistência à saúde dirigida pelo consumidor, o pagamento por desempenho e outros esforços para melhorar a qualidade, mostram promessas de mudar o sistema na direção certa. Contudo, nenhuma das reformas propostas aborda a natureza da competição em todo o sistema. Elas, também, estão fadadas ao fracasso.

O Capítulo 4 define os princípios básicos da competição baseada em valor que terão que guiar qualquer sistema de saúde de alto desempenho. Esses princípios, extraídos da experiência em inúmeros outros setores e validados por um imenso acervo de literatura sobre assistência à saúde, descrevem a forma como a competição na assistência à saúde tem que ser estruturada. É comum o argumento de que a assistência à saúde é diferente, e que os princípios de mercado não se aplicam a esta área. É verdade que a competição de soma zero na assistência à saúde é destrutiva, mas a maior diferença é que o poder dos princípios de mercado é maior, e não menor, do que na maioria dos outros setores. Saúde melhor é, inerentemente, menos onerosa. Devido às chances de a competição baseada em valor estimular atendimento a um só tempo de melhor qualidade e menor custo, o mercado terá um potencial ainda maior na assistência à saúde se a natureza da competição for realinhada.

Os Capítulos de 5 a 8 discutem os papéis de cada um dos principais participantes do sistema na mudança para a competição baseada em valor. O Capítulo 5 examina hospitais, clínicas, grupos de médicos e médicos individuais, que são a essência do sistema e os "locais" onde a maior parte do valor é de fato fornecido. Os prestadores têm que mudar as suas estratégias, estruturas e processos gerenciais e têm que aprender a medir e a melhorar seus resultados. O capítulo elucida a estratégia e os imperativos organizacionais para os prestadores mudarem para a competição baseada em valor. Descreve os papéis geradores da cadeia de valor na prestação dos serviços de saúde, a tecnologia da informação e os processos estratégicos para o desenvolvimento de conhecimento na melhoria de valor. O Capítulo 5 contém inúmeros exemplos extraídos dos muitos prestadores que já começaram a competir em valor.

Os prestadores precisarão transpor barreiras significativas ao mudarem para estratégias baseadas em valor, especialmente no que diz respeito às práticas tradicionalmente adotadas pelos médicos e na maneira como historicamente se organizou a medicina. No entanto, já existem prestadores-líderes a um bom caminho das estratégias baseada em valor, e não é preciso esperar que os demais participantes do sistema se reformem.

O Capítulo 6 aborda o papel dos planos de saúde na competição baseada em valor. (Usamos o termo *planos de saúde*, em vez de *pagador*, porque os planos que se comportam como pagadores apenas contribuíram para os problemas do sistema.) Os planos de saúde têm sido, talvez, os atores mais criticados na assistência à saúde. Alguns formuladores de políticas defendem a completa eliminação dos planos de saúde, enquanto outros defendem a sua integração com redes cativas de prestadores.

Os planos de saúde mereceram críticas por operarem de forma extremamente desalinhada com o valor. No passado, as estratégias e práticas dos planos de saúde aumentaram a burocracia e os custos administrativos, restringiram a escolha de médicos, limitaram os serviços disponíveis aos pacientes, tentaram microgerenciar a prática médica e, de maneira geral, emperraram os trabalhos com relacionamentos adversos tanto com prestadores quanto com os clientes. Acreditamos, no entanto, que planos de saúde concorrentes ocupam uma posição singular para o desempenho de papéis importantes que agregam valor ao acionamento da competição no sistema de saúde. Para tanto, os planos de saúde precisam reorientar sua abordagem e abraçar novos papéis e estratégias. Embora muitos já tenham se afastado dos piores aspectos da velha "cultura de negação", a opinião da esmagadora maioria dos pacientes e médicos com que nos reunimos é que a transformação dos planos de saúde está apenas começando.

Alguns dos novos papéis para os planos de saúde – como apoiar ativamente os pacientes nas suas escolhas, ajudá-los a transitar pelo ciclo do tratamento/atendimento e assisti-los no gerenciamento do seu histórico médico – talvez estejam entre as mais radicais de nossas recomendações. No entanto, assim como os prestadores, um crescente número de planos de saúde já está se movimentando nessas direções. Para alguns leitores, por exemplo, parecerá utópico sugerir que os planos de saúde meçam o seu sucesso por resultados na saúde em vez de pelos custos, mas alguns planos já estão começando a fazê-lo. Da mesma forma que os prestadores, os planos de saúde que abraçarem logo os princípios de valor desfrutarão dos maiores benefícios.

O Capítulo 7 mapeia os papéis relevantes de fornecedores, consumidores e empregadores no apoio à competição baseada em valor. Cada um desses atores pode contribuir para o valor e também estimular os prestadores e os planos de saúde a fazê-lo.

Fornecedores de produtos, tecnologia e serviços médicos desempenham papéis vitais no próprio atendimento e nas inovações adotadas no atendimento à saúde. Eles são com frequência apontados como os principais culpados pelos aumentos de custo. Embora esta seja uma conclusão simplista, muitos fornecedores perpetuaram e reforçaram a competição de soma zero. Os fornecedores podem agregar mais valor do que imaginam à prestação dos serviços de saúde.

Os consumidores, na condição de clientes/associados dos planos de saúde e pacientes, deveriam ser os maiores e principais beneficiários do valor entregue pelo sistema. No entanto, com demasiada frequência, os consumidores deixam de receber informações e são participantes passivos no que diz respeito à sua saúde e ao seu atendimento. O potencial dos consumidores como catalisadores da mudança do sistema tem sido reconhecido, e livros inteiros são escritos sobre assistência à saúde dirigida pelo consumidor. Mas apesar de os consumidores terem mais informações e mais escolhas, o sistema não se modificou. Os consumidores têm de fato o poder de influenciar o sistema de saúde. Contudo, sua influência não será exercida agindo como especialistas em medicina e microgerenciando o seu próprio atendimento, mas agindo responsavelmente e estabelecendo altas expectativas pelos resultados, de forma a fazer com que outros atores no sistema desempenhem a parte que lhes compete.

Os empregadores se vêem como vítimas dos aumentos de custo da assistência à saúde. No entanto, como os principais compradores de planos de saúde, eles têm a motivação e o poder de influenciar os demais atores do sistema, inclusive os seus próprios funcionários. Cerca de metade dos planos de saúde providos por empregadores nos EUA são planos auto-segurados, que dão aos empregadores mais latitude ainda no projeto e administração desses planos. A despeito disso, os empregadores, inconscientemente, têm contribuído para o problema de competição de soma zero e perdido a oportunidade de provocar melhorias de valor no sistema de saúde. Os empregadores também têm se valido cada vez mais da transferência de custos para os empregados, em vez de se voltar para a melhoria do valor na assistência à saúde destes. Os empregadores precisarão transformar radicalmente toda a sua abordagem aos benefícios de saúde e enfocar o valor em vez da limitação dos serviços e da negociação de descontos.

Finalmente, o Capítulo 8 se volta para o papel do governo em criar condições para a competição baseada em valor. O governo tem carecido de um quadro referencial geral para as políticas de saúde e até bem recentemente focava quase que exclusivamente no controle de custo e no acesso a seguro. A reforma do sistema de saúde não estará completa sem um seguro universal obrigatório e normas consistentes para a cobertura por planos de saúde. Entretanto, os esforços de políticas não têm incorporado a visão crítica de que o papel mais importante do governo é o de possibilitar a competição baseada em valor de forma que a nação seja capaz de arcar com uma assistência à saúde de qualidade para todos os cidadãos. O governo tem uma série de papéis importantes na transformação da competição, como obrigar a coleta e a divulgação de informações sobre resultados, eliminar barreiras à competição, modificar as regras de preços e facilitar a penetração da tecnologia da informação. O funcionamento do Medicare e do Medicaid também tem que ser focado em torno do valor e da competição em resultados.

Este livro se concentra no sistema de saúde dos Estados Unidos, mas os princípios são universais. O Capítulo 8 termina com uma discussão de algumas das implicações de nossas idéias para os sistemas de saúde em outros países, acompanhada de exemplos de países que estão agindo no sentido de introduzir em seus sistemas a competição e a mensuração de resultados. Muitos países têm sistemas dominados pelo Estado ou administrados pelo Estado com pouca competição. Seus custos historicamente baixos e suas estatísticas de mortalidade favoráveis têm levado alguns a defender a idéia de os EUA se transformarem para emulá-los. Contudo, outros países avançados estão agora se deparando com taxas de aumento de custos tão aceleradas quanto as dos Estados Unidos, enquanto novas evidências estão revelando problemas alarmantes de qualidade, aparentemente tão ou mais graves do que os vivenciados nos EUA. Em muitos outros países, os líderes estão agora questionando a futura estrutura dos seus respectivos sistemas de saúde.

Acreditamos que os princípios da competição baseada em valor podem ser aplicados a qualquer sistema de saúde, não importando o seu ponto de partida em termos de estrutura. Existe em outros países um crescente reconhecimento da necessidade de transferir o foco para o valor, de introduzir competição nos sistemas dominados pelo Estado, de repensar como os prestadores estão organizados e de coletar e disseminar os resultados. Na verdade, começar de uma estrutura com amplo acesso à assistência primária pode amenizar os desafios da transição para um sistema dirigido pelo valor, que proporciona a outros países a oportunidade de progredir rapidamente.

Como ocorrerá a reformulação do sistema de saúde?

O desafio fundamental no sistema de saúde é como dar partida a um novo tipo de competição – a competição em resultados para melhorar a saúde e o atendimento aos pacientes. A competição em valor é uma competição de soma positiva da qual todos os participantes podem se beneficiar. A meta de melhorar o valor para os pacientes unirá os interesses de todos os participantes do sistema, que hoje freqüentemente têm propósitos opostos. Quando todas as partes competem para alcançar os melhores resultados médicos para os pacientes, eles estão, em última análise, perseguindo as metas que levaram muitos deles à própria profissão.

Algumas, até muitas, das idéias que discutimos aqui vieram à tona numa ocasião ou outra, nos debates sobre o sistema de saúde – por exemplo, a importância da prevenção; os benefícios da tecnologia da informação; o valor de um papel maior dos consumidores; a necessidade de ter uma coordenação melhor; e a necessidade de criar um mercado de assistência à saúde. O que tem faltado é um quadro referencial estratégico geral, no qual essas e outras idéias possam ser de fato concretizadas. A competição em resultados para melhorar o valor é uma força irresistível para transformar o sistema de saúde sem a necessidade de uma intervenção governamental de cima para baixo. A competição baseada em valor provê uma nova concepção de sistema de saúde, no que ela integra vários fios na discussão da reforma. Mais importante, ela conduz a implicações concretas e praticáveis nas esferas estratégica, organizacional, operacional e de políticas para todos os participantes do sistema, inclusive o governo.

O que nos dá certeza de que a competição baseada em valor focada em resultados é factível, e não apenas um conceito teórico? A resposta é que ela já começou. Um número crescente de prestadores, planos de saúde, empregadores, fornecedores e outros participantes do sistema vem se movimentando para competir em valor, e alguns deles estão descritos neste livro. Nenhuma das estratégias, práticas operacionais e políticas que recomendamos é teórica. Todas estão sendo implementadas, embora nenhuma organização esteja ainda perseguindo todas elas.

Quando expusemos pela primeira vez a idéia de competição baseada em valor, no artigo da *Harvard Business Review* de junho de 2004, esperávamos ceticismo, assim como tentativas de justificar as práticas atuais. O que não previmos foi a demanda reprimida por um sistema mais racional que não recorresse ao controle governamental ou que dependesse de liderança impraticável pelos consumidores. Nosso foco no valor para os pacientes e a necessidade de mudar a competição para novas dimensões coincidiram com as experiências e a intuição de muitos leitores. Nos contatos subseqüentes com inúmeros participantes do sistema de saúde, descobrimos incontestáveis sinais de uma revolução a caminho. Centenas de organizações estão abraçando alguns ou muitos dos princípios que defendemos. Até o Medicare está testando mudanças que incorporam a competição baseada em valor como nunca antes.

Esta inundação de interesse por realinhar a competição em torno de valores revela um sistema pronto para a mudança. Quase todo mundo agora compreende que o atual modelo não está funcionando e percebe a futilidade das abordagens passadas. Há uma crescente conscientização de que o verdadeiro progresso só pode ocorrer para os pacientes se mensurarmos os resultados e criarmos uma competição no nível onde o valor é de fato entregue. A competição para melhorar os resultados para os pacientes ao longo do ciclo de atendimento naturalmente irá alcançar o que sucessivos movimentos de reforma e soluções de cima para baixo não foram capazes de produzir.

Felizmente, não é preciso esperar por drásticas mudanças nas políticas ou por liderança do governo para reformular o sistema de saúde. O sistema pode, e vai, mudar em grande parte de dentro para fora. Cada participante no sistema pode dar passos voluntários, hoje, para entregar mais valor. As organizações que o fizerem se beneficiarão, mesmo que outras resistam à revolução. Os prestadores vão melhorar os seus resultados e a eficiência. Os fornecedores que trabalharem com os prestadores para melhorar os resultados para os pacientes vão fortalecer suas vantagens competitivas. Os planos de saúde melhorarão a saúde de seus clientes/associados, e economizarão dinheiro. Os empregadores que melhorarem o valor do seu benefício-saúde aumentarão a produtividade de seus funcionários e, ao mesmo tempo, reduzirão custos. À medida que cada ator abraçar mais um dos imperativos que identificamos, os benefícios aumentarão em proporções muito maiores.

As mudanças que descrevemos são auto-reforçáveis. As mudanças efetivadas pelos planos de saúde e prestadores para passarem a competir em valor irão reforçar-se e ampliar-se reciprocamente, e fomentarão inovações pelos fornecedores. À medida que consumidores e empregadores adotarem esses princípios, os prestadores e os planos de saúde ficarão mais motivados, e mais aptos, a melhorar o valor que entregam. Aqueles prestadores, planos de saúde, empregadores e fornecedores que mudarem logo para se engajar na competição baseada em valor, centrada no paciente e focada em resultados prosperarão. Aquelas organizações que defenderem as suas velhas estruturas, práticas e mentalidades ficarão para trás. Como frisamos, isso não é uma convocação para ação altruísta: as organizações que forem excelentes na entrega de valor mensurável aos pacientes se beneficiarão tremendamente.

Existe uma oportunidade sem precedentes para reformular o sistema de saúde redefinindo a natureza da competição em assistência à saúde. O talento e a energia dos muitos indivíduos extraordinários trabalhando no sistema de saúde serão deslanchados numa agenda positiva de drásticas melhorias em valor para os pacientes. Os custos ficarão sob controle e a qualidade de vida avançará significativamente. Os Estados Unidos podem liderar a transformação do sistema de saúde, o que criará benefícios contundentes para a saúde e o atendimento à saúde de todos os cidadãos.

1

Definindo o Escopo do Problema

O SISTEMA DE SAÚDE DOS ESTADOS UNIDOS está num curso perigoso, com uma combinação tóxica de altos custos, qualidade inconstante, erros freqüentes e acesso limitado à assistência. Este capítulo apresenta uma ampla variedade de indicadores que documentam o espectro de problemas que afronta o sistema. Embora, individualmente, esses indicadores possam ser questionados quanto à sua precisão ou relevância, os muitos tipos díspares de evidência, juntos, levam a uma incontestável conclusão: o sistema está falido, e a magnitude do problema nos deixa perplexos.

O custo da assistência à saúde per capita nos EUA ultrapassa o da maioria dos outros países desenvolvidos. Apesar disso, os custos nos EUA vêm se elevando em índices comparáveis. (Ver Figura 1-1.)[1] No entanto, embora altos, eles não possibilitaram mais acesso a atendimento médico nos Estados Unidos do que em outros países. Havia 45,8 milhões de norte-americanos sem cobertura médica em 2004, ao passo que em 2000 eram 39,8 milhões.[2] O acesso à assistência primária, em vez de apenas a tratamento de emergência, é essencial para proporcionar um atendimento de boa qualidade.[3] O racionamento da assistência primária é um dos problemas mais preocupantes no

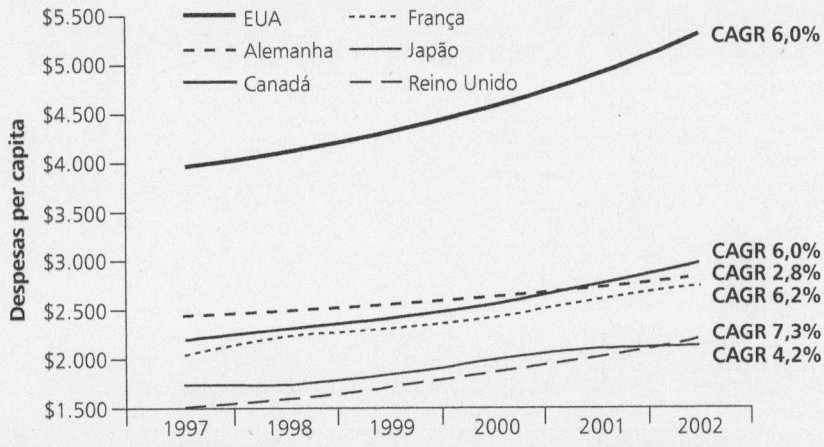

FIGURA 1-1 Total das despesas per capita com a saúde e taxa composta anual de crescimento (CAGR) nos EUA *versus* em outros países desenvolvidos.
Fonte: Dados da Organização Mundial da Saúde (2005).

sistema dos EUA. O alto custo faz com que muitos norte-americanos, inclusive alguns segurados, deixem de buscar tratamento.[4] (Ver Figura 1-2.)

Custos mais altos não seriam tão desconcertantes se os americanos achassem que estavam recebendo valor em troca do seu dinheiro, mas os consumidores não vêem retorno. Pelo contrário: os norte-americanos relatam maior insatisfação com o seu sistema de saúde do que os consumidores em outras nações desenvolvidas.[5] (Ver Figuras 1-3 e 1-4.) Pacientes de baixa renda nos EUA, que se deparam com problemas de acesso e altos custos, avaliam sua assistência à saúde em um grau pior do que o atribuído por grupos equivalentes dessas nações.

Infelizmente, a insatisfação dos americanos tem fundamento. Embora parte da assistência médica americana seja excelente, os resultados gerais não são o que deveriam ser. Os altos gastos do sistema de saúde dos EUA não resultam para os americanos em maior expectativa de vida do que a dos cidadãos de outros países desenvolvidos, nem em mais anos de boa saúde.[6] (Ver Figura 1-5.) Além disso, num estudo de indicadores de saúde envolvendo 13 países, os EUA ficaram em 12º lugar e obtiveram a pior classificação em anos de vida perdidos com doenças evitáveis antes dos 70 anos.[7] Entretanto, como será discutido no Capítulo 8, os sistemas de saúde fora dos Estados Unidos também estão enfrentando sérios problemas de qualidade (e de custo).

Outro sinal de falência do sistema é que, nessa classificação, as doenças com as quais os EUA gastam mais dinheiro não coincidem com aquelas classificadas como as que causam mais prejuízos à qualidade de vida.[8] Um extenso estudo do Institute of Medicine (IOM) sobre qualidade de assistência à saúde apontou que não há uma lacuna, mas um abismo, entre a qualidade de atendimento que os americanos deveriam receber e a qualidade do atendimento que a maioria de fato recebe. O IOM descobriu que tratamento em demasia, tratamento insuficiente e erros médicos (que o Instituto denomina *mau uso*) são assustadoramente comuns na medicina americana.[9] Não se trata de os EUA estarem atrás de outras nações em conhecimento médico; o melhor da assistência à saúde no país é de classe mundial. É a qualidade média que deixa muito a desejar.

Em todos os Estados Unidos, há uma lacuna significativa entre a melhor prática e a verdadeira natureza do atendimento dispensado. O subtratamento, e não apenas o supertratamento, é um desvio. Um estudo recente da RAND sobre 30 tipos de tratamento preventivos, agudos e de condições crônicas, em 12 áreas metropolitanas, descobriu que os americanos recebem, em média, cerca de 55% do tratamento sugerido pelas normas médicas estabelecidas.[10] Subtratamento pode refletir tanto problemas de qualidade quanto racionamento explícito do atendimento. O problema das disparidades nos tratamentos é mais extremo entre as minorias e a população de baixa renda, que vivenciam resultados ruins e excesso de mortalidade.[11]

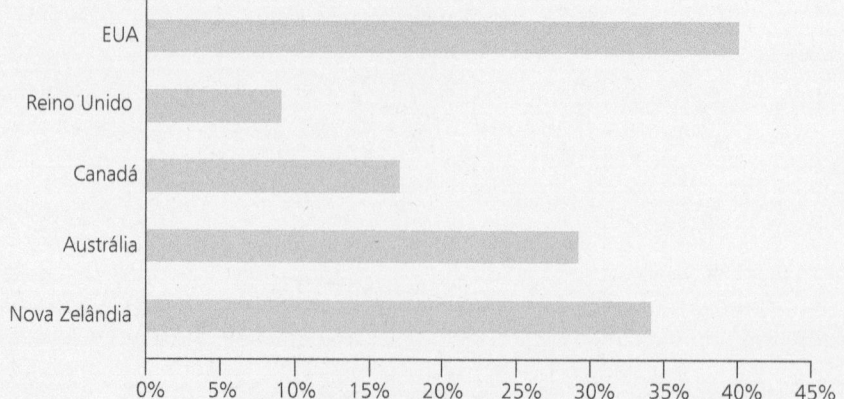

FIGURA 1-2 Porcentagem de cidadãos com problemas de saúde e que não obtiveram tratamento ou medicação devido ao custo, por país, 2004.

Fonte: Dados do 2004 Commonwealth Fund International Health Policy Survey, conforme relatado em Schoen et al. (2004).

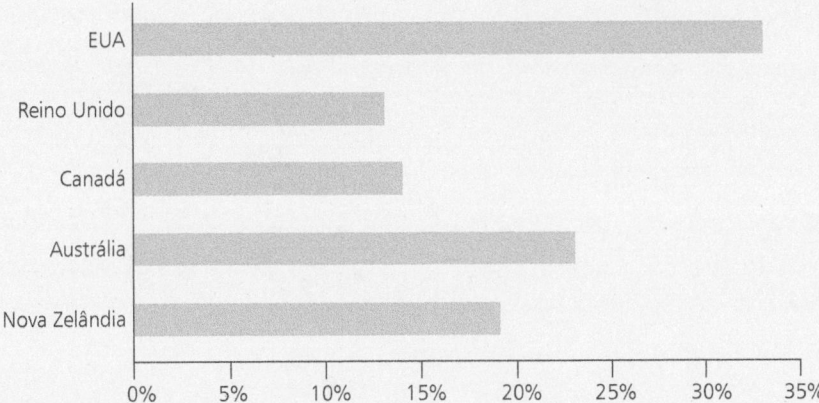

FIGURA 1-3 Porcentagem de cidadãos que acham que o sistema de saúde do seu país precisa ser reformulado, 2004.
Fonte: Dados do Commonwealth Fund International Health Policy Survey de 2004, conforme relatado Schoen et al. (2004).

O subatendimento é aproximadamente igual entre amplos tipos de tratamento, como preventivos, agudos e de condições crônicas. (Ver Figura 1-6.) Entretanto, a subtilização de tratamento é substancialmente maior no aconselhamento e no registro de anamnese do que em procedimentos intervencionistas e medicamentos. (Ver Figura 1-7.) O subtratamento é menos comum em condições como catarata e câncer de mama, mas, mesmo assim, em nenhum tipo de condição os americanos chegam a receber sequer 79% do tratamento recomendado. (Ver Figura 1-8.)

Outro problema desconcertante de qualidade no atendimento médico americano é o inaceitável índice de erros médicos. O erro médico é uma das principais causas de morte nos EUA.[12] (Ver Figuras 1-9 e 1-10.) O IOM relatou que o número anual de mortes nos hospitais, devido a erros no tratamento, ficou entre 44.000 e 98.000 em 1999. Um estudo de 2004 pela HealthGrades estimou que 195.000 pessoas morrem todos os anos em hospitais dos Estados Unidos devido a erros evitáveis de tratamento.[13] Outras estimativas chegam a números como 225.000 a 284.000 por ano.[14] Até mesmo nas estimativas mais modestas, as taxas de erro são inaceitavelmente altas. Além disso, embora as mortes em decorrência de erros em hospitais envolvam pessoas que já estavam muito doentes, os estudos de erros não levam em conta lesões não fatais relacionadas a erro médico e esti-

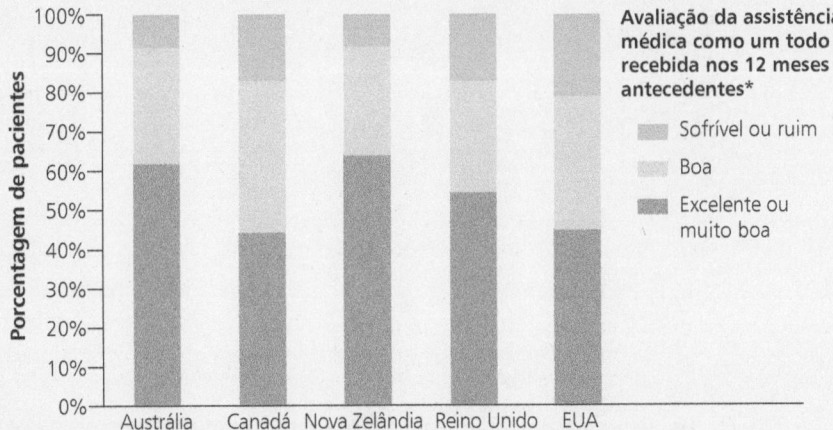

FIGURA 1-4 Satisfação dos pacientes de baixa renda nos EUA *versus* em outros países.
*Avaliação baseada em entrevistas conduzidas entre abril e julho de 2001.
Fonte: Dados obtidos de Commonwealth Fund / Harvard / Harris Interactive (2001).

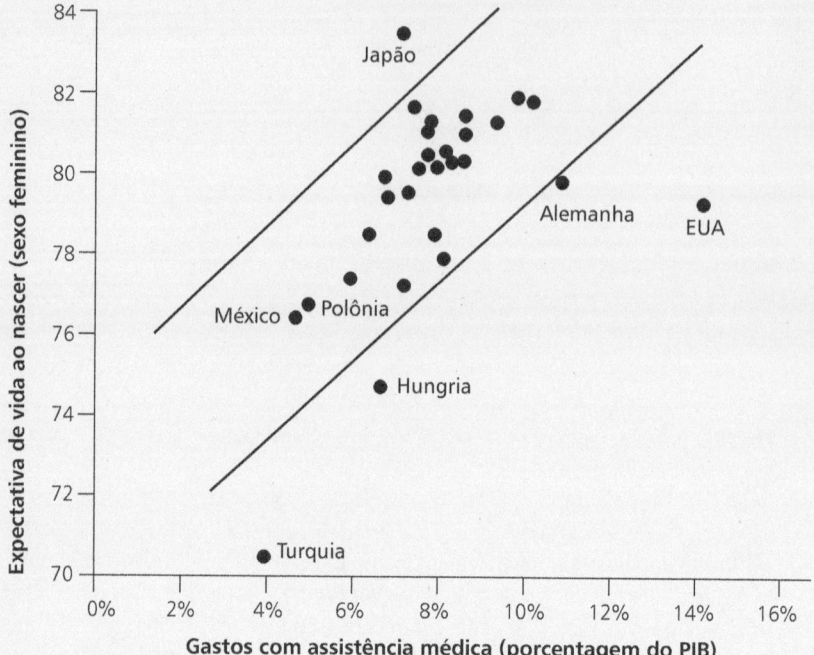

FIGURA 1-5 Relação entre gastos com assistência à saúde e expectativa de vida em 29 países da OCDE, em 1996.

Fonte: Friedman, Milton, "How to Cure Health Care." Reproduzido de *The Public Interest* 142 (Winter 2001), p. 23. Copyright 2001 da National Affairs, Inc.

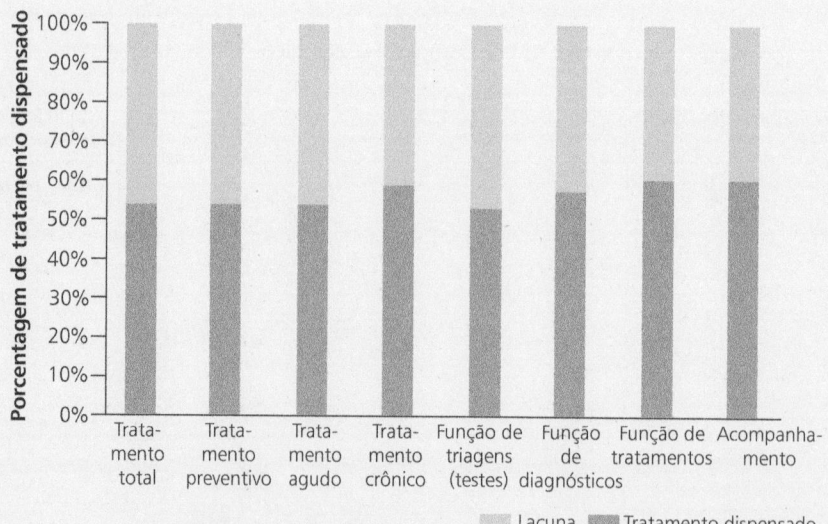

FIGURA 1-6 Lacuna entre o que sabidamente funciona e o tratamento de fato dispensado, por categoria (ampla) de tratamento.

Fonte: Dados de McGlynn et al. (2003).

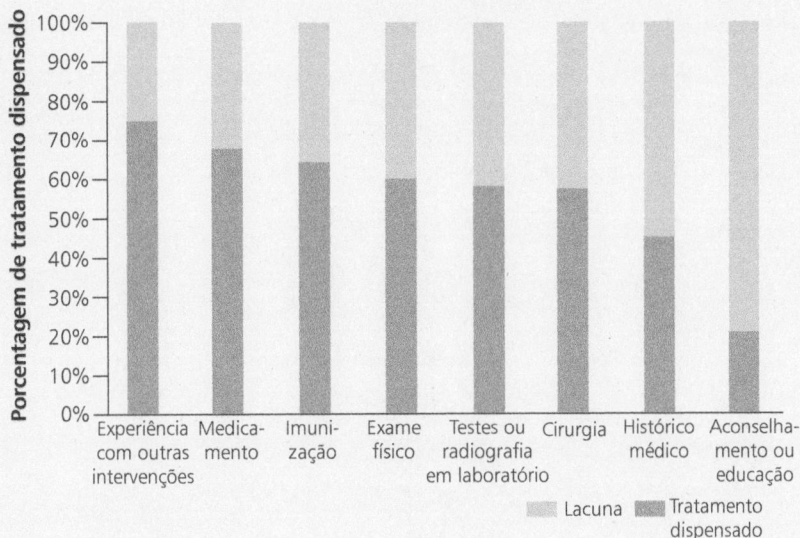

FIGURA 1-7 Lacuna entre o tratamento adequado recomendado e o tratamento dispensado, por natureza do tratamento.
Fonte: Dados de McGlynn et al. (2003).

madas em um milhão, anualmente.[15] Vários estudos sugerem que os índices de erro médico podem ser piores em outros países, como discutiremos, mas isso não diminui a urgência de se abordar o problema nos EUA.[16]

Erros com sérias conseqüências ocorrem não apenas nos tratamentos, mas também nos diagnósticos. Estudos baseados em processos judiciais por imperícia médica destacam a relevância dos erros diagnósticos. Negligência ou erros em diagnoses respondem por 30 a 40% dos pagamentos por imperícia (indenizações por sentença mais acordos extrajudiciais).[17]

Qualidade inferior não gera economias na assistência à saúde, tampouco na maioria dos outros setores. Pelo contrário, baixa qualidade leva a complicações e à necessidade de tratamentos adicionais, que elevam substancialmente os custos.[18] Por exemplo, ocorrências adversas e evitáveis com medicamentos em pacientes hospitalizados aumentam os custos para os pacientes afetados em quase US$ 4.700 por internação. (Ver Figura 1-11.)

O impacto e os custos de outros erros em pacientes hospitalizados variam muito, desde pouco ou nenhum custo adicional por traumatismo obstétrico a mais de US$ 57.000 por infecções pós-operatórias, mais de US$ 40.000 por incisões que se abrem após a cirurgia e cerca de US$ 39.000 por outras infecções induzidas pelo tratamento médico.[19] Nesse mesmo estudo, os 18 tipos de erro abordados no estudo respondiam por cerca de 32.600 mortes anuais e cerca de US$ 9,3 bilhões em acréscimo de custos. Entre os pacientes ambulatoriais, as doenças evitáveis relacionadas com medicamentos e a mortalidade custam aproximadamente US$ 77 bilhões em decorrência de consultas extras ao médico, prescrições adicionais, atendimentos na emergência, internações e necessidade de tratamento de longo prazo.[20] Os altos índices de erro médico têm levado a extensas inspeções e avaliações pela Joint Comission on Accreditation of Healthcare Organizatons (JCAHO – Comissão Conjunta de Credenciamento das Organizações de Assistência à Saúde), pela Health Plan Employer Data and Information Set (HEDIS – conjunto de indicadores criados pelo Comitê Nacional de Garantia da Qualidade para avaliação de planos de saúde) e pelos departamentos públicos de saúde, o que aumenta ainda mais os custos envolvidos.

O custo de diagnósticos incorretos ou da falta de diagnóstico é mais difícil de estimar, mas, sem dúvida, também é alto. Erros diagnósticos levam a tratamentos inapropriados ou até a tratamentos maléficos, como também à necessidade de tratamento adicional assim que a real condição de saúde

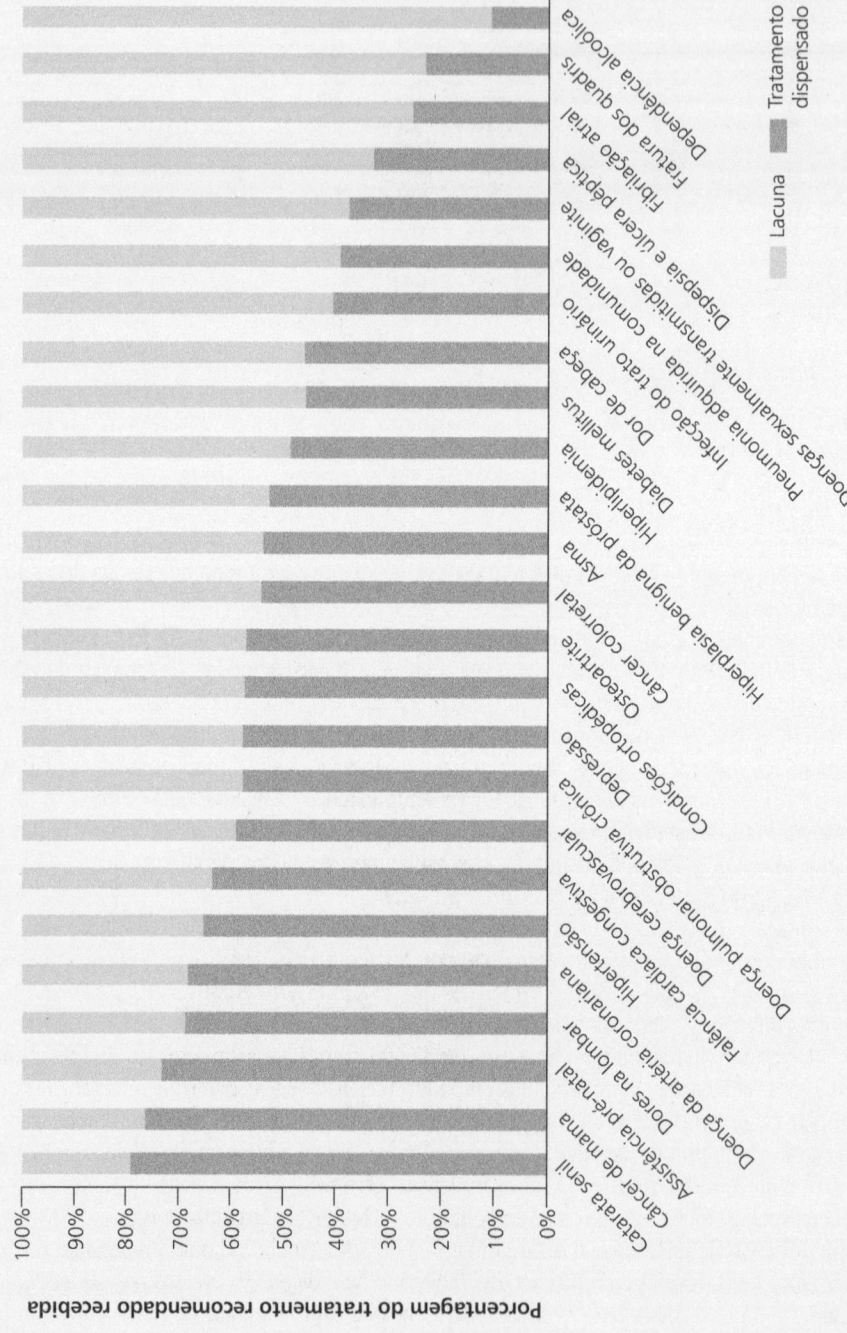

FIGURA 1-8 Lacuna entre o tratamento adequado recomendado e o tratamento dispensado, por doença específica.

Fonte: Dados de McGlynn et al. (2003).

CAPÍTULO 1 • DEFININDO O ESCOPO DO PROBLEMA   37

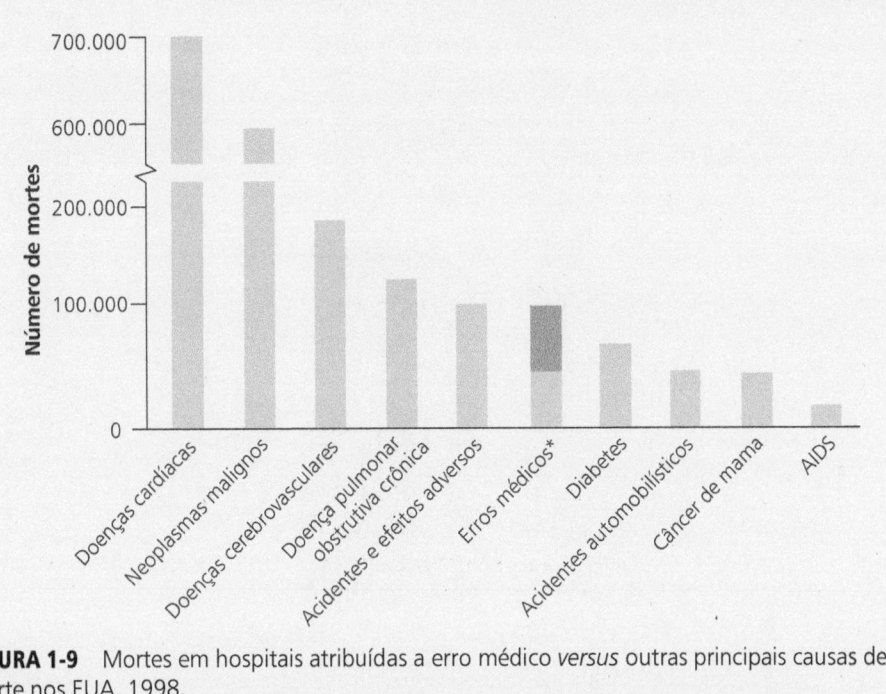

FIGURA 1-9 Mortes em hospitais atribuídas a erro médico *versus* outras principais causas de morte nos EUA, 1998.

*O Institute of Medicine estimou, em 1999, que erros médicos evitáveis matam entre 44.000 e 98.000 pessoas por ano.

Fonte: Dados de Kohn, Corrigan e Donaldson (2000), baseados em informações de 1998 dos Centers for Disease Control and Prevention, *National Vital Statistics Reports* (1999), e *Hospital Statistics* (1999), publicados pela American Hospital Association.

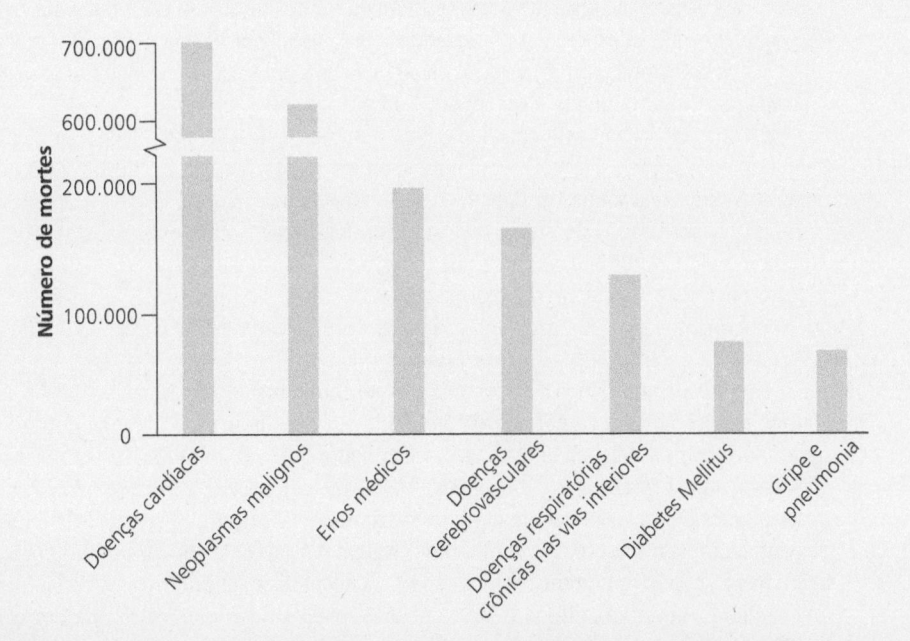

FIGURA 1-10 Mortes em hospitais atribuídas a erro médico *versus* outras principais causas de morte nos EUA, 2002.

Fonte: Dados da Andersen e Smith (2005) e cálculos da HealthGrades baseados em Zhan e Miller (2003).

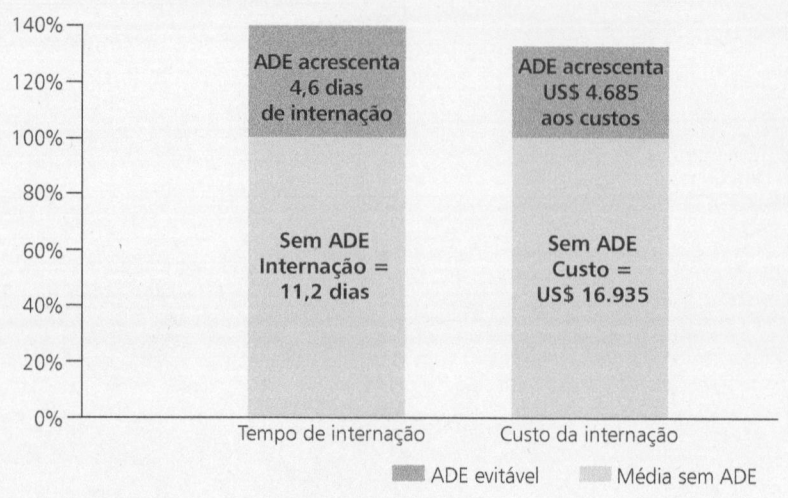

FIGURA 1-11 Custos e permanência adicionais, por paciente, em decorrência de efeitos adversos de medicamentos (ADE – *adverse drug event*) em pacientes hospitalizados.
Nota: Quase 2% dos pacientes internados sofreram um efeito adverso de medicamento.
Fonte: Dados de Bates et al. (1997).

é diagnosticada. Finalmente, tanto os erros diagnósticos quanto os tratamentos inapropriados aumentam os custos indiretos porque requerem documentação adicional e administração extra.

Existem grandes variações na prática médica e nos custos de uma região dos EUA para outra. Uma pesquisa da Dartmouth Medical School sobre o Medicare descobriu não apenas que havia muitos diferentes padrões de práticas em regiões distintas, mas também que não havia base teórica ou evidência na medicina que apoiasse essas variações.[21] Diferenças em padrões, junto com variação na freqüência de tratamento especializado e hospitalização, levam a variações regionais em custo.[22] Os estados de mais alto custo gastam quase três vezes mais por paciente do que os estados de baixo custo por despesas com pacientes internados. (Ver Figura 1-12.) Diferenças substanciais nos gastos per capita entre os estados estão presentes em todas as instâncias – com Medicare, Medicaid e gastos particulares. (Ver Figura 1-13.)

Mas alto custo não está correlacionado a maior qualidade. As regiões com gastos mais altos não têm mais acesso, melhores resultados, maior satisfação, menor mortalidade ou acesso facilitado à assistência à saúde.[23] Existe também evidência de uso excessivo de tratamentos. Em regiões com alta concentração de especialistas, existe mais gastos com especialistas e no tratamento no final da vida. Contudo, esses mesmos lugares são menos prováveis de usarem padrões de tratamento eficazes e medicamente reconhecidos para todos os pacientes.[24] Em oposição, os lugares com tratamentos mais eficazes têm gastos menores, e uma maior porcentagem dos tratamentos é dispensada por clínicos gerais. (Ver Figura 1-14.)

A qualidade também varia acentuadamente entre prestadores, até na mesma região. No estudo sobre insuficiência de atendimento conduzido por McGlynn et al., alguns prestadores cumpriam 100% das normas estabelecidas, mas a vasta maioria ficava longe disso. Outros estudos minuciosos revelam enormes variações nos resultados ajustados a risco entre prestadores de áreas como transplantes de órgãos, cirurgia cardíaca e tratamento de fibrose cística.[25] Além disso, as diferenças de qualidade entre os prestadores no tratamento de determinadas condições não condizem com os pressupostos comuns. Por exemplo, os hospitais comunitários registram resultados iguais ou melhores em alguns tipos de tratamento a preços mais baixos do que em centros médicos acadêmicos.[26]

Parte do problema é que a difusão do conhecimento médico é lenta.[27] Leva, em média, 17 anos para os resultados de testes clínicos se incorporarem à prática clínica padrão.[28] Inúmeros estudos

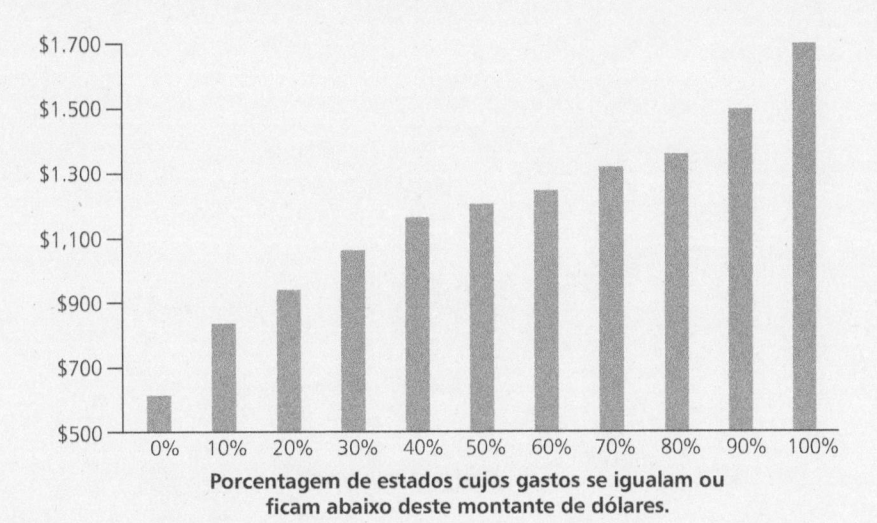

FIGURA 1-12 Distribuição cumulativa de despesas por dia de internação nos 50 estados dos EUA mais Porto Rico, 2001.
Fonte: Dados da American Hospital Association (2003).

chegaram a conclusões similares.[29] Essa grande demora – muito mais longa do que na maioria dos setores industriais – contribui para uma qualidade baixa e desigual.

Despesas relativas a seguro contra imperícia médica e indenizações de processos judiciais aumentam ainda mais os custos da má qualidade. Os preços de seguro de responsabilidade civil profissional estão crescendo numa proporção sem precedentes, sendo que os médicos nos EUA gastam mais de US$ 6 bilhões por ano em seguro contra imperícia médica, além dos bilhões de dólares gastos anualmente por hospitais e asilos.[30] Mais grave do que o custo de seguro pode ser a ameaça de ações judiciais por imperícia, o que faz com que os médicos pratiquem a medicina "defensiva" na forma de testes desnecessários, diagnósticos em excesso e tratamentos redundantes para convencer os pacientes e suas respectivas famílias de que foi feito tudo possível. Isso aumenta ainda mais os custos e reduz potencialmente a qualidade, criando um círculo vicioso.

Por fim, o atual sistema tem resultado em custos administrativos extraordinariamente altos e em elevação. Os encargos administrativos são altos em todos os tipos de atendimento à saúde, com poucos benefícios aparentes em termos de assistência ao paciente.[31] Os levantamentos indicam que tanto médicos quanto enfermeiros gastam de um terço a metade do seu tempo com papelada.[32] (Ver Figura 1-15.) Mesmo que essas porcentagens sejam exageradas, os índices permanecem absurdamente altos. No todo, as despesas administrativas estimadas da assistência à saúde equivalem a surpreendentes 25% do total das despesas hospitalares e estima-se que cheguem a 30% de todos os gastos com a assistência à saúde.[33] Mesmo depois de a assistência gerenciada ter se tornado a norma, os custos administrativos, que a assistência gerenciada* se propunha a reduzir, continuaram crescendo em todos os Estados Unidos.[34] (Ver Figura 1-16.)

Embora o ritmo de crescimento dos preços de seguro tenha desacelerado no início dos anos 90, os custos voltaram a decolar em meados da mesma década. Os aumentos anuais dos preços de seguro nos EUA de 1996 a 2003 superaram em quatro vezes o crescimento dos salários e em seis vezes a inflação. (Ver Figura 1-17.)

Os problemas de custo e qualidade da medicina norte-americana fizeram da assistência à saúde uma preocupação crítica para todas as empresas. Os empregadores não apenas compram planos

---

* N. de R.: *Managed care*, no original.

FIGURA 1-13 Gastos médios da Medicaid, Medicare e instituições privadas por beneficiário, por estado, 2001.

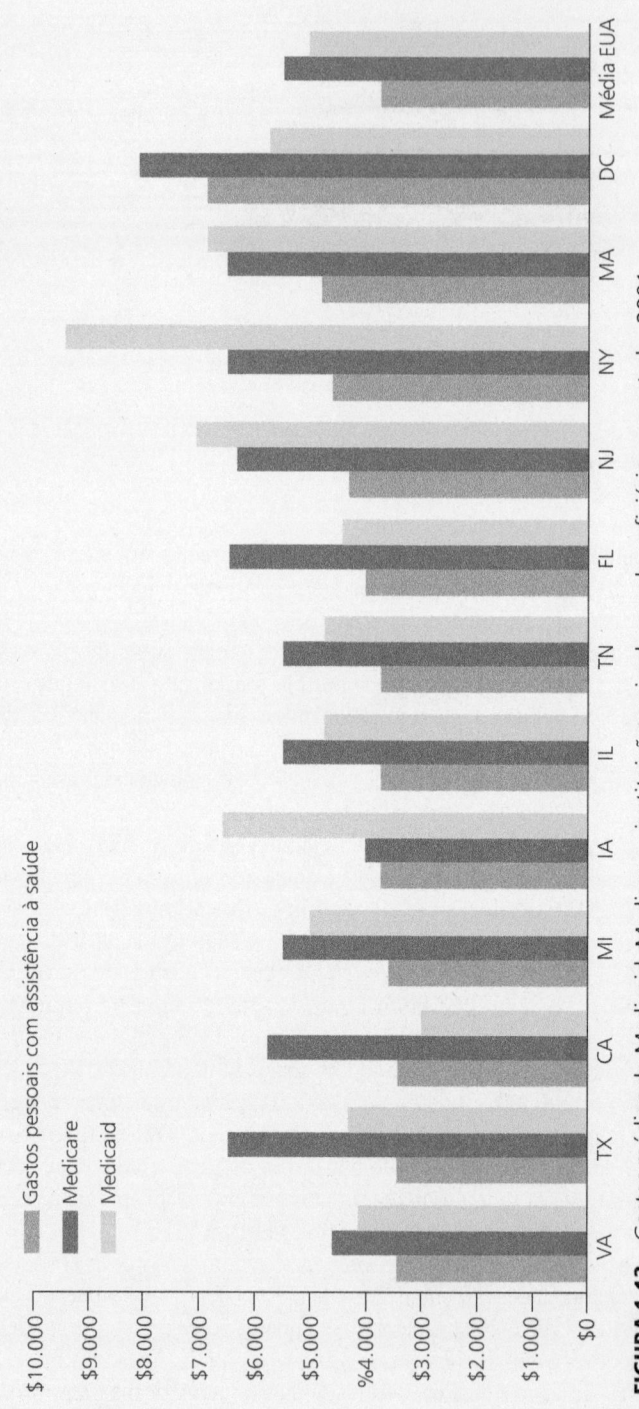

Fonte: Dados dos Centers for Medicare and Medicaid Services, Office of the Actuary, National Health Statistics Group, conforme relatado em Martin et al. (2002).

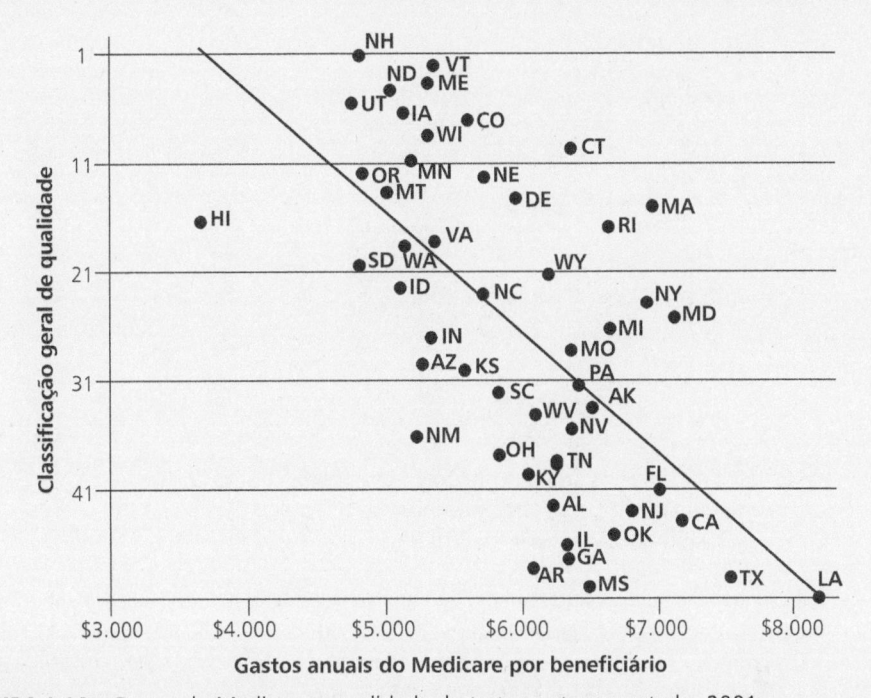

FIGURA 1-14 Gastos do Medicare e qualidade do tratamento por estado, 2001.
Fonte: Baicker, K. e A. Chandra, "Medicare Spending, the Physician Workforce, and Beneficiaries' Quality of Care", *Health Affairs* Online. Copyright 2003 do Project Hope. Reproduzido com permissão do Project Hope por intermédio do Copyright Clearance Center.

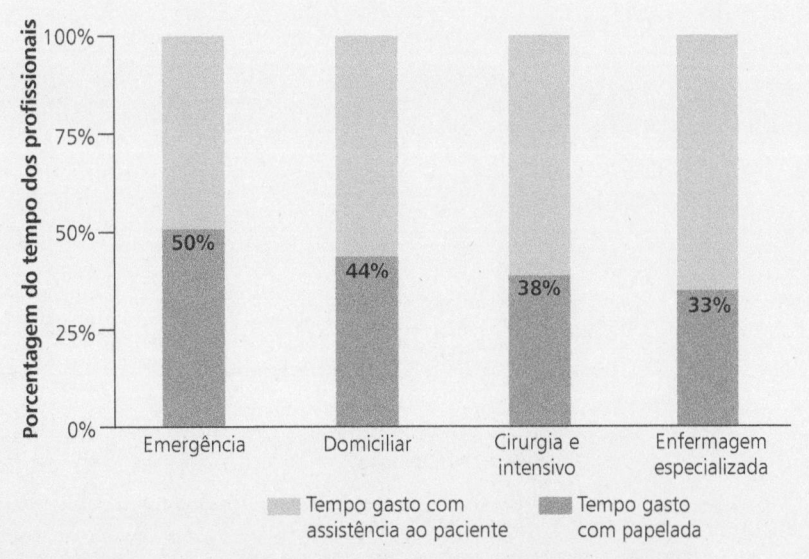

FIGURA 1-15 Carga administrativa (tempo) por tipo de assistência prestada.
Fonte: Dados da PricewaterhouseCoopers e da American Hospital Association (2001).

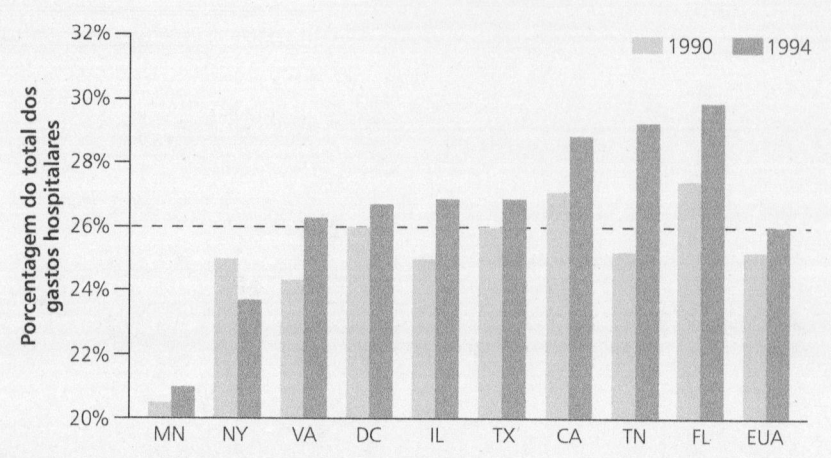

FIGURA 1-16 Custos administrativos da assistência à saúde, por estado (EUA), como porcentagem do total dos gastos hospitalares, 1990 e 1994.
Fonte: Dados de Woolhandler e Himmelstein (1997).

de saúde de terceiros, mas também, em muitos casos, atuam como auto-seguradoras, arcando diretamente com o custo da assistência à saúde e com as conseqüências dos problemas da qualidade. O preço mensal médio do seguro-saúde por empregado subiu de aproximadamente US$ 300 em 1996 para cerca de US$ 600 em 2004. (Ver Figura 1-18.) De fato, a General Motors relata que o preço do seguro-saúde acrescenta US$ 1.500 ao preço de cada veículo que ele fabrica nos EUA.[35] A Ford Motor Company relatou um montante de US$ 1.000 em 2003, em comparação a US$ 700 três anos antes.[36]

Ainda assim, esses aumentos de preço do seguro-saúde não revelam toda a gravidade do problema, porque a cobertura para os empregados segurados passou a ser menor. Além disso, os empregadores elevaram o percentual de contribuição do funcionário no pagamento do seguro-saúde. Embora os empregadores tenham absorvido os aumentos de custo, as contribuições ao pagamento do seguro se elevaram de uma média de 31% a 35% para cobertura individual e de 50% a 57% para cobertura familiar somente em 2003, quando salários aumentaram em média apenas 3%.[37]

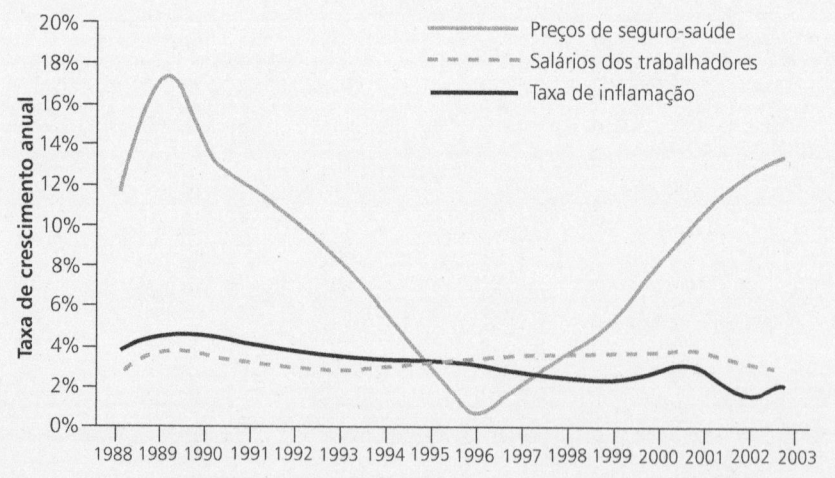

FIGURA 1-17 Crescimento anual dos preços de seguro-saúde nos EUA *versus* inflação e salários.
Fonte: "Employer Health Benefits 2003 Annual Survey" (#3369), The Henry J. Kaiser Family Foundation and Health Research and Educational Trust, September 2003. Estas informações foram reimpressas com permissão da The Henry J. Kaiser Family Foundation. A Kaiser Family Foundation, sediada em Menlo Park, Califórnia, é uma instituição filantrópica nacional de assistência à saúde, independente e sem fins lucrativos, e não tem nenhum vínculo com a Kaiser Permanente ou com a Kaiser Industries.

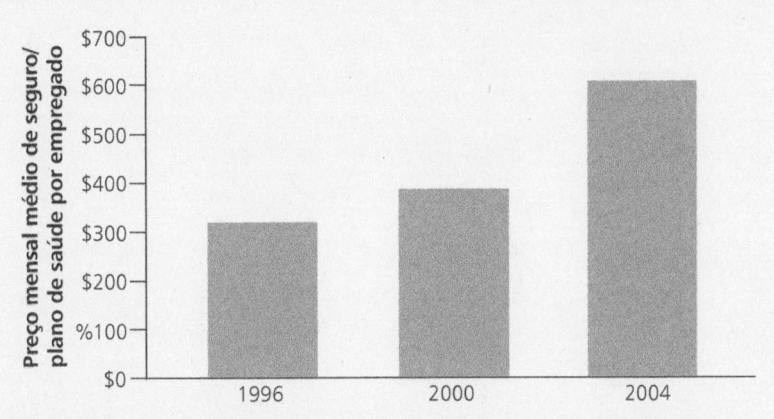

FIGURA 1-18 Valor mensal médio pago pelos empregadores a seguros/planos de saúde, por empregado, 1996-2004.
Fonte: Dados da Kaiser Family Foundation and Health Research and Educational Trust (2004).

Um levantamento junto a grandes empresas revelou que 96% dos CEOs e CFOs estavam preocupados com os custos da assistência à saúde em 2004.[38] Um outro levantamento junto a empregadores de menor porte descobriu que 22% deles estavam considerando terminar com o benefício-saúde por razões de custo e que 74% acreditavam que o sistema de saúde precisava de uma reforma significativa por parte do governo.[39]

Juntos, esses indicadores apontam claramente para a mesma conclusão: o sistema de saúde dos EUA está adernado, em vias de afundar. Se a atual trajetória de desempenho continuar sem uma mudança significativa, o problema se intensificará à medida que a geração *baby-boomers* envelhece. Os problemas de acesso se acumularão, o racionamento será cada vez mais provável e as promessas de qualidade irão se dissipar ainda mais.

Como a situação chegou a esse ponto? Na maioria das indústrias, a competição leva a melhorias contínuas em qualidade e eficiência, uma vez que organizações excelentes crescem e ganham mais fatias de mercado e as organizações ineficazes vão encolhendo e acabam fechando as portas. Na assistência à saúde, a competição obviamente não está funcionando. Explicar esse desconcertante resultado e o paradoxo de gastos mais elevados não terem provocado melhorias no atendimento é um primeiro passo vital em qualquer esforço de reforma do sistema. Somente com um diagnóstico preciso a nação poderá encontrar uma cura eficaz.

2

Identificando as Causas-Raízes

POR QUE A COMPETIÇÃO no sistema de saúde não está funcionando? Para compreender esse problema, compare a natureza da competição na assistência à saúde à existente nos demais setores.

Competição em valor com soma positiva

Competição saudável é aquela que melhora o valor para os clientes, ou a qualidade dos produtos ou serviços em relação ao preço. Ela leva a incessantes melhorias em eficiência. A qualidade dos produtos e dos serviços aos clientes aumenta. A inovação promove avanços no estado da arte. Os preços ajustados à qualidade caem e o mercado se expande para atender às necessidades de mais consumidores. A escolha amplia à medida que as empresas se esforçam para distinguir seus produtos ou serviços dos das suas rivais. Empresas excelentes prosperam enquanto empresas com baixa qualidade, serviços ruins ou altos custos saem do mercado, a menos que implementem melhorias fundamentais nas suas operações. Esse é o retrato da competição baseada em valor, mas o que vemos hoje no sistema de saúde está muito longe disso.

A competição baseada em valor é uma soma positiva. Quando o valor melhora, tanto empresas capazes quanto os consumidores se beneficiam. Empresas que encontram formas singulares de fornecer um valor superior são vencedoras e são recompensadas com mais negócios. Mas os consumidores também vencem, na medida em que a qualidade aumenta e os preços caem. Quanto mais empresas encontrarem formas de fornecer um alto valor aos clientes, mais vencedores teremos. Os únicos derrotados serão as empresas que deixarem de entregar um bom valor.

A competição baseada em valor é o tipo de competição que vemos em praticamente todos os ramos de negócios: varejo, transporte aéreo, serviços financeiros, indústria aeroespacial e serviços de computadores. Tal competição já transformou setores antes regulamentados, como o de telecomunicações e o de transporte de carga rodoviário, bem como economias escleroasadas, como as do Leste Europeu, com benefícios extraordinários.

Os efeitos benéficos da competição são com freqüência tomados como coisa certa em países como os EUA. Quando as pessoas compram novos computadores com muito mais capacidade, velocidade e memória pelo mesmo preço que os antigos, elas estão se beneficiando da competição produtiva. Quando os serviços por caixas automáticos ou pela Internet tornam o atendimento bancário possível a qualquer hora e quando os carros se tornam mais seguros, mais confortáveis e livres de defeitos, a competição baseada em valor está em funcionamento.

Mas para muitos indivíduos – e isto é particularmente verdadeiro na assistência à saúde – a palavra *competição* evoca uma imagem diferente. Muitos vêem a competição como semelhante a um evento esportivo: embora alguém ganhe, muitos outros têm que perder porque todos os concorrentes estão competindo pelo mesmo e único prêmio. Outros vêem a competição como análoga à guerra. Aqui, de novo, vencer implica derrotar o "inimigo", o que é destrutivo. Muitos igualam a competição a cortes de preço e inevitável redução da qualidade. A idéia de que a competição leva a uma duplicação perdulária é também profundamente arraigada.

Esses conceitos de competição desconsideram o papel central do valor. A competição que não melhora o valor, redividindo o bolo em vez de ampliá-lo, é de soma zero.[1] Na competição de soma zero, ninguém vence de fato, muito menos o cliente. Na verdade, esse tipo de competição pode até mesmo corroer o valor, porque os custos envolvidos na competição às vezes não geram benefício algum para o consumidor.

Competição de soma zero na assistência à saúde

Argumenta-se que a competição não funciona no sistema de saúde porque a assistência à saúde é diferente: é complexa; os consumidores não entendem a prática da medicina; os serviços são altamente customizados; e os seguradores, os empregadores ou o governo pagam pela maior parte das despesas com os tratamentos.[2] Apesar de o setor de assistência à saúde ter, de fato, muitas dessas características, o mesmo se dá com outros setores industriais nos quais a competição funciona bem. Por exemplo, o negócio de desenvolvimento de *software* e serviços de tecnologia da informação sob medida para grandes corporações é customizado e muito complexo. No entanto, ajustados à qualidade, os custos da computação empresarial caíram drasticamente na década passada.

Outros argumentam que o problema na assistência à saúde é a competição *em demasia*. A competição é acusada de causar redundância, excesso de investimentos e desperdício de custos administrativos. A competição por parte de hospitais ou clínicas ambulatoriais especializados é vista como um dreno nas receitas dos hospitais comunitários. Já entre os médicos, é vista como causadora de um sobrefornecimento de serviços.

Embora esses sintomas sejam reais, a falha fundamental no setor de assistência à saúde não é a competição, mas o *tipo errado de competição*. A competição em assistência à saúde não está focalizada em entregar valor aos pacientes. Em lugar disso, ela se tornou uma competição de soma zero: os participantes do sistema lutam para dividir o valor, enquanto o poderiam estar aumentando. Embora a assistência à saúde ofereça um enorme valor, os custos desnecessários da competição de soma zero solapam e corroem esse valor. Foi a competição de soma zero na assistência à saúde que criou os inaceitáveis resultados que detalhamos no capítulo anterior: altos custos, qualidade baixa ou variável, tratamento insuficiente ou em demasia, muitos erros evitáveis em diagnósticos e tratamentos, restrições na escolha, racionamento de serviços, acesso limitado e uma enorme quantidade de ações judiciais.

A competição de soma zero na assistência à saúde se manifesta de várias formas, sendo que nenhuma delas gera valor para os pacientes:

- Competição para transferir custos
- Competição para aumentar o poder de negociação
- Competição para captar pacientes e restringir a escolha
- Competição para reduzir custos restringindo os serviços

Cada um desses tipos disfuncionais de competição tem consequências lastimáveis.

Competição para transferir custos

A atual competição na assistência à saúde busca a transferência de custos em vez de redução fundamental de custos. Todos os participantes do sistema procuram diminuir seus próprios custos transferindo o ônus para outras partes do sistema. Os custos são transferidos do pagador para o paciente, do plano de saúde para o hospital e vice-versa, do hospital para o médico, do plano de saúde para os clientes/associados, do empregador para o empregado, do empregador para o governo, do segurado para o não-segurado, do governo para os seguradores privados, dos estados para a união, e assim por diante. Até os pacientes tomam parte nesse jogo de transferência de custos. Eles tentam usar influência política e os poderes legislativo e judiciário para obter maior cobertura dos planos de saúde e maiores contribuições do governo.

Passar os custos de um participante para outro como em um jogo de batata quente não gera valor líquido de espécie alguma. Em vez disso, os ganhos de um participante do sistema são auferidos a expensas dos outros. Toda essa transferência de custos faz absolutamente nada em termos de melhorar a assistência à saúde. Ela desvia os participantes do sistema de passos que melhorariam o valor, e os custos administrativos adicionais e as ineficiências geradas no caminho na verdade corroem o valor.

As Figuras 2-1 e 2-2 revelam esse padrão de comportamento. A Figura 2-1 mostra que as reduções nos custos hospitalares para os pagadores públicos no final dos anos 80 levaram a pagamentos mais elevados pelos pagadores privados no início dos anos 90. Em meados dessa década, o declínio dos custos para os pagadores privados serviu apenas para transferir custos aos pagadores públicos. No todo, como mostrado na Figura 2-2, os custos continuaram a subir. Os gastos totais nacionais mais do que dobraram, de US$700 bilhões em 1990 para US$1,9 trilhões em 2004.[3]

Competição para aumentar o poder de negociação

A luta para transferir custos gera fortes incentivos para os participantes do sistema acumularem maior poder de negociação e usá-lo a fim de garantir mais valor para si mesmo, em vez de focar a melhoria dos resultados da saúde, aumentar a eficiência ou melhorar a experiência dos pacientes. Como conseqüência, os planos de saúde, os grupos de hospitais, os grupos de médicos e os fornecedores de medicamentos e dispositivos médicos se consolidaram nos últimos anos. Ao mesmo tempo, intermediários, como grupos de compras e gerentes de benefícios farmacêuticos (PBMs – *pharmacy benefit managers*) cresceram e agora agregam compras e valem-se do poder de negociação. O principal objetivo tem sido ganhar mais influência na batalha a fim de captar mais receitas, elevar os preços, empurrar os custos para os outros e conseguir descontos. Os ganhos em qualidade e eficiência alcançados com essas consolidações são modestos; pouco ou nenhum valor é gerado em termos de assistência à saúde.

Poder de negociação dos planos de saúde. No início dos anos 90, grandes empregadores e grandes planos de saúde aumentaram seu poder de negociação estruturando os benefícios dos optantes pelo plano, passando a incluir somente os prestadores conveniados com o pagador. Os planos de saúde então firmaram convênio apenas com aqueles prestadores que concordaram em oferecer preços com desconto para o grupo. Isso disparou uma competição entre hospitais e sistemas de hospitais para serem incluídos nas redes credenciadas pelos planos de saúde, sendo o método básico da disputa oferecer maiores descontos para pagadores e empregadores que tivessem maiores populações de pacientes. A taxa de aumento dos custos dos planos de saúde desacelerou temporariamente, mas logo voltou a crescer. (Ver Figura 1-17.)

O problema é que há pouca ou nenhuma lógica econômica para esse tipo de desconto por volume. Para a mesma condição de saúde, o tratamento de um funcionário de uma grande empresa não custa menos do que o tratamento de um profissional autônomo. A prestação de um serviço de

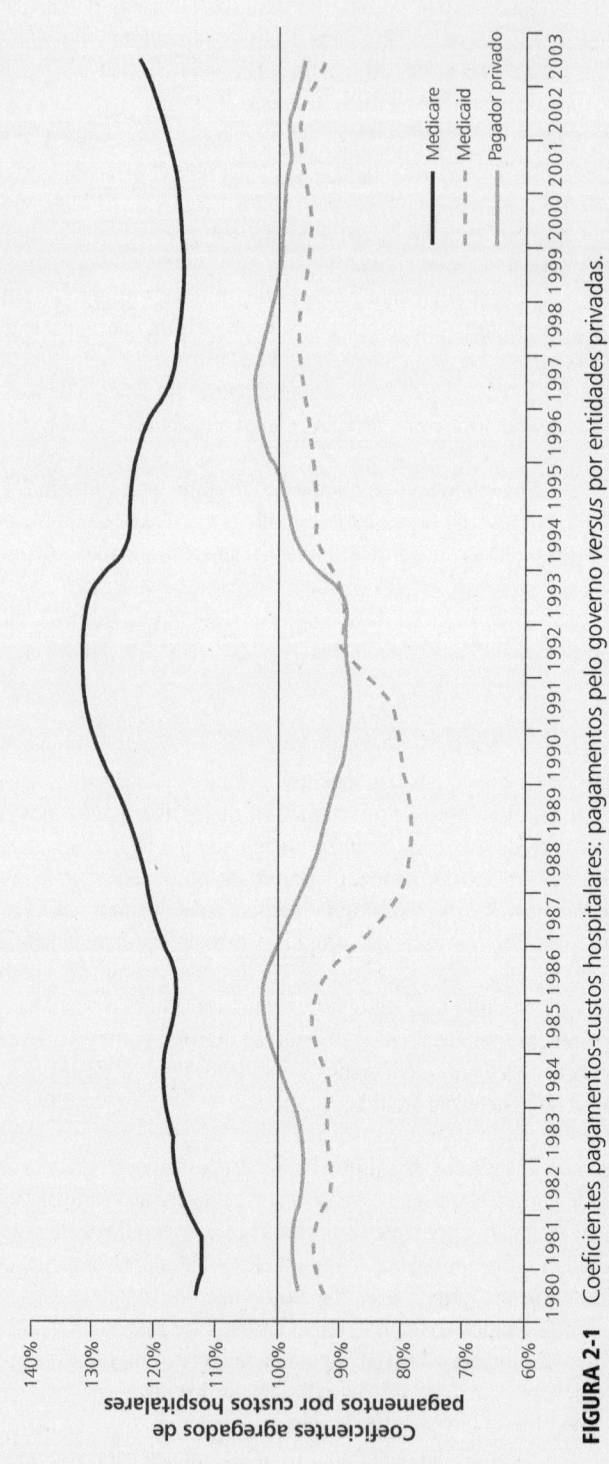

FIGURA 2-1 Coeficientes pagamentos-custos hospitalares: pagamentos pelo governo *versus* por entidades privadas.

Fonte: Análise pelo The Lewin Group dos dados dos levantamentos anuais, 1980–2003, da American Hospital Association, para hospitais comunitários, e U.S census Bureau. Em The Lewin Group and the AHA, *TrendWatch Chartbook 2005*: "Trends Affecting Hospitals and Health Systems." Usado com permissão.

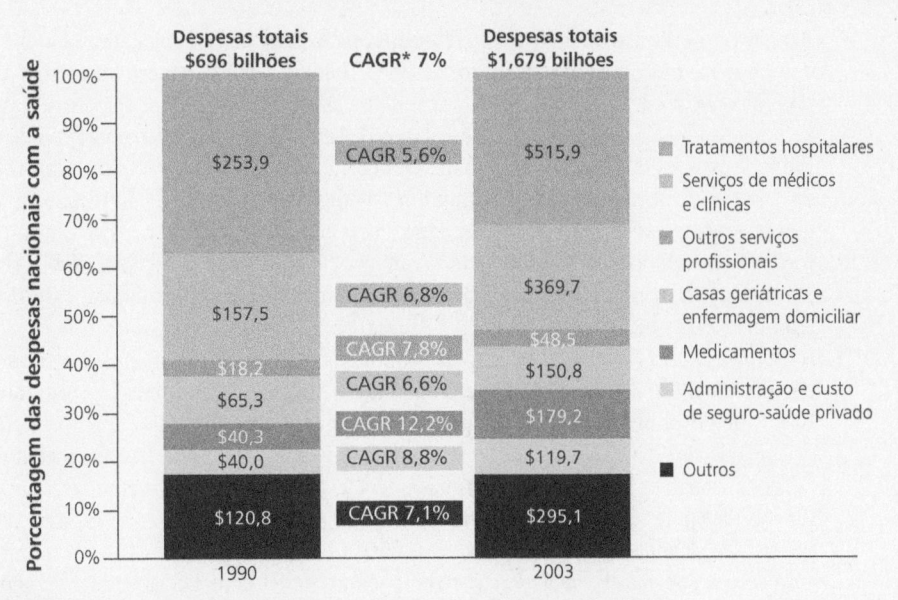

FIGURA 2-2 Despesas dos EUA com o sistema de saúde, 1990 e 2003.

*CAGR: taxa composta anual de crescimento.

Fonte: Dados do Center for Medicare and Medicaid Services, Office of the Actuary, National Health Statistics Group. http://www.cms.hhs.gov/statistics/nhe/historical/t2.asp.

assistência à saúde não se torna mais eficiente só porque um hospital trata o dobro de pacientes numa ampla faixa de doenças; os pacientes continuam sendo tratados um de cada vez e de acordo com suas circunstâncias particulares. Qualquer economia de escala significativa na prestação de um serviço de assistência à saúde depende das peculiaridades das condições de saúde e respectivos tratamentos, como discutiremos nos Capítulos 4 e 5.[4] Portanto, descontos indiscriminados com o intuito de atrair um grande grupo não aumentam o valor e sim diminuem a renda dos hospitais e médicos. Além do mais, isso gera uma grande pressão nos profissionais de saúde para que atendam a mais clientes por dia e apressem o tempo de atendimento para recuperar os lucros. O valor da assistência à saúde não sofre melhorias.

A oferta de grandes descontos em troca de fluxo maior de pacientes prejudica a comparação de preços, porque os preços cobrados pelos prestadores são diferentes para cada grupo. Esses descontos também favorecem os grandes planos de saúde e grandes empregadores em detrimento de pequenos grupos, indivíduos que não trabalham em grupo, pacientes que buscam tratamento fora da rede credenciada e, ironicamente, os não segurados – com pouca, se é que alguma, justificativa de recompensa financeira ao sistema.[5] Essa transferência de custo e subsídios cruzados prejudiciais ao sistema acabam por elevar os custos gerais – até mesmo para os grandes grupos – aumentando o número de pacientes não segurados que carecem de assistência primária e precisam ser tratados gratuitamente ou em contextos dispendiosos (instalações de emergência, por exemplo), o que, por sua vez, aumenta a quantidade de assistência gratuita a ser subsidiada.[6] A soma de toda esta transferência de custos e subsídios cruzados no sistema é zero: não gera valor para os pacientes.

Finalmente, alguns planos de saúde usaram sua influência para valer-se de capitação, pela qual os prestadores recebem uma quantia fixa per capita, ou seja por associado do grupo a cada ano para atender a todas as necessidades de saúde de todos os associados. Assim, os planos de saúde procederam a contratar apenas ou principalmente prestadores com atendimento em toda a linha de serviços. Como veremos, esses prestadores oferecem valor limitado aos pacientes e podem causar efeitos adversos na competição.

Amplitude e consolidação dos prestadores. A pressão por prestadores disparou uma outra competição, indesejável: uma corrida desenfreada e desordenada para formar o maior e mais poderoso grupo de prestadores de toda sorte de especialidade. Ainda que uma resposta natural ao aumento do poder de negociação dos planos de saúde, isso, novamente, deixou de aumentar o valor na prestação dos serviços de saúde. Os prestadores procuraram controlar uma grande parcela da capacidade de atendimento e formaram grandes redes capazes de oferecer uma gama completa de serviços de saúde para obter vantagens na contratação. Os médicos se uniram em grupos, de forma a não negociar individualmente com os planos de saúde. Mas, em ambos os casos, poucas eficiências de verdade foram ganhas, exceto por modestas oportunidades de dividir os custos administrativos indiretos.

Como já observamos, as principais economias de escala na prestação dos serviços de saúde se dão em linhas de serviço separadas, e não para o hospital como um todo. Com raras exceções, as fusões de hospitais resultaram em pouca ou nenhuma consolidação e integração de fato no nível de linha de serviço.[7,8] No lugar disso, instalou-se redundância nos serviços, mesmo quando as instalações físicas se localizavam próximas umas às outras. Economias advindas da consolidação de funções de apoio, como lavanderia, alimentação e manutenção, são mínimas e eficiências similares podem ser alcançadas com terceirização. Portanto, os grupos de prestadores não foram formados para criar valor, mas basicamente para aumentar o poder de negociação junto aos planos de saúde e outros participantes do sistema.

Entre 1996 e 2003, houve mais de 850 fusões entre hospitais, resultando numa consolidação significativa em vários mercados.[9] Em Cleveland, por exemplo, dois sistemas de hospitais controlam, agora, 68% dos leitos hospitalares da cidade. Em Grand Rapids, Michigan, um sistema hospitalar controla 70% dos leitos; em Richmond, Virgínia, três sistemas controlam mais de 80%; em El Paso, Texas, dois sistemas controlam quase 80 %; e em Long Island, Nova York, dois sistemas controlam mais de 80 %.[10] No estado da Carolina do Norte, no ano 2000, somente 18 dos 100 condados eram servidos por múltiplos sistemas hospitalares.[11]

O efeito dessas consolidações nos preços é previsível. Com poucos benefícios em termos de valor, a principal conseqüência é que os preços aumentarão em função de menor concorrência. Em toda a Flórida, grandes redes de hospitais foram contempladas com aumento de preços muito acima do índice de inflação, depois de ameaçarem cancelar o convênio com um dos maiores planos de saúde da região. Esses aumentos não têm conexão com melhoria em qualidade. Estudos empíricos recentes abrangendo diversos mercados geográficos, confirmam que as consolidações de hospitais, em vez de melhorar a eficiência, resultam em aumentos de preços pelo menos iguais, e normalmente acima, dos aumentos de outros hospitais no mesmo mercado, e que os aumentos de preços são maiores na maioria dos mercados concentrados.[12,13] Grandes grupos de prestadores correm o risco de limitar gravemente a competição no nível de bom tratamento, porque o encaminhamento de pacientes tende pesadamente para grupos de médicos e instituições afiliados, corroendo o valor da assistência à saúde.

Alguns hospitais e grupos hospitalares afirmam que oferecer uma gama completa de serviços numa rede de prestadores é necessário para gerenciar a co-ocorrência de doenças ou para abordar doenças incomuns que surgem durante o tratamento. No entanto, não há necessidade de um único hospital ser capaz de prestar todos os serviços a todos os pacientes, como discutiremos extensamente no Capítulo 5. A abrangência, ao contrário, é mais uma razão para não se ter sob a mesma gerência os diversos hospitais de uma mesma região. Prestadores excelentes numa determinada condição de saúde equipam-se para as co-ocorrências comuns naquela unidade de prática, como parte do seu compromisso em fornecer um tratamento superior a grupos específicos de pacientes.[14] Casos fora do comum recebem atenção imediata por meio de consultas e encaminhamentos e, em raras ocasiões, transporte do paciente. O M. D. Anderson Cancer Center, em Houston, por exemplo, tem cardiologistas na sua equipe, mas não mantém uma prática cardiológica completa. Quando ocorrem casos complexos ou uma cirurgia cardíaca torna-se necessária, os médicos na

M. D. Anderson consultam colegas de fora ou encaminham seus pacientes com câncer a centros cardíacos competentes. Os pacientes recebem um tratamento melhor num hospital excelente na sua condição de saúde atual, não num hospital que já o tenha tratado numa outra doença.

Ironicamente, o atual modelo de serviços de toda espécie tem contribuído para a fragmentação extrema dos serviços. Os hospitais oferecem todos os serviços, freqüentemente em baixos volumes. Isso não é muito lógico em termos de valor para o paciente. No atual sistema, cada hospital visa a obter o seu quinhão de pacientes em todas as áreas de tratamento, mesmo que não seja tão bem equipado em algumas delas quanto outros hospitais próximos. Essa fragmentação do atendimento é com freqüência institucionalizada por práticas regulamentares e contratos com planos de saúde. Por exemplo, em muitos estados, as normas estatuais e os contratos dos planos de saúde exigem que pacientes com AVC sejam removidos em ambulância para o hospital mais próximo, ainda que a maioria dos hospitais não tenha experiência nem equipamento para prestar um atendimento a tempo e eficaz em casos de AVC grave. Isso leva a mortes e a pacientes incapacitados por tempo prolongado, casos que poderiam ser evitados num sistema orientado para o encaminhamento de pacientes ao melhor prestador para a sua condição de saúde.[16]

No atual sistema, a conveniência de todos os hospitais tratarem de todas as condições conseguiu se instalar pela falta de informações sobre qualidade e preço e devido às restrições das redes.[17] É difícil crer que, se os pacientes e os médicos que os encaminham tivessem conhecimento dos resultados díspares de diferentes prestadores e médicos, eles ainda assim usariam o mesmo hospital para todos os serviços e, desta forma, aceitariam um resultado médico inferior. Atualmente, os médicos, em sua maioria, não têm ciência sequer da pouca informação rigorosa existente para usá-la nos encaminhamentos de pacientes.[18]

Competição para captar pacientes e restringir a escolha

A luta para acumular poder de negociação levou os planos de saúde a promover fusões e competir acirradamente para captar tantos clientes/associados quanto possível. Mas ganhar escala com a aquisição de clientes/associados tem pouco impacto no valor da assistência à saúde. O valor é criado ajudando-se clientes/associados a gerenciar a sua saúde e obter um tratamento excelente, o que não tem sido o foco principal. A competição na captação de clientes/associados tem ocorrido principalmente com *marketing* próprio para atrair pacientes saudáveis (de baixo custo), oferecendo acesso a muitos médicos de assistência primária, fornecendo incentivos como associação a clubes de saúde e oferecendo uma experiência de serviço muito bem avaliada nos levantamentos de satisfação dos pacientes, que são focados em conveniência, amenidades e serviço a clientes (e não nos resultados para a saúde).[19] Essas práticas têm perpetuado ainda mais a percepção de que todos os prestadores de assistência à saúde são indistinguíveis, quando na verdade são tudo, menos isso, nos aspectos mais importantes do valor na assistência à saúde.

A seleção anual de um plano de saúde pelos clientes/associados não é o lugar nem a hora adequada para focar a competição. A vasta maioria das famílias escolhe um plano de saúde num momento em os seus membros estão saudáveis, sem saber que doença terão que tratar ou que prestador desejarão usar.[20] As informações que aparecem na hora da adesão abordam atributos relativamente superficiais da rotina de assistência à saúde. Além disso, a seleção anual de um plano e a produção de clientes/associados gera um horizonte de tempo inadequado e corrói o valor tanto para o paciente quanto para o plano de saúde, como discutiremos no Capítulo 6.

Uma vez que os consumidores estejam associados, os planos de saúde restringem suas escolhas de prestadores àqueles que oferecem os maiores descontos para o grupo, e não para os que demonstram melhores resultados. Tais restrições da rede não teriam tanta importância se todos os prestadores do plano de saúde oferecessem uniformemente alta qualidade e eficiência e se o valor estivesse melhorando rapidamente. Contudo, como discutimos no Capítulo 1, existem sérios problemas e uma enorme variação na eficiência e na qualidade do tratamento dispensado.[21] As restrições na escolha do prestador e na aprovação do tratamento corroem o valor da assistência à saúde, perpetuando os problemas de custo e qualidade, em vez de usar a competição para trazê-los à tona e resolvê-los.

A consolidação de prestadores em unidades de amplos serviços e grupos de prestadores só agrava a situação. Os grupos de prestadores contribuem para a competição de soma zero na captação de pacientes. Forças poderosas são criadas para encaminhar pacientes no âmbito da instituição ou grupo, limitando ainda mais a competição em custos e os resultados em nível de condição de saúde. Um pressuposto comum é que grupos de prestadores proporcionam continuidade do tratamento. Entretanto, na prática, as linhas de serviços em diferentes locais raramente são integradas, a comunicação permanece limitada, a coordenação do tratamento é aleatória, os vários médicos que tratam do paciente raramente se reúnem como uma equipe e os resultados do tratamento global do paciente raramente, ou jamais, são medidos. A fragmentação das linhas de serviços é então reforçada em detrimento do valor para o paciente.

Competição para reduzir custos restringindo os serviços

A competição tem procurado cortar custos restringindo o acesso aos serviços, e, desta forma, transferindo os custos para os pacientes ou racionando os tratamentos. Os planos de saúde lucram recusando-se a pagar por serviços e restringindo os médicos nas escolhas do tipo e intensidade do tratamento. Mas é pior ainda do que isso, porque o processo de requerer aprovação, microgerenciar o parecer dos médicos e superpor-se às suas decisões e às escolhas dos pacientes explode os custos administrativos para todos.[22] Nada disso beneficia o valor para paciente. Embora alguns planos de saúde tenham começado a se afastar dessas práticas, como discutiremos no Capítulo 6, o legado de duas décadas de competição de soma zero permanece. Por causa desse legado, não basta descontinuar as práticas contraproducentes; é preciso que os planos de saúde assumam outros papéis positivos para criar real valor no sistema.

Não só os planos de saúde, mas também os prestadores têm procurado limitar os serviços para os pacientes e restringir o acesso a novos tratamentos. Por exemplo, muitos planos de saúde negociam com hospitais para pagarem uma quantia fixa baixa por internação por um determinado mal. Isso gera um incentivo para os hospitais tratarem um número maior de pacientes, especialmente de pacientes saudáveis para os quais o pagamento obviamente excede os custos, e utilizarem tratamentos menos dispendiosos em vez de os mais eficazes e inovadores.[23] Se um paciente insuficiente ou inadequadamente tratado tiver que ser novamente internado, o hospital recebe a quantia de novo.[24]

Quando o plano de saúde e o prestador se fundem ou são verticalmente integrados, criam-se fortes incentivos para fornecer tratamento menos dispendioso, porque o plano de saúde recebe um valor anual fixo por cliente/associado. Portanto, essa estrutura introduz de fato a capitação, com seus incentivos conturbadores. Sem medidas confiáveis dos resultados médicos, os pacientes não podem saber se as economias de custo se devem à eficiência e tratamento mais apropriado ou à degradação da qualidade ou racionamento do tratamento. Enquanto a maioria dos americanos presume que o tratamento que recebeu foi apropriado e atualizado, essa premissa foi desmantelada pela pesquisa discutida no Capítulo 1. O racionamento é muitíssimo mais comum do que qualquer pessoa pudesse imaginar, e está ocorrendo na forma de tratamento parcial.

A competição disfuncional faz proliferar as ações judiciais

Esses quatro tipos de competição de soma zero se combinam, gerando muitas disputas. Com todas as partes posicionadas umas contra as outras em um processo de adversidade que acrescenta pouco ou nenhum valor para os pacientes, e com nenhum outro recurso para resolver os conseqüentes problemas, as ações judiciais passaram a ser invitáveis. Como a Figura 2-3 ilustra, os preços de seguro contra imperícia médica estão em rápida ascensão. Em 2002, mais de um terço dos hospitais nos EUA sofreram aumentos acima de 100% no preço de seguro contra imperícia.

As ações judiciais por imperícia agravaram os problemas no sistema de assistência à saúde. Elas elevam os custos diretamente (com taxas legais e despesas administrativas) e indiretamente (estimulando a onerosa prática da medicina defensiva), e em nenhum dos casos gera valor para os pacientes.[25] Alguns advogados argumentam que o recurso judicial gera valor porque cria um incentivo para os médicos prestarem um bom atendimento. Contudo, as ações judiciais obviamente não resolveram o problema da qualidade no sistema. Em vez disso, elas provocam elevação nos custos porque a maioria dos médicos – e não apenas a minoria negligente ou carente de competência – é levada a praticar a medicina defensiva para reduzir os riscos, e o faz de uma forma que vai muito além das fronteiras da prática cuidadosa. O resultado são testes excessivos e em duplicata e tratamentos agressivos, redundantes e desnecessários, de forma que "todo o possível tenha sido feito", caso algo dê errado. Infelizmente, mesmo os pacientes que são vítimas de erros raramente se beneficiam com isso. Menos de 30% dos bilhões de dólares que médicos e hospitais pagam anualmente por seguro de imperícia médica chegam às mãos de pacientes prejudicados ou de suas famílias.[26]

A causa-raiz: competição no nível errado

Por que a competição na assistência à saúde não é focada em valor? O problema mais fundamental e não reconhecido no sistema de saúde dos EUA é que a competição se dá no nível errado. A competição é, ao mesmo tempo, demasiadamente ampla e estreita. A competição é ampla demais porque grande parte dela agora acontece no nível de planos de saúde, redes, grupos de hospitais, grupos de médicos e clínicas. Ela deveria ocorrer na abordagem das diferentes condições de saúde. A competição é estreita demais porque ocorre no nível de intervenções ou serviços distintos. Ela deveria ocorrer na abordagem das condições de saúde, ao longo de todo o ciclo de tratamento, abrangendo o monitoramento e prevenção, o diagnóstico, o tratamento propriamente dito e o contínuo gerenciamento da condição.

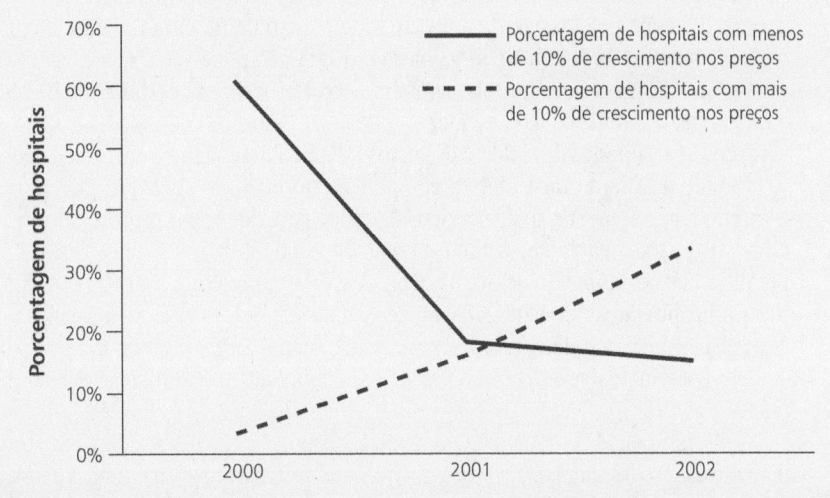

FIGURA 2-3 Crescimento do preço do seguro de responsabilidade civil pago pelos hospitais e profissionais, 2000-2002.
Fonte: Dados da American Hospital Association (2002).

O valor na assistência à saúde é criado ou destruído no nível de condição de saúde, e não no nível de prática de um hospital ou médico. Uma condição de saúde (p. ex., doença renal crônica, diabetes, gravidez) é um conjunto de circunstâncias na saúde de um paciente que se beneficia de um tratamento dedicado e coordenado. O termo *condição de saúde* abrange doenças, males, ferimentos e circunstâncias naturais como a gravidez. Uma condição de saúde pode ser definida como englobando as condições co-ocorrentes comuns, se o tratamento das mesmas envolver a necessidade de uma estreita coordenação e de benefícios-saúde ao paciente por parte das instituições comuns. Discutiremos a definição de condições de saúde em mais detalhes nos Capítulos 4 e 5.

É na abordagem de uma condição de saúde em particular que o valor é entregue ao paciente. Hoje, múltiplas entidades podem estar envolvidas no tratamento do paciente. É nesse nível que persistem grandes diferenças em custo e qualidade, e é nele também que a falta de competição permite que prestadores com os piores resultados e os maiores preços permaneçam no negócio. E é aqui que a competição saudável traria melhorias em eficiência e eficácia, reduziria erros e fomentaria inovações.

No entanto, a competição no nível de condições de saúde é totalmente inexistente. A competição nesse nível, onde faz toda a diferença, é impedida por restrições de redes, tanto formais quanto de fato. Os pacientes são encaminhados a médicos e hospitais em âmbito de rede, sendo que normalmente faz-se necessária a aprovação do plano de saúde a cada passo no percurso. Mesmo que o tratamento fora da rede seja permitido, ele é severamente restringido por co-pagamentos mais altos e a exigência de pagar preços de tabela.[27] Médicos obrigados ou acostumados a fazer encaminhamentos dentro da rede ou de seu próprio grupo de prestadores provavelmente não saberão se um especialista de fora da rede tem mais experiência na condição de saúde particular do paciente ou se seria capaz de fornecer um tratamento mais eficaz ou mais eficiente.

Informações sobre os tratamentos mais apropriados e mais eficazes para as necessidades médicas específicas do paciente são praticamente inexistentes. Em vez disso, o que prevalece é o que a rede fornece. A violenta reação dos pacientes contra HMOs* que têm redes fechadas, exigência de aprovação prévia administrativa para os tratamentos e escolhas limitadas de medicamentos agora começam a resultar em planos menos restritivos. Contudo, as penalidades de custo para tratamento fora da rede permanecem e os grupos de prestadores costumam seguir o exemplo dos planos de saúde isolando as linhas de serviço da competição baseada em resultados.

Pela abordagem das condições de saúde, o valor na assistência à saúde é também criado, não para cada intervenção separada, mas em todo o ciclo de monitoramento, diagnóstico, tratamento e gerenciamento da condição. O valor da cirurgia não pode ser avaliado isoladamente, mas deve refletir os outros serviços que são também necessários, assim como os resultados para o paciente a longo prazo. Similarmente, o valor só poder ser mensurado no médio e longo prazo, quando os verdadeiros resultados de saúde e os custos totais do tratamento puderem ser compreendidos.

Devido à falta de uma efetiva competição no nível de condição de saúde, a organização e estrutura reais da prestação de serviços de saúde pela maioria dos prestadores não estão alinhadas com valor para o paciente. A falta de uma competição baseada em valor focada em resultados permitiu que o tratamento de um paciente fosse truncado entre inúmeras especialidades, departamentos hospitalares e consultórios médicos, cada um deles focando-se apenas na sua intervenção. Ninguém integra o tratamento da condição de saúde como um todo e através de todo o ciclo de atendimento, inclusive a detecção precoce, o tratamento, a reabilitação e o gerenciamento a longo prazo.

A necessidade de competição no nível das condições de saúde abarcando todo o ciclo de atendimento está se tornando cada vez mais importante. Os avanços na prática da medicina obscurece-

---

* N. de T.: Sigla de Health Maintenance Organizations, como são chamadas certas empresas de plano de saúde nos Estados Unidos que têm serviços verticalizados (redes fechadas).

ram as distinções entre as especialidades tradicionais e os tratamentos. Os benefícios da prevenção e do gerenciamento prolongado da doença, não apenas da intervenção, estão se tornando aparentes. As próprias condições de saúde estão se tornando mais especializadas e específicas ao paciente. O câncer de próstata, por exemplo, é agora compreendido como seis doenças diferentes, cada uma delas respondendo melhor a um diferente ciclo de tratamento.[28]

Os médicos deveriam competir para serem os melhores na abordagem de um determinado conjunto de condições de saúde ou num determinado segmento de pacientes, ou em ambos. Os pacientes e os médicos que os encaminhassem deveriam ser livres para buscar o prestador que tivesse o melhor histórico de acertos no ciclo completo de atendimento. Mas no atual contexto, onde as escolhas dos pacientes são determinadas não em função do melhor prestador para o seu problema mas em função da rede ou do grupo de prestadores a que são associados, alguns especialistas estão longe de ter seu negócio garantido.

No atual sistema, nas poucas áreas em que a competição no nível certo não é restringida e nas quais os médicos têm que atrair pacientes competindo em preço e resultados, os custos e qualidade têm melhorado acentuadamente. A cirurgia plástica, situada fora da vertente principal do sistema e não coberta pelos planos de saúde, é um caso interessante. Como discutiremos no Capítulo 4, os avanços numa variedade de tipos de cirurgia plástica provocaram redução dos custos e melhoria da qualidade, simultaneamente, no mesmo período em que a maior parte da medicina da vertente principal teve seus custos dobrados.

Por que a competição nos serviços de saúde se dá no nível errado?

Parece óbvio que o valor na assistência à saúde seja criado abordando-se as condições de saúde de cada paciente por todo o ciclo de atendimento e que a competição no sistema de saúde deva ser centrado nesse nível. Então, por que, apesar de tanto esforço por tanta gente bem-intencionada, a concorrência gravitou para a competição de soma zero em nível de hospitais, planos de saúde e grupos de prestadores? Por que a assistência à saúde é tão truncada pelos procedimentos e intervenções?

A concepção errada da própria assistência à saúde: a mentalidade de commodity

A competição de soma zero tem tratado a assistência à saúde como uma *commodity*, embora ela nada tenha de *commodity*. O sistema está estruturado como se a assistência à saúde fosse um único negócio (linha de serviços), em vez de muitos negócios diferentes; como se os prestadores fossem todos equivalentes, os resultados fossem sempre os mesmos e todos os pacientes tivessem as mesmas preferências. O resultado final tem sido promover mais comoditização e perpetuar, em vez de eliminar, as dramáticas diferenças em qualidade e eficiência.

A comoditização da assistência à saúde foi a primeira de uma série de escolhas estratégicas lamentáveis feitas por todos os atores do sistema. Os hospitais julgaram que precisavam ser tudo para todas as pessoas, a fim de captar volume. Os planos de saúde acharam que deveriam contratar prestadores com base nos descontos que estes ofereciam. Os empregadores, em particular, deveriam estar numa posição que lhes permitisse enxergar as consequências dessa mentalidade de *commodity*. Deveriam ter compreendido, pela sua própria experiência em negócios, que os prestadores de serviço não são todos iguais. Contudo, infelizmente, os empregadores deixaram de fazer essa associação e embarcaram em formas de competição fundamentalmente improdutivas para o sistema e, em última análise, mais onerosa para eles mesmos.

O objetivo errado no horizonte de tempo errado

Tratar a assistência à saúde como uma *commodity* contribuiu para perseguir o objetivo errado: reduzir os custos a curto prazo. Pior ainda, a meta geralmente não tem sido a de reduzir o custo real dos tratamentos, mas reduzir os custos arcados por um intermediário em particular — o plano de saúde ou o empregador. A contenção de custos como uma meta central era sedutor, dado o histórico de incentivos pela superutilização do sistema. E, como os planos de saúde estavam sob pressão para não aumentarem seus preços, não é de surpreender que passassem a se concentrar na redução dos próprios custos em vez de nos custos gerais do sistema. Mas, assim que os planos de saúde aceitaram a missão de reduzir *seus próprios custos*, criaram-se pressões quase intransponíveis para transferirem custos para os prestadores e pacientes e para racionar os tratamentos. Afinal, o caminho mais seguro e fácil para reduzir custos de planos de saúde é selecionar clientes/associados saudáveis (e estimular pacientes doentios a se desligarem do plano), deixar que os pacientes fiquem sem tratamento ou recebam tratamento insuficiente, ou conseguir que terceiros paguem por eles.

Além disso, o intento era reduzir custo a curto prazo, com jogadas rápidas, como eliminar medicamentos ou procedimentos diagnósticos dispendiosos, em vez de uma redução de custo mais fundamental ao longo de todo o ciclo de atendimento. Custos verdadeiros, e valor, só podem ser medidos considerando todo o ciclo de atendimento, que começa com a prevenção e continua até a recuperação e o gerenciamento da condição de saúde a longo prazo para limitar a recorrência. O horizonte de tempo relevante pode ser de meses ou até de anos. O que importa em termos de custo não é o custo de uma intervenção ou de um tratamento em si, mas o custo total. Um medicamento caro, um cirurgião mais experiente ou uma despesa adicional com reabilitação pode sair barato a longo prazo.

A meta correta é melhorar o valor (a qualidade do resultado na saúde por dólar gasto). O valor é criado no nível de condições de saúde e ao longo de todo o ciclo de atendimento.[29] A competição por custos, no lugar de por valor, só faz sentido nos negócios de *commodity*, em que os fornecedores são mais ou menos iguais. Competir em partes do custo, e não no custo total, não faz sentido em nenhum negócio. Contudo, esses pressupostos impróprios – nos quais nem os fornecedores nem os compradores acreditam de fato – embasam o comportamento dos participantes do sistema. O resultado é que os planos de saúde, os empregadores e até os prestadores dispensam atenção insuficiente à meta que de fato faz diferença: melhorar o valor ao longo do tempo.

O mercado geográfico errado

A competição deveria forçar os prestadores a igualar ou superar o valor criado pelo melhor prestador na sua região, nação ou mesmo em âmbito internacional. Contudo, em sua maior parte, a competição na assistência à saúde tem sido totalmente em âmbito local. Esse viés local isola os prestadores medíocres das pressões de mercado e inibe a difusão das melhores práticas e inovações.

Nos EUA, existe uma variação regional, que chega a quase três vezes mais, nos custos anuais por indivíduo inscrito no Medicare, sendo que os gastos variam de menos de US$ 3.000 por paciente, em algumas áreas, a mais de US$ 8.000, em outras. Os gastos mais altos não estão associados a melhores resultados médicos, nem podem ser explicados por diferenças de idade, sexo, raça, índices de doença (que afetam a necessidade de atendimento) ou custo de vida (que afeta os custos da prestação do atendimento).[30] Essas diferenças são sustentadas pela ausência de competição geográfica, seja pela competição por pacientes de outras regiões ou pela entrada de excelentes concorrentes de outras regiões.

Inúmeros estudos também descobriram grandes diferenças entre regiões no que se refere à qualidade no nível de condição de saúde ou tratamento específico, e variações nos protocolos de tratamento que não são consoantes com as normas médicas estabelecidas. Predominam os costumes locais. Nos dez tipos de procedimentos que respondem por 44% das cirurgias em pacientes do Medicare, por exemplo, os dados mostram variações muito altas entre regiões na incidência da cirurgia, na qualidade das tomadas de decisões clínicas, no relacionamento entre prática clínica e a evidência científica e na habilidade com que o procedimento cirúrgico é prestado, mesmo depois dos ajustes em função de variações nos índices de doenças.[31] Um certo número desses procedimentos seria normalmente aceito como de rotina e relativamente descomplicado, parecendo portanto apropriado o atendimento local. Por haver grandes variações, até mesmo para esses procedimentos, parece importante que o sistema estimule os pacientes e os médicos que os encaminham a incluírem nas suas considerações um espectro maior de serviços médicos de outras áreas geográficas além da imediata.

Apesar dessa variação em qualidade e custo, a competição geográfica, mesmo entre prestadores fisicamente próximos, é muito contida. A maioria dos pacientes é de fato desencorajada a procurar e assegurar o tratamento de melhor valor, seja porque as escolhas oferecidas pelo plano de saúde são geograficamente restritas ou porque o médico encaminha a prestadores locais. O problema é mais sério em áreas rurais, onde na maioria das vezes sequer existe uma competição local. Mas, mesmo quando existem múltiplos prestadores à disposição, prevalece a mentalidade de manter o paciente dentro do próprio sistema do prestador.

A competição localizada é também venerada pelas políticas dos planos de saúde, que requerem que os clientes/associados paguem a maior parte dos custos de tratamento fora da rede ou penalizam os médicos por encaminhá-los a prestadores de fora da rede. Isso desestimula tanto os pacientes quanto os médicos a buscar prestadores fora da sua área geográfica imediata. O Medicare, por exemplo, calcula os pagamentos em nível de condado, criando pouco incentivo ou pressão competitiva para que hospitais em diferentes condados se equiparem em valor aos prestadores excelentes de um outro lugar, ainda que se localizem a apenas alguns quilômetros de distância.

A competição localizada é também resultante de hábito, inércia e falta de informações que possam apoiar encaminhamentos a um centro regional. De costume, os próprios médicos encaminham seus pacientes a outros médicos da redondeza, com os quais eles mantêm um relacionamento – mesmo em se tratando de pacientes do Medicare, que não estão submetidos a restrições geográficas. Os prestadores costumam se comparar a outros prestadores locais, em vez de aos melhores em âmbito regional ou nacional.

Limitar a competição entre mercados geográficos não apenas perpetua as diferenças de custo e qualidade, mas também sufoca as inovações que, de outra forma, poderiam ocorrer na medida em que os médicos seriam forçados a enfrentar a variação nos padrões de atendimento e nos resultados em diferentes locais. Aqui, novamente, apesar das boas intenções, a competição na assistência à saúde tem sido "gerenciada" de uma forma que funciona contra a criação de valor.

Grande parte da assistência médica será sempre local, mas a competição deveria ser regional ou nacional. Os prestadores devem ser julgados por padrões nacionais, e não locais. E mais pacientes deveriam buscar atendimento não oferecido pelo hospital ou pelo consultório médico mais próximo. Nenhum prestador deveria ser protegido contra a competição com prestadores de outros lugares.

As estratégias erradas

O valor é criado ao se abordarem certas condições de saúde, para as quais os prestadores desenvolvem equipes dedicadas, profunda especialização e instalações específicas em um complexo de unidades de prática integradas nas quais eles possam de fato se sobressair. (Ver Capítulo 5.) Contudo, a maioria dos hospitais e grupos de prestadores tem perseguido estratégias de linhas de serviços abrangentes para capturar encaminhamentos e negociar melhor com os planos de saúde. Os hospitais (e outros tipos de prestadores) cometeram o erro estratégico de se tornarem similares a seus rivais em vez de se distinguirem destes.[32] As estratégias de linhas de serviço abrangentes trazem pouco benefício em termos de valor, como já discutimos.[33] No entanto, como se podia prever, as estratégias de linhas amplas levaram a uma fragmentação extrema das linhas de serviço – cada serviço sendo oferecido por inúmeros prestadores, muitos dos quais deficientes em escala. Isso implica a duplicação improdutiva de instalações e de pessoal e uma guerra feroz de descontos. Assim, no afã de negociar melhores contratos, muitos hospitais e grupos de médicos prejudicaram a sua capacidade de competir em dimensões outras que não preço. Em um sistema que recompensa por volume e poder de negociação, muitos hospitais não tiveram alternativa.

As estratégias erradas dos prestadores não apenas dificultaram a prosperidade dos próprios prestadores mas também retardaram os avanços da assistência à saúde no que diz respeito à qualidade e eficiência. À medida que os hospitais e os grupos de médicos se tornam mais parecidos, eles perdem o foco estratégico necessário para alcançar a verdadeira excelência. A proliferação de prestadores em todas as áreas de serviço só exacerba o problema de a oferta na assistência à saúde criar a sua própria demanda. Em locais com uma grande quantidade de especialistas, por exemplo, os pacientes são hospitalizados com mais freqüência, usam mais tempo de UTI, mais exames e mais procedimentos cirúrgicos menores sem obterem uma experiência de melhor qualidade nem melhores resultados.[34]

A pressão para os prestadores expandirem linhas de serviço resulta no problema de alguns prestadores oferecerem serviços nos quais carecem de escala e experiência para atingirem excelência. Por exemplo, 139 hospitais mantinham serviço de transplante de coração em adultos em 2002. Muitos deles realizam poucos procedimentos desta natureza por ano, e, em alguns deles, poucos pacientes sobreviveram. (Ver Figura 2-4.)

As estratégias dos planos de saúde também se desviaram do caminho adequado. Os planos de saúde têm focado em descontos e controle administrativo de clientes/associados e prestadores, em vez de no desenvolvimento de competências que os distingam na oferta de uma assistência à saúde de valor superior para os pacientes. (Ver Capítulo 6.)

A estrutura errada na prestação dos serviços de saúde

As estratégias erradas dos prestadores têm reforçado uma organização de prestação de serviços truncada e em desalinho com o valor. Ironicamente, a pressão para os prestadores oferecerem todos os serviços não foi acompanhada de um atendimento centrado no paciente ou de atendimento integrado no âmbito das condições de saúde. Em vez de se construírem unidades de prática que integrem os talentos e as instalações exigidas para prestar um tratamento superior em todo o ciclo de atendimento, os hospitais e grupos de médicos permanecem organizados nas linhas de especialidades acadêmicas tradicionais – radiologia, anestesiologia, cirurgia. Isso não apenas assegura uma experiência desconectada para o paciente, como também torna praticamente impossível atingir excelência na coordenação e comunicação entre toda a equipe de prestadores. Em muitas situações, a equipe de prestadores nunca se encontra e as informações não são compartilhadas, prejudicando, assim, a qualidade e a eficiência. Os problemas de coordenação e comunicação, por sua vez, aumentam a incidência de erros e impedem o projeto e a implementação do processo de melhoria. A estrutura desordenada do atendimento inibe as conversações sobre melhoria dos resultados através de todo o ciclo de atendimento, quando essas conversações e idéias deveriam ser uma fonte compartilhada de entusiasmo e satisfação profissional para todas as equipes médicas.

Cada departamento ou consultório médico fica com um "pequeno pedaço" da visão total do tratamento. Esse sistema truncado obscurece as informações sobre os resultados gerais e os custos e preços de se tratar um paciente. Poucos prestadores medem o valor ao longo de todo o ciclo de atendimento de um paciente.

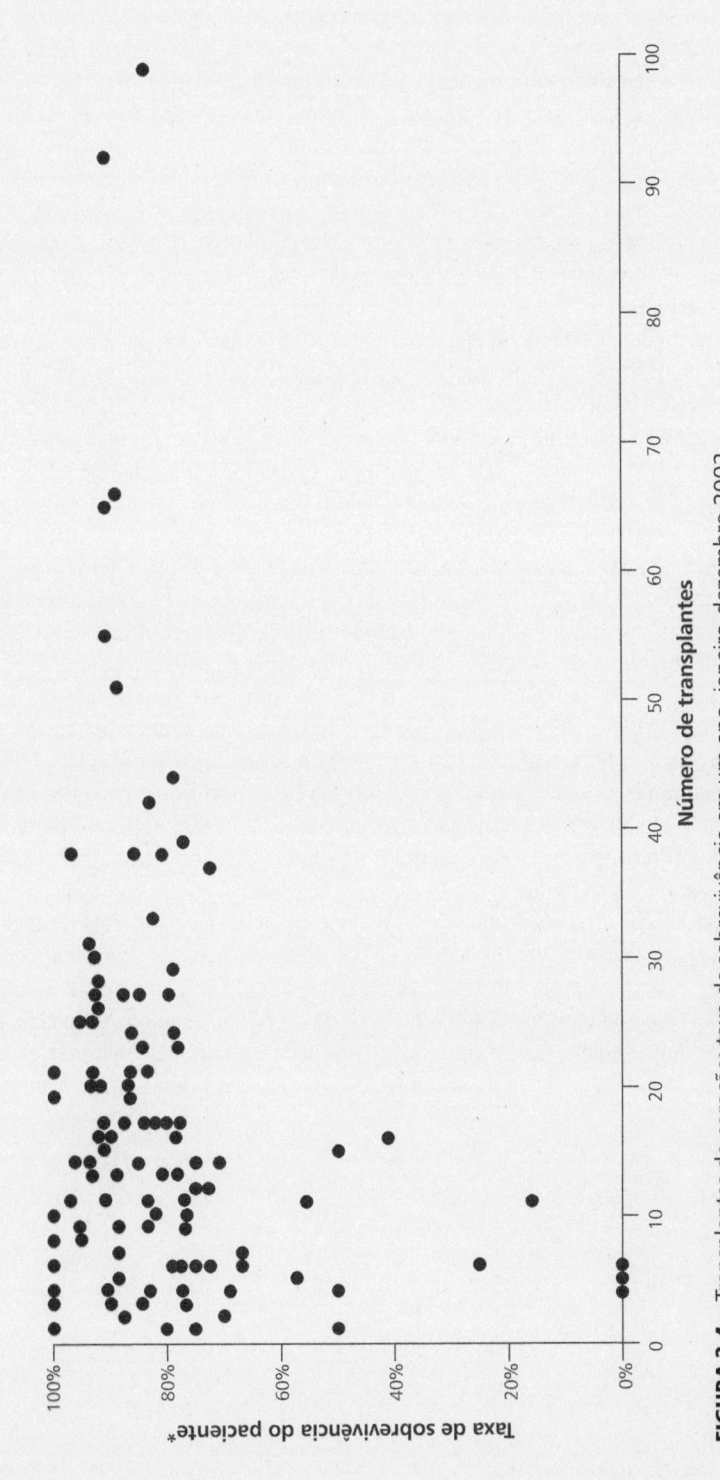

FIGURA 2-4 Transplantes de coração: taxa de sobrevivência em um ano, janeiro-dezembro 2002.

*Os dados de sobrevivência dos pacientes não estão ajustados a risco. A taxa de sobrevivência dos pacientes foi calculada para transplantes realizados de 1º de julho de 2001 a 30 de junho de 2002.

Fonte: Dados de www.optn.org e de Dr. Richard Migliori, United Resource Networks.

A estrutura errada do setor

A competição de soma zero no nível errado disparou uma mudança revolucionária na estrutura do setor. Os prestadores se consolidaram rapidamente, deixando apenas uma ou duas redes verticalmente integradas consistindo em grupos de múltiplos hospitais e/ou médicos em muitas regiões. Esses grupos se tornaram quase-monopólios, com uma substancial alavancagem de negociação para restaurar e depois elevar os preços.[35] As "economias" de custo dos primeiros anos de assistência gerenciada foram fortemente baseadas em transferência de custos e insustentáveis. Com o tempo, essa transformação do setor foi associada a um aumento crescente dos custos.[36] (Ver Figura 2-5.) A recente aceleração desses aumentos não reflete melhorias em valor; é apenas o capítulo mais recente da saga da transferência de custos, desta vez de volta para os planos de saúde, empregadores e consumidores.

A consolidação dos prestadores, por si só, não destrói o valor. A criação ou destruição de valor depende de como o grupo de prestadores é gerenciado. Alguns grupos, como o Intermountain Health Care e a Cleveland Clinic, distribuíram racionalmente e especializaram os tratamentos entre as instalações e procuraram tornar o atendimento em nível de condição de saúde mais integrado ao longo de todo o ciclo de atendimento. Contudo, a maioria dos grupos consolidados deixou de produzir eficiências significativas. Em vez disso, a consolidação em grupos com linhas de serviços completas fomentou mais redundância. Ironicamente, ao mesmo tempo que a assistência gerenciada (*managed care*) eliminou os incentivos de pagamentos *cost-plus* (custo do serviço efetivamente prestado mais uma taxa fixa ou proporcional), que historicamente levara a instalações redundantes, a sua ênfase no poder de negociação introduziu novos incentivos para os prestadores competirem com base na amplitude das linhas de serviço oferecidas, o que voltou a estimular a redundância de instalações.[37] Por exemplo, quando o Massachusetts General Hospital e o Brigham and Women's Hospital (BWH), em Boston, passaram a fazer parte do Partners Health-Care System, o Massachusetts General preferiu expandir os seus serviços de obstetrícia em vez de encaminhar pacientes para o BWH, um hospital co-associado que tinha uma unidade de obstetrícia nacionalmente reconhecida e atendia a mais de 10.000 pacientes por ano. A consolidação dos prestadores, portanto, não racionaliza as linhas de serviço, podendo acarretar maior duplicação dos serviços na região.

A consolidação dos prestadores tampouco melhorou a qualidade. As altas taxas de erros e de tratamentos inadequados sugerem ter ocorrido o oposto, ainda que não propositalmente. Ao contrário, o desejo de captar volume e fluxo de pacientes em âmbito de grupo de prestador com linhas completas de serviço cria barreiras à *saída* no nível de serviço. Embora os grupos de prestadores não mantenham deliberadamente serviços abaixo dos padrões, eles tendem a manter certos serviços que não sobreviveriam numa genuína competição serviço-a-serviço a fim de manter a condição

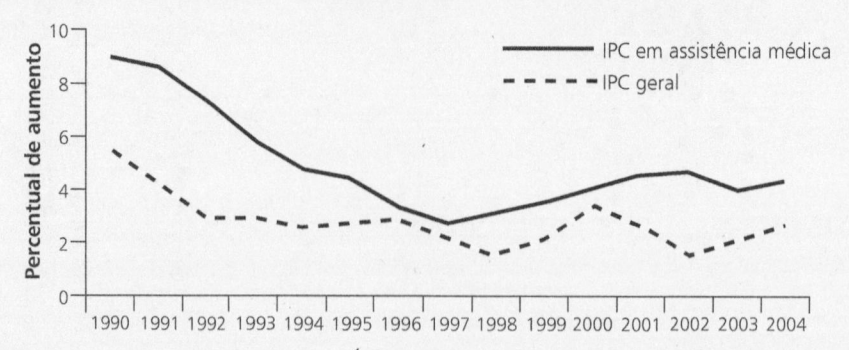

FIGURA 2-5 Taxa de aumento anual do Índice de Preços ao Consumidor (IPC), geral e relativo a serviços de saúde.

Fonte: Dados do U.S. Department of Labor, Bureau of Labor Statistics.

de prestadores de linhas completas e minimizar os encaminhamentos para fora da rede. Dada a falta de informações relevantes sobre qualidade e valor e o costume de fazer encaminhamentos em âmbito local, é fácil manter serviços abaixo dos padrões, ainda que não deliberadamente.

No entanto, a pior conseqüência dos grupos de prestadores consolidados – a de eles praticamente eliminarem a competição no nível de condição de saúde – foi completamente ignorada. Uma vez que os pacientes pertençam a um grupo de prestadores, é extremamente improvável que venham a ser atendidos por outro grupo, não importando sua condição de saúde ou a excelência de outro grupo para tratá-la. Ainda que a formação de grupos de prestadores possa parecer a oportunidade perfeita para um tratamento bem coordenado ao longo do ciclo de atendimento, a maioria dos grupos tem mantido a mesma velha estrutura de tratamento em torno de intervenções distintas e especialidades tradicionais, em vez de em unidades de prática medicamente integradas.

A consolidação e a participação acionária entre várias entidades também pode inibir a inovação – a única real solução para controlar os custos da assistência à saúde à luz das tendências demográficas. Embora a estrutura anterior – com seus muitos prestadores independentes e pagamentos *cost-plus* – tivesse suas falhas, havia normalmente pelo menos um prestador em cada região dedicado a uma área de doença ou tratamento disposto a experimentar novas idéias e novos tratamentos. Essa pluralidade é uma característica tipicamente americana. A consolidação em poucos grupos de prestadores, no entanto, criou controles administrativos mais fortes que podem retardar a adoção de novos medicamentos e dispositivos médicos, pelo menos até que a demanda por parte dos pacientes se torne insuportável. Dada a necessidade de aprovação dos pagamentos e a falta de recompensas por qualidade superior, os grupos de prestadores têm tido pouco incentivo para inovar, especialmente quando uma nova abordagem eleva os custos no curto prazo.[38]

Outra conseqüência da competição de soma zero baseada em descontos e da transferência de custos na estrutura do setor tem sido o surgimento de poderosos grupos de compras consolidadas de suprimentos hospitalares em nível nacional. Dois grupos privados de compras, Novation e Premier, agem agora como intermediários para cerca de metade dos hospitais sem fins lucrativos dos EUA. Num sistema sensível a custos, a idéia era que os grupos de compras pudessem obter os melhores produtos pelos menores preços, agregando poder de compra a muitos hospitais. Mas, e não é de surpreender, os grupos de compras se tornaram mais um tipo de "controlador", cujo papel provavelmente irá contribuir mais para conter do que para acelerar inovações. Além disso, os grupos de compras criam incentivos para os hospitais aumentarem as compras de determinados itens para obterem preços menores. Os hospitais acabam tendo uma escolha limitada de produtos e um dispendioso excesso de estoque, em vez de compras justas para as suas necessidades específicas, em detrimento do valor para o paciente. Os grupos de compras são discutidos em mais detalhes nos Capítulos 7 e 8.

Finalmente, a mudança nas estratégias dos planos de saúde e dos prestadores, somada à consolidação do setor, levou a outro resultado inesperado: mais propaganda e outros apelos de *marketing* dirigidos pelas empresas farmacêuticas diretamente aos pacientes. No atual sistema, a propaganda é uma das poucas formas de que as empresas farmacêuticas dispõem para informar aos pacientes sobre novos medicamentos e para superar a resistência à sua adoção pelo sistema. Já que os planos de saúde se importam com a satisfação dos pacientes, eles estão mais dispostos a pagar os tratamentos medicamentosos demandados pelos pacientes. No entanto, a propaganda *não* deveria ser a única ou a principal fonte de informação aos pacientes sobre medicamentos. Seria muito melhor disseminar dados objetivos sobre os resultados e estudos imparciais dos tratamentos alternativos do que usar os pacientes como alvo de campanhas de *marketing*. Embora alguns críticos culpem os gastos com propaganda pelo fracasso do atual sistema, limitar a propaganda não é a solução. Isso atacaria apenas um sintoma de uma competição defeituosa, mas não atingiria as causas-raízes. No Capítulo 7, retornaremos ao tópico de como alinhar as práticas de *marketing* com o valor para o paciente.

A informação errada

A informação é fundamental para a competição em qualquer mercado que funcione bem. Ela possibilita que os compradores procurem e comparem o que lhes proporciona maior valor, e permite que os fornecedores se comparem com seus rivais. Sem informações relevantes, os médicos não podem comparar os seus resultados em relação às melhores práticas nem a outros prestadores. E sem informações apropriadas, a escolha do paciente tem pouco significado.

No sistema de saúde, porém, as informações mais necessárias para apoiar a competição baseada em valor são, em sua maior parte, inexistentes ou suprimidas. Os médicos geralmente carecem de informações sobre resultados ou sobre a sua própria eficiência em atingir resultados, o que é essencial para saber se estão fazendo um bom trabalho ou se outros o fazem melhor. Informações sobre resultados eram menos essenciais antigamente, quando grande parte da medicina era centrada em prover alívio e carinho aos pacientes. Hoje, o alívio e o carinho continuam importantes, mas o conhecimento, a complexidade e a especialização do atendimento tiveram um crescimento exponencial. Contudo, a maioria dos médicos não dispõe de nenhuma evidência objetiva para saber se os resultados que alcançam ficam na média, acima, ou abaixo da média. É da natureza humana, para a maioria das pessoas, acreditar situar-se acima da média, o que pode não ser verdadeiro.[39] A informação de que os resultados de uma pessoa estão abaixo da média (ou que não são tão bons quanto poderiam ser) gera fortes incentivos para que ela aprenda com aquelas que se saem melhor e, conseqüentemente, melhore. Por exemplo, em Wisconsin, um estudo sobre hospitais descobriu fortes evidências de que a publicação de informações sobre desempenho estimulara iniciativas de melhoria em áreas nas quais o desempenho fora relatado como baixo.[40] Sem informações sobre resultados, os encaminhamentos para tratamentos especializados são baseados, não em medidas de excelências, mas na rede pessoal de um médico.[41] Sem informações objetivas, são menores os incentivos para a melhoria e a aprendizagem. Em contraposição, as informações sobre resultados permitem que os médicos melhorem continuamente os resultados nos seus pacientes; e isso nada mais é do que competição baseada em valor.

Esse mesmo tipo de informação sobre resultados é crucial para os pacientes. Apesar de quase todas as pessoas não hesitarem em afirmar que a assistência à saúde é um assunto crucial para elas, elas sempre têm à mão informações mais completas sobre viagens, restaurantes, automóveis e compras na Internet do que sobre assistência à saúde.[42] As informações disponíveis – visões gerais sobre planos de saúde, pesquisas sobre a satisfação dos usuários e sobre a reputação de médicos e hospitais – têm um valor modesto. Muito mais relevantes são as informações sobre os níveis reais de experiência dos prestadores, os tratamentos que eles aplicam, os preços que cobram e, mais importante, os resultados que atingem.

Não existem informações básicas, como, por exemplo, de quantos pacientes com um diagnóstico ou condição de saúde específica um hospital ou médico já tratou. Embora tais informações não devessem ser controversas, as atuais informações sobre o nível de experiência dos profissionais de medicina são, em grande parte, passadas e obtidas boca a boca, até mesmo entre os médicos, e normalmente não estão amparadas por evidência real. Informações sobre taxas e preços também são inexistentes. De fato, muitos prestadores não conseguem sequer cotar um preço quando solicitados a fazê-lo, devido à complexidade das estruturas de desconto e práticas de cobrança.

Dados sobre a satisfação dos pacientes se tornaram mais comuns, mas tendem a focalizar a experiência com o serviço, e não os resultados médicos. Embora os serviços de hospedagem e o acolhimento pelos funcionários de um hospital sejam importantes para a experiência geral do paciente, as informações mais críticas são sobre a velocidade e a precisão dos diagnósticos e os resultados médicos do tratamento e do gerenciamento continuado da doença. Os poucos dados existentes sobre satisfação dos pacientes com os resultados médicos não são específicos por doença ou por médico.

Os esforços mais conhecidos a fim de avaliar e classificar prestadores não são baseados em evidência e são generalizados demais para fomentar uma real competição. Os resultados médicos são basicamente medidos por meio de levantamentos sobre a reputação de especialistas no campo específico, e não com base em resultados reais. Por exemplo, o *US News and World Report* atribui uma nota de classificação aos hospitais em 17 áreas de serviço, mas mesmo para ser considerado em doze áreas de especialidade, os hospitais têm que oferecer amplas linhas de serviço e possuir equipamentos e instalações "extensivos", assim como ser afiliado a uma escola de medicina ou ser membro do Council of Teaching Hospitals (Conselho dos Hospitais-Escola).[43] Essas classificações também excluem hospitais especializados e hospitais comunitários por suposição, e não com base em evidência. Toda essa abordagem reforça o viés de que hospitais comunitários oferecem tratamentos de baixo valor apesar de evidência contrária. Estudos mostram que, nos serviços que eles realizam com freqüência, os hospitais comunitários geralmente alcançam resultados iguais ou melhores que os hospitais-escola, que têm menor custo.[44] Classificações como essa, bem como classificações semelhantes pela revista *Money* e pela American Association of Retired Persons (ARRP – Associação Americana dos Aposentados), ficam muito aquém dos tipos de informações realmente necessárias para embasar comparações de valor, encaminhamentos embasados ou melhorias na prática médica.

Dados sobre resultados – os resultados alcançados pelos prestadores no diagnóstico, tratamento ou gerenciamento de uma condição de saúde em particular – raramente estão disponíveis aos pacientes ou aos médicos que fazem os encaminhamentos. Até mesmo para os médicos, só existem informações disponíveis sobre resultados com uma ampla base de casos numas poucas áreas de doenças – principalmente cirurgia cardíaca, transplante de órgãos, fibrose cística e diálise renal.[45] Não há praticamente informação alguma sobre a eficácia de diagnósticos ou sobre o seu custo, exceto para algumas formas de testes para detecção precoce (*screening*) de câncer.

A qualidade e o custo da assistência à saúde têm sofrido muito pela ausência de informações significativas sobre resultados. A falta do tipo certo de informação e *feedback* tem causado elevação de custos, mascarado resultados ruins e permitido que prestadores de baixa qualidade e alto custo permaneçam no mercado. Um estudo na Pensilvânia, por exemplo, descobriu que os índices de mortalidade entre pacientes com derrames cerebrais comparáveis variavam de zero a 36,8%, dependendo do hospital.[46]

Prestadores abaixo do padrão continuam a receber um fluxo constante de encaminhamentos e de pacientes das redes dos planos de saúde. Por mais incrível que possa parecer, a falta de informações significativas leva a situações em que pacientes são encaminhados a prestadores que têm qualidade mais baixa e custo mais alto que outros prestadores locais, pelo fato de nem o paciente nem o médico terem ciência dessas diferenças. O Pennsylvania Health Care Cost Council (Conselho de Custos da Assistência à Saúde no Estado da Pensilvânia), por exemplo, constatou que os hospitais de uma cidade da Pensilvânia tinham faturas para reparo ou substituição de válvulas cardíacas que variavam de US$ 45.000 a US$ 95.000. O estudo relatou o número de mortes esperado para o grupo de pacientes de cada hospital, ajustado para a combinação de casos em termos de gravidade da doença. O hospital menos caro teve 0,91 morte esperada e um paciente havia morrido. Os dois hospitais mais caros tiveram 1,3 e 1,22 morte esperada, e quatro e cinco pacientes, respectivamente, tinham morrido. Os prestadores geralmente atribuem a culpa pelos maus resultados a uma combinação de pacientes mais doentes. Mesmo depois de ajustar os dados em relação a esse fator, os hospitais mais caros no estudo do estado da Pensilvânia apresentaram os piores resultados.[47] Apesar disso, os pacientes continuaram a ser encaminhados a prestadores inferiores porque os médicos que os encaminhavam desconheciam ou não acreditavam na precisão e na relevância dos dados.

Com pouca competição baseada em valor no nível certo, nem mesmo informações corretas garantem boas escolhas. O Cardiac Surgery Reporting System (CSRS) de Nova York divulgou índices de mortalidade ajustados a risco depois de cirurgia de revascularização do miocárdio (popularmente conhecida como ponte de safena), por hospital e por cirurgião, desde 1989.[49] Apesar da validade científica desses dados ter sido documentada numa série de artigos em periódicos análogos, encaminhamentos tendenciosos continuaram enviando pacientes desinformados àqueles hospitais que obtiveram resultados consistentemente medíocres.

Sem informações sobre resultados e sem nenhuma real competição em nível de doença ou tratamento, as ações judiciais por imperícia médica têm preenchido o vácuo decorrente da falta de um mecanismo disciplinar baseado em mercado e valor. Os pacientes, restringidos na escolha de prestadores e impossibilitados de proceder a escolhas embasadas em informações prévias, apelam para ações judiciais como o único recurso quando as coisas dão errado. Diferentemente de mercados competitivos normais, nos quais os produtores de baixa qualidade perdem fatias de mercado e as ações judiciais são mais raras, o *principal* mecanismo disciplinar no atual sistema de saúde é o apelo judicial que eleva os custos e tem pouco impacto sobre a qualidade. Sempre haverá casos em que o litígio é justificado, mas ele não deveria ser o principal e único mecanismo disciplinar de mercado no sistema de saúde.

Apesar de sua crucial importância, a coleta e disseminação do tipo certo de informações têm sofrido resistência por parte dos prestadores, impedindo encaminhamentos baseados em evidência e escolhas fundamentadas. Embora a necessidade de melhores informações seja explicitamente reconhecida e venha sendo amplamente discutida há mais de uma década, os esforços para gerar esses dados ainda se encontram em estágio inicial.

Os prestadores continuam a resistir à mensuração de resultados, mesmo com dados ajustados a risco para refletir a complexidade ou gravidade das circunstâncias iniciais do paciente. A coleta de informações sobre resultados sofre resistência por razões lamentáveis, como o medo de comparação e ter de prestar contas. Outros temem que falhas nos ajustes a risco possam levar a informações enganosas. Outros, ainda, temem que informações sobre resultados incitarão processos judiciais, por revelarem erros ou desempenho abaixo da média. Embora o medo de litígio seja compreensível, acreditamos que a adoção geral de coleta e disseminação de informações sobre resultados irá, na verdade, reduzir os litígios porque os pacientes escolherão médicos adequados e experientes e compreenderão os riscos reais *a priori*. Além disso, a dependência de apelo judicial diminuirá com o aumento das escolhas baseadas em evidência por parte dos médicos que encaminham os pacientes e porque os pacientes não se sentirão mal conduzidos.

Os poucos esforços isolados para coletar o tipo certo de informações têm sido promissores, como discutiremos em profundidade no Capítulo 4. Além dos esforços dos estados da Pensilvânia e Nova York, mencionados anteriormente, a Cleveland Health Quality Choice (CHQC) criou um extenso banco de dados anual mostrando as múltiplas medidas de desempenho usadas nos hospitais participantes.[50] As iniciativas de Pensilvânia, Nova York e Cleveland são de pequena escala, mas demonstram tanto o valor crucial de se ter a informação certa quanto a viabilidade de desenvolvê-la. Elas também mostram os tipos de melhoria que podem resultar se as informações sobre resultados forem colocadas em uso.

Por exemplo, quando os dados do estudo do CSRS de Nova York foram amplamente divulgados, os grupos de cirurgia cardíaca começaram a perseguir melhorias em processos e em recursos humanos. Quatro anos depois da divulgação desses dados, Nova York alcançou a menor taxa de mortalidade após cirurgia de ponte de safena dentre todos os estados do país. Desde então, Nova York tem registrado não apenas a menor taxa de mortalidade dos EUA, mas também uma das mais elevadas taxas de melhoria (ver Figura 2-6), e as melhorias em todo o estado têm continuado (ver Figura 2-7). Em Cleveland, as taxas de mortalidade nos 30 hospitais participantes caíram em 11% nos quatro primeiros anos subseqüentes à publicação dos dados.[51] Alguns participantes do sistema ainda tentam negar créditos a essas iniciativas de coletar informações relevantes. O caso de Cleveland, entre outros, revela os desafios de desenvolver e sustentar esses esforços no atual sistema, um tópico que discutiremos extensamente no Capítulo 4. Como superar esses desafios é um tema de destaque na segunda parte deste livro.

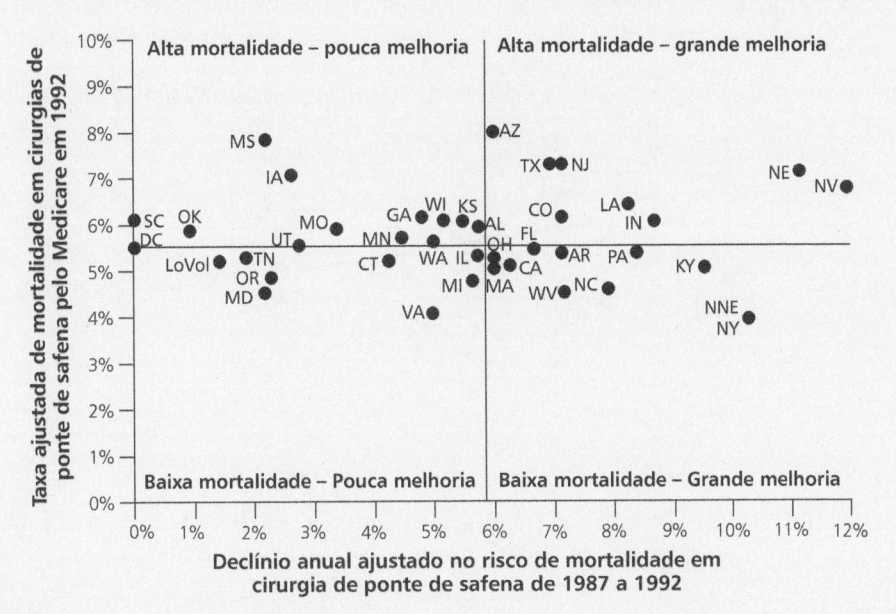

FIGURA 2-6 Taxa de mortalidade e melhoria das cirurgias de ponte de safena: estado de Nova York *versus* outros estados, 1987-1992.

Obs.: NNE refere-se a Maine, New Hampshire e Vermont, que compartilham do mesmo programa de perfil de prestadores. LoVol refere-se a uma composição de dez estados que realizam 500 ou menos cirurgias de ponte de safena por ano (Alasca, Wyoming, Delaware, Idaho, Novo México, Havaí, Rhode Island, Montana, Dakota do Norte e Dakota do Sul).

Fonte: Reimpresso de *Journal of the American College of Cardiology* 32(4), E. D. Peterson et al., "The Effects of New York's Bypass Surgery Provider Profiling on Access to Care and Patient Outcomes in the Elderly," 993–999. © 1998 American College of Cardiology Foundation.

Há um crescente reconhecimento da importância da informação, o que é um bom sinal. Uma recente enxurrada de iniciativas da qualidade envolve a coleta de informações clínicas. Entre as iniciativas de empregadores temos as do Leapfrog Group, o Pacific Business Group on Health e o Wisconsin Collaborative for Healthcare Quality, e outras. O National Committee for Quality Assurance, o National Quality Forum e o Institute for Healthcare Improvement têm feito trabalhos importantes. Existem agora avaliações classificatórias de serviços de enfermagem e de asilos/casas geriátricas. Finalmente, o Medicare começou um experimento para introduzir medição da qualidade nos seus pagamentos. Esses esforços iniciais concentram-se principalmente em medir processos em nível hospitalar, assim como nas melhores práticas selecionadas em tratamentos de pacientes, como a administração de antibióticos. São certamente um passo na direção certa e estão começando lentamente a se expandir para medidas de resultados médicos em condição de saúde específicas. Entretanto, como discutiremos em capítulos posteriores, esses esforços ainda estão muito longe de produzirem toda a informação necessária para embasar a competição baseada em valor em nível de condição de saúde.

Em vista do vácuo de informações, surgiram diversas empresas para assessorar pacientes na coleta de informações médicas e nas escolhas considerando as condições de saúde e os tratamentos específicos. A United Resource Networks é especialista em transplantes de órgãos, partindo de dados universais, rigorosos e obrigatoriamente relatados pelos centros de transplante por força de exigência do governo.

Outro exemplo, a Preferred Global Health, atende clientes da Europa e Oriente Médio, ajudando-os a escolher entre prestadores e tratamentos de classe mundial para as 15 doenças críticas.[52] Entre as empresas desse gênero nos EUA estão a Best Doctors, a Pinnacle Care International e a Consumer's Medical Resource. Embora difiram nas suas abordagens e no escopo dos serviços prestados, todas oferecem um defensor do paciente para ajudá-lo a reunir informações relevantes e

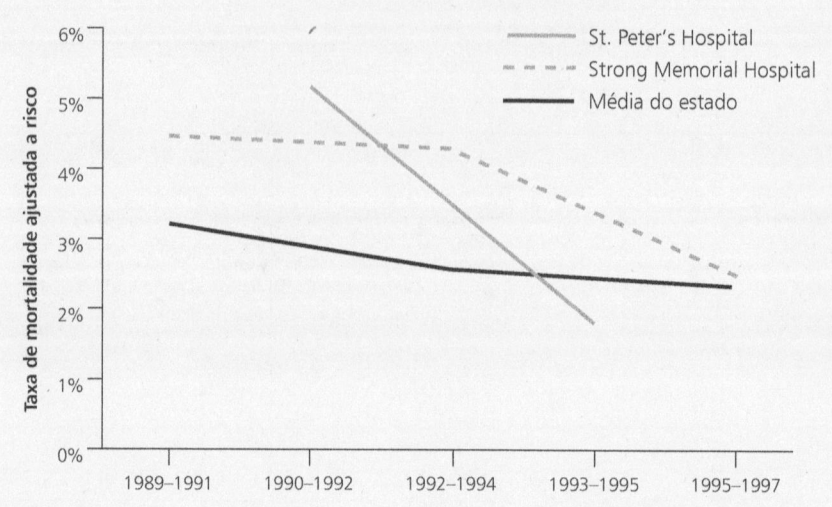

FIGURA 2-7 Melhoria nos resultados das cirurgias de ponte de safena no estado de Nova York.
Fonte: Dados do New York State Department of Health (Secretaria de Saúde do Estado de Nova York), 1992, 1993, 1995, 1997, 2000

confiáveis quando uma pessoa adoece ou sofre uma lesão, e algumas oferecem assistência na procura de um médico com o nível apropriado de experiência e competência. Contudo, elas carecem de dados quantitativos comparativos e têm que se valer principalmente de painéis de especialistas, levantamentos e reputação. No Reino Unido, a Dr Foster Limited é o principal prestador de informações independente para o National Health Service (NHS).[53] A Dr Foster utiliza dados universais sobre todos os tratamentos realizados em hospitais do NHS, que são então ajustados a risco pela empresa. Portanto, o Reino Unido está bem à frente dos EUA em prática médica.

Essas organizações, e outras do gênero, deixam claro que informações importantes, mesmo que imperfeitas, já existem ou podem ser reunidas para apoiar a competição baseada em valor na assistência à saúde. O fato desses serviços não serem amplamente conhecidos é sintomático da ausência de competição baseada em valor. A nação não pode mais se dar ao luxo de esperar que se desenvolvam informações perfeitas. Nada provocará melhorias mais rápidas nas informações do que a ampla divulgação das já existentes.[54] Uma estratégia coordenada para desenvolver e disseminar informações comparativas sobre resultados é uma urgente prioridade e um assunto que discutiremos em capítulos posteriores.

As atitudes e motivações erradas dos pacientes

Dada a importância da boa saúde e o interesse em uma boa assistência médica, os pacientes deveriam investir todos os esforços para serem bem informados; considerar todas as alternativas criteriosamente e assumir responsabilidade pessoal pela sua saúde e suas escolhas de atendimento. Isso não significa que os pacientes devam tentar gerenciar seu próprio atendimento ou que eles não precisam mais depender de médicos e outros especialistas. A assistência à saúde dirigida pelo consumidor* é uma simplificação sem limites. A idéia crucial é que pacientes informados e envolvidos, trabalhando com os seus médicos, ajudarão a melhorar os resultados e reduzir os custos em um sistema competitivo que responda às evidências e recompense a excelência.

Estudos recentes demonstraram que pacientes que tomam parte do processo de decisão normalmente escolhem tratamentos mais conservadores e menos dispendiosos e menos cirurgias.[55]

---

* N. de R.: No original, CDHP – *Consumer Driven Health Plan*.

Pacientes mais envolvidos também obtêm resultados melhores e de menor custo[56] seguindo instruções de medicamentos e cuidados próprios[57], o que resulta em tratamentos condizentes com os seus valores e preferências (inclusive menos tratamento de final da vida)[58], e selecionando apenas tratamentos condizentes com as evidências médicas.

Contudo, a maioria dos pacientes e suas famílias não se comporta dessa forma. Em vez disso, delegam decisões importantes a terceiros. Muitos pacientes e respectivas famílias deixam de usar as informações disponíveis e se sentem constrangidos ou têm medo de indagar os médicos sobre o nível de experiência, os resultados e os preços deles. Aliás, a mensagem normalmente passada aos pacientes é que fazer perguntas sobre a lógica de uma recomendação médica é considerado rude ou um desafio. Da mesma forma, perguntas sobre custos ou sobre qualificações profissionais são normalmente vistas como fora dos limites.[60] Existem médicos que abandonam um paciente que busque atendimento num centro regional ou nacional.

A estrutura de um sistema reforça essas atitudes. Por que se dar ao trabalho de viajar para ser atendido, se você tem a impressão, ou prefere acreditar (porém sem nenhuma base de informação) que o atendimento local é tão seguro e eficaz quanto qualquer um outro? Por que se dar ao trabalho de juntar informações, se, de qualquer forma, as restrições e exigências de aprovação o impedem de escolher? Mesmo que um paciente ou médico que faz o encaminhamento identifique um prestador mais eficaz, utilizar aquele prestador pode envolver maiores obstáculos administrativos para obter aprovação, muito mais despesas do próprio bolso para se dirigir a um lugar fora da rede e ainda o risco de não ter cobertura do seguro se ocorrer alguma complicação. Em cima desses problemas, pode haver penalidades na forma de pagamento menor para o médico que fez o encaminhamento e ainda o risco de ele se indispor com especialistas locais que possam vir a serem importantes na fase de acompanhamento. Quando os pacientes se sentem incapazes de assumir responsabilidade pelas suas ações, a ameaça de ações judiciais se torna o único mecanismo disciplinar no sistema.

Os planos de saúde normalmente argumentam que um controle rígido das escolhas dos pacientes se faz necessário porque a demanda dos pacientes por tratamentos é infinita. Mas essa crença confunde melhor saúde com maior quantidade de tratamentos médicos. A maioria dos indivíduos não quer mais cirurgia, mais procedimentos médicos, internações em maior quantidade mais longas, ou mais retornos ao consultório para sanar complicações. Eles querem assistência médica *eficaz* por prestadores competentes. Pacientes desinformados de fato presumem que mais uso da assistência leva a melhor saúde, conforme revelaram as pesquisas.[61] Mas as mesmas pesquisas também sugerem que quando se fornecem informações e o paciente as discute com o seu médico, a preferência do paciente por melhor saúde, e não por mais tratamento, fica patente.[62]

Existem certas situações, como dor na coluna, em que os pacientes ficam desesperados por "fazer algo", mesmo que muito caro ou de eficácia não comprovada. Na maioria dos casos, entretanto, a falta de sensibilidade a preço é simplesmente uma resposta lógica à falta de informações comparativas sobre preços e qualidade, somada aos incentivos existentes. Pior ainda, sem informações relevantes sobre resultados, os pacientes ou os médicos que os encaminham podem presumir que os prestadores mais caros sejam melhores, sem se darem conta de que esses prestadores podem ter preços mais elevados porque dispensam tratamentos adicionais desnecessários ou erram mais.

Os planos de saúde introduziram os co-pagamentos, os dedutíveis e, mais recentemente, as contas de poupança médica (HSA)* para incentivarem os pacientes a considerar os custos das consultas e dos tratamentos. No entanto, como os pacientes têm escolhas muito restritas e dispõem de pouca informação significativa para embasá-las, os co-pagamentos, dedutíveis e contas

---

* N. de R.: No original, *health savings accounts*.

de poupança médica no atual sistema quase sempre estimulam os pacientes a aplicar um auto-racionamento. Como discutimos em capítulos posteriores, as contas de poupança médica combinadas com informações corretas podem encorajar maior envolvimento dos pacientes no processo de decisão; porém o benefício vem de engajar os pacientes na obtenção de informações e na escolha, e não de encorajar pacientes a saltarem sessões de atendimento, especialmente atendimento com eficácia de custo.

Os incentivos errados para os planos de saúde

Os planos de saúde deveriam ser recompensados por possibilitarem que seus clientes/associados aprendam e obtenham o tratamento que lhes ofereça o melhor valor, ajudando os clientes/associados a prevenirem e gerenciarem doenças, simplificando os processos administrativos e trabalhando de fato com os prestadores para alcançar esses objetivos. Em vez disso, os planos de saúde se deparam atualmente com vários tipos de incentivos oblíquos que trabalham contra o valor.

Primeiro, os planos de saúde se beneficiam financeiramente da adesão de clientes/associados saudáveis e da elevação dos preços de adesão para pessoas doentes. Se os clientes/associados acabam sendo de alto custo, os planos de saúde podem se beneficiar encorajando-os a trocar de plano ou complicando tanto o processo de obtenção de cobertura para certos serviços, que o cliente acaba pagando do próprio bolso. Embora os planos de saúde não possam legalmente expulsar clientes, alguns planos dificultam e retardam o processo de reivindicações.

Para pacientes que não fazem parte de um grupo, esses incentivos podem ter amargas conseqüências. Os planos de saúde têm o incentivo de "reformular o contrato" ou de aumentar significativamente o preço a ser pago, caso uma família seja acometida de uma doença ou lesão dispendiosa. Essas elevações de preço ocorrem mesmo que a família seja afiliada por muitos anos e tenha tido poucos sinistros. Depois da promulgação de uma lei federal de 1996, que impedia os seguradores de cancelar a apólice de um segurado por este ter contraído uma doença, a prática de "reformulação de contrato" aumentou muito. Segurados com condições de saúde dispendiosas acabaram pagando mais pelo seguro, o que tem o mesmo efeito econômico de um cancelamento. A "reformulação de contrato" é não somente injusta, mas também anula todo o propósito de contratar seguro. O efeito não-antecipado da lei de 1996 é um exemplo típico do clássico fracasso de soluções regulatórias fragmentadas.

O incentivo para a adesão de clientes/associados saudáveis também desacelerou a introdução de programas de gerenciamento de doenças*. Já há provas de que o gerenciamento de doenças tem eficácia de custo e melhora a saúde e a qualidade de vida.[63] Mas pelo menos um estudo descobriu que os planos de saúde evitavam conquistar uma reputação de excelência no apoio a clientes/associados com doenças crônicas de forma a não atrair mais clientes dessa natureza.[64] Embora o gerenciamento de doenças seja uma forma clara de demonstrar melhoria na saúde dos clientes/associados, o sucesso para os planos de saúde não dependia da melhoria dos resultados na saúde.

Segundo, muitos planos de saúde têm um horizonte de tempo errado. A competição pela adesão de clientes/associados numa base anual é problemática. Sem competição nos resultados, o compromisso de um ano entre o cliente/associado e o plano de saúde motiva pagadores e empregadores a adotarem uma mentalidade de curto prazo e focarem-se em custos de curto prazo, em vez de investirem em serviços e terapias que tenham um valor muito mais alto quando medidos em todo o ciclo de atendimento. Por exemplo, um medicamento que reduza a chance de hospitalização posterior não será estimulado, ou pode nem mesmo ser coberto, porque o seu custo imediato é certo, ao passo que a redução de custo a prazo mais longo, além de incerta, poderá vir a beneficiar outro plano de saúde.[65] Um compromisso de curto prazo entre o plano de saúde e o cliente/asso-

---

* N. de R.: No original, *disease management*.

ciado também cria um incentivo para os planos de saúde "fazerem corpo mole" na implementação de programas de gerenciamento de doenças em se tratando de males crônicos, cujos benefícios em termos de valor correm no longo prazo. A contratação anual também estimula os planos de saúde a "escolherem a dedo" clientes atualmente saudáveis e elevar o preço para beneficiários individuais ou de pequenos grupos que tiveram o azar de ficarem doentes durante o ano.

Visto que os planos de saúde não têm que competir em resultados, no sentido de resultados de saúde dos clientes, eles também podem se beneficiar com a desaceleração de inovações que não provoquem economias de custo imediatas ou de curto prazo. Eles limitam os encaminhamentos, desautorizam cobertura de abordagens não comprovadas e pressionam os médicos para que não usem diagnósticos e tratamentos dispendiosos. De fato, os planos de saúde (e outros) de um modo geral têm presumido que novos medicamentos, novas tecnologias e novas técnicas provocam alta dos preços. Na verdade, as inovações na assistência à saúde, inclusive na forma como o atendimento é organizado e prestado, são a única forma de, no longo prazo, atingir melhor atendimento para mais pessoas a menor preço.

Terceiro, no atual sistema, os planos de saúde têm incentivo para complicar as regras de faturamento e pagamento. Os planos podem transferir custos emitindo faturas incompreensíveis e imprecisas, retardando ou contestando o pagamento ou tornando o processo de aprovação complicado para atendimentos fora da rede. Uma vez que a família ou o indivíduo segurado permanece legalmente responsável pelas contas dos tratamentos de saúde, os planos de saúde (e até os prestadores) ganham tempo e dinheiro contestando as coberturas ou a quantia a ser paga e solapando os pacientes ou suas famílias com burocracia. As HMOs tentaram simplificar o faturamento com planos de pagamento per capita (um único pagamento anual a prestadores pelo atendimento de todas as necessidades de saúde de um paciente), mas isso introduziu um pesado conjunto de incentivos oblíquos para a prestação de subtratamentos, o que, novamente, corroeu o valor da assistência à saúde para os pacientes.

Como discutiremos em mais detalhes, as práticas de faturamento da maioria dos hospitais e grupos de médicos se tornaram tão complicadas que os seus próprios departamentos de cobrança não conseguem explicar. São miríades de contas emitidas, inclusive uma para cada médico envolvido. Se uma fatura de compra de um carro fosse como as atuais contas da assistência à saúde, o cliente receberia uma fatura para cada peça do veículo. Isso obscurece o valor total, como discutiremos. No entanto, isso também significa que erros como fatura em duplicata, cobrança indevida e encaminhamento de faturas ao paciente em vez de ao pagador são comuns. Mas são difíceis de serem detectados – especialmente por pacientes inexperientes – devido às práticas intricadas envolvendo múltiplas notas e cobranças com rubricas mal descritas.

Os planos de saúde têm grande experiência com faturas médicas e estão em boa posição para encontrar os erros. Os planos de saúde poderiam também trabalhar com os prestadores no sentido de corrigir e simplificar as faturas. Contudo, hoje, os planos de saúde têm pouco incentivo para fazê-lo. Na verdade, eles podem se beneficiar não corrigindo os erros que transferem as faturas para os pacientes ou simplesmente permitindo que prestadores faturem pacientes pela diferença entre os custos totais e valor do negociado com o plano de saúde.

Isso deixa o paciente individual ou a família, que freqüentemente arca com o ônus de lidar com a doença ou morte, com o encargo de decifrar as contas, verificar se há erros ou interpretações criativas de acordos de cobrança e ainda lidar com os departamentos de cobrança dos prestadores.[66] Muitos pacientes simplesmente presumem que as contas do prestador e a contabilidade do plano de saúde estão corretas, e, assim, o pagamento é transferido para o paciente.[67] Se o paciente não puder pagar, o prestador arca com o ônus das contas não pagas. De uma forma ou de outra, o plano de saúde tem pouco incentivo para insistir que os prestadores emitam notas mais simples e mais precisas. Nada disso contribui para a competição baseada em valor, mas apenas transfere os custos de uma parte para outra, eleva os custos em forma de *overhead* e desperdiça o tempo e os esforços dos pacientes.

Os prestadores, por sua vez, também podem ser solapados com burocracia. O processo de responder às perguntas do plano de saúde e de preencher todos os formulários e de obter as assinaturas necessárias para o pagamento é tão complicado e toma tanto tempo que os prestadores às vezes desistem totalmente de reivindicar o pagamento e registram o serviço como não remunerado. O efeito líquido é mais transferência de custo.

Quarto, sem os mecanismos da competição baseada em valor e focada em resultados, os planos de saúde procuram reduzir o tempo que os médicos gastam com os pacientes, restringir a cobertura de serviços caros, incentivar os hospitais a darem alta aos pacientes o mais rápido possível e restringir a maior parte do atendimento fora da rede. O sistema de descontos e de aprovações em âmbito de rede, desvinculado dos custos reais ou do valor, significa que os pacientes não estão direcionados ao prestador mais eficaz.

Embora algumas dessas práticas estejam sendo agora alteradas em resposta à pressão exercida por pacientes, muitos planos de saúde nos anos 90 tinham processos de aprovação sofisticados projetados para garantir que a maioria dos pacientes que precisasse de um especialista fosse direcionada no âmbito da rede, e também para supervisionar as decisões médicas tomadas pelos médicos da rede. As regras exigiam encaminhamentos formais de médicos de assistência primária para especialistas da rede, e de especialistas da rede para especialistas de fora da rede. Em geral, continua sendo necessária aprovação administrativa para o tratamento clínico proposto por especialistas, especialmente quando os prestadores não pertencem à rede. O processo de aprovação é lento, geralmente impedindo que o paciente seja diagnosticado e tratado na mesma consulta, criando, assim, custos adicionais significativos, inconveniência e, às vezes, risco por retardo do tratamento. Mesmo quando os planos de saúde não exigem mais aprovação para cada passo do tratamento clínico, altos co-pagamentos pela parcela não descontada têm com freqüência ocorrido no lugar da aprovação. Tais impedimentos a tratamento fora da rede limitam a competição, ao passo que a falta de informações sobre resultados obscurece o seu efeito sobre o valor. Alguns processos de aprovação estabelecem um relacionamento potencialmente adverso entre os pacientes e os seus médicos da rede. Em vez de aceitarem o parecer de um médico sobre a propriedade de um tratamento fora da rede, alguns planos exigem que os médicos afirmem que são *incapazes* de fornecer o tratamento necessário. Essas regras de fato obrigam que especialistas da rede forneçam o tratamento, mesmo se julgarem que o seu paciente seria atendido melhor fora da rede. Além disso, um paciente que busque tratamento fora da rede, ao solicitar o encaminhamento, enfrenta o risco de ofender o médico da rede, uma vez que isso implica, de fato, em pedir-lhe uma declaração de incompetência. Mesmo quando a aprovação formal não é exigida, o risco de ofender o médico local já desencoraja os pacientes a se desviarem dos padrões usuais de encaminhamento.

É claro que os pacientes podem sempre buscar tratamento fora da rede sem a aprovação e pagar a conta por si mesmos. No entanto, além de anular o propósito da cobertura de saúde, neste caso, o paciente arcará com preços significativamente mais elevados.[68] Os planos de saúde, como rotina, negociam descontos de 50% em relação aos preços de tabela, porém pacientes de fora da rede sem aprovação do plano de saúde têm que pagar o preço de tabela.[69] Portanto, mesmo quando os planos de saúde alegam cobrir 70% de um preço razoável por tratamento fora da rede, eles definem "razoável" tomando por base o que um pagador de grande porte, como eles próprios, seria capaz de negociar. Então, na verdade, o paciente "segurado" precisa pagar 65% da conta.[70] Além do mais, alguns planos não cobrem os custos de tratar complicações que surjam durante o tratamento fora da rede, o que representa mais um risco financeiro para o paciente. Assim, no atual sistema, os pacientes segurados que necessitem de tratamento fora da rede para problemas complexos ou raros se deparam com uma amarga escolha: podem minar o relacionamento com o seu médico da rede (que freqüentemente dispõe de poucas informações sobre resultados, mas acredita que o tratamento dentro da rede se situa acima da média), ou podem pagar contas médicas exorbitantes, além do que pagam pelo seu plano de saúde.

Embora alguns planos de saúde tenham modificado suas regras e processos, essas práticas persistem em muitos planos. A pré-aprovação para cobertura fora da rede continua sendo um processo complicado. Por exemplo, o paciente tem que apresentar dados que comprovem que o prestador de fora da rede tem qualidade superior aos prestadores da rede. Essa comparação é praticamente impossível porque o plano de saúde não fornece dados sobre a qualidade dos prestadores da rede. Assim, embora tal cobertura exista no papel, persiste a realidade de recusa de pagamento. Tudo isso serve para emperrar ainda mais a competição onde ela é mais importante: no diagnóstico, no tratamento e no gerenciamento de condições de saúde específicas. Além disso, as aprovações, controles e batalhas complexas sobre quem vai arcar com o pagamento levou a uma explosão dos custos administrativos. Os custos também corroem o valor.

Finalmente, o atual sistema tem resultado em discriminação de preço cada vez maior, sob a qual os pacientes pagam diferentes valores pelo mesmo tratamento, sem nenhuma justificativa econômica baseada em custos. Os pacientes cobertos pelo setor público são subsidiados pelos pacientes do setor privado. No setor privado, os pacientes pertencentes a grandes planos de saúde são altamente subsidiados pelos segurados de pequenos grupos, pelos não segurados e pelos pacientes de fora da rede, que pagam muito mais ou até mesmo os preços de tabela. Pior ainda, preços de tabela artificialmente altos fazem com que mais pacientes sejam incapazes de pagar, elevando o montante de atendimentos não remunerados, o que leva a preços de tabela ainda mais altos e a pressões por maiores descontos para grandes grupos. A complexidade administrativa de lidar com preços diferenciados acrescenta custo sem nenhum benéfico em termos de valor à assistência à saúde.

A competição disfuncional criada pela discriminação de preço excede de longe quaisquer vantagens de curto prazo que os participantes individuais do sistema ganhem com isso, mesmo em se tratando daqueles participantes que atualmente desfrutam dos maiores descontos. A lição é simples: incentivos oblíquos motivam atividades que elevam os custos. Todos esses incentivos e distorções reforçam a competição de soma zero e funcionam contra a criação de valor.

Os incentivos errados para os prestadores

Os prestadores deveriam ser recompensados por competirem em âmbito regional e nacional, ou mesmo internacional, para entregarem o melhor valor no tratamento de condições de saúde específicas. Em vez disso, os incentivos dos prestadores, da mesma forma que os dos planos de saúde, reforçam a competição de soma zero. Ironicamente, no entanto, enquanto os incentivos dos planos de saúde reforçam uma competição ampla demais que despreza os resultados na saúde, os incentivos dos médicos tendem a reforçar um atendimento demasiadamente estreito e fragmentado. Os médicos são estimulados a prestar serviços distintos, em vez de competirem em valor no ciclo de atendimento como um todo.

Instaurou-se uma crença generalizada de que a medicina no esquema de pagamento de uma taxa por serviço prestado gerava incentivos apontados como um dos principais culpados pelos problemas de custo no sistema de saúde durante os anos 80. Taxa por serviço era um sistema que recompensava os prestadores por quantidade de atendimentos, independentemente de melhorias nos resultados. Mais procedimentos, mais consultas e mais exames significavam mais renda para os médicos e hospitais. Para frear o abuso de atendimentos, a assistência gerenciada introduziu um novo conjunto de incentivos. Mas, na prática, esses incentivos acabaram também se tornando altamente problemáticos.

Alguns planos de saúde passaram a adotar a capitação, presumindo que uma taxa fixa anual por indivíduo coberto reduziria o incentivo para médicos e hospitais prescreverem demasiados exames, cirurgias ou encaminhamentos a especialistas. Mas, na realidade, o pagamento per capita desviou demasiadamente os incentivos na direção oposta, já que ninguém precisava competir em resultados. Como os hospitais e médicos recebiam um pagamento fixo, os médicos eram pressionados a dedicar menos tempo aos pacientes, a realizar menos exames, a fazer menos encaminhamentos e a encurtar a permanência dos pacientes no hospital. Evitavam-se novas abordagens de tratamento se houvesse incerteza sobre os benefícios a curto prazo, especialmente porque os prestadores não podiam assegurar a retenção do contrato do paciente por mais de um ano.[71] O viés mudou de "se há uma chance de funcionar, tente" para "se não tem certeza que funcionará, não faça". Embora alguns possam dizer que isso é coerente com "primeiro, não fazer mal", o efeito mais perturbador é revelado nos estudos descritos no Capítulo 1, que mostram que os americanos agora recebem 55% dos tratamentos sugeridos por evidência médica estabelecida.[72]

Mesmo onde a capitação global não foi imposta, o pagamento a médicos e hospitais foi drasticamente reduzido, e as taxas pagas aos médicos eram ainda mais reduzidas quando um paciente era encaminhado a um especialista ou retornava para tratamento. Isso tinha um efeito similar ao da capitação: intensa pressão para atender a mais pacientes, gastar menos tempo por paciente, prestar menos serviço, pedir menos exames e cortar custos ainda que em detrimento da qualidade. Quando o Medicare ou os planos de saúde pagam uma quantia pré-determinada por internação sem medir resultados, os hospitais podem tentar dar alta aos pacientes tão rapidamente quanto possível, mesmo que eles tenham que ser reinternados. Os dados indicam uma tendência, desde 1995, para mais internações e menores períodos de permanência, o que é preocupante se os mesmos pacientes estiverem sendo reinternados (ver Figura 2-8).[73]

Muitos médicos resistiram à pressão de subtratar seus pacientes. Porém, embora a ética na medicina seja forte, o atual sistema demanda muito, esperando que os médicos trabalhem contra os seus próprios interesses econômicos para entregar valor aos pacientes, especialmente quando informações sobre resultados, que justificariam as escolhas na prestação do tratamento, são tão limitadas. Este conflito entre boa medicina e auto-interesse desmoraliza os médicos e retarda a adoção das melhores práticas.

Ironicamente, os incentivos ao subtratamento decorrentes das regras de pagamento e estruturas dos planos de saúde coexistem com incentivos para o excesso de tratamento, concorrendo para os problemas de valor ao paciente. Os incentivos ao excesso de tratamento têm quatro fontes. A primeira e mais óbvia é que os médicos e hospitais são pagos para tratar, e não para manter os pacientes saudáveis. A segunda é que, quando o pagamento é espremido, aumenta-se o incentivo para

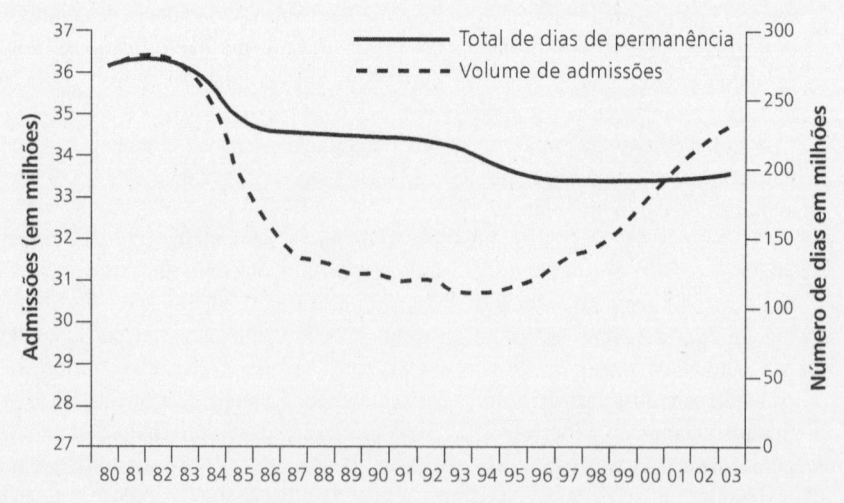

FIGURA 2-8 Tendências nas internações: total de dias de internação e número de admissões, 1980-2002.

Fonte: Análise pelo The Lewin Group dos dados dos levantamentos anuais, 1980–2003, da American Hospital Association, para hospitais comunitários, e U.S Census Bureau. Em The Lewin Group and the AHA, *TrendWatch Chartbook 2005*: "Trends Affecting Hospitals and Health Systems." Usado com permissão.

ganhar mais aplicando mais tratamentos. A terceira é que o fenômeno conhecido como *demanda dirigida pela oferta* é um grave problema – os prestadores tendem a preencher toda a sua capacidade.[74] Os pacientes são tratados cirurgicamente (*versus* menos invasivamente) quando a localização geográfica tem mais cirurgiões. Os tratamentos de final de vida absorvem mais especialistas quando existem mais especialistas na região. Os hospitais em todo o país preenchem os seus leitos e os médicos, naturalmente, preenchem toda a sua agenda de trabalho com tratamentos aos pacientes.[75] Embora esse efeito possa não ser proposital, ele é condizente com um sistema em que o pagamento é feito por tratamento e os resultados não são mensurados.

A quarta e mais sutil é que, a menos que os médicos saibam com certeza que mais tratamentos não melhorarão os resultados para um paciente, eles podem se sentir obrigados a prestá-los.[76] A pressão para excesso de tratamento vem, em parte, de pacientes mal informados que pressionam os médicos para fazer *alguma coisa* – como prescrever antibióticos para uma infecção virótica ou operar a coluna que está doendo. E além de todas essas pressões, há ainda a ameaça de ações judiciais por imperícia, o que gera incentivos para que os médicos peçam exames e apliquem tratamentos em demasia ou encaminhem seus pacientes a especialistas para reduzir o risco de ser alvo de uma ação na justiça.

Infelizmente, os incentivos para tratamentos desnecessários não cancelam os incentivos para subtratamento, porque eles afetam diferentes aspectos e tipos de tratamento. O resultado líquido dos incentivos simultâneos para subtratar e supertratar é qualidade ruim e valor ruim, conforme discutimos no Capítulo 1. Estudos, pela RAND, da literatura sobre qualidade na medicina de 1993 a 1998 incluem uma bibliografia de dez páginas de artigos médicos revisados por colegas documentando tratamentos inapropriados ou equivocados.[77] Procedimentos desnecessários permanecem extremamente comuns, mas os problemas de qualidade são agora acrescidos de incentivos para subtratamento. O resultado é uma prática clínica menos eficaz, altos custos e montes de papelada que drenam o tempo dos médicos. Em vez de tentar remendar um conjunto de incentivos oblíquos com mais incentivos oblíquos, a reforma precisa criar a competição baseada em valor focada em resultados.

A falta de competição nos resultados também poda os incentivos dos prestadores para implementar melhorias. A aprendizagem é desestimulada porque os prestadores que recebem um fluxo constante de encaminhamentos na rede têm pouco incentivo, a não ser a ética profissional, para perseguir melhorias nos tratamentos e dispõem de dados insuficientes para medir como eles estão se saindo. Até mesmo os profissionais mais dedicados da área médica trabalham sob intensa pressão de tempo. Sem terem que enfrentar competição em resultados, eles não são compelidos a dedicar parte do seu precioso tempo para analisar as melhorias possíveis na sua prática. Ironicamente, apesar de a tecnologia ter acelerado e facilitado mais do que nunca a difusão do conhecimento, as estruturas social e econômica do setor de assistência à saúde funcionam contra a rápida disseminação da aprendizagem. A ameaça de ações judiciais por imperícia pode também impedir que os prestadores tentem se informar e aprender com os resultados ruins.

As abordagens de pagamento podem funcionar contra melhorias na qualidade, redução de custos ou inovações. Por exemplo, a Intermountain Health Care embarcou num projeto em 1995 para diminuir as taxas de pneumonia adquirida em comunidade no condado de Sanpete, estado de Utah. As diretrizes para o processo de tratamento desenvolvidas como parte do projeto abordavam os critérios de triagem inicial para hospitalização, a escolha dos antibióticos iniciais, o fluxo de trabalho para aplicar os antibióticos com rapidez e um protocolo de conversão para transferir os pacientes hospitalizados para medicamentos que pudessem se administrados num contexto ambulatorial. A implementação das diretrizes resultou numa redução da taxa de complicações e na diminuição da taxa de mortalidade de pacientes.[78]

Embora o projeto tenha diminuído os custos totais do episódio de tratamento, a gerência da Intermountain logo percebeu que as melhorias em qualidade estavam reduzindo os lucros da empresa. Apesar de os custos de tratamento pela IHC terem caído em 12,3 %, as receitas caíram em 17,5% porque, como o índice complicações baixou, a alíquota de pagamento do Medicare mudou de DRGs* complexos com margens positivas (p. ex., DRG 475) para DRGs mais simples (p. ex., DRG 89) com margens negativas.[79] A IHC continuou seus esforços, mas agora tenta negociar com os planos de saúde uma participação nos ganhos por inovação de processos para contrabalançar os desincentivos sofridos por parte do sistema por ter melhorado o valor.

Os prestadores costumam também receber muito menos por procedimentos menos invasivos que melhoram os resultados. Normalmente, não existe recompensa por inovação, mesmo quando o pagamento por melhores abordagens diminui. (Ver Capítulos 5 e 6.) Para cirurgias de ortopedia, por exemplo, os hospitais recebem menos do Medicare se o paciente permanecer internado por período mais curto que a média. Sem participação nos ganhos, por que um hospital ou médico investiria os esforços necessários para inovar? A única forma de estimular a inovação é fazer com que os prestadores concorram em resultados e sejam recompensados por entregarem um valor superior.

A resposta errada pelos empregadores

Os empregadores, que compram e pagam grande parte das contas da assistência à saúde nos EUA, estavam numa boa posição para perceber e trabalhar a fim de superar muitas dessas desvantagens. Infelizmente, ao buscar reduzir custos, os empregadores reforçaram a competição de soma zero.[80] Eles trataram a assistência à saúde como uma *commodity* e focaram-se em estrita redução de custos. Concentram a maior parte de sua atenção nas ofertas e estruturas dos planos de saúde, e permitiram a restrição de escolha dos pacientes sobre os seus tratamentos. Muitos empregadores oferecem apenas um plano de saúde a seus funcionários, removendo a competição até mesmo em nível de plano. Os empregadores deixaram de compreender que os planos de saúde se focavam em custos, e não em valor, com conseqüências na produtividade e no moral dos funcionários. É bom encorajar a competição entre planos de saúde, mas a única solução real está em promover a competição baseada em valor focada em resultados entre ambos planos de saúde e prestadores.

A maioria dos empregadores contentou-se em conviver com essas limitações, não percebendo que a prevalência de tratamentos abaixo dos padrões e a taxa de erros médicos eram tão significativas, ou que as verdadeiras diferenças de custo entre os prestadores eram tão substanciais.

Os empregadores, inadvertidamente, estimularam a batalha sobre poder de negociação entre planos de saúde e prestadores, o que, por sua vez, elevou os custos de prover benefícios de saúde sem qualquer melhoria em qualidade. Agora, como vítimas da batalha por poder de negociação, os empregadores se deparam novamente com uma crise de elevação de custos na assistência à saúde.

Recentemente, os empregadores recorreram progressivamente à transferência de custos, pedindo que os funcionários pagassem uma parcela maior pela contratação do plano, limitando a cobertura nos planos oferecidos ou cortando por completo o benefício-saúde. Não só os empregadores tiveram que absorver custos mais altos, como também os custos de empregados não segurados foram transferidos para a sociedade.

As contas de poupança-saúde (HSAs – *health savings accounts*) se tornaram o veículo mais recente de transferência de custos para o empregador. Alguns empregadores e administradores de planos de saúde acham que a única maneira de conter os custos é fazer com que os consumidores tenham que pagar uma significativa porção dos seus tratamentos, introduzindo assim a disciplina de custos nas suas escolhas. No entanto, sem informações relevantes sobre o valor da assistência à

---

* N. de T.: DRG é um sistema governamental de categorização de pacientes.

saúde, a capacidade de escolher prestadores e o apoio dos profissionais de saúde nessas decisões, as contas de poupança-saúde acabam assumindo o papel de auto-racionamento. Ao contrário da intenção das contas poupança-saúde, a única escolha real passa a ser tratar ou não tratar da saúde. A verdadeira mudança e o real valor implicam possibilitar escolhas relevantes, e não simplesmente transferir a responsabilidade pelo pagamento.

Mais uma rodada de negociação e transferência de custos não trará uma solução. A competição de soma zero tem que ser substituída pela competição baseada em valor focada em resultados. Como discutiremos no Capítulo 7, os empregadores têm que mudar sua mentalidade e abordar a assistência à saúde de uma outra forma se quiserem atacar o problema. Caso contrário, os custos da assistência à saúde irão erodir a competitividade das empresas norte-americanas nos mercados globais.

3

O que Houve de Errado na Reforma?

OS PROBLEMAS com o sistema de saúde dos EUA não são fruto de negligência. Reformadores bem-intencionados reconheceram há muito tempo que o sistema está em rota de colisão com a realidade demográfica e econômica. No entanto, os esforços de reforma fracassaram por erro no diagnóstico. Como vimos no Capítulo 2, o problema fundamental é que a competição no sistema de saúde ocorre no nível errado e concentra-se nas coisas erradas. A ausência de competição baseada em valor focada em resultados tem conseqüências que, por sua vez, foram mal interpretadas tanto pelos reformadores quanto pelos participantes do sistema. Com o diagnóstico errado, as tentativas de sanar o sistema têm abordado as questões erradas ou oferecido soluções fragmentadas e, em última análise, ineficazes, que atacam os sintomas no lugar das causas.

Neste capítulo, faremos uma breve análise histórica do sistema de saúde dos EUA e das muitas tentativas de melhorá-lo. Examinaremos por que os principais movimentos de reforma fracassaram, apesar dos esforços conjugados de inúmeros grupos e indivíduos dedicados, inteligentes e instruídos. Esses movimentos têm sido superpostos ao longo do tempo, em repetidas levas de ações e reações. Infelizmente, algumas das iniciativas mais recentes prometem impulsionar o sistema na direção certa, mas nenhuma das reformas propostas, por si só, conseguirá consertar o sistema. Terminaremos este capítulo descrevendo os pontos fortes e fracos dessas recentes abordagens, que serão exploradas em mais detalhes em capítulos posteriores.

A Figura 3-1 oferece uma visão geral dos esforços de reforma, passados e presentes, e também os que julgamos adequados para o futuro.

A ascensão do seguro-saúde em grupo

O primeiro plano de saúde em grupo nos EUA apareceu em Dallas, Texas, em 1929. O Baylor University Hospital procurou estabilizar o seu fluxo de receitas oferecendo a 1.500 professores de escolas públicas um plano pré-pago (US$6/ano) cobrindo até 21 dias de assistência hospitalar em regime de internação por contratante. Pelo conhecimento médico da época, o custo de assistência hospitalar era mais ou menos o mesmo para qualquer condição de saúde, e 21 dias eram considerados uma permanência bem longa. Como o plano suavizava a incerteza dos fluxos de caixa, esta abordagem foi escolhida por outros hospitais e grupos de hospitais e se tornou o modelo para a Blue Cross, que ofereceu o seu primeiro plano em 1932, em Sacramento, Califórnia.[1] O plano da

Passado	Presente	Futuro
Objetivo: Reduzir custos, evitar custos	**Objetivo: Permitir escolha, reduzir erros**	**Objetivo: Aumentar o valor**
O foco estava nos custos, no poder de negociação e no racionamento	O foco está na escolha do plano de saúde	O foco deveria estar na natureza da competição
O foco era em recursos legais e regulamentação	O foco está no prestador e nas unidades de prática dos hospitais	
Sistema caracterizado por:	Sistema caracterizado por:	Sistema caracterizado por:
• transferência de custos entre pacientes, prestadores, médicos, pagadores, empregadores e o governo	• direitos dos pacientes	• competição entre planos de saúde
• limites no acesso aos serviços	• regras detalhadas para os participantes do sistema	• informação sobre planos de saúde
• negociações para baratear preços de medicamentos e serviços	• maior dependência do poder judiciário	• incentivos financeiros aos pacientes
• preços não relacionados à economia na prestação dos serviços de assistência à saúde.		

Sistema caracterizado por (Presente - prestador):
- entrada on-line das solicitações
- práticas Seis Sigma
- adequação de profissionais nas UTIs
- patamares de volume para encaminhamentos complexos
- diretrizes compulsórias
- "pagamento por desempenho" quando os padrões de atendimento são cumpridos.

Sistema caracterizado por (Futuro):
- competição no nível de doenças e condições específicas.
- estratégias distintas para pagadores e prestadores
- incentivos para melhorar o valor em vez de transferir os custos
- informações sobre as experiências, resultados e preços dos prestadores
- escolha do consumidor

FIGURA 3-1 A evolução dos modelos de reforma.

Fonte: Porter, M. e E. Teisberg. "Redefining Competition in Health Care", *Harvard Business Review*, June 2004, 64-77. Copyright © 2004 Harvard Business School Publishing Corporation. Todos os direitos reservados.

Blue Cross incluía uma gama de hospitais pagos numa base *cost-plus* (custo do serviço mais um percentual para cobrir o custo de capital). Como os primeiros planos cobriam somente tratamento hospitalar, os clientes eram tratados no hospital, sempre que possível.

Durante a Segunda Guerra Mundial, os controles de salários e preços impediam que as empresas atraíssem trabalhadores com a oferta de salários mais altos. Em vez disso, elas competiam na oferta de benefícios indiretos e, dessa forma, difundiram-se os planos hospitalares e o seguro-saúde pagos pelo empregador. Para estimular esses planos de saúde em grupo, a Receita Federal dos EUA baixou uma norma estipulando que os benefícios-saúde pagos pelo empregador eram isentos de imposto de renda para os empregados e dedutíveis do imposto para os empregadores. Esta norma, no entanto, não se estendia a planos de saúde contratados individualmente.[2] Em 1950, mais de um terço dos americanos com seguro-saúde eram cobertos por planos proporcionados pelo empregador. Após meados dos anos 50, a maioria dos americanos já esperava contar com seguro-saúde oferecido pelo empregador.

Para prover uma rede de segurança ao sistema de saúde, a lei Bill Burton, promulgada em 1946, obrigava todos os hospitais que recebiam subsídios federais a oferecer assistência gratuita a indivíduos não segurados e incapazes de arcar com os custos de tratamento.[3] O Medicare e Medicaid, criados em 1965, introduziram a cobertura de saúde pública para os idosos e pobres.[4]

Tradicionalmente, as empresas de seguro pagavam aos médicos com base "no que era justo e costumeiramente cobrado". Isso fazia sentido nos primórdios do seguro-saúde, quando a maioria dos pacientes não tinha cobertura e, portanto, pagava os tratamentos de saúde do seu próprio bolso. Naquela época, os médicos enfrentavam pressões de preço ao estabelecerem as suas cobranças de costume. No entanto, depois que o seguro-saúde já tinha se difundindo, as seguradoras continuaram com a estrutura de pagamento "do que é justo e costumeiramente cobrado", embora o seguro tivesse quase que eliminado por completo a competição em preço nos serviços médicos.

Os pacientes segurados não eram mais atraídos por preços baixos; na verdade, na ausência de outra informação, eles passaram a ver baixo preço como sinônimo de baixa qualidade. Já que qualquer preço poderia se tornar "o justo e costumeiramente cobrado", bastando para isso que um número suficiente de médicos o adotasse, os médicos se viram incentivados a aumentar regularmente seus honorários, de forma que os futuros cálculos de pagamento se baseassem em valores mais elevados. Não é de surpreender que os custos da assistência à saúde tenham se elevado.

Historicamente, os honorários médicos evoluíram de modo a favorecer mais os procedimentos técnicos (tais como cirurgia e endoscopia) do que os serviços cognitivos (como consultas e exames físicos). À medida que emergiam novas tecnologias, os prestadores passavam a estabelecer preços altos para procedimentos modernos porque estes implicavam em mais riscos e eram oferecidos por médicos mais preparados e relativamente mais escassos. Num mercado competitivo, a difusão da tecnologia e a crescente oferta desses serviços causariam a queda dos seus preços com o passar do tempo. Contudo, na assistência à saúde, os preços não foram reduzidos porque os pacientes não eram sensíveis a preço; os pagamentos pelas seguradoras eram baseados nos preços de costume, ainda que os custos baixassem; e os resultados dos tratamentos não eram medidos nem comparados.

Limites nos pagamentos a médicos e hospitais

Grandes reformas nos anos 80 tentaram conter o aumento dos honorários médicos e limitar os valores cobrados pelos hospitais. No entanto, em vez de reduzir os custos totais do sistema, o modo fragmentado com que essas reformas foram implementadas gerou incentivos oblíquos para os participantes do sistema.[5] Por exemplo, o Medicare impôs um congelamento de preços em 1984, que durou dois anos. Mesmo assim, grupos de médicos conseguiam elevar suas receitas gerais, estabelecendo altas taxas para o ingresso de novos médicos no grupo. Seguradores privados impuseram estruturas de taxas fixas, às quais alguns médicos reagiram cobrando do paciente a diferença entre o preço de tabela e a taxa fixa. Esta prática, conhecida como *balance billing* (cobrança de saldo), significou não apenas que os gastos com a saúde continuaram a crescer, mas também que a sensibilidade aos preços dos planos de saúde foi reduzida. Os pacientes permaneceram insensíveis aos preços porque esperavam que o seguro pagasse pelo tratamento e raramente procuravam o preço antes de se submeter ao tratamento. Durante a década de 90, a prática de cobrança de saldo foi banida na maioria dos estados. No entanto, a proibição normalmente só se aplicava a redes com taxas negociadas, e não a todos os pacientes segurados. Até hoje há uma ou outra prática de cobrança de saldo, e ações na justiça discutindo a sua legalidade.

À medida que taxas fixas a médicos se tornaram a norma, os médicos se viram incentivados a realizar mais procedimentos, despender menos tempo com os pacientes e elevar suas receitas adquirindo participação acionária em instalações ou laboratórios aos quais eles encaminhavam seus pacientes. Para combater este último efeito, uma lei conhecida como Stark Law foi promulgada em 1989, proibindo o "auto-encaminhamento" a instalações pertencentes aos próprios médicos, independentemente de elas serem mais eficientes ou produzirem melhores resultados.[6]

O modelo de taxa fixa por serviço deixa de considerar o fato de os médicos serem incentivados a tratar, em vez de minimizar a necessidade de tratamento, evitar doenças e, de forma mais geral, melhorar o valor da assistência à saúde.

Esforços para controlar as taxas hospitalares criaram mais incentivos oblíquos. Os planos de saúde tradicionalmente pagavam os hospitais numa base *cost-plus*. O Inpatient Prospective Payment System, do Medicare, um sistema de pagamento conforme a categorização do paciente, ou seja, o Diagnostic Related Group (DRG) atribuído ao paciente, foi implementado em 1983. Por esse sistema, o hospital recebe uma taxa fixa baseada no diagnóstico (DRG) do paciente internado. O pagamento com base em DRG era o mesmo para todos os hospitais, mas havia inúmeros ajustes que faziam-no se aproximar do *cost-plus*. Outras seguradoras tenderam a implementar regras de pagamento na linha das do Medicare.

O pagamento DRG foi um passo na direção certa, pois era vinculado à condição de saúde do paciente, assim como à complexidade da condição do paciente, e juntava as várias cobranças num único pagamento pelo tratamento total, o que é relevante para o valor. No entanto, os DRGs deixavam de captar diferenças importantes na gravidade da condição do paciente, e esta fraqueza persiste até hoje. Por exemplo, o pagamento DRG para um derrame (AVC) grave não é muito maior do que para um derrame leve, que requer muito menos tratamento.[7] Este ponto fraco gerou grande volume de subsídios cruzados. O pagamento era fixo e não dependia de resultados, criando assim incentivos para reduzir os dias de internação e limitar os custos do tratamento, mantendo-os até mesmo abaixo do ponto que compromete a qualidade. Na década subseqüente à implantação do pagamento DRG, a duração média de uma internação foi reduzida pela metade. DRGs também renumeravam por episódios de internação, independentemente do que viesse a ocorrer mais tarde, inclusive a necessidade de reinternação devido à baixa qualidade do tratamento.

Adicionalmente, visto que os tratamentos ambulatoriais continuavam a ser reembolsados por procedimento ou por prestação de serviço, procedimentos e medicamentos caros eram administrados sempre que possível no atendimento de emergência (considerado ambulatorial) antes de o paciente ser internado. As taxas de internação caíram 20% na década seguinte à implementação dos DRGs. O pagamento por tratamento ambulatorial em dependências hospitalares acabou sendo alterado, em 2000, de um sistema baseado em custo para um sistema de pagamento prospectivo.

Parte, ou até grande parte, da redução de internações e duração destas pode ter elevado o valor da assistência à saúde e ter criado a necessidade de contrabalançar os incentivos do sistema *cost-plus* para supertratar e tratar no hospital. Ainda assim, o sistema DRG introduziu o seu próprio conjunto de incentivos oblíquos. Sem nenhuma mensuração dos resultados, as taxas fixas DRG criaram incentivos para subtratar e dar alta prematura aos pacientes – reduzindo a qualidade do atendimento e, por fim, elevando os custos de tratamentos remediativos. Até que ponto os períodos de internação deveriam ser reduzidos e em que extensão os tratamentos podem ser realizados num contexto ambulatorial são perguntas a serem respondidas considerando-se resultados e não apenas custos e estruturas de pagamento.

O pagamento por serviços ambulatoriais realizados por médicos permaneceu *cost-plus* até 1992 e, de forma geral, persistiram os incentivos para o supertratamento ambulatorial. Em 1992, o Medicare tomou medidas adicionais para limitar as taxas pagas aos médicos. Implementou a Resource Based Relative Value Scale (RBRVS), escala de valor relativo baseada em recursos, para os pagamentos a médicos, que foi projetada para vincular os pagamentos mais estreitamente a custos do que a preços costumeiros e para reduzi-los por procedimentos relativos a serviços cognitivos. Contudo, apesar dessa mudança, as quantias proporcionais reembolsáveis continuaram a favorecer procedimentos e, assim, os médicos continuaram a ganhar dinheiro por prestar serviços, e não por produzir resultados. Na verdade, a redução do pagamento por procedimento gerou incentivos para os médicos realizarem mais procedimentos a fim de manter sua renda estável.

Em nenhuma parte de toda essa abordagem se introduziu a competição baseada em resultados, muito menos no estabelecimento de preços e na determinação de quais prestadores tratarão dos pacientes. Em vez disso, houve esforços de cima para baixo para estabelecer e arbitrariamente forçar a baixa dos preços, que foram fixados uniformemente para todos os prestadores. Como era de se esperar, as classificações de doenças e respectivos preços impostos pelo governo não conseguiam sempre corresponder à realidade em termos de custos e circunstâncias do paciente. Assim, foram introduzidos subsídios cruzados, e os incentivos aos prestadores ficaram ainda menos associados a valor. Em vez de um preço para todo o ciclo de tratamento, foram estabelecidos preços separados para tipo de médico, hospital, serviço de internação e serviço ambulatorial, e nenhum deles vinculado a resultados. A resposta foram os previsíveis esforços para manipular o local e forma dos serviços, a fim de maximizar as receitas, tudo isso com objetivos contrários ao valor para os pacientes.

Assistência médica gerenciada (*managed care*)

As questões de subtratamento e supertratamento levaram à visão de que os pacientes precisavam de alguém, preferencialmente um médico, que supervisionasse a adequação do tratamento. A idéia original de *managed care* era simples e elegante – um médico de assistência primária próximo ao paciente asseguraria que o tratamento prestado não fosse nem excessivo nem insuficiente, envolvesse especialistas adequados e refletissem as necessidades e valores individuais do paciente. Na sua implementação, no entanto, o *managed care* assumiu um caráter bem diferente.

No final dos anos 80 e início dos 90, o alto custo da assistência à saúde nos EUA em relação do resto do mundo tinha se tornado bem aparente. A maioria das pessoas pressupunha que esses custos mais altos refletiam uma qualidade de tratamento uniformemente boa ou mesmo excelente. Como observado no Capítulo 2, a premissa implícita era que as diferenças em qualidade entre prestadores eram mínimas. Esta é a essência de uma *commodity* – um produto ou serviço no qual as ofertas dos produtores são indistinguíveis. Havia poucos dados para sugerir que os resultados médicos ou as taxas de erro variavam significativamente entre os prestadores.

Como tudo mais, o movimento do *managed care* dedicou a sua atenção primordialmente ao corte de custos. Os reformadores acreditavam que a competição entre planos de saúde provocaria a baixa dos custos à medida que os planos de saúde, através de médicos de assistência primária, gerenciassem o tratamento dos pacientes e negociassem preços com os prestadores.[8] A idéia original – que os tratamentos seriam gerenciados *para o paciente* por um médico de assistência primária cuja intenção era a adequação de cada tratamento – com o tempo, evoluiu para o gerenciamento dos *médicos* pelos administradores dos planos de saúde com a intenção de reduzir custos, limitar os serviços e aumentar as margens. Essa noção marcou o início de uma investida ferrenha no microgerenciamento de prestadores e dos seus processos, que permanece vigente em 2006, ainda que em formas novas e revisadas.

Por um tempo, no início de 1990, o *managed care* era visto como um sucesso. Os planos de saúde acumularam agressivamente poder de negociação e exerceram-no para transferir custos aos prestadores sob a forma de extração de descontos. Muitos planos de saúde passaram a pagar os prestadores sob a forma de capitação, ou seja, contratos que garantiam aos prestadores uma quantia fixa por indivíduo inscrito no plano por um determinado período de tempo para cobrir todos os serviços. Neste sistema de pagamento, o prestador fica com toda a parte não gasta do pagamento, o que gera fortes incentivos para reduzir custos. Muitos observadores atribuem à capitação um efeito ainda maior do que o do sistema DRG na redução das admissões hospitalares e na duração das internações.

As HMOs e PPOs* usaram o seu poder de negociação no início dos anos 90 contratando apenas prestadores que concordassem com pagamentos menores, que lhes permitissem conter os aumentos aos segurados.[9] Contudo, os prestadores logo reagiram a essa nova pressão dos planos de saúde promovendo fusões e ampliando o seu escopo de serviços para fortalecer o seu próprio poder de negociação, como observamos no Capítulo 2. A direção da transferência de custos se reverteu, e os custos dos planos de saúde e o seu preço aos clientes começaram a subir com mais rapidez. O *managed care* se deteriorou rapidamente numa competição de soma zero por transferência de custos, tendo os pacientes como os principais perdedores na queda da qualidade.

Pacientes e médicos começaram a sentir o aperto de crescente burocracia, agendas sobrecarregadas, menos atendimento personalizado e controle administrativo de decisões antes tomadas pelos médicos. Os planos de saúde trataram de mitigar esse descontentamento, oferecendo a seus clientes a escolha do médico de assistência primária e, ao mesmo tempo, limitando as redes de encaminhamentos para tratamentos secundários e terciários. Contudo, em vez de permitir e apoiar a competição em encaminhamentos baseados em resultados, os planos de saúde tentaram microgerenciar o atendimento a seus clientes e quem lhes iria prestar serviços, valendo-se de processos de aprovação, restrições administrativas e negociação de preços. Os planos de saúde também começaram a oferecer incentivos aos médicos para gastarem menos tempo nas consultas, pedir menos exames e fazer menos encaminhamentos ou encaminhamentos menos dispendiosos. O resultado líquido foram serviços cada vez mais racionados e restritos.

Em vista desse sistema, os hospitais e médicos não se concentravam em melhorar o valor, mas em acumular poder de negociação que lhes permitisse contrabalançar a situação a fim de restaurar ou elevar os preços. Como se podia prever, a luta entre prestadores e planos de saúde produziu pouca melhoria real em qualidade e eficiência. Em vez disso, ela aumentou dramaticamente os custos administrativos. À medida que os custos subjacentes ao sistema continuavam a subir, o acesso à assistência à saúde declinava, os preços de adesão aos planos se elevavam e mais americanos ficavam sem cobertura.

A corrida armamentista na medicina

Paralelamente aos esforços para controlar custos através do *managed care*, outras reformas focalizavam os custos dos investimentos e a superconstrução de capacidade. O problema do superinves-

---

* N. de T.: A sigla HMO significa Health Maintenance Organization e a PPO corresponde a Preferred Provider Oganization, sendo que a diferença conceitual básica deveria ser que as PPOs permitem a livre escolha de prestador para pagamento ao paciente, em vez de ter uma rede própria de prestadores como as HMOs. No entanto, uma extensa pesquisa na Internet demonstra que, atualmente, na prática, esta diferença está sendo dissipada ou já se dissipou, como afirmado nos sites do próprio governo federal dos EUA. Um exemplo, em http://www.ftc.gov/ogc/healthcarehearings/030423ftctrans.pdf#search=%22%20%22HMO%20versus%20PPO%20%22%20site%3Agov%22, onde se lê na página 99 do documento *Health Care and Competition Law and Policy*, da Federal Trade Commission, de 23 de abril de 2003: "... *it's very difficult to define HMO versus PPO...*".

timento tornou-se conhecido com a corrida armamentista na medicina.[10] Os hospitais passaram a competir por posição e reputação no mercado com a aquisição de equipamentos de última tecnologia e a construção das mais modernas instalações.[11]

A corrida armamentista era previsível sob um sistema de pagamento *cost-plus*. Até 1992, as regras do Medicare ditavam que quanto mais um hospital investisse em novas tecnologias e instalações, mais ele poderia receber em pagamento de despesas de capital. O sistema levou comunidades a terem diversos aparelhos de tomografia computadorizada ou diversas ambulâncias-helicópteros, mesmo quando o excesso de capacidade era óbvio.

Quando os reguladores se deram conta dos fortes incentivos ao desenvolvimento de sobrecapacidade, muitos estados se voltaram para o microgerenciamento. Estabeleceram conselhos de avaliação para aprovar investimentos com base nas necessidades da comunidade. Se um prestador quisesse investir em novas instalações ou equipamentos de capital, ele teria que obter um Certificado de Necessidade junto ao Conselho. Isso marcou um nível totalmente novo de microgerenciamento, no qual os reguladores tentavam aprovar ou desaprovar as escolhas de investimentos dos prestadores.

Em 1992, as regras de pagamento de capital pelo Medicare mudaram, limitando a taxa de amortização (ou de recuperação em termos de pagamento) de despesas de capital vultosas. No entanto, o impacto dessa mudança na desaceleração dos investimentos foi diluído por ajustes significativos nas taxas de amortização decretadas com base em localização geográfica, combinação total dos fatores, número de residentes em treinamento e percentuais de pacientes não segurados. Cumulativamente, esses ajustes tornaram os efeitos desse sistema similar aos do pagamento *cost-plus*.

Por ironia, o advento de redes de *managed care*, inadvertidamente, fomentou uma nova corrida armamentista. Enquanto os planos de saúde se afastavam do pagamento *cost-plus* a prestadores que provocara a corrida pela superconstrução, estes últimos começaram a consolidar-se em grandes grupos com amplas linhas de serviços para contrabalançar o poder de negociação dos planos de saúde. Mais serviços, equipamentos e instalações redundantes se estabeleceram para assegurar que os grupos estivessem no estado da arte. Como resultado de toda essa história, muitos observadores chegaram à conclusão que os avanços em tecnologia médica eram a principal causa da aceleração dos custos no sistema de saúde dos EUA.[12]

Mais recentemente, esforços estaduais para inibir superinvestimentos em instalações médicas chegaram a incluir restrições à entrada de hospitais especializados. Alguns estados que exigiam os Certificados de Necessidade bloquearam os hospitais especializados sob a rubrica de prevenção de excesso de capacidade, cerceando os hospitais comunitários nos serviços que lhes eram os mais lucrativos e reduzindo a fragmentação do volume de pacientes entre instituições.[13] Embora a fragmentação de prestadores numa linha de serviço seja um dos grandes problemas, limitar a competição não é a solução. A conseqüência, não deliberada, da política de bloqueio arbitrário de hospitais especializados tem sido a de proteger entidades locais de uma competição que poderia trazer melhorias no diagnóstico e tratamento de condições de saúde específicas. Além disso, dada a atual falta de informações sobre resultados, os conselhos comunitários de avaliação podem estar protegendo o volume de pacientes de prestadores locais que operem abaixo dos padrões.

Todos os esforços para conter a corrida armamentista falharam. Num ambiente onde predomina o incentivo de tratar para obter pagamento (em vez de para entregar valor), tentar controlar os investimentos dos prestadores parece não ser sensato. Mais e mais prestadores investiram em instalações caras, e todos obtiveram o seu quinhão do negócio. Os custos aumentaram e a qualidade diminuiu. A única solução real para controlar os investimentos é a competição baseada em valor focada em resultados. Somente medindo-se resultados e preços, e direcionando pacientes apenas aos prestadores de alto valor, é que se poderá assegurar o nível adequado de investimentos necessário para entregar valor.

O Plano Clinton

À medida que o *managed care* se instalava no sistema, a atenção começou a recair sobre o fato de que mais de 15% dos americanos com menos de 65 anos de idade não tinham seguro-saúde apesar dos altos gastos totais do país com assistência à saúde.[14] Os reformadores continuavam a pressupor que a assistência à saúde era uniformemente boa e que a redução de custos era o objetivo primordial. Em 1993, o presidente Clinton lançou um projeto de lei de 1.342 páginas para reformar o sistema de saúde. O projeto propunha a criação de um conselho nacional de saúde (o National Health Board) para supervisionar os preços dos seguros-saúde, especificar os benefícios que deveriam ser cobertos e fazer cumprir limitações gerais de gastos nos níveis estadual e nacional. O projeto de lei também requeria que todos os americanos obtivessem seguro-saúde e criou um sistema de cooperativas de seguro-saúde de âmbito estadual para supervisionar a disponibilidade dos planos de saúde e fiscalizar o cumprimento das regulamentações nacionais de seguro. Os aumentos nos preços dos seguros privados deveriam obedecer a um teto e o índice de aumento deveria ser gradualmente reduzido, a cada ano, até se alinhar com o aumento anual do índice geral de preços ao consumidor.

Sob o Plano Clinton, toda a população seria organizada em cooperativas de compras de seguro-saúde (HIPCs – *health insurance purchasing cooperatives*). As HIPCs só negociariam com entidades que combinassem um plano de saúde e prestadores, as chamadas Accountable Health Partnerships (AHPs), ou seja, parcerias com responsabilidade pela saúde, que fossem capazes de fornecer um espectro completo de serviços de saúde, demonstrar resultados de qualidade e controlar custos.

Os planos de saúde e prestadores estavam convencidos de que as mudanças propostas no Plano Clinton eram iminentes. Muitos estados já tinham começado a criar cooperativas de compras. Os empregadores promoviam cada vez mais licitações de contratos exclusivos de gerenciamento da assistência à saúde dos seus empregados, das quais apenas prestadores integrados com espectro completo de serviços podiam participar. Isso apressou os prestadores a juntarem-se a planos de saúde para formar redes maiores e integradas de plano-prestadores, e a ampliar tanto os serviços como a cobertura geográfica na região.[15]

O plano do presidente Clinton para a saúde não se transformou em lei e foi amplamente criticado. No entanto, ele serviu para revelar um crescente anseio por controle de cima para baixo dos prestadores e da quantidade total de serviços de saúde a ser entregue pelo sistema. O Plano Clinton continha alguns elementos atraentes que sustentamos no Capítulo 8. Contudo, ele fazia algumas apostas infelizes em termos de como estruturar a competição e estava fadado pelo pesado controle governamental sobre o seguro, tanto o público quanto o privado, o que deixou os americanos, compreensivelmente, pouco à vontade.

Mais notável, entretanto, foi a falta de foco do Plano Clinton na estrutura da prestação dos serviços de saúde. Como discutimos na Introdução, a política de assistência à saúde, em geral, aborda três tipos de questões: seguro (quem tem acesso e quem paga), cobertura (por quais serviços os planos de saúde e a sociedade deveriam ter a responsabilidade de pagar) e prestação dos serviços (que regras, estruturas e tipo de competição deveriam governar a entrega dos serviços de saúde).

O Plano Clinton focava pesadamente no seguro. Na abordagem da prestação dos serviços de saúde, o Plano Clinton, fundamentalmente, deixou de compreender os geradores de valor para os pacientes. Ele abordou custo, e não valor. Ele apostou na consolidação e na integração vertical entre planos e prestadores, o que teria somente exacerbado a competição de soma zero, em vez de fomentar a competição aberta entre múltiplos prestadores, baseada em resultados no nível de condições de saúde específicas. Em vez de permitir a competição na entrega de uma assistência centrada no paciente, capaz de melhorar o valor, o plano buscava controle governamental para conter os gastos ao mesmo tempo em que exigia que todos os cidadãos fossem segurados. Sem o poderoso mecanismo da competição para gerar maior valor, a contenção dos gastos simultânea à obrigação de amplo acesso implicava aumentar o racionamento dos tratamentos. Como outros tantos reformadores, os arquitetos do Plano Clinton pareciam ver o racionamento da assistência à saúde como inevitável. Eles deixaram de considerar a questão de como tornar o sistema de saúde mais produtivo. Eles apostavam no controle de cima para baixo e na supervisão governamental, e não no poder de competição.

Grande parte da filosofia subjacente ao Plano Clinton permanece amplamente aceita em outros países, com seus sistemas monolíticos controlados pelo Estado, nos quais os prestadores são com freqüência possuídos e gerenciados pelo governo. No entanto, o crescente aumento dos gastos com a assistência à saúde é agora uma preocupação alarmante em praticamente todos esses países. Embora a extensão dos gastos nesses outros países não seja tão vultosa quanto nos EUA, os sistemas de controle estatal não parecem prover a solução contra o crescimento dos custos. Além disso, há uma crescente evidência de que os sistemas administrados pelo Estado não são tão bons na entrega de muitos aspectos da qualidade quanto o sistema dos EUA. Além dos tão reconhecidos problemas de longas listas de espera e outras formas de racionamento, países como Canadá, Dinamarca, Holanda, Suécia e Nova Zelândia, entre outros, estão reconhecendo que os seus sistemas de saúde são predispostos a erro médico.[16] As taxas de eventos adversos na medicina são estimadas entre 10,6% e 16,6% na Austrália, entre 10% e 11,7% no Reino Unido e em cerca de 9% na Dinamarca, contra a faixa de 3,2 e 5,4% nos EUA.[17] O número de mortes por erros médicos evitáveis nas nações da Organização para Cooperação e Desenvolvimento Econômico (OCDE) é estimado entre 400 a 700 por milhão de habitantes,[18] representando a terceira principal causa de morte, em comparação a uma faixa de 160 a 360 mortes por milhão de habitantes nos EUA, com base em estimativas do Institute of Medicine, ou 675 mortes por milhão de habitantes nos EUA, pelas estimativas da Health Grades.[19] Países como Japão e Cingapura estão lançando programas para reduzir as taxas de erro médico e uma análise introspectiva do sistema de saúde vem acontecendo em praticamente todas as economias avançadas. (Discutiremos a estrutura e o desempenho dos sistemas de saúde fora dos EUA no Capítulo 8.)

É irônico que, a despeito da crescente evidência de sérios problemas de custo e qualidade nos sistemas controlados por governos no exterior, a idéia de controle governamental e de um sistema de um único pagador vem ganhando legitimidade nos EUA. À medida que cresce o desespero com os custos descontrolados do sistema norte-americano, e sem nenhuma boa alternativa em vista, os reformadores levantam as mãos e aceitam a necessidade de racionamento. O poder do tipo certo de competição para gerar enormes melhorias em valor permanece por ser reconhecido.

Direitos dos pacientes

Como resposta à reação de pacientes e prestadores contra o *managed care*, a próxima onda de reformas tentou criar novos regulamentos que limitavam as impopulares práticas das HMOs e ofereceu aos pacientes mais direitos, permitindo ações judiciais contra os planos de saúde por lesão ou morte resultantes das decisões de negar ou restringir o tratamento. Os defensores dessas medidas esperavam amenizar o controle administrativo exercido pelos planos de saúde, fortalecendo o direito dos pacientes de fazer prevalecer as decisões dos médicos em relação aos tratamentos aplicados, de consultar especialistas, de poder ter um pediatra como médico de assistência primária para os filhos crianças, de assegurar o acesso às instalações de emergência mais próximas, ter direito a um processo de recurso justo e imparcial caso o tratamento fosse negado e poder responsabilizar o plano de saúde pelos danos causados. O que os reformadores deixaram de considerar é que nos estatutos e regulamentos estatais para as HMOs já havia milhares de páginas relativas a "proteção a pacientes" que não tinham surtido efeito.

Já que o Congresso ficou atolado conciliando as diferenças entre as versões aprovadas, respectivamente, pela Câmara e pelo Senado, da lei que continha a Declaração de Direitos e Garantias dos Pacientes, vários estados promulgaram suas próprias leis de proteção ao paciente. No verão de 2004, no entanto, a Suprema Corte decretou que somente o Congresso, e não os estados, poderia aprovar leis que garantissem a pacientes individuais o direito de processar planos de saúde. Hoje, 2006, o Congresso ainda está para aprovar tal lei de direitos abrangentes dos pacientes, mas o debate teve impacto na imagem das HMOs perante o público e revelou a insatisfação dos americanos com o sistema de saúde. A ameaça da legislação também levou à eliminação de alguns dos mais notórios exemplos de racionamento dirigido pelos custos.

Entre essas iniciativas bem-intencionadas houve, novamente, efeitos não intencionais. Por exemplo, o direito à privacidade das informações de saúde de um paciente fez parte do Health Insurance Portability and Accountability Act of 1996 (HIPAA), lei de portabilidade e responsabilidade dos seguros-saúde, de 1996. A idéia de proteger informações de saúde pessoais parece óbvia e desejável. No entanto, a realidade de requerer consentimento escrito de cada paciente para o uso dessas informações na hora do tratamento onerou os prestadores com custos administrativos e demoras adicionais. Da perspectiva do paciente, assinar um formulário HIPAA é simplesmente um pré-requisito para tratamento, o que significa que raramente é cuidadosamente lido ou compreendido; assim, a nova legislação não surte o efeito previsto.[20]

Os direitos dos pacientes são importantes. Entretanto, ficou claro com experiências passadas que mais leis sobre direitos de pacientes não consertarão o sistema de saúde dos EUA. Mais emendas regulatórias em um sistema fundamentalmente defeituoso não altera a competição disfuncional. Cada nova camada de regulamentação acrescenta mais custos não relacionados com o valor real da assistência à saúde. Inevitavelmente, criam-se novas brechas, omissões e distorções de comportamento, que precisam ser abordadas com ainda mais leis.

Igualmente inútil é tentar exigir que os participantes do sistema se comportem contra os seus próprios interesses. Tornar o relacionamento entre plano de saúde e paciente mais antagônico só exacerba o problema. Mais litígio só leva ao aumento dos custos legais, ao uso desnecessário e oneroso da medicina defensiva e mais ônus para os pacientes. Mais regras e procedimentos burocráticos somente estancam as inovações e afastam mais pessoas de talento da medicina. A menos que a natureza da competição no sistema seja mudada e alinhada com o valor, os problemas persistirão e se intensificarão. O que os pacientes precisam é de bom atendimento, e não de mais recursos legais contra recusa e má prestação do serviço.

Assistência à saúde dirigida pelo consumidor

Mesmo antes de os debates sobre direitos dos pacientes aquecerem, preocupações com altos custos, restrição dos tratamentos e más experiências dos pacientes com os planos de saúde e o sistema deram margem a uma outra leva de propostas de reformas, desta vez centradas na escolha pelo consumidor. Ao longo da última década, os defensores da chamada assistência à saúde dirigida pelo consumidor* levantaram a importante questão da necessidade de escolha pelos consumidores e de informações para tanto. A abordagem dirigida pelo consumidor denomina pacientes de "consumidores" e enfatiza que eles são aptos a fazerem suas próprias escolhas.[21] Remetendo à época em que os pacientes, de fato, pagavam pela assistência à saúde diretamente do próprio bolso, o movimento da assistência à saúde dirigida pelo consumidor também enfatiza que uma maior responsabilidade dos consumidores trará de volta a sensibilidade ao preço. A introdução da poupança-saúde e de outros mecanismos que fazem com que os consumidores tenham uma perda ou ganho direto no pagamento dos seus próprios tratamentos são características proeminentes do movimento da assistência à saúde dirigida pelo consumidor. Muitos observadores igualam a assistência à saúde dirigida pelo consumidor à introdução do "mercado" no sistema de saúde.

---

* N. de R. T.: No original, *consumer driven health plan*.

Compartilhamos parte das perspectivas subjacentes à abordagem dirigida pelo consumidor, mas a abordagem, por si só, é simplória demais. Os consumidores sozinhos não podem levar o sistema a uma transformação, embora possam desempenhar um papel de apoio importante. Será preciso uma transformação na competição, junto com uma mudança de papéis, incentivos e horizontes de tempo para cada um dos principais atores do sistema. Com efeito, a introdução de competição baseada em valor entre os prestadores e planos de saúde revolucionará o valor entregue aos pacientes, ainda que a mudança de comportamento do consumidor seja lenta. Mudar a competição nos níveis de prestadores e planos de saúde provocará mais transferência das escolhas para as mãos dos pacientes do que aumentar a responsabilidade dos consumidores pelos pagamentos no sistema.

As propostas que defendem a responsabilidade de escolha pelo consumidor têm como foco de mudança a escolha de planos de saúde, em vez de escolhas muito mais importantes, como a de prestadores e tratamentos.[22] O papel dos consumidores é levado longe demais, como se eles pudessem substituir médicos e tomar decisões totalmente sozinhos.

As propostas de escolha por conta do consumidor enfatizam o papel dos empregadores no fornecimento de informações e poder de escolha a seus empregados, mas, novamente, através de mecanismos dos planos de saúde. Contudo, sem atacar os atuais problemas estruturais de redes fechadas que impedem a escolha significativa de prestadores, a escolha pelo consumidor não afetará as decisões que mais influenciam o valor da assistência à saúde.

Muitos críticos das propostas de reforma centradas no consumidor apontam para a necessidade de aconselhamento e apoio a decisões, mas os defensores da assistência dirigida pelo consumidor reconhecem isso com clareza. Informações relevantes e apropriadas possibilitam a escolha pelo consumidor. No entanto, menos reconhecida é a necessidade de os prestadores competirem em resultados e eficiência ao longo de todo o ciclo de atendimento em nível de condição de saúde. Sem uma competição sobre os resultados em nível de condição de saúde, a escolha do consumidor é muito menos significativa. A menos que os prestadores tenham que competir em todo o ciclo de atendimento, os consumidores se depararão com a necessidade de coordenar seus próprios tratamentos durante todo o ciclo de atendimento, um desafio de assustar qualquer um.

Os proponentes da assistência à saúde dirigida pelo consumidor enquadram o problema como o fato de os planos de saúde não pagarem por valor entregue, em vez de enquadrarem-no como a ausência de competição baseada em valor no nível de condições de saúde específicas, em primeiro lugar. O movimento da assistência à saúde dirigida pelo consumidor levou a certos benefícios positivos, como a atenção à crítica necessidade de mais informações, mas elas não vão atingir o seu potencial se a competição disfuncional persistir.

Parte da razão pela disfunção, como discutimos no Capítulo 2, é deixar de reconhecer que o valor é criado ao longo de todo o ciclo de atendimento a uma doença – desde a prevenção e monitoramento, passando pelo diagnóstico, preparação e tratamento e indo até o gerenciamento da doença no longo prazo. A competição baseada em valor focada em resultados requer um atendimento medicamente integrado ao longo de todo o ciclo de atendimento, e não em "oficinas focadas"[23] aplicando procedimentos específicos e tratamento fragmentado.

Portanto, a introdução de um mecanismo de mercado na assistência à saúde vai além de dar poder de decisão aos consumidores. Ela requer transformar a natureza da competição em todo o sistema. A combinação do fracassado Plano Clinton, que teria incluído um elemento de mercado, com o impacto limitado das propostas de assistência à saúde dirigida pelo consumidor, levou muitos participantes atentos a concluírem que a competição simplesmente não pode funcionar no setor de saúde. Um coro mais alto, por exemplo, lamenta que a assistência à saúde dirigida pelo consumidor não funcionará.[24] Mas o importante papel da competição entre prestadores, junto com os novos papéis para os planos de saúde, não tem sido reconhecido. A escolha pelo consumidor é um elemento-chave de uma reforma bem-sucedida do sistema de saúde, como discutiremos, mas somente junto com as mudanças fundamentais na competição que defendemos nos Capítulos 4 a 8.

Qualidade e pagamento por desempenho

Desde 1999, com a publicação do relatório do Institute of Medicine *To Err Is Human: Building a Safer Health Care System (Errar é humano: construindo um sistema de saúde mais seguro)*, a atenção dos reformadores se transferiu para a qualidade e iniciativas que recompensem a qualidade, conhecidas como *pagamento por desempenho*.[25] O acúmulo de evidência de problemas na qualidade e a magnitude dos erros médicos passou a desafiar a arraigada premissa de que a assistência à saúde nos EUA era excelente. Como discutimos no Capítulo 1, dados publicados por pesquisadores de respeitadas organizações, como a Dartmouth Medical School e a RAND Corporation, revelaram não apenas que os erros são comuns, mas também que a maioria dos americanos recebe tratamento aquém do que a evidência médica sugere como apropriado. Muitos recebem tratamento desnecessário e ineficaz. Há também variações significativas nos processos e resultados médicos da prestação de atendimento entre diferentes regiões do país.[26] Ocorreu uma mudança importante de mentalidade, e a redução dos custos, hoje, já não é mais o foco dominante da reforma. Segurança, redução de erros e (em menor extensão) a qualidade do atendimento foram finalmente trazidos para o palco principal da reforma do sistema de saúde.

As questões de segurança e qualidade são válidas e essenciais. É simplesmente inaceitável que erros médicos evitáveis sejam uma das principais causas de morte. Informações sobre qualidade e resultados são essenciais a qualquer esforço para melhorar o valor, como já discutimos. Além disso, e isto é menos compreendido, a má qualidade quase sempre eleva os custos por meio de ineficiência, prolongamento da necessidade de tratamento e ocorrências de tratamentos ou cirurgias de remediação. O Juran Institute e outras entidades de pesquisa estimam que a má qualidade de processos responda por 30% dos custos da assistência à saúde nos EUA.[27] Apesar de os pesquisadores reconhecerem que a sua estimativa é rudimentar, não resta dúvida de que a má qualidade é onerosa.

Muitos esforços, tanto públicos quanto privados, estão agora em andamento para abordar a má qualidade. Algumas soluções parecem relativamente simples e diretas, como reduzir as horas de trabalho de residentes e internos com base na grande evidência de que os médicos privados de sono cometem significativamente mais erros.[28] Outras iniciativas para a melhoria da qualidade são muito mais complexas, inclusive esforços de organizações não-lucrativas como o National Quality Forum (que está desenvolvendo medidas baseadas em consenso para padrões e resultados na prestação de serviços de saúde, com as quais a qualidade poderá ser relatada e avaliada), o Institute for Healthcare Improvement (que dá apoio e possibilita iniciativas de prestadores para melhorar a qualidade) e o National Committee for Quality Assurance (que desenvolve e divulga informações comparativas dos planos de saúde).[29]

Os empregadores também finalmente reconheceram a importância da qualidade, especialmente na dimensão da segurança. Iniciativas da qualidade por empregadores, como o Pacific Business Group on Health e o Leapfrog Group, vêm se ampliando. O Leapfrog Group, um consórcio de empregadores que tem entre seus membros mais de 160 empresas dos setores público e privado e é endossado pela Business Roundtable, é provavelmente o mais proeminente desses esforços. O Leapfrog está tentando melhorar a segurança, seu principal foco, exigindo que os hospitais atendam a uma série de condições: inicialmente, alimentar os pedidos de tratamento em um sistema computadorizado, manter pessoal adequado nas UTIs e se enquadrar num patamar de volume para poder receber encaminhamentos em certas áreas de tratamento.[30] Com o tempo, o Leapfrog pretende ampliar essa abordagem.

Os membros do Leapfrog usaram a sua influência grupal para pressionar e encorajar hospitais a melhorar a segurança e a qualidade. O Leapfrog também defende e encoraja as recompensas financeiras pelos planos de saúde a prestadores que melhoram a qualidade, a segurança e a capacidade de custeio da assistência à saúde. O Leapfrog desenvolveu 77 programas nos EUA, que adotam alguma versão do incentivo de pagamento por melhor desempenho, inclusive 17 programas que baseiam esses incentivos no atendimento das medidas do Leapfrog. Essas iniciativas de pagamento por desempenho são agora amplamente endossadas como uma forma de reduzir erros.[31] Existem outros sistemas de pagamento por desempenho sendo projetados e aplaudimos seu foco na segurança e qualidade.

No entanto, os atuais esforços são apenas o começo e eles envolvem alguns riscos. Iniciativas quanto a qualidade, na sua maioria, não são de fato sobre a qualidade (resultados), mas sobre processos. A maioria dos programas de "pagamento por desempenho" consiste, na verdade, em pagamento por cumprimento de normas. Os programas têm um objetivo importante, porém ainda limitado, de cumprir as normas de prática médica aceitas. Os prestadores têm que manter a conformidade em certos *processos*, mas não são necessariamente recompensados por melhores *resultados*.[32]

Essa abordagem tem sérias limitações. Primeiro, os incentivos podem não ser grandes o suficiente para mudar o comportamento e certamente não são grandes o suficiente para compensar um pagamento menor nos casos em que qualidade significa a não realização de tratamentos desnecessários. É desconcertante saber que um estudo recente descobriu que os hospitais participantes de programas de pagamento por desempenho podem nem mesmo ter melhor conformidade nos processos do que hospitais não participantes, e muito menos melhores resultados.[33]

Segundo, em vista das muitas variáveis e julgamentos envolvidos num tratamento médico, é possível que os prestadores variem bastante em resultados, mesmo que sejam uniformes quanto ao cumprimento dos processos. Este é o caso, por exemplo, no tratamento de fibrose cística.[34] O pagamento por cumprimento de normas de processos, portanto, não garante uma excelente qualidade.

Terceiro, e ainda mais desconcertante, criam-se incentivos errados se houver pagamento adicional associado à conformidade de processos em vez de a resultados. Isso é especialmente verdadeiro se as recompensas a uma instituição como um todo estiverem vinculadas à conformidade num pequeno número de processos do hospital. Por exemplo, muitos incentivos de pagamento por desempenho, inclusive o programa experimental introduzido pelo Medicare, envolvem conformidade com certos processos específicos em algumas áreas distintas do atendimento médico (como descreveremos no Capítulo 8). Outras iniciativas de pagamento por desempenho abordam somente alguns processos hospitalares, sobre os quais já se chegou a um consenso e já se dispõe de dados. Estes não são os processos mais importantes, mas constituem um denominador mínimo comum para ponto de partida. No entanto, as recompensas são consideradas para o hospital como um todo, independentemente de os demais processos estarem ou não em conformidade com a boa prática médica, e muito menos de o hospital atingir ou não excelência nos resultados. Mediocridade, erros e práticas ultrapassadas na maioria das atividades dos hospitais permanecem não mensurados. Assim, a atenção e os recursos dos prestadores são naturalmente direcionados aos poucos processos sob medição, em vez de a uma transformação fundamental na prestação dos serviços de saúde, como se faz necessário para promover grandes melhorias no valor.

A conformidade a muitas normas de processo também corre o risco de inibir as inovações pelos melhores prestadores. Se todos os prestadores forem medidos por práticas atuais aceitáveis, certamente não haverá estímulo à inovação para encontrar outras melhores. Isso aponta, novamente, para os perigos de um sistema que recompensa conformidade em vez de resultados.

Além disso, há um quarto e ainda maior problema. Focar na conformidade de processos, em vez de em resultados, é problemático, porque existem muitas dimensões de processos para rastrear e muita heterogeneidade entre os pacientes. Focar em apenas alguns passos visíveis de processos cria um *checklist* que os prestadores podem abordar, mas simplifica em demasia o problema. Um bom exemplo é a administração do tPA (*tissue plasminogen activator* – ativador do plasminogênio tecidual) em pacientes com derrame. Embora um grande benefício para alguns pacientes, ele é normalmente ineficaz nos casos de grandes coágulos num vaso de porte, desnecessário para certos pacientes cuja obstrução se dissipará naturalmente, e perigoso para pacientes em que pode causar hemorragia cerebral. Portanto, uma diretriz universal para se administrar o tPA estaria longe de produzir os melhores resultados ou o melhor valor para uma grande parte dos pacientes.[35] Medir resultados e custos, ajustados o melhor possível ao *mix* de pacientes, é a melhor maneira de assegurar que os prestadores estejam realizando um atendimento de excelente valor.

Quinto, a adoção de diretrizes uniformes para os processos não só pode levar a tratamento inadequado para certos pacientes, mas também o entendimento do que constitui o processo adequado muda com o tempo. Atualizar medidas de processos para que reflitam as aprendizagens mais recentes é um desafio e tanto. Por exemplo, a atual pesquisa médica identificou alguns pacientes para os quais as diretrizes de processos aceitos sobre inibidores da enzima conversora de angiotensina (ACE ou IECA) não são apropriadas. Contudo, os médicos em certos hospitais relutam em descumprir as diretrizes. Tecnicamente, as diretrizes permitem exceções, mas é difícil justificar os desvios e os médicos são avessos a arriscar as suas avaliações de cumprimento de diretrizes. Como resultado, alguns pacientes estão sendo tratados com um processo desatualizado em nome da obtenção de classificações mais altas em "qualidade"!

Sexto, a conformidade de processos ignora a importante dimensão de como os prestadores trabalham com os pacientes para melhorar suas escolhas e evitar tratamentos desnecessários. Recompensar o valor, em vez de conformidade de processos, permitiria que os médicos se beneficiassem ajudando os pacientes a se tornarem mais bem informados e a saberem escolher o tratamento mais adequado, mesmo quando isso significa menos tratamento.[36]

Finalmente, o pagamento por desempenho, até no nome, permanece embutido na mentalidade de custos crescentes. Na assistência à saúde, o melhor tratamento normalmente custa menos. Saúde melhor é inerentemente menos cara do que doença. Melhor atendimento reduz os custos por meio de tratamentos menos invasivos, entrega de tratamento mais especializado, melhor gerenciamento de tratamentos crônicos e melhor risco de prevenção. Portanto, em geral não será necessário um pagamento mais alto para recompensar melhores resultados. Prestadores excelentes com freqüência alcançarão melhores margens valendo-se de maior eficiência. Com maiores margens, atrair mais pacientes é uma recompensa muito maior do que um pequeno percentual de aumento nos preços, porque os prestadores excelentes podem expandir as vantagens de que desfrutam valendo-se de aprendizagem maior e eficiência melhor (ver Capítulo 5). A busca da qualidade não deveria partir da premissa de que melhor atendimento necessariamente custa mais. Existem tantas ineficiências, erros e despesas desnecessárias no atual sistema, que muito poderia ser ganho sem se recorrer a nenhum aumento de custos. "Recompensas por resultados" é uma postura mental mais adequada.

No todo, tentar microgerenciar hospitais e médicos especificando os processos é uma tarefa difícil, que acaba se tornando uma barafunda. Levada ao extremo, a especificação de processos pelos planos de saúde e empregadores não passa de uma nova versão do mais problemático aspecto do *managed care*. Especificações e diretrizes de processos se transformam facilmente em decisões médicas administrativamente determinadas, como aconteceu em certas HMOs: administradores, em vez de prestadores de assistência à saúde, especificando que tratamento deve ser adotado e fornecido ao paciente. Os americanos já chegaram à conclusão que essa abordagem é inaceitável e ineficaz.

A única maneira verdadeiramente eficaz de se abordar o valor na assistência à saúde é recompensando *os fins*, ou *resultados*, no lugar de os meios e os passos dos processos. Os resultados relevantes só podem ser medidos no nível de condições de saúde e tomando-se por base todo o ciclo de atendimento, onde o valor da assistência à saúde é determinado pelos pacientes, não por um hospital ou outra entidade prestadora geral. Diretrizes são importantes para orientar os médicos e difundir conhecimento sobre as melhores práticas, mas as recompensas por excelência têm que ser vinculadas a resultados, e não a conformidade. Os prestadores deveriam ter que competir por pacientes com base em valor, e não serem recompensados pela prestação de serviços de saúde meramente aceitáveis.

Um sistema de um único pagador

Uma sugestão recorrente nas discussões de reforma do sistema de saúde, tanto antes como depois das reformas propostas pelo Clinton, foi a de criar um sistema de um único pagador. Um projeto de lei no Congresso, em 2003, o denominava Medicare for All.[37] Essa proposta vem ganhando impulso na medida em que um crescente número de reformadores não vê outra alternativa viável, uma vez que todas as possibilidades de consertar o sistema já foram tentadas e falharam.[38]

Um sistema de um único pagador traria alguns benefícios, especialmente na área de cobertura de seguro. O que é notável, ele acabaria com a prática de excluir dos planos de saúde os beneficiários de alto risco porque haveria apenas um segurador, obrigado a cobrir todo mundo. Em teoria, um único pagador poderia também simplificar a papelada, porque haveria apenas um plano de saúde e, portanto, um único conjunto de formulários e procedimentos. Um único pagador poderia limitar a discriminação de preços, que atrapalha a competição em valor, porque haveria uma única tabela de pagamento, em vez de diferentes preços para diferentes pacientes com diferentes fontes de pagamento. Se o pagador único exigisse que se coletassem e relatassem dados para todos os pacientes, as informações poderiam melhorar. Teoricamente, um único pagador poderia também ter uma perspectiva de mais longo prazo da assistência à saúde, porque não haveria a rotatividade de clientes entre planos. Todas essas mudanças seriam muito desejáveis.

Contudo, um sistema de pagador único criaria problemas sérios e, a nosso ver, fatais, para o valor na assistência à saúde. Eliminaria os planos de saúde independentes e, portanto, a competição entre planos de saúde como fator de agregação de valor aos beneficiários na sua busca por excelência de atendimento. Em vista dos atuais incentivos oblíquos e do comportamento passado dos planos de saúde como adversários dos pacientes, em vez de seus defensores, a idéia de se ver potenciais benefícios com a competição entre os planos de saúde deixa muitos observadores perplexos. Porém, como discutiremos no Capítulo 6, a competição entre planos de saúde pode desempenhar papéis cruciais na competição baseada em valor, papéis estes inconcebíveis para uma entidade governamental monolítica.

Um sistema de um único pagador criaria um monopólio governamental com absoluto poder de negociação em relação aos demais participantes. Com as inevitáveis e irresistíveis pressões orçamentárias, um sistema de um único pagador, sem dúvida, se engajaria numa grande transferência de custos a prestadores, fornecedores e pacientes. Com o tempo, seriam inevitáveis o racionamento de serviços e impedimentos à adoção de novas abordagens inovadoras no tratamento, como temos visto em outros países.

Com a melhor das intenções, o governo introduziria esforços para supervisionar a prática e microgerenciar o sistema de saúde. No entanto, como já aprendemos com nossa experiência com sistemas de saúde gerenciados como o das HMOs, o controle administrativo de cima para baixo sobre as decisões médicas geralmente compromete o tratamento dos pacientes, retarda as melhorias e inovações e limita os direitos dos pacientes. Os Estados Unidos precisam de um sistema que aumente a qualidade e diminua os custos ao longo do tempo, em vez de limitações de cima para baixo sobre os montantes e os tipos de tratamento.

Embora seja teoricamente possível que um único pagador tome sempre boas decisões sobre serviços, tratamentos, processos e pagamentos, isso é improvável, especialmente num sistema de tão grande porte. E, ao se fazerem escolhas questionáveis, não haveria a divisão de poder de planos de saúde concorrentes. Prestadores e pacientes só teriam como recurso pressões políticas e o sistema judiciário, ambos muito lentos e caros, além de dificilmente conduzirem à criação de valor e inovações.

É muito difícil imaginar e crer que uma grande entidade governamental modernize e enxugue a administração, simplifique o sistema de preços, estabeleça os preços de acordo com os custos reais, ajude os pacientes a fazer escolhas baseadas em excelência e valor, estabeleça uma competição baseada em valor no nível dos prestadores e faça escolhas politicamente neutras e firmes para negar o encaminhamento de pacientes e o pagamento a prestadores que não atinjam os padrões. A medicina, como atualmente estruturada, está cheia de falhas em todas essas áreas, e um sistema de um único pagador pouco faria para corrigir os problemas. Mais provavelmente, um pagador único seria tão somente um pagador, e não um plano de saúde propriamente dito.[39]

Ainda que se pressuponha possível criar um único pagador eficiente e não-burocrático, esse passo só toca a superfície dos verdadeiros problemas do sistema de saúde. Na melhor das hipóteses, ele só poderia oferecer uma solução parcial. Eliminar planos de saúde não trata das causas-raízes da competição disfuncional nem da falta de foco em valor, reinante no sistema. A menos que a competição seja transformada, de modo que os prestadores tenham que competir em resultados, um sistema de um único pagador só vai piorar as coisas, exacerbando os incentivos oblíquos e a competição de soma zero presente no atual sistema. Até mais consolidação de prestadores e mais limitação de escolha seriam inevitáveis.

Os EUA precisam de fato adotar a obrigatoriedade de seguro-saúde para todos, como discutiremos no Capítulo 8. O sistema tem que fornecer tratamento de qualidade a todos, inclusive assistência primária (e não simplesmente tratamento de catástrofes), com subsídios para aqueles que não puderem arcar com pagamento integral. Mas o alcance disto não requer um único pagador. Questões de compartilhamento de riscos e subsídios cruzados podem ser tratadas de outras formas, como discutiremos nos Capítulos 6 a 8. Reforma de preços, redução de papelada e coleta de informações podem ser realizadas com muito menos intervenção do governo. Os planos de saúde podem se tornar participantes que agregam valor ao sistema, como o são os melhores planos, hoje, operando verdadeiramente como planos de saúde e não apenas como organizações financeiras.

A verdadeira solução não é fazer do seguro-saúde um monopólio do governo ou transformar todos os médicos em funcionários públicos, mas sim instalar a competição baseada em resultados no nível certo.

Poupança para despesas médicas ou cuidados com a saúde

A noção de poupança privada para cobrir as despesas médicas, agora conhecida como contas de poupança-saúde (HSAs, de *health savings accounts*), tem sido abordada nas discussões de reforma do sistema de saúde há décadas. No entanto, ela assumiu papel de destaque recentemente, como parte dos esforços de conter os custos. As contas de poupança-saúde introduziram alguns elementos importantes que podem apoiar a mudança para a competição baseada em valor na prestação de assistência à saúde. Contudo, por si só, as contas de poupança-saúde estão longe de ser a solução para o problema da assistência à saúde, porque pouco fazem no sentido de abordar o valor na prestação dos serviços. Se elas se tornarem um mero instrumento de transferência de custos aos pacientes e de racionamento do atendimento, a emenda pode ser pior que o soneto.

A primeira forma de poupança-saúde (HSA) foi a conta de gastos flexíveis (FSA, de *flexible spending account*), introduzida em 1979.[40] As FSAs eram potencialmente disponíveis a todos os empregados (contanto que o empregador a oferecesse), mas não ao trabalhador autônomo. As FSAs eram um fundo isento de impostos, destinado ao pagamento de despesas médicas não-reembolsáveis. No início do ano, os empregados especificavam quantos dólares eles queriam deduzir da sua renda bruta e colocar numa FSA. Contudo, se eles deixassem de gastar toda essa quantia durante o ano calendário, o saldo não gasto era perdido. Se trocassem de emprego (empregador) também perdiam a parte não gasta desse fundo. Portanto, embora as FSAs dessem aos empregados a oportunidade de cobrir parte das despesas médicas com isenção de imposto de renda proporcional ao investimento, eles corriam o risco de jogar dinheiro fora e, assim, se sentiam incentivados a gastar todo o saldo remanescente – talvez com óculos novos, um serviço médico ou dentário opcional, ou às vezes até com serviços mais questionáveis – no final do ano ou antes de trocarem de emprego.

A conta de poupança-médica ou "IRAs médicas", como eram então chamadas, foi proposta em 1984 como um modo de reforma do Medicare.[41] Depois de muita discussão, a idéia evoluiu para as MSAs, contas de poupança médica propostas no lugar do não-aprovado Plano Clinton. O plano-piloto das MSAs foi lançado em 1997.[42] Porém, as MSAs aplicavam-se apenas a trabalhadores autônomos e a empregados de pequenas empresas que simultaneamente tinham que ser clientes de um plano de saúde com franquia dedutível de alto valor. O empregador ou o empregado, mas não ambos, poderia contribuir, isentos de imposto de renda, para a conta MSA. Os fundos em conta MSA podiam ser transportados de ano para ano e os empregados poderiam continuar com suas contas mesmo que trocassem de emprego. Os fundos poderiam ser retirados e usados para propósitos não-médicos, caso em que ficavam sujeitos a imposto de renda e a uma taxa de penalidade se o correntista tivesse menos de 65 anos. O número de MSAs foi limitado em 750.000 no plano-piloto, mas, na prática, só atingiu um décimo disso, devido a muitas restrições nas contas.

Em 2002, uma nova variação, acordos para reembolso-saúde (HRAs, de *health reimbursement arrangements*), foi permitida pela Receita Federal americana. Esses acordos permitiam que os empregadores (sem nenhuma contribuição pelos empregados) criassem contas isentas de imposto de renda para os seus empregados, destinadas à cobertura de despesas médicas. Esses fundos podiam ser transportados de ano para ano (sem juros). O empregador determinava se os empregados poderiam ou não ter acesso à HRA depois de deixarem a empresa.

A atual encarnação dessa idéia, contas de poupança-saúde, foi regulamentada em forma de lei em 2003. As HSAs estendem as contas de poupança-saúde a *todos* os indivíduos que têm plano de saúde com alto valor de franquia dedutível. As HSAs permitem que o indivíduo contribua com até US$ 2.600 quando o plano é individual e até US$ 5.150 em caso de plano familiar, isentos de impostos, para o pagamento de despesas médicas não-reembolsáveis e de prêmios de seguro enquanto desempregado. As contas, além de terem saldo transportável, têm portabilidade de um empregador para outro, e tanto o empregador quanto o empregado podem contribuir para elas. Como as MSAs, o dinheiro pode ser retirado para despesas que não com a saúde e pode constituir herança, porém sujeito a imposto de renda e penalidades.[43]

Atreladas a planos de saúde com franquias dedutíveis relativamente altas, as HSAs introduzem a consideração de preço numa parte das decisões de compras médicas dotando os pacientes de responsabilidade pelo pagamento de uma franquia de US$ 1.000 a US$ 3.000 dos custos. Isso em lugar do dinheiro que muitos pacientes já pagam pela franquia dedutível. No entanto, as HSAs criam a possibilidade de mudança para planos com altas franquias sem transferir custos para o empregado.

Alguns planos de saúde anunciavam as HSAs, junto com planos de alta franquia dedutível, para estimular melhores decisões médicas por parte dos pacientes. A idéia é que, já que os pacientes pagam parte dos custos, eles ficarão mais sensíveis ao preço e, espera-se, a valor. As primeiras evidências com HSAs extraídas de estudos de caso e experiências diretas em outros países são promissoras. Os indivíduos que controlam os seus próprios gastos com serviços médicos consideram o preço, assim como a qualidade do atendimento, inclusive consultas preventivas.[44] A Aetna, por exemplo, descobriu que pacientes que têm HSA gastam mais dinheiro com consultas preventivas e buscam mais informações sobre escolhas de tratamentos, usam menos as dependências de emergência, usam mais medicamentos genéricos e sofrem aumentos de custo na assistência à saúde significativamente menores (1,5% *versus* 10% ou mais) em comparação a um grupo similar de clientes sem conta de poupança-saúde.[45] A maioria dos clientes da Aetna que optou por ter HSA ganhava menos de US$30.000 anuais, e no final do ano ainda tinha saldo positivo a ser transportado.[46]

É possível que os clientes que optam por ter HSA o façam porque são saudáveis. No entanto, as diferenças de comportamento daqueles que têm HSA são ainda marcantes o suficiente para sugerir que os indivíduos levarão em consideração o valor, ao tomarem decisões médicas, se forem responsáveis pela escolha, e não apenas pelo pagamento. A descoberta de que as pessoas que têm HSA buscam mais informações é promissora, porque os primeiros estudos do efeito do preço no comportamento dos pacientes essencialmente presumiam que todos os tratamentos eram iguais e que a única escolha era entre se submeter a mais tratamento ou a menos tratamento.[47] Se este for o caso e os empregados não puderem escolher entre tratamentos e prestadores, ou se os empregados receberem informações e apoio às decisões insuficientes, então as HSAs simplesmente se tornam uma forma de encorajar o auto-racionamento.

As HSAs ajudaram um número crescente de clientes a compreender os atrativos dos planos com uma alta franquia dedutível. Embora somente 1% dos empregados da Aetna tivesse optado pela conta de poupança-saúde no primeiro ano em que foi oferecida, no terceiro ano, mais de 70% dos empregados já tinham optado por uma HSA. De forma semelhante, quando a Whole Foods ofereceu a abertura voluntária de conta-saúde (em essência, uma HSA), 95% dos seus empregados optaram por ter uma HSA junto com um plano de saúde de alta franquia, embora somente 65% tivessem escolhido um plano de saúde, e de qualquer tipo, no ano anterior. Os custos da Whole Foods com sinistros médicos caíram em 13% e as admissões hospitalares por funcionário caíram 22%.[48] Os empregados transportaram um saldo de US$ 14,2 milhões para o ano seguinte, sugerindo que alguns indivíduos que não compraram seguro-saúde até então o farão, se o saldo não utilizado da HSA puder ser transportado para futuras necessidades de tratamento médico.

As HSAs também podem simplificar os processos administrativos e reduzir a necessidade de os planos de saúde processarem pequenas transações referentes a consultas e exames de rotina, criando assim um potencial para economias de custos administrativos. A maioria das famílias costuma gastar anualmente menos do que o valor da franquia HSA, de forma que cada família paga diretamente os seus tratamentos, a menos que um ou mais de seus membros venha a sofrer um sério acidente, uma doença aguda ou sofra de doença crônica. Para famílias com necessidade de tratamento crônico, as contas de poupança-saúde não ajudarão a acumular saldos, porque essas famílias normalmente ultrapassarão a sua franquia dedutível. No entanto, essas famílias podem se beneficiar da possibilidade de gerenciar o uso da franquia e da mentalidade de focar-se no valor do tratamento e gerenciar doenças para evitar hospitalizações e serviços desnecessários.

Ainda assim, as HSAs por si só não são a solução. Elas terão maior impacto onde exista, de fato, escolha de prestador, boas informações sobre resultados e competição em valor. Por outro lado, no caso de rede restrita ou em situações em que haja pouca ou nenhuma informação que possibilite a escolha, as HSA correm o sério risco de se tornarem um veículo para o auto-racionamento, porque a única escolha, de fato, é de buscar ou dispensar o tratamento. Sem possibilidade e informações para escolher entre prestadores e entre tratamentos, as HSAs podem simplesmente se transformar em um novo tipo de transferência de custos aos pacientes. Mesmo quando, em teoria, existe a possibilidade de escolha, muitas das escolhas dos pacientes se vêem restringidas na prática pela necessidade de os pacientes manterem um bom relacionamento com os seus médicos e pela falta de suporte para escolhas embasadas. Até que existam serviços que possibilitem encaminhamentos baseados em resultados e decisões baseadas em valor, as HSAs serão, antes de tudo, um veículo de transferência de custos.

Da mesma forma que a assistência à saúde dirigida pelo consumidor, as HSAs só poderão surtir o efeito desejado se outros elementos do sistema evoluírem para sustentar uma competição baseada em valor e focada em resultados em nível de diagnóstico, tratamento, gerenciamento e prevenção de condições de saúde. As HSAs fazem parte do quebra-cabeça, mas são somente uma peça.

Não-reformas

Uma série de outros importantes esforços para reforma, propostos e reais, não podem ser considerados reformas. A migração de consumidores do Medicare para seguro privado não resolve muito, do ponto de vista de valor, se o sistema privado não estiver funcionando. Apesar de os proponentes de uma administração privada para o Medicare acharem que isso trará um benefício imediato por evitar as ineficiências da administração governamental, essa solução não aborda a raiz do problema – a falta de competição baseada em valor na prestação do atendimento aos pacientes. O sistema de seguro privado é de alto custo e, além do mais, não é focado em valor.

Mudar as leis tributárias para que os indivíduos, no lugar dos empregadores, escolham seu seguro pode ser uma medida desejável, como discutiremos no Capítulo 8. O provisionamento de seguro-saúde através dos empregadores foi um passo pragmático na época, mas o envolvimento de empregadores oferece benefícios intrínsecos limitados no que se refere a valor na assistência à saúde, especialmente se os planos de saúde desempenharem os papéis que trataremos no Capítulo 6. Infelizmente, à medida que os custos da assistência à saúde se elevaram, criou-se uma dinâmica na qual poucos empregadores fornecem benefício-saúde a seus empregados em exercício e aposentados, e aqueles que o fazem cobram uma parte menor do custo. Além disso, a assimetria entre empregados de grandes organizações e demais indivíduos criou grandes complexidades e subsídios cruzados, que continuam a degradar o sistema, no que se refere tanto a possibilidade de deduzir impostos (o que gera um desincentivo aos indivíduos quanto a comprar um plano de saúde) como o poder de negociação. Mas o nivelamento tributário, por si só, não é uma solução real porque ignora a competição disfuncional no fornecimento da assistência à saúde.

Outras propostas de reforma tentam regular a estrutura dos prestadores, mas podem piorar ainda mais a competição de soma zero. Por exemplo, alguns grupos de empregadores, como o Buyers Health Care Action Group, que representa 27 grandes empregadores na área de Minneapolis-St. Paul, defende a competição "entre sistemas", pela qual os médicos são forçados a se comprometerem com uma rede fechada ou com outra.[49] Similarmente, a Community Health Purchasing Corporation, na área central de Iowa, está forçando a competição entre "sistemas de atendimento" (redes de prestadores).[50] Essas iniciativas acentuam o poder de um número reduzido de sistemas que possuem linhas completas de serviços, mas arruínam a competição eficaz em nível de doenças e tratamentos. Como já discutimos, é pouco provável que esses grupos ofereceram tratamento medicamente integrado, de melhor qualidade e mais eficiente.

Comprar medicamentos do Canadá é o mais recente exemplo de transferência de custos no sistema de saúde, neste caso, para fornecedores de medicamentos ou cidadãos de outros países. Os cidadãos dos EUA pagam uma parcela desproporcional do custo de desenvolvimento de medicamentos no mundo, que deveria ser compartilhada por outras nações industrializadas. No entanto, se os medicamentos forem comprados, por consumidores ou intermediários dos Estados Unidos, de um outro país como o Canadá, que usa a sua influência de grande comprador governamental para obter preços mais baixos, isso simplesmente representa uma outra forma de transferência de custos e não criação de valor. As empresas farmacêuticas, neste caso, podem se negar a exportar para países reexportadores, elevar os preços lá fora, reduzir investimentos no desenvolvimento de novos tratamentos, ou aceitar a redução dos lucros. Embora seja desejável ter uma divisão mais eqüitativa dos custos de desenvolvimento de medicamentos, comprar medicamentos do Canadá será, no máximo, um curativo, e não uma solução.

O sistema precisa de fortes incentivos para inovações e tratamentos (farmacêuticos ou outros) que melhorem o valor, se tivermos esperanças de controlar os aumentos nos custos. Ampliar a competição entre as empresas farmacêuticas e exigir que os medicamentos não só demonstrem eficácia, mas valor significativo para os pacientes, são as únicas políticas dirigidas a produtos farmacêuticos que melhorarão o valor no sistema.

Finalmente, grande parte da atual "reforma" simplesmente injeta mais dinheiro no sistema. Acrescentar ao Medicare cobertura de medicamentos prescritos de nada adianta para aumentar o valor na assistência à saúde. Tampouco de nada adianta pressionar os prestadores para proporcionarem mais assistência gratuita ou preços subsidiados para grupos merecedores, em vez de subsidiar eqüitativamente a compra de planos de saúde para aqueles que genuinamente não puderem arcar com essa despesa. Essas reformas não passam de mais exemplos de transferência de custos.

Reformar a competição: a única resposta

Totalmente ausente das discussões de reforma do sistema de saúde está a compreensão da estrutura da prestação dos serviços de saúde aos pacientes e o papel crucial da competição baseada em valor na promoção de melhorias em qualidade, segurança e eficiência. Somente a competição em resultados para melhorar o diagnóstico, o tratamento, o gerenciamento e a prevenção de condições de saúde específicas é que levará a melhorias reais no valor para os pacientes. A reforma deve se concentrar em como obter a competição certa e estabelecer as condições que a possibilitam, como informações certas, incentivos e horizontes de tempo certos e mentalidades corretas.

4

Princípios da Competição Baseada em Valor

A COMPETIÇÃO DE SOMA ZERO da década de 1990 e dos primeiros anos da década de 2000 no sistema de saúde dos EUA obviamente falhou. Ela não produziu melhorias gerais na qualidade nem no custo dos serviços de saúde e tampouco ampliou o acesso à assistência à saúde para os americanos. Em vez disso, a competição de soma zero perpetuou a ineficiência e a baixa qualidade. Também elevou os custos administrativos, inibiu a inovação e resultou em aumentos alarmantes de custo para pacientes, empregadores e o governo. Cada vez mais, um número maior de americanos está sem planos de saúde. Os participantes do sistema têm se colocado uns contra os outros, para o benefício de ninguém.

A competição na assistência à saúde tem que se transformar numa competição baseada em valor focada em resultados. Essa é a melhor, e a única, forma de promover melhorias sustentáveis em qualidade e eficiência. A experiência em inúmeros outros setores nos diz que essa transformação é possível. Também nos diz que pode haver surpreendente progresso quando ocorrer o tipo certo de competição.

A competição baseada em valor e focada em resultados é uma competição de soma positiva com a qual todos os participantes podem se beneficiar. Quando os prestadores vencem, por entregar valor superior com maior eficiência, pacientes, empregadores e planos de saúde também vencem. Quando os planos de saúde ajudam os pacientes e os médicos que os encaminham a fazerem melhores escolhas, prestam assistência na coordenação e recompensam o atendimento excelente, os prestadores se beneficiam. E competir em valor vai muito além de vencer num sentido restrito. Quando prestadores e planos de saúde competem para alcançar os melhores resultados médicos para os pacientes, eles estão, antes de tudo, perseguindo os objetivos que os levaram à sua própria profissão.

Como seria a competição baseada em valor na assistência à saúde? Ela seria guiada pelos oito princípios mostrados na Figura 4-1. Por mais racionais e evidentes que esses princípios possam parecer, eles não descrevem o sistema de saúde atual dos Estados Unidos. Inúmeros pressupostos equivocados, estratégias oblíquas e políticas contraproducentes levaram os participantes a afastar ainda mais a assistência à saúde daquilo que faz sentido médico e econômico.

Este capítulo descreve os princípios da competição baseada em valor e da lógica que lhe é subjacente, e apresenta evidência para apoiá-la. Não é preciso depender de evidência de outros setores para provar que esses princípios são válidos; há evidência convincente na própria assistência à saúde. Para se alcançar o tipo certo de competição na assistência à saúde, é preciso abraçar todos os oito princípios. Entretanto, o processo de mudança para a competição baseada em valor

- O foco deve ser o valor para os pacientes, e não simplesmente a redução de custos.
- A competição tem que ser baseada em resultados.
- A competição deve estar centrada nas condições de saúde durante todo o ciclo de atendimento.
- O atendimento de alta qualidade deve ser menos dispendioso.
- O valor tem que ser gerado pela experiência, escala e aprendizado do prestador na doença/condição médica em questão.
- A competição deve ser regional e nacional, não apenas local.
- Informações sobre resultados têm que ser amplamente divulgadas para apoiar a competição baseada em valor.
- Inovações que aumentam o valor têm que ser altamente recompensadas.

FIGURA 4-1   Princípios da competição baseada em valor.

não requer consenso prévio. Os Capítulos de 5 a 8 descrevem como os prestadores, planos de saúde, fornecedores, consumidores, empregadores e governo podem usar esses princípios para suas escolhas estratégicas, organizacionais e políticas. De fato, como tantos exemplos ilustram, muitos participantes estão começando a seguir nessa direção.

Foco no valor, e não nos custos

O objetivo certo para a assistência à saúde é aumentar o valor para os pacientes, ou seja, a qualidade dos resultados para o paciente em relação aos dólares despendidos. Minimizar custos é simplesmente o objetivo errado e levará a resultados contraproducentes. Eliminar o desperdício e os serviços desnecessários é benéfico, porém, a economia de custos deve advir de reais eficiências, e não de transferência de custos e restrições nos tratamentos (racionamento) ou de redução da qualidade. Cada política e prática na assistência à saúde tem que ser testada contra o objetivo de valor ao paciente. O atual sistema continuamente fracassa nesse teste.

Ao se medir o valor, os resultados para o paciente são multidimensionais e muitíssimo mais complexos do que a simples sobrevivência do paciente. O tempo de recuperação, a qualidade de vida (por exemplo, independência, dor, capacidade de locomoção e extensão da mobilidade) e bem-estar emocional durante o processo de tratamento, tudo isso conta. A importância relativa de diferentes resultados varia de indivíduo para indivíduo. Num sistema baseado em valor focado em resultados, cada prestador ou cada plano de saúde pode se sobressair de maneiras distintas e servir diferentes grupos de pacientes. Essa é uma das vantagens do sistema baseado em competição em relação a um sistema gerenciado de cima para baixo ou centralizadamente com a filosofia do "tamanho único para todos".

O valor tem que ser mensurado para o *paciente*, e não para o plano de saúde, o hospital, o médico ou o empregador. Essa é uma diferença importante na prática. Por exemplo, grande parte da prestação dos serviços de saúde está organizada em torno de tradições e preferências dos médicos, em vez de em função do valor para o paciente, como discutiremos no Capítulo 5. De forma semelhante, os planos de saúde e empregadores geralmente focam nos seus custos, em vez de no custo total do atendimento. Isso os estimula a tentarem racionar serviços ou transferir custos para prestadores ou pacientes em vez de melhorar o valor.

O valor na assistência à saúde só pode ser apreendido se o foco for mantido no nível em que ele é de fato criado, ou seja, abordando *condições de saúde específicas,* como diabetes, lesões no joelho ou falência cardíaca congestiva (Discutiremos a definição de condições de saúde em mais detalhes neste capítulo.) Somente no nível de condições de saúde é que resultados e custos podem ser diretamente comparados para determinar o valor. Medir os resultados gerais da nação ou mesmo de um prestador nos revela muito menos (ver quadro "Os EUA gastam demais com a assistência à saúde?").

Vem ocorrendo melhoria de valor em nível de condições de saúde em certas áreas, embora com menos freqüência e intensidade do que seria possível. Para ter noção do valor, é preciso que medir os resultados por dólar gasto com cada condição de saúde ao longo do tempo. Considere alguns exemplos. Em doença cardíaca coronariana, a taxa de mortalidade caiu tanto desde 1965 que essa tendência responde por mais de 70% do aumento de expectativa de vida dos americanos. Embora os gastos com a medicina cardiológica tenham crescido com rapidez, o custo por procedimento tem se elevado mais lentamente do que os índices de inflação. Quando ajustados para taxas de mortalidade melhoradas, os gastos na verdade caíram cerca de 1% ao ano.[1] Em cirurgia de vesícula, os gastos agregados também se elevaram, porém devido ao aumento da demanda por cirurgia com laparoscopia, que envolve menor risco, é altamente bem-sucedida e tem melhorado a qualidade de vida de muitos pacientes. O procedimento praticamente eliminou os custos de internação hospitalar e reduziu em 50% o custo dos serviços dispensados pelos médicos para tratar de pedras na vesícula.[2] Estes exemplos ilustram o potencial para alcançar melhorias no valor. O desafio é criar o tipo certo de competição no sistema para assegurar que isso aconteça em todos os prestadores.

Ao medir o valor, tanto resultados quanto custos têm que ser mensurados considerando todo o ciclo de atendimento, e não intervenções ou procedimentos isoladamente.

Economias de custo de curto prazo que levam a aumentos de custo a longo prazo não melhoram o valor. Um diagnóstico de baixo custo que produza resultados equivocados e leve a tratamento desnecessário não é um bom valor. Em contrapartida, uma intervenção de alto custo em um caso de derrame, que evite décadas de assistência numa casa de enfermagem, é uma pechincha.

O ciclo de atendimento envolve não apenas tratamento de uma condição de saúde, mas também reabilitação e gerenciamento de longo prazo para minimizar recorrências. O ciclo de atendimento também engloba avaliação do risco da doença e ações para prevenir a recorrência e progressão. O valor deve ser compreendido como os resultados e custos em todo o ciclo de atendimento, e não apenas em relação a componentes isolados. (Definiremos ciclo de atendimento com maior precisão no Capítulo 5.)

Existem oportunidades para grandes melhorias no valor da assistência à saúde através de novas tecnologias na medicina. No entanto, mais importante ainda serão novas maneiras de se organizar,

Os Estados Unidos gastam demais com a assistência à saúde?

A perspectiva de valor deixa claro que a parcela do PIB gasta com a assistência à saúde não serve para medir o sucesso de um sistema de saúde. O sucesso só pode ser medido pelo valor entregue por dólar gasto. Gastar mais não é necessariamente um problema; a questão é se o que os americanos estão recebendo vale o dinheiro que estão pagando. Por exemplo, os americanos, coletivamente, gastam mais em computadores do que gastavam há dez anos porque os computadores atuais oferecem muito mais valor.

A assistência à saúde é mais cara hoje do que na década de 1930, mas a expectativa média de vida aumentou de aproximadamente 60 para 75 anos e a qualidade de vida dos americanos mais velhos é substancialmente melhor. Portanto, está claro que houve importantes avanços.[3] Está claro também que a eficiência do sistema fica muito aquém do que poderia ser e que a qualidade está muito abaixo da ideal. No entanto, olhar a assistência à saúde em termos agregados não é a melhor maneira de compreender como aumentar significativamente o valor; e tentar consertar o sistema com soluções de cima para baixo é fracasso certo. Em vez disso, uma mudança significativa precisará focar o valor em nível de condição de saúde, e redefinir a competição em torno do valor.

mensurar e gerenciar a prestação dos serviços de saúde ao longo de todo o ciclo de atendimento. Existem enormes ganhos a serem alcançados simplesmente fazendo um uso mais eficaz da atual ciência médica. Chegamos à firme conclusão de que a tecnologia é importante, mas que o principal problema do sistema, hoje, não é tecnologia, mas o gerenciamento.

O foco no valor ao longo de todo o ciclo de atendimento, em vez de simplesmente em custo e benefício de curto prazo, transformaria a maneira de encarar a prestação de serviços de saúde. Por exemplo, o atual foco no controle dos gastos com medicamentos troca economias de curto prazo com medicamentos por despesas maiores mais adiante,[4] leva alguns pacientes a não cumprirem as pescrições[5] e desestimula inovações.[6] O foco no valor ao longo de todo o ciclo de atendimento mudaria o curso do debate de controle de custos para o uso mais eficaz de medicamentos e outros tratamentos, com fins a melhorar a qualidade e a eficiência no atendimento e gestão de certas doenças específicas. Na atual competição, nem sempre é escolhido o medicamento com melhor eficácia de custo. Por exemplo, no tratamento de hipertensão, um estudo de longo prazo considerado um marco revelou que a mudança de drogas diuréticas do tipo tiazida para novas drogas (de 56% do volume total das prescrições em 1982 para 27% em 1992) aumentou os custos em US$ 3,1 bilhões sem melhorar, e freqüentemente piorando, os resultados para os pacientes.[7] Uma abordagem melhor para o controle de custos com medicamentos é criar mais competição entre os prestadores e as empresas farmacêuticas com base em resultados.[8] O atual sistema não está estruturado para competir em valor ao longo de todo o ciclo de atendimento, muito menos em medir e classificar as diferenças de valor entre abordagens diagnósticas alternativas e tratamentos alternativos.

A redefinição da competição na assistência à saúde para que ela gire em torno de valor exige mudanças na sua estrutura, organização, mensuração e no horizonte de tempo do atendimento ao paciente, conforme descrevemos nos Capítulos 5 a 7. As atividades de todos os envolvidos no ciclo de atendimento têm que ser integradas e coordenadas, algo muito raro hoje em dia.

Com coordenação do atendimento virá a responsabilidade conjunta pelos resultados em todo o ciclo de atendimento. No sistema fragmentado de hoje, há pouca prestação de contas pelos resultados, até mesmo em nível individual, e responsabilidade conjunta soa muito radical. Em outros campos, no entanto, indivíduos e organizações assumem responsabilidade por trabalharem juntos para realizar o trabalho completo. Na assistência à saúde, onde os resultados são cruciais para a qualidade de vida dos pacientes, todos os envolvidos no atendimento ao paciente deveriam assumir responsabilidade pelos resultados gerais deste.

A competição é baseada em resultados

A única maneira de o valor aumentar rápida e amplamente na assistência à saúde é através da competição baseada em resultados. A menos que os prestadores concorram entre si por excelência, simplesmente não haverá maneira viável de criar os mesmos incentivos para uma melhoria rápida e ampla. Não é realista nem eficaz tentar impor decisões nas práticas dos prestadores, se sobrepor às suas escolhas e especificar, do lado de fora, a maneira como o atendimento deve ser prestado. Tampouco é realista depender de treinamento especializado e certificação por um conselho para manter os médicos atualizados. Nem é viável pensar que prestadores que sequer sabem como os seus resultados se situam em relação aos dos seus pares, e que não têm que competir, irão sempre vasculhar a volumosa literatura sobre experimentos clínicos em busca de formas de melhorar os seus resultados.

A prestação de serviços de saúde é simplesmente muito complexa, sutil e individualizada e evolui com demasiada rapidez para ser administrável por microgerenciamento de cima para baixo, como discutimos no Capítulo 3. Seguir os protocolos de tratamento pode contribuir para o valor, mas os resultados alcançados variam substancialmente de caso para caso.[9] Portanto, esforços para especificar previamente os processos ou as escolhas dos prestadores, inevitavelmente deixarão a desejar ou fracassarão por completo. Trata-se também de uma abordagem muito dispendiosa e desmoralizante.

A real prova de sucesso são resultados melhores (qualidade *versus* custo) para os pacientes, e não o cumprimento de processos especificados por especialistas ou administradores de fora. Os prestadores precisam ser comparados em seus resultados, e os prestadores excelentes precisam ser recompensados com mais pacientes.[10] Informações sobre resultados, apropriadamente ajustadas a risco, têm que se tornar o fator crítico de mudança de comportamento no sistema – pelos médicos que fazem os encaminhamentos, pelos planos de saúde, pelos pacientes e pelos próprios prestadores. Os resultados (resultados *versus* custo) também têm que ser a base máxima e primordial para a seleção de medicamentos, dispositivos médicos e outras tecnologias e serviços.

Resultados, deve-se enfatizar, significam real valor para os pacientes. A classificação de um hospital no *U.S. News and World Report* não é um resultado, como tampouco o é o fato de um hospital ser um hospital-escola, ou ter uma boa reputação, ou administrar aspirina aos pacientes que chegam no hospital com sintomas de infarto.[11] Tampouco são significativos os resultados em nível de hospital ou rede. A competição em resultados tem que se dar no nível em que o valor é determinado – na abordagem de condições de saúde específicas ao longo de todo o ciclo de atendimento.

Competição irrestrita baseada em resultados é a melhor e única cura para os problemas de erros médicos, subtratamento e supertratamento. As diretrizes de prática deixaram repetidamente de promover melhoria de processos. A revisão/aprovação externa de tratamentos ou investimentos deixou de controlar o excesso de capacidade e os tratamentos desnecessários. Alguns observadores estão agora defendendo limites governamentais na oferta de médicos, a fim de limitar o tratamento excessivo.[12] Entretanto, limitar o número de médicos não vai assegurar que os serviços prestados venham a ser de melhor valor; a menos que haja informações sobre resultados e competição em resultados, ter menos médicos poderia significar o corte de serviços de mais valia. A competição em resultados, e não a tentativa de controlar a oferta, é a única maneira eficaz de criar responsabilidade, motivar e informar para a melhoria dos processos e elevar o valor para o paciente.

Se, e somente se, os prestadores tiverem que demonstrar resultados excelentes na abordagem de condições de saúde específicas é que os erros diminuirão, exames e tratamentos desnecessários deixarão de ser feitos, cessará o uso de tratamentos ineficazes e as restrições a serviços eficazes chegarão ao fim.[13] A demanda induzida pela oferta de tratamentos desnecessários declinará quando os resultados forem mensurados e comparados. Os médicos que não conseguirem demonstrar valor para os pacientes sairão do mercado. (Observe que outras mudanças que discutiremos em capítulos posteriores, como organizar diagnósticos de forma distinta dos tratamentos e modificar as estruturas de faturamento, também ajudarão a reduzir os incentivos ao supertratamento, que hoje são endêmicos ao sistema.)

Alguns observadores acham que, como a competição em resultados pode criar incentivos para reduzir custos, os prestadores poderão ignorar as melhores práticas ou usar processos obsoletos – mas a realidade é exatamente oposta. A falta de mensuração de resultados no atual sistema é um convite ao insensato corte de custos de curto prazo. Também torna a atenção às melhores práticas opcional, em vez de necessária. Hoje, a excelência depende muito de uma liderança iluminada e de um comprometimento fora do comum. Na competição em resultados, manter-se a par das melhores práticas é compulsório, e não discricionário. A competição em resultados revelará com clareza, tanto a médicos quanto a pacientes, as abordagens obsoletas ou abaixo dos padrões nos tratamentos. Certamente, serão necessários mecanismos melhores para ajudar os médicos a melhorarem seus métodos e manterem-se a par das inovações, os quais descreveremos em capítulos posteriores.

A competição em resultados também fará muito no sentido de eliminar um viés de *feedback* existente hoje para os médicos. Pacientes satisfeitos voltam, mas pacientes que tenham experimentado maus resultados normalmente buscam tratamento noutro lugar. Às vezes, os médicos nunca ficam sabendo por que tais pacientes deixaram de procurá-los, e é próprio da natureza humana presumir que o tratamento que se dispensou foi eficaz. O acompanhamento e o relatório de resultados darão aos médicos o *feedback* honesto de que precisam.[14]

Os prestadores deveriam conquistar o seu direito à prática. A competição em resultados tem que ser irrestritamente abraçada pela rede, região geográfica, grupo de prestadores ou proprietários de estabelecimentos médicos. A competição baseada em valor requer que os médicos e equipes comparem-se aos melhores da região, da nação e do mundo, e não apenas aos colegas locais ou do seu próprio sistema de assistência à saúde. Também requer que os prestadores tenham que competir, no melhor sentido do termo, melhorando os resultados para os pacientes. Nenhum prestador terá pacientes garantidos por causa da sua reputação passada, do seu contrato com o plano de saúde, afiliação ao sistema ou localização.

Alguns observadores têm levantado a hipótese de prestadores, competindo para alcançar os melhores resultados, passarem a ocultar de outros prestadores a sua aprendizagem e suas melhorias de processos, em contraste com o que acontece no sistema mais colegiado que temos hoje. Suspeitamos que o oposto ocorrerá. Como acontece em outros setores, a introdução de competição irá disparar mais disposição de trocar idéias como parte do processo de manter-se excelente.

Hoje, a melhoria sistemática dos processos é voluntária, e em grande parte, não é alimentada com dados comparativos. Proponentes da "medicina baseada em evidência" fizeram bravos esforços para possibilitar a difusão de documentação sobre as práticas eficazes. Ainda assim, como discutimos no Capítulo 1, a difusão das melhores práticas na assistência à saúde é notoriamente lenta. Com a mensuração e a pressão competitiva por melhores resultados, o esforço dedicado à melhoria da estrutura e dos métodos de prestação dos serviços de saúde aumentará drasticamente. Na prática, cada prestador, em particular, não compete frente a frente com a maioria dos prestadores de outras regiões, mesmo que não haja restrições de rede. Portanto, a colaboração formal e informal entre prestadores para trocar idéias e compartilhar domínio no assunto é provável de ocorrer. Escolas e as associações de medicina, organizações de melhoria da qualidade, organizações de mensuração de resultados e outras também serão veículos para a aprendizagem entre os prestadores mais motivados. Finalmente, da forma como observamos em outros setores, o compartilhamento de *insights* sobre os processos ocorrerá, mesmo com prestadores concorrentes, e não eliminará as vantagens dos líderes. No tratamento de fibrose cística, por exemplo, a coleta de informações sobre resultados disparou a ampla difusão de protocolos das melhores práticas, elevando o nível médio de resultados entre todos os prestadores. Contudo, os melhores prestadores continuaram a apresentar desempenho acima da média. Suas atividades na prestação dos serviços de saúde e suas culturas organizacionais são difíceis de replicar, e eles não param, continuam inovando. (Discutimos o caso de fibrose cística mais adiante neste capítulo.)

Estamos cientes da possibilidade de alguns prestadores reagirem à competição em resultados tentando burlar o sistema pela manipulação de dados. No entanto, a competição também criará grande motivação para que se exponha a manipulação e, ao mesmo tempo, para que se instalem medidas de resultados e metodologias de ajuste a risco que dificultem a manipulação. A competição em resultados por certo irá disparar uma intensa e urgente discussão sobre como medir e comparar os resultados com justiça. Se alguns prestadores "contornarem" o sistema encaminhando os pacientes em estado mais grave sempre aos centros dominantes, o valor ao paciente, ainda assim, melhorará. E mesmo que haja uma certa manipulação de resultados no curto prazo, a melhoria de valor com a competição em resultados ainda será muito melhor para os pacientes do que a situação atual em que os médicos sequer sabem onde se situam em termos de qualidade. Hoje, os prestadores que fornecem tratamento abaixo da média não têm que prestar contas, a não ser em casos de ações judiciais por imperícia.

Alguns críticos menosprezam a competição em resultados, afirmando que as variações em resultados logo diminuirão. Se isso de fato ocorrer, o valor para o paciente terá aumentado tremendamente! Contudo, a história sugere que as variações em resultados persistirão. Mesmo em relação àquelas condições de saúde para as quais já existem boas medidas de resultado, as variações persistem, ainda que o resultado médio melhore. Além disso, mesmo não seja mais possível variação em alguma medida de resultado (como mortalidade) e o desempenho se torne verdadeiramente excelente em toda parte, a competição virá a recair sobre a próxima dimensão de resultado. Os resultados são sempre multidimensionais. À medida que os resultados melhorarem, a competição tomará a direção da eficiência. A competição em resultados é dinâmica e infinda.

Finalmente, a competição baseada em valor focada em resultados deve se estender aos médicos que fazem encaminhamentos e aos planos de saúde. Os médicos que fazem encaminhamentos e cujos pacientes são habitualmente tratados por prestadores abaixo dos padrões deveriam ter que rever suas práticas e prestar justificativas. Isso não apenas beneficiará seus pacientes, como também reforçará a competição baseada em valor no nível de prestadores. Os planos de saúde precisam ser responsabilizados primordialmente pelo valor em assistência à saúde que atingem para os seus clientes/associados, como discutiremos no Capítulo 6.

A competição é centrada nas condições de saúde durante todo o ciclo do tratamento

Na assistência à saúde, como em qualquer outra área, identificar o que constitui o negócio ou mercado relevante é de suma importância para viabilizar boas escolhas e assegurar que os mercados funcionem. É comum nos referirmos à assistência à saúde como se fosse um único serviço. Mas, ao contrário, ela consiste em uma grande quantidade de serviços distintos. Em separado, porém, eles não são relevantes. Relevante na prestação da assistência à saúde são as condições de saúde específicas analisadas/tratadas ao longo do ciclo de atendimento. Uma condição de saúde (p. ex., doença renal crônica, diabetes, gravidez) é um conjunto de circunstâncias na saúde de um paciente que se beneficia de um tratamento dedicado e coordenado. O termo condição de saúde abrange doenças, males, lesões e circunstâncias naturais como a gravidez. Uma condição de saúde pode ser definida como englobando as condições co-ocorrentes comuns, se o tratamento das mesmas envolver a necessidade de uma estreita coordenação e de benefícios-saúde ao paciente por parte das instituições comuns.

Como discutimos, o valor e os resultados só podem ser mensurados de forma significativa no nível de condição de saúde. Os prestadores podem oferecer serviços para uma gama de condições de saúde, mas o valor que eles criam é, sem dúvida, determinado por quão bem eles atendem os pacientes em cada uma delas. A competição em resultados, portanto, tem que ser centrada no nível de condição de saúde.

Ponderações importantes são necessárias para definir as condições de saúde em torno das quais o atendimento à saúde deve ser organizado. Uma condição de saúde deveria ser definida da perspectiva do paciente. Deveria englobar o conjunto de doenças ou lesões que é abordado melhor com um processo dedicado e integrado de prestação de serviços de saúde. Lesões no joelho e lesões na coluna, por exemplo, podem ser tratadas melhor como condições de saúde separadas porque as abordagens de monitoração, diagnóstico, intervenções e formas de reabilitação são distintas para cada uma delas.

Um julgamento igualmente importante é estabelecer o início e o fim do ciclo de atendimento para cada condição de saúde. Como discutimos no Capítulo 5, por exemplo, a doença renal crônica e a diálise renal são provavelmente atendidas melhor como duas condições de saúde separadas, cada uma com o seu próprio ciclo de atendimento, em vez de serem combinadas em uma só. Embora haja conexões óbvias entre o tratamento dos rins nos primeiros estágios e o tratamento com diálise, conexões estas que deveriam ser gerenciadas, os processos de prestação do atendimento diferem muito entre elas. Portanto, há duas condições de saúde que se beneficiarão de um foco dedicado e de uma estrutura de prestação de atendimento igualmente dedicada.

Os prestadores deveriam se organizar em torno das condições de saúde, e não em torno de habilidades, especialidades distintas ou serviços necessários para abordar uma condição de saúde. Unidades de prática integradas, como as chamamos, deveriam incluir todos os serviços necessários para abordar uma condição de saúde, normalmente em instalações dedicadas. Os prestadores definirão unidades de prática integradas um tanto diferentes umas das outras, em função das suas populações de pacientes e suas abordagens de estruturação e coordenação do atendimento. Discutiremos sobre unidades de prática integradas e definição de condições de saúde em mais detalhes no Capítulo 5.[15]

A competição na abordagem das condições de saúde tem que se dar no ciclo de atendimento como um todo, e não em intervenções, tratamentos ou serviços distintos. Como já observamos antes, o valor só pode ser mensurado com precisão ao longo de todo o ciclo, e não apenas numa intervenção em particular.[16] Um cirurgião de baixo custo não é uma pechincha se o seu trabalho resultar em complicações evitáveis ou recorrência da condição a longo prazo. Em contrapartida, um medicamento caro pode tornar-se barato se substituir uma cirurgia ainda mais cara (e dolorosa) ou a necessidade de uma reabilitação crônica. Um problema que se alastra na assistência à saúde e nas investigações clínicas é o horizonte de tempo demasiadamente curto. Intervenções e tratamentos têm que competir em resultados com o gerenciamento e a prevenção da doença.

Não há lugar para melhoria de atendimento em cada aspecto separado da prestação dos serviços de saúde, pois o potencial de melhoria de valor é muitíssimo maior gerenciando-se todo o ciclo de atendimento. No entanto, no atual sistema truncado e centrado em procedimentos, o trabalho em direção a esse potencial é ainda incipiente. No diagnóstico e tratamento de uma condição de saúde, normalmente inúmeras especialidades, departamentos e até diferentes organizações estão envolvidas. Existem grandes oportunidades de melhorar o valor para o paciente adotando-se mais compartilhamento e troca de informações entre os participantes do sistema. Há também importantes conexões e interdependências entre as atividades de atendimento à saúde que precisam ser otimizadas. Melhor preparação antes do tratamento, por exemplo, pode tornar o tratamento mais eficaz. Mais atenção ao acompanhamento da reabilitação e pós-hospitalização pode elevar a taxa de sucesso de uma cirurgia, sem mencionar a redução do tempo de hospitalização. Exploramos essas e outras oportunidades no Capítulo 5.

A prestação dos serviços de saúde, hoje, é centrada em tratamentos agudos. Entretanto, pensar em termos de condição de saúde também expõe o papel crucial do gerenciamento de doenças, que envolve gerenciar de perto a doença do paciente durante um período de tempo estendido para melhorar o cumprimento das prescrições medicamentosas e práticas desejáveis no estilo de vida, detectar cedo problemas interagentes e iniciar em tempo oportuno remediações que envolvam intervenções menos dispendiosas. O gerenciamento de uma doença é normalmente mais eficaz quando iniciado cedo, sublinhando o valor da detecção precoce. A evidência de melhorias de longo prazo em qualidade e custo por meio de gerenciamento de doenças está se tornando tão atraente que foi criado um periódico para relatar os avanços nesse campo.[17] (Ver no Capítulo 6 discussão adicional sobre o assunto.)

Um bom exemplo da importância de intervenções precoces e do gerenciamento de doenças encontra-se na doença renal crônica. Um diagnóstico a tempo e tratamento nos primeiros estágios do mal evitam ou retardam a evolução da doença para o seu estágio final que requer tratamento com diálise ou transplante.[18] A intervenção precoce aumenta os benefícios de orientação aos pacientes quanto a hábitos saudáveis de vida e de gerenciamento de questões de saúde relacionadas, como anemia, doença óssea, hipertensão, dislipidemia e má nutrição.[19,20] O gerenciamento de doenças também permite a preparação apropriada de uma diálise bem-sucedida, caso a doença progrida. No entanto, hoje, a intervenção precoce e o gerenciamento sistemático de doença renal estão longe de ser a norma; somente 43% dos indivíduos submetidos a diálise consultaram um nefrologista pelo menos uma vez no ano anterior à diálise.[22] A competição em valor considerando todo o ciclo de atendimento levará a maior atenção a prevenção, detecção e gerenciamento de longo prazo da doença em relação a tratamentos e intervenções agudas.

No seu nível mais fundamental, a postura mental de ciclo de atendimento aponta para a importância de compreender esses fatores (estilo de vida, meio ambiente, genéticos, ou outros), que aumentam os riscos de contração de uma condição de saúde, e de trabalhar com indivíduos de alto risco para evitar ou limitar a doença (com modificação do estilo de vida e outros passos) e detectar a doença cedo, quando ela é mais facilmente tratada.[23] O uso da genômica para prever a doença e ajudar no seu tratamento é atualmente um tópico quente, mas existem enormes ganhos a serem colhidos medindo-se e abordando riscos conhecidos. Essas oportunidades, que oferecem grande potencial de melhoria de valor, têm sido raras porque não são encorajadas pelas estratégias, estruturas organizacionais, práticas de pagamento ou tipos de competição prevalecentes no sistema (ver Capítulo 6).

A competição em resultados com a abordagem de condições de saúde ao longo do ciclo de atendimento irá requerer uma mudança para a responsabilidade conjunta, como já observamos. Os especialistas não serão mais responsáveis apenas pelo que eles executam, mas pelos resultados gerais. Uma equipe cirúrgica não será mais responsável somente pela cirurgia, mas pelo valor para o paciente no longo prazo. Criar e possibilitar essa responsabilidade conjunta é uma das pautas mais centrais na assistência à saúde.

As ferramentas para compreender e estruturar a prestação dos serviços de saúde de uma perspectiva de condições de saúde, assim como o papel dos planos de saúde no reforço desta perspectiva, são discutidas nos Capítulos 5 e 6.

Tratamento de alta qualidade deveria ser menos dispendioso

O tipo certo de competição em resultados, no nível de condições de saúde durante o ciclo de atendimento, levará a grandes melhorias em eficiência. Também fomentará grandes melhorias em qualidade. Mas é crucial que se compreenda que qualidade e custo normalmente melhorarão simultaneamente. A extensão dessa oportunidade na assistência à saúde é uma das mais importantes e encorajadoras descobertas do nosso trabalho. Ela tem implicações profundas no comportamento dos participantes do sistema. Na assistência à saúde, é essencial não pensar ou agir como se houvesse um *trade-off* inevitável entre custo e qualidade.

A ampla oportunidade de alcançar melhorias simultâneas em custo e qualidade na assistência à saúde deve-se a várias razões. Primeiro, grande parte da prestação dos serviços de saúde nos EUA está defasada em relação ao estado da arte, como discutimos no Capítulo 1. Isso deixa uma grande margem para melhorias em qualidade e custo, mesmo a curto prazo. Só por implementar as melhores práticas conhecidas, virtualmente todos os prestadores podem melhorar tanto a qualidade quanto as margens de lucro, sem elevar os preços. Pode-se imaginar uma fronteira de oportunidade, que relaciona a qualidade dos resultados com a saúde alcançada na abordagem de uma condição de saúde específica com o custo total de prestar o atendimento para aquela condição de saúde (Ver Figura 4-2).[24] A fronteira de oportunidade incorpora todas as melhores práticas disponíveis em termos de protocolos de processos, tecnologias, medicamentos e outros aspectos da saúde. Se um prestador não estiver na fronteira (e é claro que grande parte da prestação de serviços de saúde está longe da fronteira), correr em direção à fronteira permitirá a entrega dos mesmos resultados a preços menores, ou a melhoria dos resultados com o mesmo custo, ou, em muitos casos, melhores resultados a custo mais baixo.[25] Por exemplo, a administração de medicamento no tempo oportuno produzirá melhores resultados sem acréscimo de custo, ou um novo procedimento artroscópico poderá melhorar a qualidade em termos de complicações e tempo de recuperação e, ao mesmo tempo, baixar os custos encurtando o tempo de cirurgias e o tempo de hospitalização. Ao contrário, quando os prestadores deixam de usar as melhores práticas, mais gastos normalmente não melhorarão os resultados.[26]

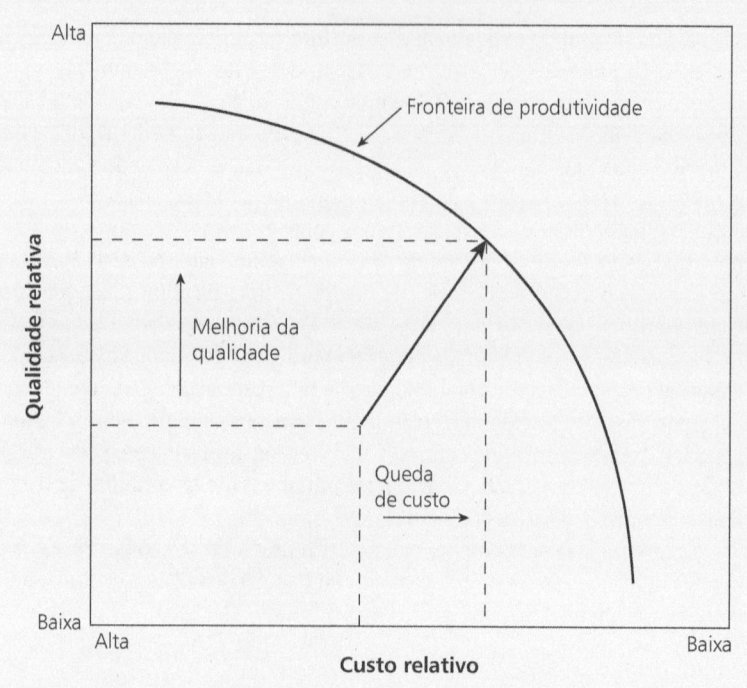

FIGURA 4-2 Fronteira de produtividade: eficácia operacional *versus* posicionamento estratégico.

Segundo, também é possível melhorar simultaneamente a qualidade e os custos, eliminando-se erros e fazendo certo da primeira vez. Em todos os setores, a eliminação de defeitos abaixa os custos porque reduz esforços desperdiçados e reduz os custos de remediação. Na assistência à saúde, os benefícios da redução de erros são especialmente grandes, já que os custos de erros e complicações evitáveis são muito altos devido à recuperação mais lenta e à necessidade de tratamentos repetidos ou adicionais. Na verdade, em certos tipos de tratamento, se não for usada a abordagem correta da primeira vez, nunca mais se poderá corrigir plenamente o erro, não obstante a quantidade de tratamento remediativo fornecida. O custo de um diagnóstico mal feito é também potencialmente enorme, na forma de tratamento desperdiçado ou inapropriado, consultas repetidas e demora do tratamento adequado.

A incidência de equívocos e erros na assistência à saúde é muitíssimo maior do que em muitos outros setores, em parte porque nela a mensuração é algo muito recente. O Institute of Medicine estima que os erros médicos evitáveis chegam a US$ 36,7 e US$ 50 bilhões a cada ano sendo que mais da metade desta estimativa representa custos diretos de tratamentos remediativos.[27] Cremos que essas estimativas são altamente conservadoras e consideram os custos de forma restrita, em vez de considerar todo o ciclo de atendimento. O Juran Institute, por exemplo, estima que 30% das despesas diretas com a assistência à saúde se devem a processos de baixa qualidade.[28] Um estudo contínuo da Dartmouth Medical School sobre o Medicare em todos os EUA concluiu que "é difícil encontrar evidência que mais recursos sejam necessários para melhorar a qualidade dos tratamentos sob o regime Medicare de taxa fixa por serviço. Ao contrário, existe evidência de desperdício e ineficiência em grande escala no sistema de prestação dos serviços de saúde."[29] O potencial para melhorar a qualidade e o custo reduzindo ou eliminando erros é enorme.

Terceiro, a própria natureza da assistência à saúde faz proliferar oportunidades fundamentais de melhorar a qualidade e, ao mesmo tempo, reduzir os custos no longo prazo. Por exemplo, diagnóstico melhor significa que a condição certa vai ser tratada, melhorando os resultados e evitando tratamentos ineficazes. Procedimentos menos invasivos implicam tempo de recuperação mais curto e menos complicações, e são normalmente menos dispendiosos, além de poderem ser realizados em ambientes menos dispendiosos. Migrar os diagnósticos e tratamentos para a abordagem de causas, em vez de mitigação dos sintomas, normalmente tornará o atendimento à saúde mais eficaz e menos dispendioso, especialmente a longo prazo. (Ver os exemplos discutidos na seção sobre inovações na assistência à saúde, mais adiante neste capítulo.) Melhor coordenação e integração por todo o ciclo de atendimento evitam desperdício de esforços e, ao mesmo tempo, melhoram os resultados para os pacientes. Melhor gerenciamento de condições crônicas, inclusive o simples ato de informar os pacientes sobre os passos a serem seguidos, diminui a severidade dessas doenças enquanto reduz os custos por eliminar ou amenizar a doença e a necessidade de tratamentos caros. A avaliação de riscos e a prevenção de doenças e lesões, o patamar máximo em melhoria da qualidade, evita tratamento e custo de forma absoluta. No nível mais fundamental, melhor qualidade reduz os custos da assistência à saúde porque saúde melhor é inerentemente menos dispendiosa. Manter a saúde é o máximo em economia de custos.

Avanços na prestação dos serviços de saúde que possibilitem melhores resultados a custos menores, simultaneamente, são normalmente dramáticas revoluções. Por exemplo, um hospital observou grandes variações entre os seus médicos no número de dias de internação necessário para restaurar o ritmo cardíaco em pacientes que sofriam de fibrilação atrial depois de uma cirurgia de ponte de safena para casos de entupimento da artéria coronária. Todos os prestadores envolvidos – cardiologistas, cirurgiões cardíacos e enfermeiros de UTIs – foram reunidos para determinar a causa das variações e identificar o que poderia ser feito de melhor. Observe que essa abordagem de melhorar a assistência à saúde através de um esforço integrado de todos os especialistas e praticantes envolvidos é extremamente poderosa, porém longe de corriqueira. (Discutiremos mais sobre a organização da prestação dos serviços de saúde no Capítulo 5.)

Depois de reavaliar o estado de saúde de cada paciente e como cada um deles era gerenciado, a equipe identificou três tratamentos eficazes (dois de terapias medicamentosas e o outro de choque cardíaco). A análise revelou que os intervalos de tempo em que os três tratamentos foram aplicados variavam consideravelmente. Alguns médicos aplicaram todos os três em rápida sucessão, enquanto outros esperaram por uma resposta depois de cada aplicação. A abordagem conservadora de esperar entre aplicações do tratamento provou não melhorar os resultados, mas implicar uma permanência mais longa no hospital. Com essa nova compreensão, uma mudança relativamente simples no gerenciamento do paciente, eles melhoraram significativamente os resultados na saúde, encurtaram os períodos de internação e reduziram os custos totais.

Grandes melhorias em custo e qualidade na assistência à saúde são possíveis, mesmo sem esforços hercúleos ou tecnologias revolucionárias. Um bom exemplo é o sistema de hospitais do Veterans Administration (VA), que alcançou grandes melhorias em custo e qualidade como resultado de mensuração e melhores informações aos pacientes. Entre 1994 e 1998, sob a liderança do Dr. Ken Kizer, os milhares de locais de atendimento antes desconectados foram reorganizados em 22 redes de serviços integrados, que competiam umas com as outras em custo e qualidade.[30] Os sistemas de informações conectam todos os locais, proporcionando às equipes médicas acesso ao histórico médico completo dos pacientes desde meados dos anos 80.[31] Como o número de inscritos subiu 70% entre 1999 e 2003 e o sistema de medidas de processos melhorou, os fundos (não ajustados pela inflação) da VA subiram apenas 41%.[32]

Essas oportunidades existem aos montes e são evidenciadas pelo trabalho de organizações como o Institute of Healthcare Improvement. Imagine as melhorias que poderiam ocorrer no valor, se esses esforços não fossem casos isolados, mas uma atividade normal, esperada de cada prestador. Atualmente, um número crescente de prestadores, como o Intermountain Health Care, em Utah, o M. D. Anderson Cancer Center, em Houston, e a Cleveland Clinic, em Ohio, já adotam esses processos.[33] Agora imagine o tipo certo de competição – competição para melhorar os resultados na abordagem das condições de saúde por todo o ciclo de atendimento – demandando esses esforços de todos os prestadores para todas as condições de saúde e em todas as unidades de prática. O potencial em termos de melhoria de valor para os pacientes é incrível.

Apesar da indubitável oportunidade para melhorar a qualidade e baixar os custos, simultaneamente, um número surpreendente de participantes do sistema ainda presume que avançar o estado da arte na assistência à saúde é exigir mais serviços e mais tecnologia onerosa, e age de acordo com essa premissa. Isso, às vezes, pode ser verdade, especialmente no estágio inicial de uma nova tecnologia, mas a oportunidade muitíssimo maior, hoje, está em fazer melhor uso das tecnologias já conhecidas. A competição baseada em valor será o instrumento para mudar mentalidades antigas.

O valor é gerado pela experiência, pela escala e pelo aprendizado do prestador sobre a doença em questão

O valor na prestação dos serviços de saúde é criado fazendo poucas coisas bem, e não tentando fazer tudo. Contudo, atualmente, a prestação dos serviços de saúde não está organizada desta forma; na verdade, o atual sistema encoraja o oposto.

Como em todo campo, os prestadores de serviços de saúde que concentram seus esforços na abordagem de condições de saúde e aprendem com suas experiências nessa abordagem geralmente entregam o máximo de valor e inovam o mais rapidamente possível. Organizações com experiência em um campo tenderão a ter equipes mais preparadas, a desenvolver instalações mais dedicadas e a aprender com mais rapidez. A experiência permite que indivíduos e equipes aperfeiçoem as técnicas e rotinas mais eficazes e se desenvolvam na identificação e no lidar com problemas. A experiência e a especialização também tendem a atrair pacientes mais exigentes. E servi-los faz com que a aprendizagem se acelere ainda mais.

A escala numa determinada condição de saúde é também importante. Por exemplo, a escala permite a um prestador desenvolver equipes dedicadas, em vez de depender de profissionais temporários, e poder arcar com instalações dedicadas e desenvolvidas sob medida para a condição de saúde em questão, em vez de ter instalações compartilhadas. A escala resulta em vários colegas fazendo coisas similares, que podem se consultar e obter *feedback* reciprocamente. Os cirurgiões no New England Baptist Hospital, por exemplo, citam os benefícios de ter inúmeros colegas executando procedimentos de ortopedia similares.

A escala permite maior integração numa área de prática, como a realização de exames específicos na própria instituição, o que pode melhorar significativamente o nível de informação e coordenação, em relação ao sistema truncado que temos hoje. Permitindo ter vários médicos, salas de cirurgia ou outras instalações, a escala possibilita flexibilidade e eficiências nos agendamentos. A escala leva a um maior poder de compra de dispositivos, tecnologia da informação e outros insumos. Com um volume significativo de casos numa condição de saúde, os investimentos fixos em mensuração de resultados e melhoria de processos também podem ser amortizados entre receitas mais expressivas, reduzindo o custo para os pacientes. (Observe que um prestador que não tenha escala suficiente para sustentar a sua própria avaliação de melhoria de valor pode compensar parcialmente essa desvantagem filiando-se ou contratando um prestador excelente de maior porte, coisa que se tornará comum na competição baseada em valor.)

Observe que, além de a experiência e a escala serem importantes em aspectos particulares do atendimento, elas podem ter um impacto ainda maior no ciclo de atendimento como um todo. Esse relacionamento ainda não foi bem estudado devido ao fato de o atual foco da prestação dos serviços de saúde recair sobre intervenções diferentes. A capacidade de controlar o ciclo de atendimento, gerenciar os repasses do caso no ciclo, compartilhar informações e otimizar o conjunto de aspectos do atendimento (por exemplo, reabilitação *versus* tratamento) são todos melhorados com o volume de pacientes e a experiência em nível de condição de saúde. O que é preciso na prestação dos serviços de saúde, portanto, não é uma especialização restrita, mas uma massa crítica e experiência na condição de saúde em todo o ciclo de atendimento.

Um bom exemplo do papel da escala, experiência e aprendizagem do prestador na promoção da excelência é o St. Luke's Episcopal Hospital, sede do Texas Heart Institute (THI). O St. Luke's se orgulha de ter custos cirúrgicos muito menores (de um terço à metade) dos de outros hospitais-escola, isso cuidando dos casos mais difíceis e usando as mais recentes tecnologias. Devido a sua excelência, o St. Luke's atrai os pacientes mais exigentes e com casos mais complexos, cujas necessidades representam oportunidades de aprendizagem ainda mais rápida.[34]

O St. Luke's já realizou mais de 100.000 cirurgias de ponte coronariana. Para aprender mais com essa experiência, o hospital analisou e melhorou suas práticas e instalações. Ele tem escala para investir em instalações dedicadas. Os computadores acompanham e registram cada segundo de todas as operações para fins de controle de qualidade. Corredores estéreis conectam diferentes salas de procedimentos para permitir maior eficiência. Melhorias nos tratamentos são um padrão constante: por exemplo, as equipes cirúrgicas e de enfermagem desenvolveram protocolos para a remoção precoce dos tubos de ventilação em certos pacientes para que estes tenham menos complicações pulmonares e recuperações mais rápidas. Embora o número de pacientes cardíacos atendidos esteja aumentando, o St. Luke's agora está reduzindo o número de cirurgias de pontes coronarianas e usando intervenções menos traumáticas, como *stents*, quando a cirurgia é desnecessária para atingir bons resultados. Como observamos antes, as atuais práticas de pagamento funcionam, na verdade, contra a busca dessas melhorias de valor, uma questão a que retornaremos em capítulos subseqüentes.

Os efeitos combinados de experiência, escala e aprendizagem criam um círculo virtuoso, pelo qual o valor entregue pelo prestador pode aumentar rapidamente (ver Figura 4-3). (Discutimos esta dinâmica para prestadores de serviços de saúde em detalhes no Capítulo 5.) Maior penetração numa condição de saúde leva ao acúmulo de experiência, maior eficiência, melhores informações, equipes mais integralmente dedicadas, instalações cada vez mais customizadas, capacidade de controle sobre

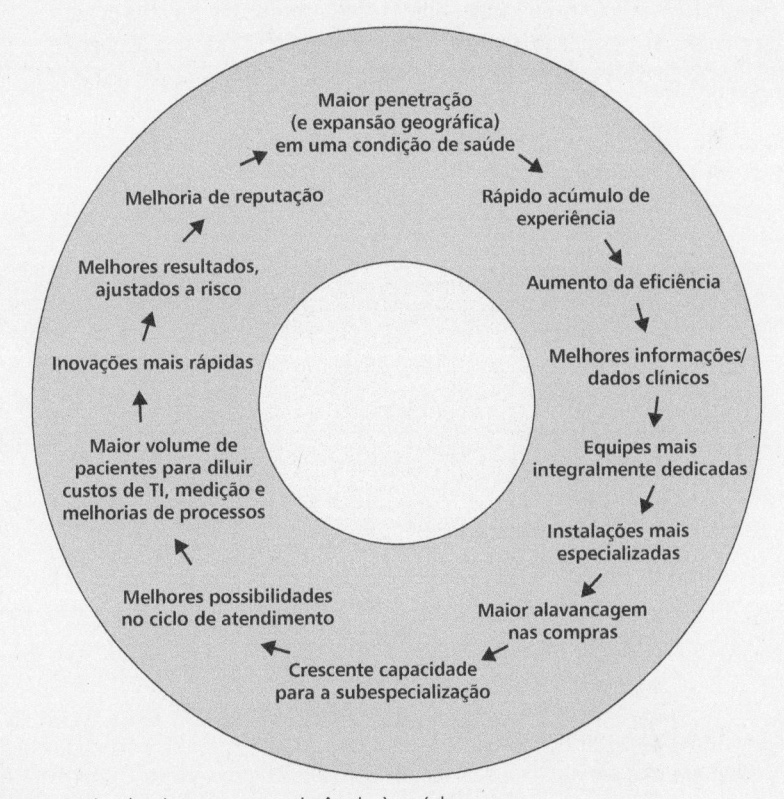

FIGURA 4-3 O círculo virtuoso na assistência à saúde.

uma parte maior do ciclo de atendimento, mais alavancagem nas compras (muitos dos principais itens comprados pertencem a uma unidade de prática), maior capacidade de subespecialização na unidade de prática, eficiências nos investimentos de desenvolvimento de prática e respectivo *marketing*, rapidez em inovações e melhores resultados. Melhores resultados levam a uma melhor reputação, o que atrai mais pacientes e realimenta o círculo virtuoso. A competição por resultados em nível de condição de saúde promove este círculo virtuoso. No entanto, hoje, ao contrário, a realidade é um círculo vicioso de fragmentação, serviços realizados em ambiente com escala insuficiente, dependência de recursos menos dedicados, instalações compartilhadas, problemas de qualidade e ineficiência.

Nesse aspecto, a medicina não é diferente de outros tipos de empreendimentos humanos: atenção focada, experiência, aprendizagem e escala na abordagem de condições de saúde específicas levam a melhores resultados e aperfeiçoamento mais rápido. Esses princípios são especialmente importantes num campo em que os serviços são tão fragmentados. Como em todos os campos, o círculo virtuoso não é automático e depende de uma competição saudável sobre resultados. O ideal não é um único prestador de grande porte em cada condição de saúde, mas uma gama de prestadores competindo para se destacar.

O relacionamento entre volume, experiência e resultados faz, intuitivamente, sentido. Ele é validado estatisticamente em centenas de estudos que mostram que os médicos ou equipes que aprendem tratando de um grande volume de pacientes com uma condição de saúde específica registram resultados melhores e, às vezes, custos mais baixos.[35] Estudos de procedimentos cirúrgicos geralmente revelam taxas de mortalidade mais baixas em hospitais com alto volume em relação a hospitais com baixo volume (ver Figura 4-4). Há um debate entre os acadêmicos que estudam o relacionamento empírico entre volume de pacientes e resultados, e a literatura sobre esse tópico inclui mais de 500 trabalhos.[36] No entanto, há uma vastíssima evidência a favor de estabelecer pelo menos um patamar de experiência em uma determinada condição de saúde para alcançar boa qualidade.[37] O efeito da escala sobre custos e resultados em uma condição de saúde ainda não foi extensamente estudado. Contudo, há inúmeras indicações de que, por questões de eficácia e eficiência, convém estabelecer um limite de volume numa unidade de prática.

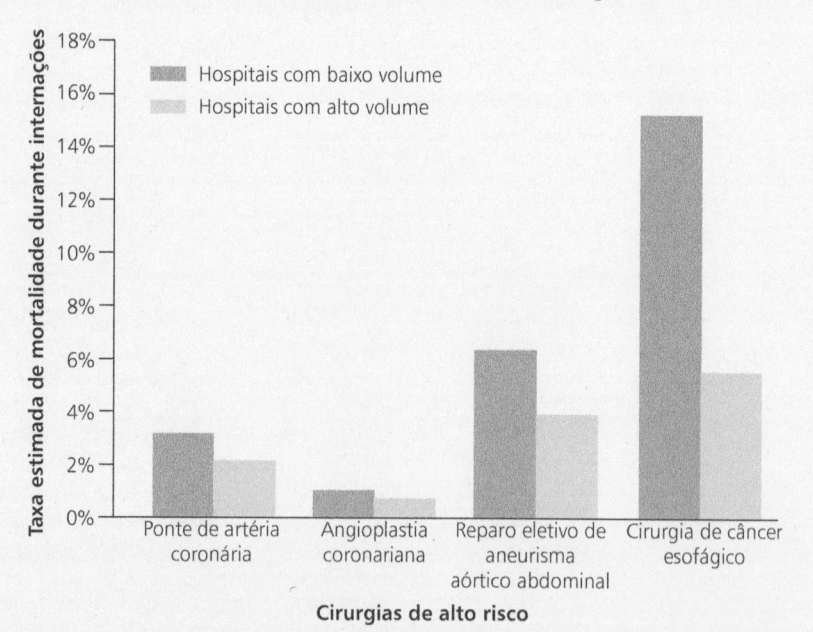

FIGURA 4-4 Taxas de mortalidade de pacientes do Medicare em entidades prestadoras de baixo volume *versus* em entidades prestadoras de alto volume, por tratamento, 1994-1999.
Fonte: Dados de Birkmeyer et al. (2000).

Escala e experiência também são importantes para fazer diagnósticos precisos, e não apenas bons tratamentos. Por exemplo, mesmo usando a mamografia, muitos casos iniciais de câncer deixam de ser detectados. Estudos sobre os últimos vinte anos mostraram que as mulheres recebem diagnósticos mais precisos quando o leitor da mamografia é altamente experiente e quando o filme original é relido toda vez que se descobre um erro, com fins a facilitar a aprendizagem. Estudos sugerem que as mamografias deveriam ser lidas por um radiologista que leia pelo menos 1.000 filmes por ano,[38] e talvez mais de 2.500 por ano.[39] Hoje, as imagens digitais podem ser transferidas quase que instantaneamente, e, portanto, é possível fazer uso de centros experientes em leitura de exames sem inconveniência para os médicos ou para o paciente.[40]

O êxito no diagnóstico também pode beneficiar a capacidade de integrar com eficácia uma gama de especialidades que contribua para o entendimento da condição do paciente. A capacidade de manter uma equipe de especialistas dedicados a uma condição de saúde é mais uma razão para que um volume mínimo de pacientes seja necessário. A Mayo Clinic, com sede em Rochester, Minnesota, combina a capacidade de integrar especialistas na área médica, extensa escala e experiência para alcançar uma extraordinária reputação em diagnóstico.

Obviamente, o relacionamento entre experiência, escala e resultados não é automático, especialmente quando os prestadores não têm que competir em resultados. Um importante fator é a aprendizagem. É possível repetir as mesmas práticas equivocadas continuamente, mas a aprendizagem consciente é um poderoso gerador de melhoria. Estudos sugerem que os resultados de procedimentos específicos melhoram com mais freqüência em hospitais de alto volume que investem em ensaios clínicos, os quais implicam constante aprendizagem, do que em hospitais de alto volume não envolvidos em ensaios.[41] Contudo, muitos prestadores, hoje, usam processos clínicos inconsistentes que disfarçam as fontes dos problemas e impedem a melhoria. Muitos prestadores tampouco estão estruturados e organizados para sistematizar e capturar a aprendizagem. (Ver Capítulo 5.) Estudos sugerem que, em geral, o número de anos decorridos desde a graduação de um médico não se correlaciona com melhores resultados para o paciente.[42] Isso implica que muitos médicos experientes não estão se atualizando quanto às melhores abordagens.

A aprendizagem requer um constante processo de reavaliação e melhoria. Os médicos e as equipes precisam manter-se a par da evidência clínica, estudar e comparar os seus resultados, identificar as diferenças e os problemas, e depois analisar o que fazer. Quando isso acontece, mais experiência provoca aprendizagem mais rápida. Em fibrose cística, um exemplo que discutiremos mais adiante neste capítulo, prestadores excelentes obtiveram mais melhorias do que prestadores medianos, mesmo quando as melhores práticas foram compartilhadas entre todos eles. À medida que a atenção for se focando em valor e os prestadores precisarem competir em resultados, a taxa de aprendizagem aumentará mais ainda.

Note que, hoje, o relacionamento entre experiência, escala e resultados é discricionário. Visto que os prestadores não têm que competir e que os resultados não são mensurados, os prestadores experientes não têm que aprender, nem os prestadores com volumes mais altos sofrem pressão para colher todos os benefícios de escala. Na verdade, a forma como a prestação dos serviços de saúde está estruturada neutraliza ou minimiza essas vantagens. Portanto, os estudos extraídos da prática atual são apenas sugestivos do potencial. Imagine se os prestadores estivessem realmente focados em alavancar sua escala e suas estratégias de preço para gerar resultados.

Se consideradas a importância de escala e a experiência no nível de condição de saúde, a prestação dos serviços de saúde é atualmente muito fragmentada. Muitos prestadores oferecem muitos tipos de serviços sem terem um volume suficiente de pacientes, como discutiremos em mais detalhes no Capítulo 5. Os prestadores estão mal estruturados para alavancar a escala e a experiência que têm. A natureza da atual competição acentua a fragmentação. Os planos de saúde e programas governamentais procuram o nivelamento, estimulando todos os prestadores a alcançarem um padrão mínimo, em vez de recompensar os provedores excelentes com mais volume. O efeito final é um número imenso de prestadores em quase todos os serviços, até mesmo em condições complexas como cirurgia cardíaca neonatal e transplante de órgãos. Com pouca ou nenhuma responsabilidade pelos resultados, os prestadores passam a oferecer qualquer serviço que lhes pareça lucrativo.

As práticas de pagamento também funcionam contra o desenvolvimento de volume e a experiência em diagnóstico. O M. D. Anderson Cancer Center, conhecido pelo seu notável nível de especialização, recebia um número imenso de pacientes com câncer de mama que procuravam uma segunda ou terceira opinião devido à complexidade da doença e a diferenças nos resultados obtidos de diferentes combinações de tratamentos. Essa alta demanda provocava uma longa lista de espera nas consultas de pacientes em tratamento pelo próprio hospital. Assim, em 2004, Dr. Anderson resolveu suspender o fornecimento de pareceres a pacientes de câncer que não tivessem a intenção de serem tratados no hospital.[43] Foi uma escolha lógica e natural em vista dos incentivos do atual sistema, que, na hora da remuneração, privilegia os tratamentos. Do ponto de vista de valor, no entanto, os serviços de diagnóstico e segundo parecer deveriam ser dramaticamente ampliados nos melhores centros.

Alguns observadores, dadas as considerações que discutimos, sugeriram que certos tipos de tratamentos deveriam ser restritos a centros de alto volume. Concordamos com a idéia de que prestadores com baixa escala e sem experiência não deveriam atender a pacientes mal informados e que os médicos deveriam ganhar experiência sob a supervisão somente de equipes de alto volume que tenham resultados excelentes. Entretanto, o volume, em si, não é uma meta, mas valor medido por resultados. O volume é apenas um espelho dos resultados. Compilar informações sobre resultados, deslanchando a competição baseada em valor, é muito mais importante do que estabelecer patamares de volume arbitrários. Introduzir restrições de volume sem considerar resultados poderia proteger da competição os prestadores estabelecidos, o que na verdade reduziria o valor aos pacientes.

A competição baseada em valor focada em resultados levará naturalmente a uma significativa redução do número de prestadores dedicados a condições de saúde específicas. Também levará a afiliações mais fortes e mais profundas entre os centros verdadeiramente excelentes e outros prestadores do mesmo campo. O efeito sobre o valor ao paciente será enorme.

A competição em resultados, com o círculo virtuoso de melhoria de valor, elevará muito mais o valor do que a atual tentativa de melhorar todos os prestadores indiscriminadamente. À medida que os pacientes deixarem de ser atendidos por prestadores abaixo da média para serem atendidos por prestadores excelentes, o valor ao paciente se elevará substancialmente. À medida que os prestadores excelentes forem crescendo, o círculo virtuoso de melhoria de valor vai sendo reforçado. Já que as inovações que melhoram o estado da arte tendem a ser acionadas pelas entidades de melhor desempenho, ampliar o volume dessas entidades pode acelerar ainda mais o ritmo de melhoria de valor.

Nesse tipo de competição, a capacidade numa condição de saúde será realocada de prestadores menos eficazes para prestadores mais eficazes. Alguns médicos de entidades prestadoras menos eficazes mudarão a sua prática para outros serviços onde possam atingir excelência. Outros médicos, ou suas instituições, deverão se afiliar a excelentes centros e se beneficiar de treinamento, domínio de processos e estruturas para um gerenciamento mais eficaz, o que melhorará consideravelmente o desempenho. Enfim, todos os médicos terão a oportunidade de atingir excelência. Os pacientes não precisarão mais aceitar prestadores abaixo do padrão.

A competição é em nível regional ou nacional

O escopo geográfico relevante para a competição na prestação dos serviços de saúde é regional, nacional ou mesmo internacional, e não apenas local. O escopo geográfico começa com a mentalidade do prestador. Os médicos e equipes têm que comparar os seus resultados ajustados a risco com os resultados dos melhores prestadores em toda parte, e não apenas na sua área. Além disso, os prestadores deveriam também procurar se relacionar com centros nacionais e regionais para obter consultoria e outros serviços a fim de se equipararem aos mais altos padrões de valor, mesmo que sejam o único hospital ou clínica na região.

Na obtenção de atendimento, os pacientes, os médicos que os encaminham e os planos de saúde deveriam buscar aqueles que melhor atendam às necessidades em pauta, onde quer que estejam localizados. Até mesmo para atendimentos de emergência e assistência primária, que geralmente serão prestados na redondeza, é importante manter uma perspectiva regional.

Como discutido no Capítulo 1, existem diferenças significativas em resultados e custos entre áreas geográficas, mesmo para as condições de saúde mais comuns. Para condições raras ou complexas, a variação nos resultados é ainda maior. Isso não deve nos surpreender, tendo em vista os benefícios de nível de especialização e escala em nível de condição de saúde.

A noção de que recorrer às melhores instalações regionais melhorará a qualidade do tratamento não é nova. Os centros de trauma, por exemplo, substituíram a prática dos anos 70, na qual todas as instalações locais de emergência tratavam pacientes envolvidos em acidentes no trânsito ou que sofressem lesões graves súbitas. O advento dos centros de trauma salvou inúmeras vidas e reduziu as ocorrências de incapacitação. Hoje, como extensão dessa abordagem, o tratamento de derrames (AVCs) mais graves em centros apropriados poderia salvar vidas e reduzir os eventos de incapacitação (ver o quadro "A Importância da Competição Regional: Tratamento de AVCs"). Contudo, as leis estaduais e os contratos dos planos de saúde normalmente exigem que as ambulâncias levem pacientes com AVC para o hospital mais próximo, em vez de para o hospital mais apropriado a que se possa chegar a tempo.

Embora ir até uma instalação regional de importância possa parecer oneroso e inconveniente, as economias de custo e os melhores resultados a curto e longo prazo podem fazer com que o deslocamento valha a pena, tanto para os pacientes quanto para os planos de saúde.[45] Os custos e a inconveniência de se deslocar são facilmente justificados por outros custos mais altos que surgem em decorrência de resultados inferiores (tempo de recuperação mais longo, menos recuperação completa, dor crônica, complicações e erros médicos) serem evitados. Não sugerimos que *todos* os pacientes, nem mesmo a maioria deles, devam viajar ou que viajarão, mas sim que essa opção deveria existir. Ouve-se freqüentemente que os pacientes optarão sempre por tratamento local e conveniente, em lugar de buscar ou usar prestadores mais distantes. No entanto, o atual comportamento dos pacientes é resultante da quase completa ausência de informações relevantes sobre resultados, como discutimos no Capítulo 2. Os pacientes, os médicos que os encaminham e os planos de saúde simplesmente desconhecem o baixo nível de competitividade de muitos prestadores, tanto em custo quanto em qualidade. E quando passarem a conhecer, os padrões de comportamento estabelecidos mudarão rapidamente. O fato de os pacientes usarem prestadores locais também é resultante das inúmeras restrições nas suas escolhas e da falta de incentivos econômicos para buscarem prestadores fora da rede. (Nos Capítulos 6 e 7, discutimos novos papéis para os planos de saúde e empregadores na estimulação da competição entre áreas geográficas.)

Finalmente, o viés local na assistência à saúde, como diversos médicos nos indicaram, foi herdado de uma época em que a medicina era mais uma questão de alívio do que cura para o paciente. Os encaminhamentos locais faziam sentido quando as diferenças em resultados eram provavelmente menores e encontrar o médico certo para um paciente era em grande parte uma questão de química pessoal. Hoje, a sofisticação e a complexidade dos tratamentos são muito maiores, o que pode levar a variações substanciais nos resultados entre prestadores excelentes e medíocres.

Quando informações relevantes, escolha e apoio a tratamento não-local se expandirem, os pacientes e os médicos que os encaminham poderão optar por buscar tratamento em nível regional ou nacional com base na condição de saúde e nas preferências do paciente. A pressão para igualar ou superar o valor oferecido por concorrentes regionais ou nacionais vai acelerar as melhorias de

A importância da competição regional: tratamento de acidente vascular cerebral (AVC)

O atendimento a derrame cerebral enfatiza a importância da competição regional em resultados.[44] Os derrames são bastante heterogêneos, variando quanto à localização no cérebro, ao tamanho do coágulo e ao tipo de vaso afetado. Atender a pacientes com derrame requer pessoas com um amplo espectro de habilidades, incluindo médicos de atendimento de emergência, neurologistas, especialistas em tratamento intensivo, radiologistas, radiologistas intervencionistas e enfermeiros especializados. Embora muitos derrames sejam relativamente brandos e possam sanar por si ou com uma pequena intervenção, uma parcela (cerca de 20%) dos derrames ocorre em vasos importantes, ameaçando a vida ou causando incapacidade severa de longo prazo a não ser que tratados de imediato.

Um coágulo em um vaso de vulto, se identificado logo e em instalações apropriadas e por pessoas especializadas, pode ser tratado com êxito. No entanto, relativamente poucos hospitais têm a combinação de equipamento de tomografia computadorizada disponível 24 horas, equipamento de ressonância magnética, radiologistas de plantão e especialização em angioplastia cerebral, necessária para identificar a natureza e a localização do derrame e, se necessário, intervir mecanicamente para romper o coágulo. (Coágulos em grandes vasos normalmente não respondem a terapias medicamentosas.) Discutiremos a cadeia de valor da prestação de serviços de saúde (CDVC) para derrames de vulto, em mais detalhes, no Apêndice B.

Na maior área metropolitana de Boston, o Massachusetts General Hospital (MGH) é um de apenas dois ou três hospitais dotados do nível de especialização e instalações necessário para atender aos casos mais difíceis de derrame cerebral. O MGH trata de aproximadamente 1000 casos de derrame por ano, ou cerca de 10% do total de casos da região. Desses, aproximadamente 200 envolvem artérias principais e entre 50 e 100 são indicados para intervenção mecânica.

O MGH tem capacidade para tratar metade de todos os maiores derrames de toda a região. Contudo, são necessárias ambulâncias para levar todos os pacientes suspeitos de derrame para o hospital mais próximo, mesmo que o paciente, ou a sua família, especifique outro lugar. Visto que a maioria dos derrames é relativamente branda e os pagamentos são atraentes, todos os hospitais querem ter o seu quinhão de pacientes com derrame. Para a maioria dos pacientes, justo os que têm derrames mais brandos, essa abordagem gera resultados satisfatórios. Contudo, para os pacientes com grandes derrames, o modelo de "dar a todos o seu quinhão" pode custar a vida ou a incapacitação total. A subseqüente transferência a um segundo hospital não funcionará nesses casos, porque a janela de tempo para tratar com êxito um paciente com derrame fica em torno de três horas. Atualmente, dada a ausência de competição baseada em valor focada em resultados em nível de condição de saúde, o valor ao paciente muitas vezes não é entregue.

Os custos de não levar os pacientes para o prestador certo são significantes em termos de vida, qualidade de vida e dólares. Os derrames são a principal causa de incapacitação de longo prazo e a terceira principal causa de morte. Tanto as taxas de incapacitação de longo prazo quanto as de mortalidade poderiam ser drasticamente reduzidas se os pacientes que mostrassem sinais de derrame grave, algo que pode ser constatado pelos técnicos médicos das emergências, fossem levados somente para os centros que tivessem os melhores recursos e resultados para esses casos. Os planos de saúde deveriam exigir que as empresas de ambulâncias seguissem essa prática. As leis de alguns estados que exigem transporte para o hospital mais próximo deveriam, pelo menos, fazer uma exceção para casos de derrame grave. (As leis já permitem que pacientes com traumatismo sejam levados para o centro de traumatismo mais próximo, em vez de para o atendimento de emergência mais próximo.)

valor em todos os locais. À medida que mais e mais médicos tenham que competir e atender às expectativas nacionais em termos de resultados, a necessidade de se deslocar deverá declinar, embora a oportunidade deva permanecer.

Em um mercado de assistência à saúde sem restrições geográficas, muitos pacientes ainda iriam preferir receber tratamento em hospitais locais ou dentro da sua região. Contudo, a abertura da competição e o estímulo pela comparação de resultados entre os prestadores e regiões, vão disparar uma competição geográfica por condição de saúde, mesmo que somente uma fração dos pacientes decida tirar vantagem disso.[46] Os médicos nos explicaram que, quando percebem que certos pacientes estão considerando buscar tratamento em outro lugar, eles, os médicos, tornam-se mais introspectivos e inclinados a explorar novas abordagens.

No atual sistema, o desejo de um paciente de se tratar com um excelente prestador regional é quase sempre visto como um ato de deslealdade e pode minar o relacionamento com o seu médico local. Na competição baseada em valor, os médicos construirão relacionamentos com prestadores excelentes e facilitarão o processo de encaminhamento do paciente ao centro adequado, em várias partes do ciclo de atendimento. Essa será uma das maneiras nas quais os médicos se distinguirão.

A competição regional e nacional vai de fato ampliar a necessidade de foco estratégico pelos prestadores, e também ampliar as oportunidades para que desenvolvam domínio e escala na condição de saúde em questão. Prestadores com excelência numa condição de saúde se expandirão geograficamente gerenciando os serviços em vários locais e, assim, alavancando escala, especialidade na doença, métodos de prestação dos serviços de saúde, treinamento de equipes, sistemas de mensuração e reputação. Os pacientes se beneficiarão tremendamente da aceleração na melhoria dos resultados.

Alguns argumentam que toda cidade deveria ter todos os serviços e especialidades. Mas este argumento é normalmente levantado por hospitais localizados muito próximos a vários outros. Nenhuma instituição, por si, precisa prestar todos os serviços. Tampouco existe razão, em termos de valor para a assistência à saúde, para um paciente ser tratado pelo mesmo hospital, grupo de médicos ou rede em diferentes condições de saúde que ocorrem em diferentes ocasiões. O valor para o paciente é determinado pela eficácia do prestador na abordagem da condição de saúde específica desse paciente, e não por ter sido muito bom antes, numa outra condição de saúde.

O objetivo deve ser encorajar prestadores excelentes a crescerem em suas áreas de especialidade, em vez de tentar que todos façam de tudo e melhorem em tudo. Elevar todos os prestadores a um padrão aceitável em todas as condições de saúde perpetuará a fragmentação das linhas de serviços. Servindo a uma área geográfica mais ampla, os prestadores que tratam de condições de saúde menos comuns poderiam atender a um número de pacientes expressivo o bastante para se beneficiar de escala, experiência e aprendizagem.

Maior escala e mais competição regional e nacional também permitiria que os prestadores excelentes, onde quer se localizem, treinassem mais internos e residentes. Atualmente, os internos já trabalham em diferentes hospitais de uma região no decorrer do seu ciclo educacional. No entanto, o local do treinamento não costuma se basear em evidência de resultados excelentes. O treinamento de internos em centros que apresentam resultados excelentes ajudaria a disseminar as melhores práticas, à medida que os jovens médicos iniciassem suas carreiras (ver quadro "Implicações para a educação médica", no Capítulo 5).

À medida que a competição for aumentando, crescerá a pressão para os prestadores se tornarem mais estratégicos na escolhas dos serviços que deverão oferecer. Prestadores excelentes oferecerão seus serviços regionalmente, ou até nacional e internacionalmente. Mesmo na assistência primária e emergencial, em que grande parte do atendimento é forçosamente local, os prestadores locais construirão relacionamentos e irão obter consultoria de centros regionais de excelência para aumentar o valor do seu atendimento. À medida que esses relacionamentos se proliferarem, prestadores locais serão capazes de embarcar em economias de escala e experiência em condições de saúde específicas e de acelerar a difusão de inovações na prestação dos serviços de saúde.

Quanto aos hospitais rurais, não haverá necessidade de oferecer todos os serviços, exceto atendimento de emergência, tratamentos preventivos e de rotina, gerenciamento de doenças e acompanhamento, a não ser que o hospital rural em questão tenha experiência, escala e nível de especialização e atenda aos padrões reais de excelência. Os hospitais rurais não deveriam mais funcionar como entidades isoladas e independentes, mas como organizações conectadas através de relacionamentos bem estabelecidos com outros prestadores. Um sistema de assistência à saúde ideal estimularia um relacionamento estreito entre hospitais rurais e comunitários e centros regionais e nacionais. Esses relacionamentos seriam dedicados a integrar o atendimento em condições de saúde particulares por todo o ciclo de atendimento.

Os potenciais benefícios desse modelo colaborativo são revelados no caso de lesão cerebral traumática (TBI – *traumatic brain injury*). Para pacientes com TBI, os melhores resultados tomam a forma de funcionalidade melhorada ou incapacidade reduzida, como no caso de muitas outras condições de saúde. Melhores resultados reduzirão dramaticamente os custos, porque muitos dos 235.000 americanos hospitalizados anualmente com TBI precisam de tratamento caro de longo prazo.[47] Padrões de tratamento aprovados pela American Association of Neurological Surgeons só estão totalmente implementados em 16% dos hospitais que tratam de TBI.[48] Uma empresa chamada CarePath está fornecendo na Internet informações sobre TBI a hospitais locais, complementadas com um serviço de orientação por telefone por grandes especialistas, caso os médicos das emergências tenham perguntas a fazer.[49] O mesmo tipo de relacionamento poderia ser desenvolvido entre hospitais locais e um centro nacional de trauma cerebral.

Esses relacionamentos – que hoje são raros e às vezes encontram resistência – aumentariam acentuadamente a qualidade e o valor em todo o sistema. Este exemplo revela os papéis que as empresas de serviço podem desempenhar em um novo tipo de competição na assistência à saúde. Um número crescente de empresas de serviços especializados está ajudando pacientes e planos de saúde a melhorar o valor em nível de condição de saúde, um assunto que discutiremos nos Capítulos 5 e 6.

À medida que a competição progredisse para o nível de condições de saúde no lugar de entidades generalizadas, os hospitais comunitários e rurais se tornariam conhecidos pela sua excelência e especialização em determinadas áreas de atendimento. Seriam comuns os encaminhamentos de centros de atendimento terciário de volta para esses hospitais, e eles aumentariam o valor localizando tratamento em contextos apropriados e de menor custo.

Alguns observadores se preocupam achando que os hospitais rurais não sobreviveriam financeiramente se encaminhassem pacientes lucrativos a outros centros. Cremos que estratégias mais focadas por parte dos hospitais rurais melhorariam significativamente a eficiência e as margens. Contudo, a entrega de valor pelos hospitais rurais poderia ser melhorada se as práticas de pagamento mudassem, pois as atuais depreciam os tipos de serviço para os quais os hospitais rurais (e outros prestadores rurais) estão equipados para prestar. Atualmente, o pagamento funciona em oposição a uma estratégia sensata e ao valor para o paciente. Discutimos estratégia para hospitais rurais e hospitais comunitários mais adiante no Capítulo 5 e propomos algumas novas abordagens de pagamento nos Capítulos 6 e 8.[50]

As informações sobre os resultados são amplamente disponibilizadas

A competição pode produzir melhorias rápidas quando as decisões tomadas por prestadores, por pacientes e suas famílias, por médicos que fazem encaminhamentos e pelos planos de saúde forem baseadas em conhecimento objetivo dos resultados – resultados médicos e o custo do tratamento em todo o ciclo de atendimento. Sem tais informações, os prestadores são privados da mais poderosa fonte de motivação e de idéias para melhorar a sua prática. Sem informações apropriadas, os médicos que fazem os encaminhamentos e os pacientes ficam na escuridão, e as escolhas pelos pacientes têm um efeito marginal.[51]

Hierarquia das informações

Existe uma hierarquia nas informações necessárias para apoiar a competição baseada em valor (ver Figura 4-5). No topo da hierarquia estão as informações sobre *resultados* em nível de condição de saúde. Os resultados consistem nas conseqüências para os pacientes, ajustadas a risco, e o custo do tratamento, ambos medidos por todo o ciclo de atendimento.

Em seguida na hierarquia de informações estão os dados sobre a *experiência* de cada prestador na abordagem de uma condição de saúde, medida pelo número de pacientes. A experiência é uma representação aproximada de habilidade e eficiência, e afeta os resultados alcançados, como discutido anteriormente neste capítulo. A experiência é também uma ferramenta para correlacionar pacientes com prestadores.

No terceiro nível na hierarquia estão as informações sobre *métodos*. Métodos são os processos do atendimento/tratamento propriamente dito, importantes para se compreender como os resultados são alcançados. As informações sobre métodos são importantes para orientar a melhoria dos processos.

Na base da hierarquia de informações estão os dados sobre os *atributos do paciente*. São fatores como idade, sexo, condições co-ocorrentes e, de forma ideal, a constituição genética. Os atributos do paciente afetam o processo de atendimento e são importantes para o controle de condições iniciais ou de risco. (A hierarquia de informações é discutida em mais detalhes no Capítulo 5.)

O foco atual na compilação de informações recai sobre os métodos. Uma variedade de organizações, como já indicamos, vem coletando informações sobre processos. Muitas delas se referem a processos genéricos, como uso de um sistema computadorizado na entrada de pedidos/ordem de serviços (para reduzir erros) e procedimentos para o controle de infecções. Menos desenvolvida é a coleta de informações de processos correlacionados às condições de saúde. Informações sobre se os prestadores cumprem (ou deixam de cumprir) as normas estabelecidas para os processos de tratamento de condições específicas fornece aos médicos que fazem encaminhamentos, aos pacientes

Resultados para os paciente (resultados médicos, custos e preços)

Experiência

Métodos

Atributos do paciente

FIGURA 4-5 Hierarquia das informações.

e aos planos de saúde uma importante indicação da qualidade. Também encorajam os prestadores a oferecerem tratamentos consistentes com o conhecimento médico. Informações sobre conformidade de processos estão sendo coletadas em relação a algumas condições de saúde, como discutimos no Capítulo 3.

A conformidade de processos, no entanto, não é um fim por si mesma. O que realmente importa são os resultados. Diretrizes de processos são relacionadas a resultados, mas diferentes prestadores usando os mesmos protocolos alcançam diferentes resultados (como no exemplo da fibrose cística, mencionado anteriormente). A prestação de serviços de saúde é complexa, e os protocolos não captam todo o processo de atendimento. A boa prática médica envolve ajustes para considerar as circunstâncias particulares de cada paciente. Os prestadores diferem em habilidades, instalações e estrutura organizacional. Além disso, os melhores processos estão em constante mudança. É difícil, se não impossível, manter as diretrizes de processos atualizadas. Um foco muito estreito no cumprimento de processos pode, portanto, inibir inovações.[52]

Há uma linha tênue entre a difusão das melhores práticas e a medicina normatizada. As atuais taxas de erros médicos e de padrões inadequados de tratamento são inaceitáveis; portanto, a difusão de diretrizes é essencial para encorajar uma prática adequada. No entanto, a normatização da medicina não é o objetivo. A normatização foca em processos, e não em resultados. As informações sobre processos, portanto, são apenas uma ferramenta para ajudar a viabilizar o verdadeiro objetivo: melhorar os resultados ajustados a risco.

Informações sobre resultados são, sem sombra de dúvida, as mais importantes e necessárias para a competição baseada em valor. Definitivamente, as informações sobre resultados médicos e preços devem cobrir todo o ciclo de atendimento. Quando existirem informações precisas sobre resultados ajustados a risco e sobre preços, a geração em grande escala de relatórios externos comparando processos será desnecessária. Nesse ínterim, porém, a geração externa de relatórios de dados de processos pode ser importante para assegurar que os prestadores defasados em relação às práticas médicas prevalecentes sintam-se motivados a atualizar os seus padrões de atendimento e a reduzir suas taxas de erro.

Observe que todos os prestadores deveriam e irão coletar informações de processos internamente em níveis crescentes de granularidade e sofisticação. A análise interna dos relacionamentos entre processos e resultados será essencial para a aprendizagem e a melhoria organizacional, como discutiremos adiante, no Capítulo 5. Os prestadores irão compartilhar as informações de processos, e os pesquisadores irão garimpá-la para estudos clínicos. Os prestadores conduzirão seus próprios estudos de métodos de prestação de serviços de saúde, em vez de esperar pelos ensaios clínicos. Entretanto, a exigência de relatar dados detalhados de processos a entidades externas é maçante e, afinal, desnecessária.

Na mensuração de resultados, dados sobre os resultados médicos são essenciais, mas informações sobre preços são igualmente importantes. Juntos, dados de resultados e preços permitem que se façam julgamentos sobre o valor. Como discutiremos em capítulos subseqüentes, as atuais práticas de preço são opacas e obscurecem os relatórios e as comparações de preço. É difícil, senão impossível, avaliar o preço antes de se realizar o serviço, e o fato é que muitos prestadores não conseguem cotar um preço.

Os atuais preços fragmentados por intervenções e serviços distintos não são da forma que os pacientes desejam ou que de fato importa para o valor ao paciente. Os preços deveriam ser referentes ao conjunto de serviços envolvidos em um episódio ou ciclo total de atendimento. O preço relevante é o preço total do atendaimento, e não o preço de uma consulta, tratamento ou serviço prestado por cada médico. Os planos de saúde publicam nos seus sites os preços negociados para serviços médicos específicos. A Aetna, por exemplo, publica os preços negociados para uma variedade de serviços e intervenções na área de Cincinnati.[53] No entanto, os preços publicados cobrem serviços e intervenções específicas, e é quase impossível agregá-los de uma forma que faça sentido. Discutiremos práticas de preço e faturamento em mais detalhes nos Capítulos 5, 6 e 8.

Medir a experiência do prestador é mais uma forma simples e direta do que coletar informações sobre resultados e métodos. Ainda assim, dispor de dados sistemáticos sobre a experiência do prestador numa condição de saúde particular seria um grande passo à frente. Só em saber quantos pacientes cada prestador diagnosticou ou tratou numa condição de saúde melhoraria significativamente a escolha. Experiência não é um perfeito previsor de resultados, mas é um fator inicial que ajuda e tranqüiliza. O relatório de dados de experiência deveria ser uma meta imediata, seja em regime voluntário ou, se necessário, compulsório para a prática da medicina.

Dados sobre experiência são mais valiosos se incluírem não apenas o número total de pacientes atendidos durante um determinado período de tempo, nas também decomposições mais finas relativas a partes do ciclo de atendimento, métodos e atributos dos pacientes. Por exemplo, informações sobre experiência em diagnóstico, experiência por abordagem de tratamento, experiência por subtipos da doença e experiência com populações específicas de pacientes (por exemplo, idade, fatores de risco) são todas valiosas para pacientes, planos de saúde e outros médicos. Apenas dispor de dados sistemáticos para ajudar os médicos a localizar especialistas com quem se consultar em determinados casos já renderia dividendos na prática médica.

O último tipo de informação importante para a competição baseada em valor, dados sobre os atributos dos pacientes, é essencial para se compreender a cadeia causal que leva aos resultados. Atributos como idade, condições co-ocorrentes, estado de enfermidade, e assim por diante, podem afetar os métodos apropriados, definir a experiência relevante e influenciar os resultados. As condições iniciais do paciente são cruciais para o ajuste de risco, para que os resultados dos prestadores possam ser comparados com eqüidade. Mas, à medida que os relacionamentos causais entre os atributos dos pacientes e a eficácia do tratamento se tornam conhecidos, os riscos dos pacientes com esses atributos devem cair, já que os prestadores excelentes passam a incorporá-los na prestação do serviço de saúde. Portanto, os ajustes de risco não devem ser fixos, mas modificados à medida que ocorre a aprendizagem.

É preferível coletar atributos demais do que de menos. A lista crescerá à medida que os prestadores acumularem conhecimento na prestação daquele tratamento. Para fins de aprendizagem, quanto mais dados de atributos forem coletados, melhor, mesmo que alguns deles ainda não tenham sido totalmente validados como necessários. Certos dados de atributos de pacientes deverão ser obrigatoriamente relatados para fins de ajuste de risco. Os prestadores deveriam coletar mais dados de atributos ainda para usá-los internamente na análise e melhoria dos processos de tratamento. Dados genéticos oferecem o potencial para um salto quântico nesta área.

Mensuração do estado de resultados

Mensurar resultados é complexo. Alguns especialistas em assistência à saúde afirmam que uma mensuração de resultados significativa não é factível e que é impossível fazer os ajustes de riscos apropriados. Contudo, já existem dados significativos e confiáveis sobre resultados ajustados a risco.[54] Existem dados comparativos de alta qualidade sobre resultados em diversas condições de saúde, inclusive oncologia pediátrica, fibrose cística, doença renal crônica de estágio final, tratamento intensivo, cirurgia cardíaca e transplantes de órgãos. (Ver o quadro "Como surgiram boas informações sobre resultados", para uma descrição e breve histórico dessas iniciativas de coleta de informações.) Cada caso encerra suas próprias lições sobre como a medição de resultados deveria ser estendida a todas as condições de saúde.

Como um grupo, esses casos demonstram, sem sombra de dúvida, que é possível desenvolver medidas robustas para resultados, coletar informações comparativas e ajustá-las a risco. Esses casos também demonstram que assim procedendo chegamos a substanciais melhorias em termos de valor para o paciente. Os esforços de medição de resultados existentes, embora imperfeitos, têm reduzido a mortalidade e melhorado outros resultados, beneficiado a tomada de decisões clínicas e motivado grandes melhorias nos processos. A melhoria do valor para o paciente tem sido enorme e revela o potencial para a mensuração de resultados no sistema como um todo.

Os casos descritos no quadro a seguir começam definindo os parâmetros de um sistema eficaz de geração de relatórios de resultados. As medidas de resultados precisam ser definidas com um processo rigoroso e melhoradas e expandidas com as contribuições de especialistas, ao longo do tempo. Os relatórios precisam ser universais, compulsórios e realistas. As informações de resultados devem ser ajustadas a risco, e os métodos de ajuste têm que ser melhorados com contribuições de especialistas, ao longo do tempo. Os dados precisam ser públicos e divulgados por meios acessíveis. Os dados de custo, mais cedo ou mais tarde, terão que ser integrados. Tal sistema ideal de gerenciamento de resultados é uma tarefa e tanto. Para alcançar rapidamente um alto padrão de medição de resultados em muitas condições de saúde é provavelmente necessário que organizações independentes e sem fins lucrativos (como a Unos – United Network for Organ Sharing, em transplantes) desenvolvam e implementem geração e análise de relatórios. A supervisão de todas essas organizações poderia ser designada ao Department of Health and Human Services (que supervisiona a UNOS) ou a uma organização quase-pública respeitável, como o Institute of Medicine. Exploraremos essas opções mais detalhadamente no Capítulo 8.

Até agora, o desenvolvimento e uso de medidas de resultados tem progredido com demasiada lentidão. Por exemplo, o sistema APACHE de medidas de resultados ajustadas a risco para tratamento intensivo (discutido no quadro "Como Surgiram Boas Informações sobre Resultados") foi desenvolvido há 25 anos e tem sido continuamente aperfeiçoado e validado por inúmeras revisões e usos por prestadores de prestígio como a Mayo Clinic. No entanto, ainda há resistência e na emissão de relatórios com as medidas APACHE. A Joint Commission on Accreditation of Healthcare Organizations (JCAHO) conduziu um projeto-piloto para incluir as medidas de resultados ICU no credenciamento. No entanto, em julho de 2005, a JCAHO retroagiu e substituiu as medidas de resultados por medidas de processos.[94] A JCAHO tem sido lenta na utilização de medidas de resultados para o credenciamento, não porque a metodologia seja problemática, mas porque os prestadores têm apresentado resistência. Uma organização de credenciamento fortemente influenciada por aqueles a serem mensurados pode não ser o melhor veículo para promover a mensuração de resultados no lugar de normas muito menos ameaçadoras como as de conformidade de processos.

Da mesma forma, a despeito das boas intenções do National Quality Forum (NQF) para passar de normas de processos para medidas de resultados, interesses velados têm retardado o desenvolvimento de medidas específicas e ajustes a risco. Interesses velados também têm retardado a ampla implementação das medidas de resultados existentes.[95] O modelo por consenso do NQF pode não estar altura de superar a resistência à medição de resultados e exigir prestação de contas.

Por investirem tanto nessa resistência, os prestadores parecem temer que a coleta e disseminação de dados de resultados seja uma providência simplista e injusta. Os prestadores, inclusive os médicos, individualmente, têm sido compreensivelmente cautelosos em tornarem públicas as suas medidas de resultados, que apontam para os problemas com a precisão de medidas e a adequação de metodologias de ajuste de risco. Dados mal ajustados podem criar incentivos para que os médicos se afastem de pacientes com condição de saúde grave. Mas a comunidade médica é por demais esclarecida para se deixar vencer por tais obstáculos. Ater-se a este raciocínio para evitar a coleta e a publicação de quaisquer informações de resultados não é mais aceitável, especialmente em face dos êxitos já alcançados.

Faz-se necessário um sistema de inspeção e controle da medição e emissão de relatórios de resultados, e ele esteve presente nas iniciativas descritas no quadro "Como Surgiram Boas Informações sobre Resultados", que revelam princípios importantes para futuros esforços. É preciso haver uma matriz de medidas para captar a multidimensionalidade dos resultados. As sociedades de

(continua na página 126)

Como surgiram boas informações sobre resultados

Oncologia pediátrica

Nos anos 60, o câncer infantil era quase sempre fatal em um período de cinco anos após a descoberta da doença. Hoje, a taxa de sobrevivência nesse mesmo período fica acima de 75%, sendo que, nos últimos vinte anos, ela melhorou em 20% para meninos e 13% para meninas.[55] Essa melhoria é admirável por si mesma, e mais ainda em comparação ao câncer em adultos, cujos resultados melhoraram, mas não chegaram a tanto.

Em oncologia pediátrica, a tragédia de crianças sofrendo e morrendo criou um senso de urgência e de comunidade para melhorar os tratamentos. Os médicos neste campo relativamente pequeno assumiram um forte compromisso de só encaminhar pacientes a centros de câncer em instituições acadêmicas que estivessem de fato pesquisando o relacionamento entre o processo do tratamento e os resultados. Como conseqüência, a ampla maioria dos pacientes de oncologia pediátrica é tratada sob protocolos de pesquisa rastreados por ensaios clínicos, diferentemente do câncer em adultos.

Os dados de resultados em oncologia pediátrica são comparados por protocolo, não por centro ou prestador. A premissa implícita dessa abordagem é que o uso dos protocolos de tratamento mais bem-sucedidos dentre os conhecidos é a melhor maneira de produzir um excelente atendimento médico. A oncologia pediátrica revela o grande potencial da disseminação das melhores práticas para melhorar os resultados. Essa abordagem à melhoria das práticas em oncologia pediátrica beneficiou-se de uma comunidade relativamente pequena de médicos com boa comunicação e uma cultura de apoio recíproco.

Entretanto, cumprir as diretrizes de processos não é o mesmo que competir em resultados. A implementação de um protocolo específico nunca é exatamente a mesma de médico para médico, mesmo que todas sejam bem-sucedidas. Em oncologia pediátrica, as diferenças entre prestadores não foram analisadas. E tampouco os resultados dos prestadores estão disponíveis aos pais dos pacientes ou aos médicos que os encaminharam; em vez disso, os dados são coletados e usados unicamente para comparar os protocolos de tratamento nos ensaios clínicos.

O valor ao paciente na oncologia pediátrica poderia melhorar ainda mais se as informações de resultados fossem amplamente coletadas e disseminadas. Esses dados, em nível de médicos e centros, dariam margem a melhorias de processos ainda mais rápidas pelos médicos e permitiria que os médicos que fazem os encaminhamentos e os pais tomassem decisões melhores ainda. Este caso também destaca a necessidade de manter registros sistemáticos dos pacientes em vez de depender de dados reunidos de uma série de ensaios clínicos, cada um deles focando unicamente num pequeno número de variáveis. Uma coleta de dados abrangente possibilitaria inovações mais rápidas, pois melhoraria o potencial estatístico e permitiria que os pesquisadores investigassem mais aspectos do atendimento.

Fibrose cística

O impulso para a coleta de dados sobre resultados em fibrose cística veio da Cystic Fibrosis Foundation, fundada em 1955.[56] No início dos anos 60, o Dr. Leroy Matthews, no Rainbow Babies and Children's Hospital em Cleveland, relatou uma incrível estatística: ele e seus colegas estavam presenciando taxas de mortalidade de menos de 2% ao ano, em comparação com a média dos EUA, então acima de 25% ao ano. Em 1964, em parte para testar as afirmativas do Dr. Matthews, a

(continua)

Cystic Fibrosis Foundation concedeu ao Dr. Warren Warwick uma verba de US$ 10.000 para coletar informações sobre todos os pacientes tratados nos 31 centros de fibrose cística dos EUA. Os dados confirmaram o que dizia o Dr. Matthews, e a sua abordagem pioneira tornou-se o padrão ouro para o tratamento de fibrose cística.

Os dados de resultados em fibrose cística, diferentemente do caso da oncologia pediátrica, são coletados e compilados de centro a centro. A premissa implícita é que a melhor maneira de melhorar o valor não é simplesmente focar protocolos, mas aprender com os métodos dos melhores centros. Contudo, como na oncologia pediátrica, os dados não são revelados aos centros. Os médicos conhecem os seus próprios resultados e como os seus pacientes se situam em relação à média nacional, mas não podem se comparar com outros centros.

Os dados de fibrose cística serviram de base para rápidas melhorias na expectativa de vida de pacientes com fibrose cística – de dez anos em 1966 para 18 em 1972 e 33 em 2003.[57] No entanto, os pacientes tratados nos centros de melhor desempenho continuam a ter uma vida muito mais longa até mesmo que a ascendente média nacional. Em 2003, a expectativa de vida de um paciente com fibrose cística nas melhores clínicas era de 47 anos enquanto num centro de médio desempenho era de 33 anos.[58]

A emissão de relatórios nos centros de fibrose cística era, e continua sendo, voluntária.[59] A fundação estimula a apresentação de relatórios liberando verbas para pesquisa para as clínicas, proporcional ao número de pacientes registrados. Essas verbas variam de US$ 25.000 a US$ 200.000, sendo a média de US$ 75.000. Todos os centros de fibrose cística participantes têm que seguir os processos da Institutional Review Board (Junta de Avaliação Institucional) em todas as suas instituições e obter consentimento explícito do paciente para enviar dados sobre ele ao registro central. A Cystic Fibrosis Foundation estima que o registro central contenha dados de 93% dos pacientes.[60]

Não obstante os benefícios advindos do conhecimento desses dados, a competição em resultados ainda não funciona a pleno na fibrose cística. Nem os centros de tratamento de fibrose cística nem os seus pacientes e médicos que fazem os encaminhamentos têm acesso a resultados que não os seus. Os médicos aprenderiam mais rapidamente e os pacientes poderiam fazer escolhas mais bem embasadas se os dados fossem revelados com identificação da origem, permitindo que todos aprendessem com os melhores centros.

Diálise renal

Nos anos 70, a tecnologia de diálise renal já tinha sido desenvolvida, mas era um o procedimento muito caro, acessível a poucos pacientes. A American Association of Kidney Patients chamou a atenção da nação para o fato que pacientes com doença renal de estágio terminal (DRET) poderiam levar uma vida quase normal com a diálise, mas, sem ela, morreriam. Em resposta à preocupação do público, o Congresso sancionou a Lei da Doença Renal de Estágio Terminal, em 1972, fazendo com que todos os pacientes com DRET em idade até 65 anos tivessem direito à cobertura pelo Medicare.

Em 1978, o Medicare organizou a supervisão dos tratamentos de DRET em 18 redes de administração regional.[61] As redes eram financiadas por uma taxa de US$ 0,50 por diálise, dedutível do pagamento. O US Renal Data System (USRDS) foi criado em 1988 para coletar, analisar e disseminar dados sobre resultados em DRET, a fim de fomentar a pesquisa e monitorar a qualidade.[62,63]

Inicialmente, poucos prestadores mediam com regularidade mesmo a taxa de filtração, resultado mais direto da diálise. Desde 1994, quando foi implementado o primeiro banco de dados abrangente com dados clínicos sobre DRET, praticamente todas as instalações começaram a medir e relatar resultados, requisito para o pagamento pelo Medicare. Diferentemente dos casos de oncologia pediátrica e fibrose cística, dados comparativos sobre as instalações de diálise são irrestrita e

(continua)

publicamente revelados. Os pacientes e os médicos que fazem os encaminhamentos podem ver os resultados de anemia, hemoglobina e mortalidade referentes a todos os prestadores nos EUA exceto dos hospitais da Veterans Administration (que não são pagos via Medicare).[64] As juntas médicas de avaliação de cada rede regional de DRET examinam os resultados[65] e intervêm com orientação e treinamento quando os resultados de uma instalação de diálise ficam bem abaixo das diretrizes aceitas ou quando os prestadores pedem ajuda.[66]

Apesar da obrigatoriedade de emissão de relatórios, os atuais dados relatados pelas redes DRET restringem-se a uma amostra de 5% de todos os pacientes mensurados no período de outubro a dezembro de cada ano. A ausência de geração eletrônica desses relatórios, até recentemente, tornava impraticável conhecer os dados de todos os pacientes.

Como nas demais condições de saúde apoiadas por coleta de dados, os dados de resultados tiveram um grande impacto na qualidade dos tratamentos de diálise. Entre os primeiros esforços de coleta em 1989 e 1997, registrou-se um declínio de 17% na mortalidade de pacientes de diálise.[67] Os dados de resultados também revelaram que a atenção à qualidade é imprescindível para a redução dos custos; quando os prestadores deixam de seguir os processos de tratamento aceitos, maiores gastos geralmente não significam melhores resultados.[68]

Os dados de diálise ainda revelam grandes diferenças nos resultados entre prestadores. Um melhor ajuste de risco, assim como relatórios sobre todos os pacientes, ajudarão a promover mais melhorias. Os dados também têm apoiado a pesquisa clínica com grandes implicações potenciais. Por exemplo, os resultados de diálise são claramente afetados pelo atendimento à doença nos seus primeiros estágios. A doença renal é um caso patente da importância do gerenciamento da doença e da perspectiva de ciclo de atendimento.

Tratamento intensivo

A criação de um sistema para monitorar e avaliar os resultados de um tratamento intensivo ajustados a risco nasceu da crença de William Knaus, médico de uma UTI do George Washington University Hospital, de que a qualidade das decisões clínicas e a confiança nos seus resultados nunca seriam melhores que a qualidade das informações que as embasavam. Em 1978, o Dr. Knaus e seus colegas começaram a trabalhar em um sistema de informações para apoiar a melhoria da qualidade analisando os relacionamentos entre resultados, fisiologia dos pacientes e processos de tratamento. O sistema APACHE (sigla de Acute Physiology and Chronic Health Evaluation) analisa os dados do paciente para estabelecer o grau de severidade de doenças agudas e prever probabilisticamente os resultados.[69] Uma equipe de UTI pode comparar seus resultados reais a resultados previstos ajustados a risco, para ver se os seus resultados são melhores ou piores que os sugeridos por uma grande massa de dados reais sobre prática clínica.

O APACHE é uma metodologia amplamente utilizada para promover a melhoria dos processos nas UTIs. Um dos primeiros estudos aplicou as previsões do APACHE a 5.030 pacientes em 30 hospitais e descobriu que os resultados nos pacientes, com os devidos controles de risco, estavam relacionados a diferenças na coordenação do tratamento, inclusive no grau de comunicação e no esforço dedicado ao controle de qualidade pelas equipes médicas, cirúrgicas e de enfermagem.[70] Contudo, apesar da capacidade do APACHE para apoiar a melhoria de processos, os recursos para financiar a modelagem de resultados eram escassos, e a equipe não conseguiu levantar fundos suficientes, nem de subsídios nem de fontes filantrópicas, para sustentar a sua continuidade. Em 1988, formou-se uma empresa para levantar capital de risco para apoiar pesquisa e desenvolvimento adicionais. (A APACHE Medical Systems Inc. acabou sendo adquirida pela Cerner Corporation em 2001.)

O sistema APACHE tem sido aperfeiçoado, dando origem às versões III e IV. Vários estudos de caso já documentaram melhorias significativas nos resultados e o aperfeiçoamento de processos nos

(continua)

hospitais que utilizam o sistema, como o Sarasota Memorial Hospital, na Flórida, e o St. Mary's Medical Center, no estado de West Virginia.[71] Ainda assim, em vez de abraçar a aprendizagem gerada pelo APACHE, alguns membros da comunidade médica recusaram-se a modificar os seus métodos até que se conduzissem ensaios clínicos caros e bastante extensos para documentar cada aspecto específico das melhorias nos processos reveladas pela análise de resultados.[72] O desconforto com o uso de dados de resultados ajustados a risco se deve, em parte, à aversão dos médicos a serem avaliados, e também porque a avaliação de resultados não faz parte da sua educação formal.

A Mayo Clinic, que usou o APACHE por mais de uma década, demonstrou como uma medição de resultados clinicamente robusta pode revelar variações em resultados associadas a processos clínicos e administrativos específicos. Com dados de seus 50.000 pacientes de UTI, os investigadores da Mayo descobriram que suas políticas de alta de UTI estavam resultando em taxas de mortalidade superiores às previstas. A Mayo está trabalhando para melhorá-las.[73]

O APACHE é agora usado em centenas de UTIs para atingir melhorias de processos, e já serviu de base para mais de 5.000 artigos de pesquisa médica.[74] Os hospitais que usam o sistema podem comparar os resultados dos pacientes de suas UTIs com os resultados esperados para pacientes acometidos de males similares.

O APACHE usa medidas de resultados em modelagens, mas não é um sistema para a geração de relatórios de resultados. Apesar da existência de medidas de resultados ajustadas a risco extensamente testadas e comprovadas, a publicação de relatórios de resultados de UTIs não é obrigatória. Portanto, não existem até o momento comparações de resultados entre UTIs. As medidas de resultados do APACHE foram endossadas pela Joint Commission on Accreditation of Healthcare Organizations (JCAHO). É desapontador, no entanto, que a JCAHO use as medidas de processos tão somente para credenciamento de UTIs.[75]

Se o Congresso obrigasse a emissão de relatórios de resultados de UTIs pelos estados da federação ou pelo Medicare, é quase certo que a inovação de processos e o valor ao paciente aumentariam acentuadamente no que se refere ao atendimento nas UTIs.[76] Nesse caso, o receio dos prestadores quanto a prestar contas de seus resultados continua a sobrepujar o bem maior de uma drástica e ampla melhoria de valor.

Cirurgia cardíaca

Os cirurgiões cardíacos foram pioneiros no desenvolvimento e no uso de medidas de resultados há mais de três décadas. Em 1972, a Veterans Administration, preocupada com a qualidade, criou o primeiro banco de dados, envolvendo múltiplos hospitais, para monitorar os resultados de cirurgias cardíacas, começando por volume de procedimentos e mortalidade operatória não ajustada a risco.[77] Em 1986, com a crescente atenção à segurança das cirurgias cardíacas, o Health Care Financing Administration (HCFA, o predecessor dos Centers for Medicare and Medicaid Services) começou a publicar dados de mortalidade em cirurgias cardíacas, com base em dados administrativos. A Society of Thoracic Surgeons (STS), incomodada com a metodologia HCFA, começou a desenvolver as suas próprias medidas de resultados ajustadas a risco usando fontes de dados clínicos. Em 1989, a STS desenvolveu medidas e começou a coletar voluntariamente dados de cirurgias cardíacas em adultos e a compilar um banco de dados nacional com dados ajustados a risco.[78] Como já discutimos, não há melhor maneira de motivar a melhoria em resultados do que publicar os dados disponíveis.

Deparando-se com as mesmas preocupações por parte do público, o New York Department of Health, em 1989, exigiu que os hospitais que realizavam procedimentos de ponte na artéria coronária (CABG) relatassem resultados e informações de risco contidas nos prontuários de seus pacientes.[79] As medidas e os ajustes de risco foram projetados por um grupo de especialistas em

(continua)

cirurgia cardiotorácica, mas em regime independente da STS. O programa, que continua até hoje, torna públicas as taxas de mortalidade ajustadas a risco de procedimentos CABG, por hospital e por cirurgião. Nos primeiros quatro anos do programa de relatório no estado de Nova York, as mortes em decorrência de cirurgia cardíaca caíram em 41%.[80] A experiência foi repetida em outros estados, como Nova Jersey, Pensilvânia e Califórnia[81], que agora coletam e publicam dados de cirurgias cardíacas ajustados a risco.[82]

A STS expandiu o seu programa para incluir nada menos que 200 pontos de dados por paciente.[83] A sofisticação dos métodos de ajuste de risco melhorou e é amplamente aceita como a forma mais avançada de mensuração no sistema de saúde. A STS está também rastreando um espectro cada vez maior de outras cirurgias. Os dados da STS sobre cada cirurgião e hospital são ocultados de outros cirurgiões, e somente as médias nacionais estão disponíveis a pacientes e aos médicos que fazem os encaminhamentos. Alguns prestadores, como a Cleveland Clinic, publicam os seus resultados com comparações com resultados nacionais (ver Apêndice A).

Todas essas experiências em cirurgia cardíaca reforçam de forma pungente o princípio de que *feedback* e comparação de resultados ajustados a risco aumentam o nível de conscientização, a autoavaliação, a análise dos processos e a melhoria dos resultados para os pacientes.[84] Os dados da STS, da mesma forma que os de outros esforços de mensuração de resultados, documentam melhorias significativas nos resultados de cirurgias cardíacas, apesar de o perfil de risco dos pacientes dessa cirurgia ter se agravado.[85] Além desses dados serem usados em inúmeros estudos por outros médicos[86], as inovações introduzidas na prática são exibidas em conferências de profissionais, acompanhadas de demonstrações que permitam a aprendizagem por parte de outros cirurgiões torácicos.[87] Há estudos mostrando que a comunicação, – em âmbito nacional e baseada em evidência – sobre formas de melhorar os processos clínicos em cirurgia cardíaca tem provocado a redução dos níveis nacionais de mortalidade.[88] Essas experiências também apontam para o poder da publicação de relatórios para fomentar a mensuração de melhorias além da exigida na publicação de relatórios.

As sociedades médicas podem desempenhar um papel fundamental na mensuração de resultados e geração dos respectivos relatórios, um papel a que a maioria das sociedades tem abdicado. (Ver quadro "Implicações para as Associações de Medicina", no Capítulo 8.) A STS não só melhorou suas próprias medidas, mas também trabalhou para melhorar a publicação de relatórios. Por exemplo, os membros da STS trabalharam com o National Quality Forum (NQF) para criar, por consenso, um conjunto de medidas de processos de resultados de cirurgias cardíacas, anunciado em dezembro de 2004.[89] Embora as medidas do NQF estejam disponíveis para serem usadas pela JCAHO, Medicare e outras entidades, ainda não existem coleta e emissão de relatórios em nível nacional.

O próximo passo vislumbrado pela STS é incluir dados de custo, assim como os de resultados, para permitir que se meça o valor. Há esforços atualmente em andamento para conectar os dados do STS National Database com os dados de pagamento do Medicare Part A. Os resultados preliminares desse esforço nos confirmam ainda mais que os prestadores de mais alta qualidade são os que normalmente incorrem em menores custos.[90]

A participação no banco de dados da STS permanece voluntária. Ainda assim, a partir de 1990, diversos planos de saúde, inclusive vários afiliados à Blue Cross Blue Shield, fizeram da participação no banco de dados um critério para um prestador ser incluído na sua lista de prestadores preferenciais.[91]

Transplantes de órgãos

A intervenção do governo nos transplantes de órgãos foi motivada por um clamor por justiça na alocação de órgãos e pela preocupação com órgãos doados nos EUA a pacientes estrangeiros. Em 1984, o Congresso aprovou a Lei Nacional de Transplante de Órgãos (National Organ Transplant

(continua)

Act), estabelecendo a Rede de Busca, Aquisição e Transplante de Órgãos (Organ Procurement and Transplantation Network). A Rede é operada sob um contrato federal com a United Network of Organ Sharing (UNOS), ou Rede Unida de Compartilhamento de Órgãos. Os prestadores de qualquer tipo de transplante que desejassem receber um órgão tinham que informar dados. Assim, a emissão de relatórios tornou-se efetivamente obrigatória.

Os dados são nacionais e completos, e vão além da soma dos relatórios das instituições envolvidas. O banco de dados revela se um paciente foi submetido a um retransplante numa outra instituição, mesmo que o centro de transplante original não tenha ciência da repetição da cirurgia. A UNOS também usa o banco de dados de registro de mortes da Seguridade Social para rastrear a mortalidade a longo prazo, mesmo que os prestadores não tenham essa informação.[92] O registro central de dados de transplante contém, agora, informações sobre mais de 317.000 receptores de transplantes. A UNOS é responsável pela coleta de dados, e também faz recomendações ao Department of Health and Human Services (órgão equivalente ao Ministério da Saúde em outros países) sobre políticas de alocação de órgãos a pacientes da lista de espera. Assim, os dados estatísticos sobre resultados de transplantes afetam as regras de alocação.

Os dados de resultados de transplantes estão disponíveis ao público na Internet.[93] Estão classificados por tipo de órgão e idade – adulto ou criança. Os resultados são relatados para cada centro de transplante pelo nome do centro. Além de informar os dados brutos de sobrevivência do paciente (em um mês, um ano e três anos) e sobrevivência do enxerto (órgão), os resultados são ajustados a risco com base num modelo regularmente atualizado mediante análise estatística dos dados nacionais. Para cada centro de transplante, as taxas de sobrevivência esperadas são calculadas em função dos fatores de risco dos pacientes tratados. A taxa esperada é comparada com a taxa real, e são realizados cálculos para determinar se a diferença é estatisticamente significativa. Os dados são apresentados em gráficos claros com uma notação adequada.

Contudo, os pacientes precisam de ajuda para interpretar os resultados nesta complexa condição. Além disso, no momento atual, nem todos os médicos que fazem os encaminhamentos usam esses dados. No entanto, as equipes de cirurgia de transplante estão bem conscientes dos seus próprios resultados e de como eles se comparam com os resultados de outros centros. O desempenho em transplantes continua a melhorar, e essa melhoria nos resultados tem levado a transplantes bem-sucedidos.

Esses dados consistentes, em nível nacional e abertos a todos, são uma ferramenta fundamental não somente para prestadores e pacientes, mas também para planos de saúde, pesquisadores e serviços de informações sobre assistência à saúde. Por exemplo, como discutiremos no Capítulo 6, existem agora serviços de apoio a pacientes e médicos que fazem os encaminhamentos, para que estes possam escolher prestadores com base em resultados. Mais pacientes estão sendo tratados por excelentes prestadores, que, em geral, estão dispostos a negociar preços mais baixos.

prestadores e médicos precisam participar da definição das medidas. Os prestadores têm que ter a oportunidade de verificar e corrigir a precisão dos dados antes (e depois) da publicação. Quando os relatórios apresentam resultados inesperados devem ser submetidos ao julgamento de um especialista para que se determine se o problema reside em vieses das medidas. O nível de sofisticação das medições inevitavelmente aumentará com o tempo, e as medidas serão refinadas. Nada acelerará mais o desenvolvimento de novas medidas de resultados e as melhorias nas medidas existentes do que a ampla disseminação dos dados já disponíveis.

Por questão de justiça, os planos de saúde, e não apenas os prestadores, têm que arcar com parte da responsabilidade pelo lento ritmo de desenvolvimento na mensuração de resultados e preços. Os planos de saúde têm expressado receio de que a coleta e utilização dos dados de resultados darão aos prestadores excelentes demasiado poder de negociação para elevar os seus preços. Os planos de saúde também temem que seus clientes usem os dados de resultados para exigir mais tratamento e tratamentos mais caros. Esses temores são uma manifestação da mentalidade de soma zero que consumiu os planos de saúde. À medida que os planos de saúde se focarem em valor, eles descobrirão que prestadores excelentes normalmente custam menos porque, em geral, a qualidade e a eficiência melhoram simultaneamente, como já discutimos. Os planos de saúde também precisarão confiar nos seus clientes e mantê-los bem informados. A evidência empírica mostra que pacientes *informados* tendem a escolher tratamentos menos invasivos e menos caros, e a alcançar melhores resultados, como discutimos no Capítulo 2.[96] A mensuração de resultados, portanto, não é algo a que se resistir, e acarreta um papel central para os planos de saúde, como discutiremos no Capítulo 6.

Resultados todo-abrangentes podem e têm que ser disponibilizados em todas as condições de saúde. Ocorrerá uma imensa melhoria de valor quando todos os participantes do sistema passarem a esperar e a usar essas informações. O desenvolvimento universal de relatórios de informações de resultados em nível de condições de saúde tem que ser a prioridade maior para se melhorar o desempenho do sistema de saúde. A nação não pode mais se dar ao luxo de esperar por dados "perfeitos" sobre resultados e preços. Ter dados, mesmo imperfeitos, é melhor do que não ter nenhum, porque eles promoverão aprendizagem e aperfeiçoamento. Abordaremos uma estratégia para desenvolvimento de informações sobre resultados no Capítulo 8.

Coleta e disseminação de informações de resultados na prática

A experiência deixa claro que não basta apenas coletar dados. As informações têm que ser também disseminadas e, acima de tudo, traduzidas em ação. Um dos primeiros esforços de mensuração de resultados, uma iniciativa pioneira da Cleveland Health Quality Choice (CHQC), constata o poder dessas informações, mas também revela o grande desafio de coletá-las e disseminá-las.[97] A CHQC, criada pelas maiores corporações de Cleveland, solicitava semestralmente aos hospitais substancial quantidade de informações sobre resultados e, depois, publicava relatórios mostrando as taxas de mortalidade (ajustadas aos fatores de risco dos pacientes, como idade e grau de severidade do seu estado) numa gama de doenças, junto com o grau de satisfação dos pacientes. As informações eram divulgadas com retardo e tinham cobertura nos jornais locais.[98] Com tantos empregadores participando do programa, os hospitais de Cleveland não tinham muita escolha, senão cooperar com o fornecimento de dados. Depois de ver as comparações, os hospitais revisavam suas práticas de diagnóstico e tratamento para melhorar os resultados. Em 1997, as taxas de mortalidade durante internação tinham caído 11% em 30 hospitais de Cleveland, desde o início dos esforços da CHQC em 1993.[99] Isso, por si, já representa uma grande melhoria de valor.

Contudo, nem os empregadores nem os administradores dos planos de saúde, que então dispunham de informações altamente relevantes, agiram a respeito. O fluxo de pacientes não foi alterado, nem os contratos dos prestadores foram modificados de forma a recompensar os bons prestadores e penalizar os maus. Como discutimos no Capítulo 6, nem os planos de saúde nem os empregadores viram a seleção de prestadores como uma maneira de agregar valor, nem pensaram em recompensar os prestadores excelentes com mais pacientes. Os pacientes, sem assistência nem aconselhamento, desconheciam informações.

Como consequência, nem os hospitais que tinham resultados acima do esperado nem os hospitais com resultados abaixo dos previstos sofreram qualquer impacto em termos de decisões por parte de empregadores ou pacientes.[100] Além disso, alguns hospitais questionaram as medidas que os colocavam numa posição desfavorável ou deixavam de mostrá-los como superior a outros hospitais, em conformidade com a percepção do público. Como a emissão de relatórios não era compulsória, e visto não haver um mecanismo para melhorar as medidas ao longo do tempo, o esforço era vulnerável. Em 2000, os maiores hospitais, percebendo que não havia benefícios com a cooperação, recusaram-se a fornecer as informações, e a coleta de dados terminou. Esse experimento promissor, porém truncado, torna óbvio que os demais participantes do sistema têm que tomar ciência do experimento e serem motivados a agir sobre as informações de resultados, se quisermos auferir os benefícios em sua plenitude.

Outro esforço pioneiro e instrutivo para disseminar informações de resultados é o programa do Estado de Nova York para coletar e publicar informações de todo o estado sobre resultados das cirurgias de ponte coronariana (CABG). (Este esforço é descrito no quadro "Como Surgiram Boas Informações sobre Resultados".) Nesse experimento, como no caso de Cleveland, os hospitais estavam altamente conscientes dos dados, e os resultados gerais melhoraram drasticamente.[101] Quatro anos após a publicação dos dados, o estado de Nova York tinha a menor taxa de mortalidade subseqüente à cirurgia de ponte coronariana no país e uma taxa de melhoria das que mais rapidamente cresceram entre todas.[102] Alguns críticos argumentaram que grande parte desta melhoria viera do fim de privilégios a cirurgiões com baixo volume e alta taxa de mortalidade e de se encaminharem pacientes difíceis para fora do estado, a prestadores especializados de regiões próximas, como a Cleveland Clinic. E esses são exatamente os passos que os pacientes (e a sociedade) devem desejar! Os pesquisadores contestaram as informações de que os hospitais haviam se recusado a tratar de pacientes difíceis.[103] Mas, mesmo que o tenham feito, os resultados dos pacientes irão melhorar se os casos complexos forem encaminhados a prestadores mais especializados.

No caso do estado de Nova York, a disseminação do uso das informações em âmbito exterior aos prestadores foi, mais uma vez, limitada. Tragicamente, pacientes e médicos que os encaminham continuam a usar os hospitais com os piores resultados ajustados a risco. Alguns críticos se prenderam a esse fenômeno para argumentar que os dados não tiveram o impacto desejado. Mas as melhorias pelos prestadores foram claras e significativas. Além disso, os dados não foram amplamente divulgados aos pacientes. Ao mesmo tempo, havia as restrições dos planos de saúde sobre a escolha por parte dos pacientes, e os planos de saúde e os médicos deixaram de usar as informações para aconselhar os pacientes em suas escolhas. Em suma, a competição no sistema não era baseada em resultados.

Não basta desenvolver medidas nem participar de ensaios clínicos. É também necessária uma disseminação dos resultados, a fim de acelerar as melhorias no valor ao paciente. O caso da fibrose cística (ver quadro "Como Surgiram Boas Informações sobre Resultados") ilustra os benefícios dessa abertura. Os dados de resultados na fibrose cística foram coletados de forma a manter a privacidade, ocultando a identidade dos prestadores. Os dados revelaram enormes variações nos resultados, e o orgulho e responsabilidade profissional motivaram os prestadores a melhorar. Foi necessário um acordo para permitir que a identidade dos melhores colocados fosse revelada, de forma que as melhores práticas pudessem ser estudadas.

No entanto, a disseminação somente a médicos não basta. Em fibrose cística e oncologia pediátrica, os resultados de prestadores específicos permanecem, em grande parte, não disponíveis a pacientes e suas famílias. Isso arrefece o senso de urgência em se demonstrar bons resultados e melhorá-los. O caso da fibrose cística revela que os pacientes não abandonam prestadores que compartilham mesmo dados medíocres e que demonstram um claro comprometimento com a melhoria. O Institute for Healthcare Improvement concedeu recursos financeiros a prestadores de tratamento de fibrose cística para financiar a melhoria de processos, sob a condição de que eles compartilhassem abertamente os resultados com os pais dos pacientes. O Cincinnati Children's Hospital decidiu revelar aos pais os seus resultados médios e abaixo da média com a promessa de melhorá-los. Apesar do receio dos médicos do Cincinatti, nenhuma das famílias abandonou o hospital. Os pais, que acreditavam na integridade da unidade e no seu compromisso com a aprendizagem, explicaram que só buscariam tratamento em outro lugar se os resultados não melhorassem.[104]

A experiência demonstra que os pacientes respondem de forma positiva aos dados apresentados de modo acessível e interpretados por um conselheiro de confiança.[105] Os pacientes tendem a confiar nos seus próprios médicos os quais, muitas vezes, não estão cientes das evidências de resultados. Em transplante de órgãos, por exemplo, os médicos que encaminham os pacientes às vezes desconhecem os dados abrangentes disponíveis, e acabam enviando pacientes a prestadores locais abaixo do padrão, a não ser que um intermediário entre em contato e explique que o paciente tem cobertura em um centro médico com mais experiência e melhores resultados ajustados a risco. Consultores de saúde independentes, que trabalham tanto com pacientes quanto com médicos, estão começando a prestar aconselhamento a pacientes; eles são empregados pelos planos de saúde e especializados em serviços de informações. Com o tempo, à medida que mais informações se tornarem disponíveis, os planos de saúde passarão a tratar o assessoramento a seus pacientes e médicos nas informações de resultados como uma função central, conforme discutiremos no Capítulo 6. Os médicos que deixarem de abraçar e utilizar as informações de resultados acabarão perdendo pacientes.

Os benefícios de possuir melhores informações e assessoria, acoplados ao tipo certo de competição, serão extraordinários. Mesmo no atual estado de informações, as oportunidades para melhorias de valor são substanciais. Empresas como a Honeywell, por exemplo, oferecem asssessoria aos empregados na obtenção de informações médicas específicas, quando necessário. A Honeywell estima que já reduziu mais de US$ 2 nas despesas com saúde para cada US$ 1 gasto, em um programa que permite que seus funcionários recorram a uma empresa, a Consumer's Medical Resource, em busca de informações práticas e atualizadas sobre 40 doenças diferentes. Essas informações ajudam os empregados a saber quais os tratamentos e medicamentos mais eficazes. Embora nenhuma informação sobre resultados de prestadores tenha sido incluída, os benefícios foram substanciais. Dos empregados da Honeywell que usaram as informações, um a cada 30 descobriu que tinha sido mal diagnosticado; um a cada dez descontinuou um tratamento considerado desnecessário, ineficaz ou não comprovado; e um a cada cinco mudou de médico.[106]

Estão surgindo empresas independentes para atender às necessidades de informações e aconselhamento para a melhoria de resultados no atual sistema. Por exemplo, a Best Doctors (EUA) oferece um serviço para pacientes que possuirem um diagnóstico incerto ou uma condição complexa. Eles podem ter o histórico reavaliado por um grupo selecionado de médicos especialistas de todo o país. Em situações complicadas ou desconhecidas para os médicos locais, chegar a um diagnóstico preciso pode melhorar drasticamente a eficácia e a eficiência do tratamento. Outra organização independente de assessoria a pacientes, com operações na Europa e no Oriente Médio, a Preferred Global Health (PGH), também ajuda pacientes diagnosticados com doenças críticas a alcançarem melhorias nos resultados, fornecendo informações médicas e direcionando-os aos melhores centros de excelência médica nos Estados Unidos, ao mesmo tempo que oferecem proteção financeira. A PGH tem conseguido identificar prestadores de classe mundial, mesmo com as informações rudimentares atualmente existentes, começando por analisar o foco de um hospital em determinadas condições ou doenças e o volume cumulativo de pacientes e experiência nos mais avançados tratamentos. Os benefícios aos pacientes têm sido substanciais.

Com o tempo, à medida que informações abrangentes sobre resultados se tornem disponíveis, serviços como estes serão fornecidos por todos os planos de saúde. Um dia, o uso de informações de resultados para apoiar as escolhas será uma rotina. Para a maioria dos pacientes, haverá sempre papéis a serem desempenhados pelos médicos, planos de saúde e, potencialmente, por um assessor em assuntos médicos independente para ajudá-los a compreender e ponderar as suas escolhas.

Quando todas as partes tiverem consciência do poder das decisões médicas baseadas em resultados, os prestadores melhorarão o valor muito mais rapidamente. Os prestadores terão relacionamento com centros proeminentes a fim de melhorar a precisão dos seus diagnósticos e os resultados dos tratamentos. Onde persistirem diferenças nos resultados ajustados a risco, os pacientes migrarão para melhores prestadores. Com o tempo, os prestadores que apresentarem excelentes resultados verão a sua demanda subir significativamente. Os que apresentarem maus resultados se sentirão altamente motivados a melhorar a sua posição relativa.

O atual modelo para abordar o problema de informações no sistema de saúde dos EUA consiste na montagem de muitos experimentos públicos e privados, na esperança de que surja uma solução. Uma variedade de esforços está em andamento, como já discutimos. Por exemplo, o National Quality Forum foi estabelecido em 1999 com o objetivo explícito de melhorar a assistência à saúde nos EUA com a emissão de relatórios de dados de desempenho médico. Com uma junta excelente, o NQF tornou-se um importante organismo no endosso de normas de informações e medidas de processos, que o Medicare está começando a usar. O NQF está também começando a ir além de métodos e a incluir no seu conjunto de medidas por consenso algumas medidas de mortalidade resultante. Contudo, a abordagem baseada em consenso tem suas desvantagens em termos de ritmo e por evitar a tendência de se mover para o mínimo denominador comum. Além disso, não há um mecanismo para assegurar que as medidas por consenso, da NQF, sejam de fato usadas.

Em vista dos riscos, os EUA precisam ir além de uma abordagem incremental. O foco precisa ser nos resultados, e não na conformidade de processos. A obrigatoriedade de emissão de relatórios com informações sobre resultados por condição de saúde em escala estadual e nacional será necessária para transformar, de fato, a entrega de valor no sistema de saúde. O processo precisa começar com as medidas existentes de resultados ajustados a risco e se ampliar ao longo do tempo. Discutiremos no Capítulo 8 uma estratégia para definir e disseminar informações de resultados por condição de saúde em âmbito nacional.

Inovações que aumentam o valor são altamente recompensadas

A competição baseada em valor focada em resultados vai não apenas levar mais pacientes a serem tratados por prestadores excelentes, mas também inspirar e fomentar inovações no atendimento à saúde. A inovação, definida em termos amplos como novos métodos, novas instalações, novas estruturas organizacionais, novos processos e novas formas de colaboração entre prestadores, é fundamental para a melhoria de valor no sistema de saúde. A inovação é a única forma de o sistema de saúde dos EUA abordar as necessidades de uma população em processo de envelhecimento sem racionar os serviços ou sofrer enormes aumentos de custo.[107] As inovações reduzirão os custos do atendimento à saúde muito mais rapidamente do que os atuais esforços de controlar a prática médica.

A inovação é tão importante na assistência à saúde quanto nos demais setores industriais. Em outros setores, as empresas prosperarão se inovarem, e fracassarão se mantiverem suas antigas abordagens. Contudo, na assistência à saúde, a inovação tem sido quase sempre discricionária e aleatória porque o valor superior não é medido nem recompensado. O que é pior, a inovação é, às vezes, vista com suspeita e até alvo de resistência por prestadores, planos de saúde, empregadores e pelo governo, em parte sob a alegação de excesso de oferta de tratamentos. Quando novas tecnologias caras são adotadas e usadas na esperança de beneficiar os pacientes, porém sem evidência de criação de valor, a tecnologia é apontada como um problema para a assistência à saúde e não uma solução.[108]

O ceticismo em relação às inovações não é sustentado pelos dados, em muitas áreas da medicina. Por exemplo, as estimativas sugerem que os investimentos em inovações na assistência à saúde durante os últimos 20 anos em quatro áreas de atendimento (infarto, diabetes tipo 2, derrame cerebral e câncer de mama) tiveram um retorno de US$ 2,40 a US$ 3,00 por dólar investido.[109] Isso é ilustrado por uma sucessão de novos tratamentos para infarto agudo do miocárdio, que tem melhorado os resultados e reduzido as taxas de mortalidade. Simultaneamente, as inovações reduziram a duração dos períodos de internação em UTIs e hospitais, reduzindo, desta forma, os custos (ver Figura 4-6).

Avanços nas tecnologias médicas são normalmente vistos como geradores de aumento nos custos porque aumentam as possibilidades de tratamento.[110] Até a cura de doenças é às vezes considerada uma possível causa de aumento de custos, já que alguns pesquisadores afirmam que os indivíduos acabarão padecendo de algo mais dispendioso, mais adiante. Levado ao extremo, tal argumento afirma que o paciente mais barato é aquele que morre.

Não faz sentido argumentar que inovações que curam doenças não baixam os custos nem aumentam o valor. Esse ponto de vista confunde criação de valor no tratamento de uma condição de saúde com os custos de se tratar uma outra condição de saúde no futuro. Esse mesmo ponto de vista ignora as contribuições positivas de indivíduos mais saudáveis, inclusive as receitas injetadas por eles no sistema de seguro-saúde, e o valor de uma melhor qualidade de vida (inclusive menos necessidade de tratamento) para os pacientes. Além disso, uma parcela substancial dos custos com assistência à saúde ocorre antes de os indivíduos atingirem a terceira idade, e um paciente pode passar décadas com boa saúde antes de vir a padecer de uma outra doença.

Em oposição ao que geralmente se presume, que os gastos com assistência à saúde de final de vida aumentam em proporção à idade do paciente, as pesquisas revelam que os custos do Medicare relativos aos dois derradeiros anos de vida dos pacientes são *menores* para aqueles que morrem com idades mais avançadas.[111] Isso, em parte, porque indivíduos de vida mais longa sofreram menos doenças crônicas, que acrescentam custo e complexidade.[112] Isso também se deve às preferências de muitos indivíduos mais idosos por tratamentos de final de vida não-invasivos.[113]

Estima-se que de 70 a 75% dos gastos da nação com assistência à saúde são destinados a tratamentos de condições crônicas (doenças que não se curam), como doença cardíaca, artrite, câncer, diabetes, úlceras, AIDS, anomalias congênitas, esquizofrenia e depressão, que ocorrem em idades variadas.[114] Obviamente, as inovações médicas que evitam, curam ou minimizam os efeitos de condições crônicas trazem enormes melhorias na qualidade de vida, ao mesmo tempo que reduzem os custos vitalícios da assistência à saúde de todos os pacientes afetados. Da mesma forma, avanços no gerenciamento de condições crônicas prometem melhorar a qualidade de vida e reduzir os custos. Em resumo, a premissa de que a inovação na medicina *necessariamente* eleva os custos é errada e precisa ser abandonada.

O problema não é a inovação, e sim a falta de competição em resultados. A questão não é se novos ensaios e tecnologias devem ser desenvolvidos, mas sim que os médicos precisam de dados sobre resultados para saber se convém usá-los e como usá-los para melhorar o valor. Além disso, a trajetória da inovação tem sido desviada, pelos incentivos do atual sistema, para medicamentos e dispositivos. Imensas oportunidades para melhorar a organização, os métodos, as instalações e a coordenação na prestação dos serviços de saúde apenas começaram.

Inovação e a natureza da competição

O tipo certo de competição, possibilitado pelas informações sobre resultados, deslanchará inovações rapidamente e levará a melhorias radicais em valor. A competição baseada em valor vai acelerar a adoção de novos métodos e tecnologias, tornando as inovações ainda mais valiosas. Mesmo quando uma inovação provocar um aumento no total dos gastos, a competição baseada em valor vai assegurar que a sociedade receba em troca o que investiu.[115]

As inovações na assistência à saúde tomam diversas formas, inclusive avanços em tecnologia e equipamentos. No entanto, como já observamos, algumas das maiores oportunidades residem em novos tipos de estratégias, estruturas organizacionais, instalações, processos e parcerias. Algumas inovações são de mais fácil adoção porque geram melhor qualidade e menores custos desde o início. Por exemplo, novos antibióticos que reduzem os intervalos das doses, de a cada três ou quatro horas para uma vez em 24 horas, reduzem os custos de enfermagem e permitem que certos pacientes tenham alta e passem a receber tratamento ambulatorial. Novas cirurgias minimamente invasivas, como as por laparoscopia, reduzem tanto os custos quanto o tempo de recuperação.

A: Tratamento aplicado

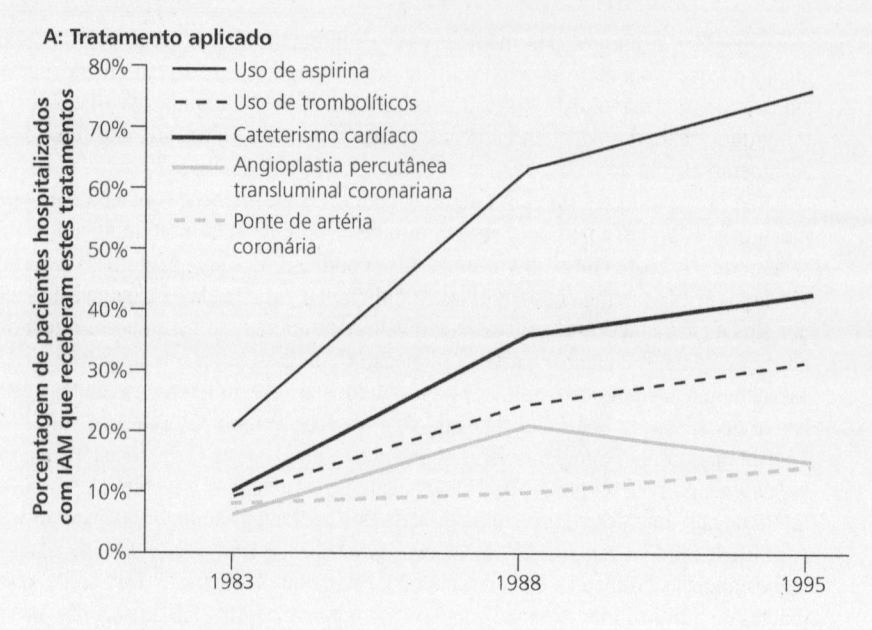

Porcentagem de pacientes hospitalizados com IAM que receberam estes tratamentos

— Uso de aspirina
--- Uso de trombolíticos
— Cateterismo cardíaco
— Angioplastia percutânea transluminal coronariana
--- Ponte de artéria coronária

B: Tempo de permanência em UTI

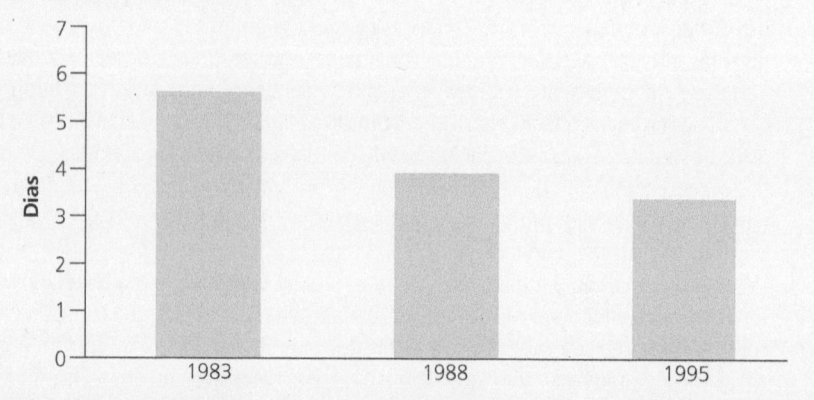

Dias

FIGURA 4-6 Efeitos das inovações no tratamento de infarto agudo do miocárdio (IAM).

(continua)

Outras inovações envolvem custos extras, porém aumentam o valor reduzindo a necessidade de serviços dispendiosos num outro momento do ciclo de atendimento. Por exemplo, a administração de drogas trombolíticas depois de um infarto aumenta as despesas com medicamentos, porém reduz a taxa de reinternação para acompanhamento dos infartos, gerando economias líquidas. Algumas drogas geram, de fato, economias maiores (em tratamento hospitalar profilático, por exemplo) do que o custo de administrá-las, como é o caso da terapia anticoagulante de longo prazo para pacientes portadores de câncer de pulmão que tenham trombose venosa profunda aguda. Muitas outras drogas, embora não economizem dinheiro de imediato, têm eficácia de custo por proporcionarem benefícios no ciclo de atendimento que superam em muito o seu custo.[116]

No entanto, algumas inovações médicas, especialmente novas drogas e dispositivos, são lançadas como abordagens mais caras que permitem que os pacientes convivam com a doença em vez de morrerem ou viverem em estado enfermo.[117] Por exemplo, antigamente, a catarata deixava as pessoas cegas. Logo que a cirurgia de catarata foi desenvolvida, ela era perigosa, melhorava a visão apenas marginalmente e exigia uma semana de internação. No entanto, com o tempo, a tecnologia

C: Taxa de fatalidade

(Porcentagem de pacientes hospitalizados com IAM: 1983 ≈ 19%, 1988 ≈ 17%, 1995 ≈ 13%)

D: Tempo de permanência no hospital

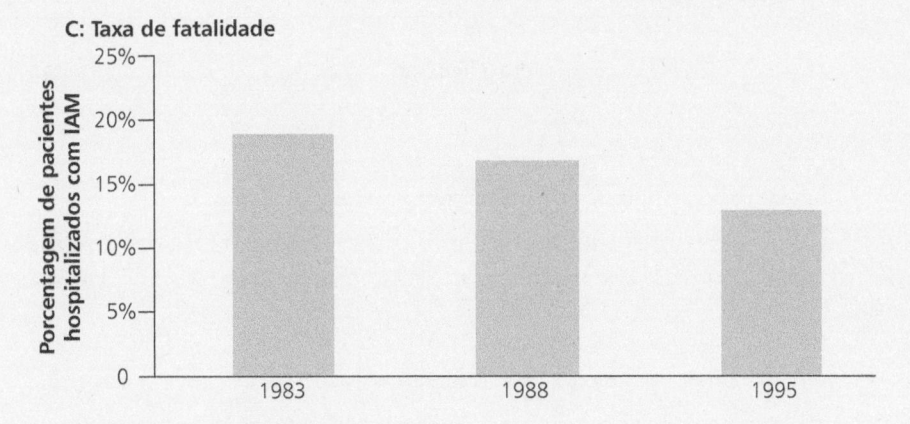

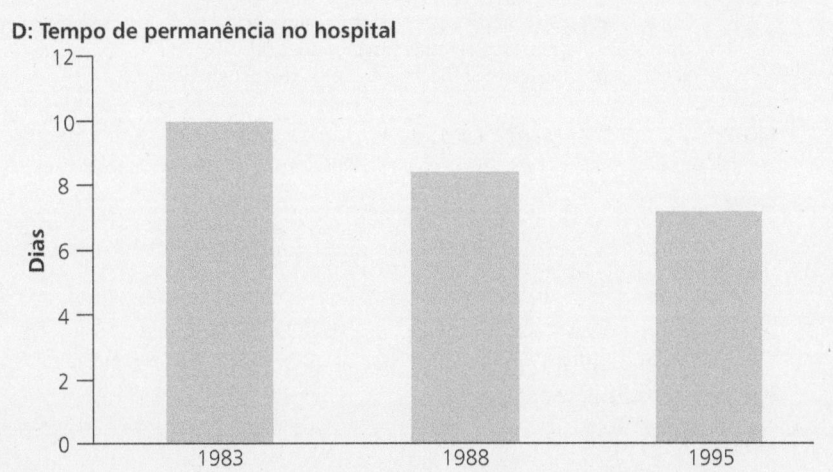

(Dias: 1983 = 10, 1988 ≈ 8,5, 1995 ≈ 7)

FIGURA 4-6 Efeitos das inovações no tratamento de infarto agudo do miocárdio (IAM).
Fonte: Dados de Heindenteich e McClellan (2001).

foi refinada. Hoje, a cirurgia de catarata é indolor para os pacientes e restaura a visão quase que completamente, e a miopia e a hipermetropia são corrigidas simultaneamente. A atual cirurgia de catarata atinge melhor qualidade a custos mais baixos, mas isso foi possível somente depois de um período de aprendizagem (ver Figura 4-7).

Outro padrão nas inovações na assistência à saúde é a evolução de tratamentos a montante na cadeia causal, sobre os quais falamos anteriormente. As úlceras, por exemplo, antes exigiam cirurgia. Mais tarde, passou-se a tratar da produção do ácido que disparava a úlcera. Hoje, pode-se curar a causa bacteriana das úlceras com antibióticos.

Qualquer que seja a trajetória da inovação, a inovação na assistência à saúde normalmente tem um ciclo diferente e confunde vários observadores. À medida que ocorrem melhorias num tratamento, a demanda pode crescer, já que mais pacientes passam a poder se beneficiar. Os custos podem subir, mas o valor do tratamento para o paciente melhora drasticamente, especialmente se os custos forem medidos no curto prazo em vez de numa perspectiva de ciclo de vida. Contudo, acabam ocorrendo outras melhorias que baixam os custos e as despesas gerais.

Mudar a natureza da competição, como frisamos neste capítulo, agilizará a trajetória da inovação na assistência à saúde. Como observamos no Capítulo 2, a inovação é desencorajada no atual sistema por uma variedade de fatores, inclusive a falta de prestação de contas, as práticas de pagamento, que penalizam os melhores métodos, as estruturas dos grupos de compras, focadas em economias de curto prazo, e a mentalidade de racionamento. Provavelmente um fundo governamental

Ano	Procedimento	Noites de internação	Cirurgião*
1947	Extração extracapsular	7	N/D
1952	Extração extracapsular por congelamento e/ou sucção	7	N/D
1969	Extração extracapsular; uso rotineiro de microscópio cirúrgico	3	1
1972	Extração extracapsular controlada com facoemulsificação	1	1
1979	Extração intracapsular e extracapsular; uso crescente de inserção de lentes intra-oculares	1 ou ambulatorial	1
1985	Extração extracapsular com lentes intra-oculares	Ambulatorial	0,8
1994	Extração extracapsular com lentes intra-oculares desenvolvidas para pequenas incisões	Ambulatorial	0,7
1998	Extração extracapsular e inserção de lentes intra-oculares Operações mais rápidas permitem menos anestesia Lentes intra-oculares multifocais se tornam mais comuns	Ambulatorial	0,5

FIGURA 4-7 Melhorias nos custos e nos resultados das cirurgias de catarata, 1947-1998.
*Unidades normalizadas com honorários do cirurgião em dólares igualando-se ao custo de uma noite de internação.
N/D: não disponível.
Fonte: Shapiro, I., M. Shapiro e D. Wilcox, "Measuring the Value of Cataract Surgery." em *Medical Care Output and Productivity*, organizado por D. Cutler e E. R. Berndt, University of Chicago Press, 2001. Dados usados com permissão da University of Chicago Press.

ou filantrópico poderia assumir o papel de estimular a adoção e o uso dirigido de procedimentos e tratamentos que tenham um alto custo inicial, pelo menos durante um período de transição, como discutiremos adiante, no Capítulo 8.

Um novo modelo de inovação

Embora a inovação tenha gerado grandes melhorias na prestação dos serviços de saúde, o atual modelo é muito restrito. A atual abordagem focou-se pesadamente em drogas e dispositivos médicos e centrou-se em ensaios clínicos criteriosamente projetados, que geralmente custam US$ 10.000 ou mais por paciente incluído no ensaio. Os Estados Unidos são, de longe, o país que mais gasta nesse tipo de pesquisa, financiada pelo National Institute of Health, por outros patrocinadores de pesquisas e por empresas farmacêuticas e de dispositivos médicos. Os ensaios são complexos, consomem tempo e são especificamente dedicados ao uso de metodologias que evitam vieses. Os ensaios envolvem populações relativamente pequenas de pacientes que passam um processo trabalhoso de inscrição e estão dispostos a serem aleatoriamente designados a um tratamento ou grupo de controle. Os pacientes passam por uma triagem para minimizar as variações estatísticas. Geralmente um número limitado de medidas são exploradas, tendo como foco um único ponto final, ainda que os resultados sejam inevitavelmente multidimensionais. Raras vezes os ensaios se preocupam com custos. O objetivo é isolar os efeitos de um tratamento ou terapia em particular, e não de avaliar o valor do processo total da aplicação do tratamento. Normalmente são investidos anos, em tempo e esforços, para desafiar e validar descobertas aparentemente simples e diretas.[118]

Os ensaios clínicos têm que continuar, e é preciso agir neste modelo para melhorá-lo. Muito mais atenção precisa ser direcionada a isolar aqueles pacientes que de fato se beneficiarão das drogas ou terapias, como discutiremos no Capítulo 7. Uma das maiores causas de desperdício no sistema é o uso de terapias que só beneficiam uma fração do universo de pacientes e esta fração só é conhecida *a posteriori*. Tentam-se várias terapias, que fracassam, até que uma delas funciona.

Outra prioridade para a investigação clínica são estudos de mais longo prazo que cobrem todo o ciclo de atendimento para obter resultados num futuro mais remoto, incluindo os custos totais do atendimento. Esses tipos de investigação serão essenciais para medir o real valor de terapias alternativas. Voltaremos a discutir esta questão no Capítulo 7.

Os ensaios também seriam aperfeiçoados em grande extensão com um melhor entendimento de biomarcadores de progressão de doenças, cujo desenvolvimento tem sido lento.[119] Além disso, os dados ajustados a risco poderiam ser usados para simular o teste, em seres humanos, de uma nova molécula antes de projetar o ensaio real, para ganhar eficácia no direcionamento do ensaio e reduzir os seus custos.[120]

Embora o modelo de ensaio clínico seja importante, é necessário também um segundo modelo de inovação cuja significância seja potencialmente igual, se não maior, em termos de valor. Estudos que utilizem dados de resultados ajustados a risco e focados num exame detalhado da organização e dos processos da prestação de serviços de saúde podem implicar numa tremenda contribuição para o valor ao paciente. Muitas melhorias que causam grande impacto nos resultados para os pacientes consistem em mudanças relativamente simples nos procedimentos e abordagens, e não são vinculadas a nenhuma droga ou dispositivo *per se*. No atendimento em UTI, por exemplo, a mortalidade é bastante reduzida com o uso de menores volumes de ventilação mecânica em pacientes com falência respiratória severa.[121] Além disso, um controle mais apurado da taxa de glicose no sangue, posicionando corretamente à cabeceira do leito para reduzir a incidência de pneumonia aspirativa, e o uso rotineiro de profilaxia para trombose venosa profunda geram grandes benefícios em termos de valor.[122]

Estudos baseados em resultados podem investigar grandes populações de pacientes por longos períodos de tempo e revelar maneiras práticas de melhorar os resultados e a eficiência. Os melhores clínicos aprendem ao observar quais abordagens são associadas com bons resultados, mas existe a oportunidade de se progredir de forma muito mais sistemática e rigorosa.

As medidas de resultados ajustadas a risco permitem que pesquisadores e clínicos compreendam os efeitos das variações entre instituições e tratamentos. Com efeito, centenas de milhares de experimentos naturais ocorrem diariamente nos hospitais e consultórios dos EUA com equipes médicas que prestam atendimento fazendo o melhor que podem. As variações em condições, tratamentos e resultados dos pacientes podem ser analisadas por padrões que revelam a eficácia relativa dos processos e terapias atualmente em uso. E os resultados podem ser granularmente considerados, na medida em que se consideram múltiplas dimensões de resultados. Ao contrário de um ensaio clínico de prospecção, os dados podem ser reutilizados para explorar e testar novas perspectivas. Na verdade, a medicina baseada em evidência, por princípio, envolve ampla coleta e emissão de relatórios de resultados ajustados a risco. Com um conjunto padronizado de medidas de resultados em cada área de prática, pode-se proceder à análise dos tratamentos tanto no âmbito de uma instituição quanto em várias instituições para se progredir rapidamente na avaliação da eficácia de cada tratamento.

Atualmente, são raros os financiamentos para estudos deste tipo; existe resistência em relação às suas descobertas, e recebidas como simples mineração de dados (*data mining*). Por ironia, existe muito mais aceitação de modelos aplicados a animais, que normalmente não se convertem bem para seres humanos. Os melhores prestadores usam análise de resultados e processos para promover melhorias em âmbito de instituição. Mas, nas publicações profissionais, a pesquisa sobre estrutura, organização, processos e mensuração da prestação dos serviços de saúde é em grande parte sub-representada, apesar da sua enorme importância para o valor aos pacientes.

Esses estudos deverão proliferar à medida que crescer a geração de relatórios de informações sobre resultados. O uso de resultados para melhorar o atendimento aos pacientes abre caminho para evitar desperdício de esforços, tratamentos inadequados e inconsistência nos julgamentos dos médicos, o que ocorre no atual sistema. Todos os prestadores deveriam ter um programa formal de melhoria do conhecimento, como veremos no Capítulo 5. Atualmente, como discutiremos no Capítulo 8, as pesquisas sobre processos, qualidade, custos, resultados e segurança dos pacientes são conduzidas pela Agency for Healthcare Research and Quality, que tem um orçamento muito menor que o NIH. Uma parcela significativa do orçamento total da União destinado a pesquisas na área de saúde, bem como de provisões pelos planos de saúde, deveria ser alocada a essas pesquisas. Os EUA vão conseguir um retorno muito maior do seu enorme investimento em pesquisa na área médica se as estruturas e processos da prestação dos serviços de saúde forem melhoradas. São os métodos de atendimento em nível de condição de saúde que traduzem os novos conhecimentos e tecnologias em valor ao paciente, ao mesmo tempo que contribuem para novos conhecimentos.

A oportunidade da competição baseada em valor

O potencial da competição baseada em valor focada em resultados fica evidente nos inúmeros exemplos que descrevemos e naquelas condições de saúde para as quais já existem informações sobre resultados. A promessa da competição baseada em valor fica também evidente naquelas partes da prestação dos serviços de saúde que se situam fora da estrutura normal. Em áreas como cirurgia plástica, a competição funciona muito mais como a de outros setores: é focada no nível de condições de saúde particulares ao longo de todo o ciclo de atendimento. Os pacientes assumem responsabilidade pelas suas escolhas e pagam as contas. Os médicos têm que competir convencendo os pacientes do valor dos serviços oferecidos e são totalmente responsabilizados pelos resultados alcançados. Nesse campo, os rápidos avanços têm melhorado a qualidade e, ao mesmo tempo, diminuído os custos (ver Figura 4-8). Este exemplo ilustra com clareza que atendimento médico de melhor qualidade não é necessariamente mais caro do que os tratamentos que temos hoje. O caso da cirurgia plástica, apesar de estar fora da vertente principal e encerrar controvérsias quanto ao valor para o paciente, dá uma idéia do progresso que poderia ser alcançado se a natureza da competição na assistência à saúde mudasse.

Se a competição em resultados estimulasse a busca do valor ao paciente na assistência à saúde, os ganhos seriam enormes. Ganhos imensos se fazem possíveis reduzindo as variações no valor entre áreas geográficas e prestadores, estimulando e recompensando os prestadores excelentes e encorajando médicos e consumidores a fazerem escolhas baseadas em informações sobre resultados. A nação tem capacidade para aumentar a qualidade da assistência à saúde e baixar drasticamente

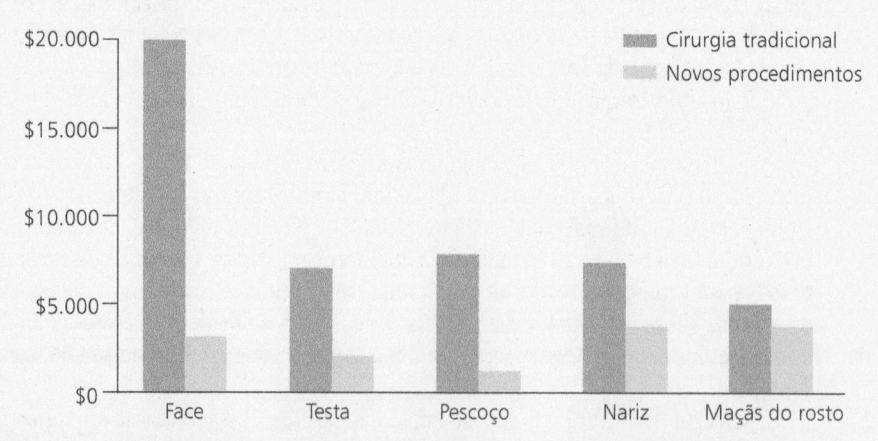

FIGURA 4-8 Diferencial de preço entre cirurgias plásticas com procedimentos tradicionais *versus* inovadores, 2002.
Fonte: Dados de Parker-Pope (2002).

os custos, mesmo usando as tecnologias e os métodos atuais. As gigantescas economias que poderiam ser alcançadas ajudariam a pagar por um melhor atendimento a todo cidadão, especialmente àqueles que hoje não têm acesso ao sistema.

No entanto, para colher esses benefícios é imperativo que se mude a natureza da competição. Cada constituinte do sistema tem que mudar o seu papel, suas estratégias e suas políticas. Abordaremos os passos necessários para fazer isso no Capítulo 8.

5

Implicações Estratégicas para os Prestadores de Serviços de Saúde

OS PRESTADORES, INCLUINDO HOSPITAIS, clínicas, grupos de médicos e médicos independentes são os atores centrais do sistema de saúde e responsáveis pela maior parte do valor entregue aos pacientes. Os demais participantes do sistema – sejam planos de saúde, empregadores, fornecedores, governo ou os próprios pacientes – podem aumentar ou diminuir esse valor, com os papéis que desempenham e as escolhas que fazem. Em última análise, no entanto, é a forma como a medicina é praticada e a maneira como os pacientes são tratados que determinarão o sucesso ou o fracasso do sistema de saúde.

Atualmente, as estratégias, as estruturas organizacionais e as práticas operacionais de muitos prestadores de serviços de saúde estão desalinhadas com o valor, como revelado pelo chocante espectro de evidências de mau desempenho e variações nas práticas apresentados no Capítulo 1. Acreditamos que o problema se deva menos a limitações tecnológicas do que às atuais fraquezas estruturais e de gerenciamento da prestação dos serviços de saúde, embora a continuidade das inovações tecnológicas também seja necessária.

A mudança para a competição de soma positiva baseada em resultados é a única maneira factível de abordar fraquezas tão arraigadas na prestação dos serviços de saúde e, ao mesmo tempo, aumentar a capacidade de inovação no sistema como um todo. Este capítulo descreve como os prestadores podem competir em valor – um assunto suficientemente vasto para por si só constituir um livro. Começamos enquadrando os desafios estratégicos para os prestadores esclarecerem os seus objetivos e repensarem as linhas de serviços oferecidas por eles. Depois, descrevemos oito imperativos estratégicos e organizacionais para competir em valor, e como uma série de prestadores está abordando esses imperativos. A conseqüência desses oito imperativos será uma estrutura industrial diferente e muitíssimo mais produtiva do que a existente. Os prestadores que se anteciparem a essa nova estrutura estarão em melhor posição para aproveitá-la.

Três elementos capacitadores importantes ajudarão os prestadores a trabalhar com esses imperativos estratégicos e organizacionais. O primeiro é uma abordagem sistemática à identificação e análise dos processos. Introduzimos a cadeia de valor da prestação dos serviços de saúde como uma estrutura referencial para a melhoria do valor. O segundo elemento capacitador é a tecnologia da informação (TI). A tecnologia da informação é, às vezes, vista como a resposta aos problemas do sistema. No entanto, apenas automatizar as atuais práticas resultará em benefícios limitados. A verdadeira oportunidade está em transformar a prestação dos serviços de saúde de forma que a TI possa ajudar a sustentá-la. O terceiro capacitador é o uso de processos sistemáticos para o desenvolvimento do conhecimento. Faz-se necessário o desenvolvimento formal e contínuo do conhecimento em nível de condição de saúde, para que sirva de base a melhorias contínuas na prestação dos serviços.

Finalmente, a mudança para estratégias baseadas em valor vai exigir a transposição de uma série de barreiras, desde a forma de organização dos médicos até os modelos de pagamento prevalecentes e a regulamentação obsoleta. Identificamos algumas das barreiras mais importantes e forma como os prestadores estão lidando com elas. Apesar das barreiras, temos certeza de que as novas estratégias e estruturas são viáveis, pois prestadores de destaque já as estão adotando.

Para mudar para as novas estratégias e estruturas não é preciso esperar por mudanças na regulamentação nem pela liderança de outros participantes do sistema. Os prestadores podem dar os primeiros passos, de forma voluntária, em direção à competição em valor. Prestadores de destaque já o estão fazendo e colhendo os benefícios na forma de melhor atendimento aos pacientes, maior domínio dos tratamentos, melhores dados clínicos, melhores margens e melhor reputação, mesmo no sistema falho de hoje em dia.

Um número muito grande de prestadores continua satisfeito com a situação vigente, esperando por soluções perfeitas ou por uma futura regulamentação pelo governo. Muitos prestadores culpam outros participantes pelos problemas do sistema, em vez de assumirem a responsabilidade por aquilo que eles mesmos podem controlar. Lentos em medir seus resultados, até mesmo para si próprios, encontram justificativas para resistir à prestação de contas ao mundo exterior. Essa atitude os deixará para trás no esperado realinhamento da forma de prestar serviços de saúde. Os prestadores que quiserem ganhar um lugar no sistema de saúde dirigido pelo valor e quiserem continuar a controlar seu próprio destino precisam agir.

O vácuo estratégico na prestação do serviço de saúde

Prestar serviços de saúde, seja num hospital, numa clínica ou no consultório é algo complexo que envolve miríades de atividades e desafios. Os prestadores precisam lidar com contratos com planos de saúde, negociações de pagamento, cumprimento de exigências regulamentares, assimilação de novas tecnologias médicas, melhoria do atendimento a clientes e recrutamento e retenção de pessoal. Um crescente acervo de livros, artigos e estudos revela inúmeras oportunidades para melhorias de processos em todos os aspectos da prestação dos serviços de saúde, que podem reduzir erros e complicações, melhorar os resultados dos tratamentos e aumentar a eficiência. Assimilar todas essas melhores práticas e melhorar a eficácia operacional pode ser desgastante.

Dedicar-se a melhorar a eficácia operacional é importante em qualquer organização, mas não basta. Toda empresa precisa de uma estratégia norteadora, que defina objetivos e propósitos, o negócio ou negócios em que vai operar, os serviços que irá oferecer e de que maneira tentará se distinguir de seus pares. Sem uma estratégia, uma organização carece de clareza para atingir a verdadeira excelência. Sem direção e foco, fica difícil até mesmo ser eficiente nas operações.

A prestação de serviços de saúde necessita urgentemente de uma estratégia, tendo em vista os interesses e riscos envolvidos, a escala e a patente complexidade da tarefa. As práticas de hospitais e médicos precisam de metas claras, dada a miríade de forças atuando sobre elas. Precisam também definir a gama de serviços que irão oferecer. Os prestadores precisam mapear um caminho para a verdadeira excelência nas suas áreas de serviços, uma vez que o bem-estar dos pacientes está em risco. Uma estratégia e metas claras devem determinar as estruturas organizacionais, os sistemas de mensuração e o uso das instalações.

No entanto, muitos prestadores de serviços de saúde organizam-se de forma predeterminada, num padrão generalizado que não atende a essas questões estratégicas e organizacionais. As metas são indefinidas ou enquadradas em termos de sustentabilidade financeira ou serviços à comunidade, em vez de no valor ao paciente. As linhas de serviço são amplas e espelham as de outras organizações comparáveis – outros centros médicos acadêmicos, outros hospitais comunitários e outras práticas da vizinhança. A prestação dos serviços de saúde é, na verdade, governada por práticas e tradições arraigadas. As estruturas organizacionais são dirigidas pela oferta, em vez de pelos clientes, e, assim, consistem em grupos formados por especialidade e funções compartilhadas, como manda a tradição. Poucos prestadores se automensuram ou se consideram responsáveis pelos resultados ao paciente. As considerações gerenciais tendem a ficar em último lugar na lista de prioridades.

A ausência de estratégias claras entre os prestadores de serviços de saúde talvez seja compreensível, em vista da orientação para serviços à comunidade e à forte influência de médicos que tendem a fazer de tudo um pouco.[1] Mas esse legado é contraproducente na assistência à saúde moderna, na qual a variedade e a complexidade dos serviços aumentaram drasticamente.

Os prestadores de serviços de saúde tendem a sofrer de três típicos problemas estratégicos. Primeiro, a gama de serviços em geral é *ampla demais* em termos de linhas de serviços, especialmente no caso de hospitais, mas também no de alguns grupos de médicos. Segundo, dentro de cada linha de serviço, a abordagem de prestação de serviços é *estreita demais*, e os serviços oferecidos não são integrados. Terceiro, o foco geográfico da maioria dos prestadores de serviços de saúde é *localizado demais*, tanto em termos de escopo de mercado como da organização do atendimento em si. Esses três problemas com freqüência se combinam na mesma organização, subtraindo uma parte substancial do valor ao paciente.

Amplo demais

No que diz respeito à gama de serviços oferecidos, muitos prestadores têm uma não-estratégia – eles oferecem quase todos os serviços possíveis, com linhas excessivamente amplas servindo a um mercado geográfico demasiado estreito. Os hospitais, particularmente, costumam tentar ser "um ponto único de atendimento" mantendo todas as linhas de serviços, mesmo que o número de pacientes em uma determinada linha seja pequeno em comparação a prestadores experientes. O mesmo ocorre nas clínicas e nos consultórios. Um ortopedista tenderá a tratar de todo tipo de problema ortopédico que entrar pela porta, ou um grupo de anestesistas cobrirá uma multiplicidade de tipos de cirurgias.

No entanto, o tamanho de um prestador e sua variedade de serviços têm pouco impacto no valor ao paciente. O que importa é possuir experiência, escala e domínio em cada serviço. Não há justificativa para retornar ao mesmo prestador para uma condição de saúde diferente da anteriormente tratada, a não ser que o prestador seja excelente no tratamento dessa nova condição. Às vezes, os prestadores pressupõem que perderão encaminhamentos a menos que possam diagnosticar e subseqüentemente tratar todo paciente que apareça. Contudo, os pacientes só se beneficiarão se o prestador for excelente no diagnóstico e no tratamento da sua condição específica. Um argumento típico para a amplitude é a presença de condições co-ocorrentes. No entanto, prestadores excelentes numa condição de saúde se equipam para lidar com co-ocorrências importantes, como discutiremos. Ao contrário, muitos prestadores de linha ampla tratam das condições co-ocorrentes, mas deixam de coordenar o atendimento.

O modelo de linha ampla tem sérias conseqüências para o valor ao paciente, em vista dos princípios que descrevemos no Capítulo 4. Em certas linhas de serviço, muitos prestadores carecem de escala para serem experientes ou eficientes. Eles mantêm instalações e equipamentos com excesso de capacidade. Isso gera pressões para utilizar a capacidade, levando às vezes a uma ampliação ainda maior dos serviços. O resultado é que os prestadores oferecem serviços nos quais eles são competentes, mas não excelentes.

Alguns prestadores de fato se focam na abordagem de condições de saúde específicas, como o M. D. Anderson Cancer Center ou o New England Baptist Hospital (de ortopedia), mas estes são exceções. A maioria, isolada pela falta de competição e sem ter que prestar contas pelos resultados, resolve realizar todos os serviços e esforçar-se para ser suficientemente boa em tudo, em vez de concentrar recursos nas áreas em que se distingue. A falta de foco dificulta ainda mais o alcance de melhorias. Os prestadores tentam melhorar, mas não conseguem fornecer um valor superior em muitos serviços.

O problema do excesso de amplitude de serviços aflige todos os tipos de hospitais. Os centros médicos acadêmicos oferecem muitos serviços de rotina ou padrão em instalações de alto custo. Os hospitais comunitários mantêm instalações caras de alta tecnologia para tratar de pacientes com condições raras ou complexas. Os hospitais rurais se dispõem a atender a todas as necessidades da comunidade local, ainda que o volume de pacientes seja restrito.

Em parte por causa da amplitude, há uma notável ausência de parcerias estratégicas entre organizações, ao contrário do que se observa em outros campos. As organizações tendem a se isolar e manter distância nos relacionamentos externos. (Isso se deve, em parte, às equivocadas leis Stark, discutidas no Capítulo 8.)

As estruturas de governança prevalecentes acentuam a tendência de os prestadores de serviços de saúde tentarem ser tudo para todos. Os hospitais e clínicas, em sua maioria, são organizações sem fins lucrativos supervisionadas por conselhos voluntários bem-intencionados, atentos à sua missão na comunidade e às suas obrigações legais de prestar serviço. O serviço comunitário, no entanto, é interpretado como oferecer de tudo. Então, tomado ao pé da letra, esses nobres intentos podem, na verdade, funcionar contra o valor ao paciente, na medida em que os prestadores procuram atender às necessidades de todos os integrantes da comunidade. Para manter a viabilidade financeira e, ao mesmo tempo, sustentar uma ampla gama de serviços, os prestadores também buscam donativos filantrópicos que mantenham serviços antieconômicos e de escala subdesenvolvida.

A governança dos médicos também é problemática para a estratégia, sem mencionar para a organização da prestação dos serviços de saúde. O modelo de livre agente está espalhado por todo o sistema de saúde. Muitos médicos são autônomos, ainda que seu consultório esteja dentro de um hospital. Isso dificulta a execução de uma estratégia sintonizada e a coordenação e integração do atendimento entre os médicos. Os grupos de médicos tendem a ser confederações frouxas de profissionais independentes, cada um deles querendo fazer as coisas à sua maneira. Muitos médicos resistem à idéia de se restringir aos serviços nos quais são mais eficazes. Na verdade, são estimulados a assumir uma gama de casos, confiantes de que se sairão bem em todos eles.

As escolhas e estratégias organizacionais dos prestadores também são afetadas por uma variedade de fatores externos que descrevemos em capítulos anteriores. A necessidade de aumentar o poder de negociação tem levado hospitais e grupos de médicos a ampliar as suas linhas de serviços, por exemplo. De forma semelhante, os generosos níveis de pagamento em áreas como ortopedia têm levado a uma substancial duplicação de serviços.

Estreito demais

Ao mesmo tempo em que os prestadores são demasiadamente amplos em linhas de serviço, o pensamento estratégico nessas linhas é muito estreito. Como já discutimos em capítulos anteriores, os prestadores, em sua maioria, são estruturados para prestar serviços distintos, não para prestar atendimento verdadeiramente integrado. Os hospitais, por exemplo, são organizados por especialidades tradicionais, como medicina interna, cirurgia, radiologia, e assim por diante, não em torno das necessidades do paciente. Os grupos de médicos também são estruturados por especialidade. Em vez de funcionarem como uma equipe integrada, grupos de especialistas independentes se reúnem em torno de casos individuais. Tudo isso diminui o valor ao paciente.

O foco estreito dos prestadores também se aplica à prestação do atendimento ao longo do tempo. Os prestadores tendem a definir seus serviços em termos de uma série de intervenções distintas, não de um ciclo de atendimento completo. Mesmo em âmbito de um determinado hospital ou clínica, as várias unidades ou departamentos tendem a focar de forma demasiadamente estreita o seu próprio procedimento ou função. Cada unidade dedica atenção limitada ao que aconteceu antes ou ao que acontecerá mais tarde com o paciente.

As várias unidades envolvidas no ciclo de atendimento, que freqüentemente consistem em entidades separadas, raramente trabalham em conjunto ou aceitam responsabilidade em melhorar o ciclo de atendimento como um todo. Ao contrário, os relacionamentos ao longo do ciclo de atendimento tendem a ser distantes e formais, mesmo em âmbito de um hospital ou de um grupo de prestadores. Esse tipo de atendimento, truncado ao longo do ciclo de atendimento, prejudica seriamente o valor ao paciente, como descrevemos em capítulos anteriores.

A fragmentação da prestação dos serviços de saúde tem suas raízes nas tradições médicas. O campo da medicina herdou estruturas de uma era em que a prática médica era menos complexa e mais individualista. Hoje, entretanto, faz pouco sentido para o valor ao paciente, por exemplo, que cardiologistas, cirurgiões cardíacos e radiologistas intervencionistas sejam independentes no tratamento de pacientes cardíacos através de consultórios e instalações separadas. Contudo, o treinamento médico, as associações de medicina e outras tradições consagram a atual estrutura. De forma similar, há pouca lógica, em termos de valor ao paciente, nos médicos somarem e faturarem individualmente os custos dos serviços, ou, pela mesma razão, emitirem uma fatura separada da do hospital. No entanto, esses legados, e outros tantos, têm complicado desnecessariamente o processo de integração e melhoria da prestação dos serviços de saúde.

É um grande desafio, para se dizer o mínimo, conseguir que grupos de médicos se alinhem e trabalhem estrategicamente para prestar atendimento medicamente integrado por meio de processos compartilhados. É ainda mais difícil conseguir que livres agentes, os quais na verdade trabalham por si mesmos, aceitem responsabilidade conjunta por seus resultados e trabalhem juntos para melhorar sistematicamente o valor ao paciente. Para serem estratégicos, os prestadores precisarão que todos os envolvidos na prestação dos serviços de saúde tenham um objetivo comum centrado no paciente, e um compromisso compartilhado com os resultados gerais, e não agendas individuais.

A curiosa combinação de amplitude e fragmentação excessivas na prestação dos serviços de saúde também tem complicado a melhoria dos processos. Muitos prestadores estão dedicando atenção a melhorar os processos, porém o foco tem quase sempre recaído em processos genéricos que abrangem a instituição como um todo e se encaixam dentro da estrutura atual, como controle de infecção hospitalar, triagem telefônica e prescrições, em vez de no atendimento integrado a condições de saúde específicas.

Localizado demais

Muitas das realidades que descrevemos também levam os prestadores a pensar e se comportar de forma predominantemente local. Ancorados em uma determinada comunidade ou região, os prestadores, em sua maioria, encaram suas opções em termos locais. Os conselhos, demasiado locais, costumam definir os serviços à comunidade como a principal missão da organização. Há pouca inclinação para expandir-se ou competir geograficamente, mesmo nas áreas de excelência médica.

Esse foco local dos prestadores acentua o problema da amplitude de serviços. Encarando o seu mercado como a comunidade local, os prestadores tendem a oferecer tudo o que a comunidade precisa, em vez de deixar certos serviços a cargo de outros prestadores. Com uma orientação local, as oportunidades de crescimento ficam restritas. Ampliar as linhas de serviços, em vez de expandir-se geograficamente, parece ser o caminho natural. O licenciamento em nível estadual e outras complexidades regulatórias também reforçam a orientação local na prestação dos serviços de saúde, como discutiremos no Capítulo 8.

Essa orientação local diz respeito não apenas à região de origem, mas também a instalações ou complexos de instalações num determinado local físico. Os prestadores têm a tendência de tratar instalações como se fossem entidades auto-suficientes. Cada local físico oferece todos os serviços demandados na área imediata, em vez de o conjunto de serviços para os quais o local, em particular, apresenta eficácia de custo. Hospitais-escola no centro das cidades, por exemplo, geralmente oferecem práticas de assistência primária e serviços ambulatoriais extensivos num local inerentemente caro, além de inconveniente para muitos pacientes. Um número maior de prestadores vem estabelecendo instalações satélites, mas o acasalamento entre serviços e instalações e a verdadeira integração entre instalações permanecem aleatórias.

Definir a meta correta: valor superior para o paciente

Como os prestadores de serviços de saúde criam estratégias mais eficazes e melhoram o seu desempenho? O ponto de partida para a estratégia é definir a meta correta. A principal meta deve ser a excelência no valor ao paciente. O valor consiste em resultados de saúde alcançados por dólar incorrido nos custos, em comparação a seus pares. O tamanho, a gama de serviços e a reputação do prestador, ou se ele atinge um bom superávit operacional, são aspectos secundários. Se um prestador não estiver entregando valor aos pacientes, estará fracassando na sua missão fundamental, ainda que seja financeiramente bem-sucedido. Um prestador que entrega resultados superiores aos pacientes estará em posição de prosperar, mesmo no atual sistema.

Como já discutimos, o valor ao paciente só pode ser medido no nível de condições de saúde e avaliado em relação aos pares. Não basta somente competência. Um prestador deve ser capaz de atingir resultados que se comparem favoravelmente com os daqueles que prestam serviços similares.

O valor total entregue por uma organização é acumulado a cada condição de saúde.[2] Valor excelente em alguns serviços não compensa a mediocridade em outros. Os pacientes, sem mencionar todo o sistema de saúde, não estão bem servidos se os prestadores mantiverem uma linha de serviço na qual não alcancem resultados iguais ou melhores que seus pares. A verdade é que nem todos os prestadores serão igualmente eficazes em tudo, e nem deveriam tentar ser. Na competição baseada em valor, a excelência, e não a amplitude ou a conveniência, deve moldar a escolha dos serviços oferecidos por prestador, bem como a configuração geral do sistema de saúde. O ThedaCare, um sistema de prestação de serviços de saúde do estado de Wisconsin, articulou essa aspiração de uma forma contundente. O ThedaCare procura atuar somente naqueles serviços em que atinge desempenho clínico de classe mundial no percentil 95.

Embora a adoção do valor ao paciente como meta possa parecer auto-evidente, a definição de meta na prestação dos serviços de saúde tem sido obscurecida por uma variedade de fatores. Muitas organizações de prestação dos serviços de saúde são sem fins lucrativos. Organizações sem fins lucrativos, como um grupo, têm dificuldade em concordar sobre metas comuns, porque cada uma delas vê seus valores e aspirações como meritórias. As estruturas de governança, como descrevemos anteriormente, introduzem considerações comunitárias e um foco local que podem, inadvertidamente, sobrepujar o valor ao paciente como meta central. Por fim, e esta não é em absoluto uma lista exaustiva, as normas e a ética profissional em medicina oferecem uma margem considerável para diferenças de opinião no estabelecimento de prioridades institucionais. O resultado é que os prestadores acabam tentando atender a todo paciente que entre pela porta.

A viabilidade financeira geralmente aparece como uma meta importante. Mas resultados financeiros são uma conseqüência, não uma meta em si e por si mesma. Uma boa margem de superávit operacional não pode compensar a mediocridade no atendimento. Em um sistema baseado em valor, como discutiremos, resultados excelentes levarão a mais pacientes, maior eficiência e margens mais altas.

O valor ao paciente é a bússola que deve forçosamente guiar a estratégia e as escolhas operacionais de todo grupo de prestadores, hospital, clínica e prática médica. Cada prestador tem que se esforçar ao máximo para medir o valor ao paciente, linha de serviço a linha de serviço, e comparar o seu desempenho com o dos demais prestadores. Se o valor para os pacientes de fato governasse cada escolha de prestador, os resultados na saúde por dólar gasto no sistema de saúde dos EUA melhorariam drasticamente.

Os prestadores obviamente não operam num vácuo. Os benefícios de estratégias de prestadores baseadas em valor serão maiores, se outros participantes (especialmente planos de saúde, empregadores e governo) abraçarem a meta do valor ao paciente. Este é um assunto que discutiremos extensivamente nos capítulos subseqüentes. No entanto, mesmo que os prestadores ajam sozinhos, o potencial para melhorar o valor aos pacientes é enorme. Tomando a liderança, os prestadores podem também atuar como catalisadores da mudança em todo o sistema.

Mudança para a competição baseada em valor: imperativos para os provedores de serviços de saúde

Como os prestadores podem competir em valor? Para fazê-lo, eles têm que abraçar uma série de imperativos estratégicos e organizacionais, mostrada na Figura 5-1. Descrevemos os imperativos no contexto de hospitais e grupos de médicos. Entretanto, eles se aplicam até ao consultório. Atualmente, um número crescente de prestadores começa a abordar vários dos imperativos, mas poucos, se algum, abordam todos. A mudança para o modelo baseado em valor se realimenta. À medida que esses imperativos são abordados, os benefícios crescem exponencialmente.

Redefinir o negócio em torno de condições de saúde

O ponto de partida para desenvolver uma estratégia em qualquer campo é definir o negócio ou negócios relevantes em que a organização compete. Na prestação de serviços de saúde não é diferente. Os prestadores de serviços de saúde não se vêem como empresas, mas eles estão no negócio de prestação de serviços a pacientes. (Aqueles que não se sentirem à vontade com a idéia de negócios na assistência à saúde podem substituí-la por *linhas de serviços*.)

A pergunta "em que negócio estamos?" é importante porque orienta o raciocínio de uma organização em relação a quem é o seu cliente, que necessidades a organização está tentando atender e como deveria se organizar. Implícita em toda definição de negócio está a visão de como o valor é criado. Alinhar a visão de valor de uma organização com o valor real é uma pré-condição para em desempenho excelente.

Em alguns campos, o negócio relevante é óbvio e definido de imediato. Mas na assistência à saúde não é assim, em parte pela maneira como a medicina é, por tradição, estruturada e organi-

---

- Redefinir o negócio em torno de condições de saúde
- Escolher a extensão e os tipos de serviços prestados
- Organizar-se em torno de unidades de prática medicamente integradas
- Criar uma estratégia distinta em cada unidade de prática
- Mensurar resultados, experiência, métodos e atributos de pacientes por unidade de prática
- Mudar para fatura consolidada e novas abordagens de cálculo de preço
- Distinguir serviços no mercado em termos de excelência, singularidade e resultados
- Crescer localmente e regionalmente nas áreas de maior competência

---

FIGURA 5-1 Mudança para a competição baseada em valor: imperativos para os prestadores de serviços de saúde.

zada. Muitos hospitais, por exemplo, se vêem como no negócio de "hospitais" ou no negócio de "prestação dos serviços de saúde", competindo com outros hospitais com base na sua oferta geral de serviços. Uma definição ainda mais ampla do negócio "assistência à saúde" é comum entre especialistas em políticas de saúde. Isso os leva a favorecer grandes sistemas de saúde, acreditando que a assistência é organizada melhor se combinados seguro e prestação de serviços de saúde em um sistema verticalmente integrado com linhas completas.

Outros prestadores, inclusive a maioria dos consultórios e clínicas de médicos, definem o seu negócio em torno de funções e especialidades específicas. Um grupo de anestesistas define-se como estando no negócio da anestesia; um grupo de nefrologistas se vê no negócio da nefrologia. Os hospitais, em termos de linhas de serviços e normalmente se autodefinem em termos de especialidades, como medicina interna, radiologia, urologia, cirurgia, e assim por diante.

Ambos os modos de definição de negócio prevalecentes entre os prestadores representam obstáculos para a criação de valor. Eles são centrados nos médicos, nos procedimentos ou na instituição, e não no paciente. Também são desalinhados com o modo como o valor ao paciente é de fato criado.

O valor ao paciente na prestação dos serviços, como já discutimos, só pode ser compreendido no nível de condições de saúde. O valor é determinado por quão bem um prestador atende a cada condição de saúde, não pela amplitude dos seus serviços. O valor entregue em uma condição de saúde é decorrente de um conjunto completo de atividades e especialidades envolvidas. Não são os papéis, as habilidades ou as funções, isoladamente, que importam, mas o resultado geral. Além disso, para cada aspecto do atendimento, o valor é determinado por quão bem se reúne o conjunto de habilidades e funções necessário. Em cirurgia, por exemplo, o valor depende não apenas do cirurgião, mas também do anestesiologista, dos enfermeiros, do radiologista, de técnicos bem-preparados e outros, todos desempenhando bem em equipe. No entanto, não obstante o elevado nível da equipe cirúrgica, o ciclo de atendimento como um todo é crucial. A menos que o problema do paciente seja diagnosticado com precisão, o paciente seja adequadamente preparado e a recuperação e reabilitação sejam bem gerenciadas, os resultados serão prejudicados. Na verdade, o impacto do ciclo de atendimento é maior ainda. O valor pode ser aumentado sem cirurgia e tratando do caso de uma forma diferente. O valor pode ser maior ainda se atendimento e aconselhamento preventivo forem fornecidos ao longo do tempo, de forma que pouco ou nenhum tratamento seja necessário.

O negócio relevante na prestação de serviços de saúde, portanto, é a assistência a uma condição de saúde específica em todo o ciclo de atendimento. O negócio é, por exemplo, insuficiência cardíaca congestiva, não cirurgia cardíaca, cardiologia, angiografia ou anestesiologia. As especialidades tradicionais geralmente são muito amplas. O negócio não é nefrologia, mas sim a doença renal crônica, doença renal em estágio terminal (diálise), transplante renal e hipertensão. A condição de saúde não é tratamento ortopédico, mas diversas condições, inclusive desordens da coluna vertebral, desordens do quadril, e assim por diante. O atendimento ao câncer também envolve várias condições de saúde.

Observe que nos centros médicos acadêmicos, a pesquisa e o ensino laboratorial deveriam ser tratados como negócios separados do atendimento a pacientes, na maioria dos casos, em vez de unificados como são hoje. A pesquisa de resultados clínicos, entretanto, precisa ser ampliada e mais bem integrada com o atendimento a pacientes.

A definição do negócio sempre envolve um componente geográfico. Um prestador de serviços de saúde tem que compreender o mercado geográfico ou a área de serviços em que ele pretende competir, caso contrário, não poderá reconhecer os verdadeiros *benchmarks* de desempenho contra os quais deverá se comparar nem as opções estratégicas disponíveis para si. Como já discutimos, ainda que alguns serviços tenham que ser prestados localmente, o mercado relevante para a maioria das condições de saúde deveria ser regional ou até mesmo nacional. Os prestadores que não pensarem nesses termos se tornarão cada vez mais vulneráveis à competição. Eles também perderão oportunidades de crescer e firmar parcerias nas outras regiões.

As condições de saúde representam a unidade básica de análise para pensar sobre o valor na assistência à saúde. As condições de saúde são centradas nos pacientes, e não nos prestadores. Usamos o termo *condições de saúde* (ou condições médicas), em vez de *doenças, lesões* ou outras circunstâncias, como gravidez, porque optamos pelo termo mais geral. O termo sistema orgânico, usado por alguns prestadores, é centrado no prestador e não é, de modo algum, uma condição de saúde).

A definição do conjunto de condições de saúde em torno do qual se deve organizar o atendimento às vezes envolve julgamentos, da mesma forma que a definição de onde deve começar e terminar o ciclo de atendimento. Diferentes prestadores podem, e devem, definir as condições de saúde diferentemente, tomando por base as suas estratégias, a complexidade dos casos que assumem e os grupos de pacientes a que atendem. O árbitro maior da definição adequada é o valor ao paciente. Retornaremos a essas questões mais adiante neste capítulo e no Apêndice B.

Cada prestador, então, tem que definir clara e explicitamente *o conjunto de condições de saúde do qual irá participar.* Para cada uma dessas condições de saúde, o prestador tem que definir *onde ele se encaixa atualmente no ciclo de atendimento.* Abordar essas questões é o primeiro passo para conceber a estratégia, organizar a prestação dos serviços de saúde e mensurar os resultados.

Escolher a extensão e os tipos de serviços prestados

Talvez a decisão estratégica mais básica para todo prestador seja o conjunto de serviços a serem oferecidos. Em outras palavras, em que negócios o prestador *quer* atuar? Os prestadores têm que escolher o conjunto de condições de saúde nos quais eles são capazes de alcançar excelência em termos de valor ao paciente, dada a sua combinação particular de pacientes, habilidades e outras circunstâncias. Em cada condição de saúde, os prestadores têm que decidir que papéis desempenharão no ciclo de atendimento, e que serviços oferecerão para assegurar bons resultados gerais para os pacientes. As escolhas serão diferentes para cada prestador. Os centros acadêmicos farão escolhas distintas das dos hospitais comunitários ou rurais. Um prestador pode fazer escolhas diferentes das de seus pares da redondeza.

Parte da escolha estratégica das linhas de serviço advém da análise de equiparação entre a complexidade e acuidade das condições diagnosticadas e tratadas com as habilidades, os recursos tecnológicos, as instalações e a base de custos da instituição. Serviços simples ou de rotina não deveriam ser oferecidos por instituições que não puderem realizá-los a um custo competitivo. Em oposição, serviços complexos e fora do comum não deveriam ser oferecidos por instituições que carecem de experiência, escala e capacidades para alcançar resultados excelentes.

Na competição baseada em valor, a maioria dos hospitais e grupos de médicos manterá uma gama de linhas de serviços, mas deixará de tentar oferecer de tudo. A maioria das instituições deveria restringir a gama de condições de saúde atendidas, ou pelo menos os tipos de casos que buscam abordar. Algumas práticas poderão ser totalmente eliminadas, ao passo que outras poderão ser significativamente reorganizadas. Na maioria dos negócios, o bom senso manda concentrar-se em produtos e serviços que criem um valor singular. Entretanto, para muitos hospitais e outros prestadores de serviços de saúde, fazê-lo irá requerer uma significativa mudança de mentalidade num campo acostumado a lidar com qualquer paciente que entre pela porta. E decidir o que *não* fazer é uma idéia mais radical ainda. Na assistência à saúde, a necessidade de uma escolha estratégica de serviços tem sido evitada devido à falta de informações e de prestação de contas pelos resultados.

Uma série de hospitais especializados que lideram ou estão entre os líderes nos seus campos são exemplos comprovados da capacidade de fornecer valor superior sem atender a todas as necessidades. Muitos desses hospitais, como o Bascom Palmer Eye Institute (Miami), o Hospital for Specialty Surgery (ortopedia, Nova York), o M. D. Anderson Cancer Center (Houston) e o Memorial Sloan-Kettering Cancer Center (Nova York), estão entre as mais conceituadas instituições dos EUA nos seus respectivos campos de atendimento. Embora a especialização não seja um pré-requisito para a excelência, ela não é uma desvantagem, como comprovam o Massachusetts General Hospital e a Mayo Clinic.

Foco estratégico não significa especialização restrita, mas a busca de excelência e aprofundamento nos campos selecionados. Na Fairview-University Children's Hospital (Minnesota), por exemplo, um compromisso de longo prazo com a excelência na área de fibrose cística resultou na melhor instalação do país em tratamento da fibrose cística, apresentando 43 anos como idade mediana de sobrevivência de pacientes, em comparação à média nacional de 32 anos.[3,4] O Minnesota Cystic Fibrosis Center tem programas para o atendimento de necessidades específicas de pacientes por faixa etária: pediátrica (até 12 anos de idade), adolescente (13 a 22 anos de idade) e adulta (acima de 22 anos). Seu domínio no atendimento a pacientes adultos levou ao desenvolvimento de práticas reprodutivas especializadas para pacientes com fibrose cística, com excelentes resultados.[5] O centro também tem clínicas especializadas em diabetes e desordens gastrintestinais para ajudar os pacientes a lidar com condições normalmente co-ocorrentes com a fibrose cística, assim como um programa de transplante de pulmão para pacientes com fibrose cística, que apresenta taxas de 76% de sobrevivência de um ano e 66% de sobrevivência de cinco anos, bem acima das médias nacionais.[6]

Quando um prestador faz uma escolha estratégica de condições de saúde e linhas de serviços, ele alimenta o círculo virtuoso de valor na prestação dos serviços de saúde a seu favor (ver Figura 5-2). Uma penetração mais intensa nas áreas de excelência dispara uma cascata de benefícios, como discutimos no Capítulo 4. (Neste capítulo, exploramos as mudanças organizacionais e outras necessárias para alcançar esses benefícios.)

Uma escolha estratégica de condições de saúde e serviços não implica encolher a organização total, mas expandir certas áreas e limitar ou eliminar outras. O resultado final pode ser uma instituição maior em tamanho, mas muito mais eficaz e eficiente. O impacto no valor na assistência à

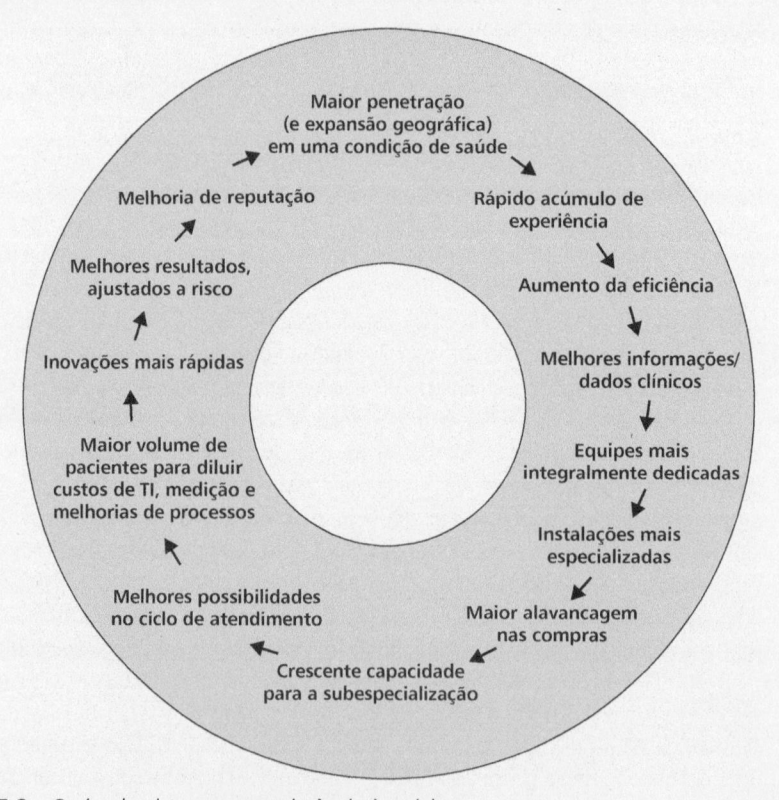

FIGURA 5-2 O círculo virtuoso na assistência à saúde.

saúde seria enorme se as organizações fornecessem serviços nos quais são excelentes em relação a seus pares. A enorme variação em desempenho entre os prestadores revela a magnitude dessa oportunidade.

A necessidade de uma abordagem estratégica às linhas de serviços não dita a exclusão de grandes grupos de prestadores, mas requer grandes mudanças na forma como eles funcionam. Os grupos de prestadores, na sua maioria, são atualmente estruturados como uma *holding*. Os hospitais, clínicas e consultórios médicos que os integram operam quase sempre como entidades autônomas. Num sistema de saúde baseado em valor, os grupos de prestadores só terão vez se puderem de fato demonstrar excelentes resultados em cada linha de serviço e conseguirem integrar medicamente os serviços entre as entidades do grupo. Em vez de duplicar o atendimento e se fiar em poder de negociação, a prestação dos serviços de saúde tem que ser radicalmente estruturada, ou os grupos perderão mercado quando tiverem que competir em valor.

Por que os prestadores de serviços de saúde têm resistido à escolha de linhas de serviços? Na prestação dos serviços de saúde, maior tem sido visto como melhor, e os prestadores tendem a exagerar a importância da amplitude. Prestadores focados são criticados como elitistas e geralmente fornecem procedimentos específicos em vez de um ciclo de atendimento completo para uma condição. A mentalidade de incrementação levou à ilusão de que cada nova linha de serviço está contribuindo para diluir o *overhead* e aumentar a produtividade, sem considerar se não seria mais lucrativo redispor as instalações e o espaço para expandir as áreas verdadeiramente excelentes. (Como discutiremos mais adiante neste capítulo, a contabilidade de custos dos prestadores permanece primitiva.) Atualmente, o enxugamento de linhas de serviços tende a ocorrer em casos de sérias dificuldades financeiras. Poucos prestadores percebem que a busca de amplitude em serviços não relacionados ou frouxamente relacionados acarreta um grande custo de oportunidade, uma vez que dispersa o foco e os investimentos que poderiam ser usados para eles se tornarem verdadeiramente excelentes e crescerem em condições de saúde específicas.[7]

O viés para a amplitude é revelado na resposta de hospitais de amplas linhas de serviços em relação a novas instituições especializadas em atendimento cardíaco e ortopedia. Motivados pelas generosas taxas de pagamento por esses serviços e valendo-se dos benefícios de foco, esses hospitais tiraram fatias de mercado de instituições de linhas completas de serviços. Prestadores de amplas linhas de serviços têm se manifestado contra hospitais especializados, chegando a apelar para a regulamentação na tentativa de bani-los (ver Capítulos 3 e 8).[8] Contudo, prestadores especializados poderão oferecer benefícios contundentes em termos de valor em determinados campos, se conseguirem demonstrar um alto padrão e tiverem que competir em resultados. Os esforços para a proibição legal desses concorrentes com o propósito de perpetuar o atual modelo de linhas completas são equivocados. Ao contrário, os prestadores de linhas completas é que precisam repensar as suas estratégias. Nada impede que as instituições existentes se engajem numa competição focada nas linhas de serviço direcionadas dos prestadores especializados, inclusive estabelecendo "hospitais dentro de hospitais" nas suas dependências.

Implementação da escolha de linhas de serviços. O conjunto particular de serviços oferecidos irá diferir entre tipos de prestadores, dependendo se são centros acadêmicos, hospitais comunitários ou prestadores rurais. Os hospitais comunitários em áreas urbanas devem competir num conjunto de linhas de serviços diferente do de centros médicos acadêmicos, porque as suas forças são outras. Estudos revelam que os hospitais comunitários oferecem qualidade igual ou superior e custos mais baixos em tipos de tratamento para os quais eles têm volume adequado.[9] Hospitais comunitários também demonstram aprendizagem mais rápida em técnicas que eles executam com freqüência, ao passo que hospitais terciários aprendem mais rapidamente novas técnicas aplicáveis a casos mais complexos.[10] Se a experiência e o volume de pacientes forem baixos numa condição específica, os hospitais comunitários podem se dar melhor encaminhando esses pacientes a outras entidades do ciclo de atendimento. No entanto, os hospitais comunitários deveriam firmar relacionamentos medicamente integrados e até mesmo parcerias formais com os prestadores excelentes a que eles encaminham pacientes. Isso iria melhorar o valor no diagnóstico, no trabalho de acompanhamento e no gerenciamento contínuo do paciente.

Os prestadores rurais também desempenham um papel essencial numa variedade de áreas de serviços, inclusive nos atendimentos de emergência, no tratamento de condições relativamente comuns, no atendimento de acompanhamento e no gerenciamento de doenças em condições crônicas. Contudo, a maioria dos prestadores rurais carece de volume, nível de especialização e instalações para garantir a excelência em todos os serviços. Eles são impelidos a oferecer muitos serviços devido à ausência de outros prestadores locais num sistema que carrega um viés para o atendimento local. Isso faz pouco sentido do ponto de vista de valor, exceto em áreas em que um hospital rural possa demonstrar genuína excelência.

Em linhas de serviços com baixo volume, os prestadores rurais podem e devem estabelecer relacionamentos médicos (como relações formais de encaminhamento e parceria) com centros que têm experiência e instalações para atingir resultados excelentes. Esses relacionamentos não podem ser frios e distantes, pois requerem uma prestação dos serviços de saúde integrada em termos de ações. Em certos casos, prestadores urbanos e rurais estabelecerão ciclos de atendimento conjuntos envolvendo uma abordagem integrada ao diagnóstico, tratamento, acompanhamento e monitoração. Em tais modelos, cada instituição assume seu papel nas atividades nas quais pode fornecer maior valor. Em outros serviços, um prestador rural pode prestar atendimento, porém em parceria com um centro de maior volume, a fim de obter apoio no que se refere a treinamento, mensuração, tecnologia da informação e consultoria em cada caso. Então, em vez de tentar captar volume de pacientes locais para todos os serviços, os prestadores rurais deveriam selecionar os serviços que irão executar, ao passo que em outros serviços eles se distinguirão através da qualidade dos seus relacionamentos com prestadores excelentes, modificando suas instalações e equipes de acordo com a nova estrutura. Assim procedendo, os hospitais melhorarão drasticamente a sua eficiência e reduzirão a necessidade de manter capacidade subutilizada, ao mesmo tempo em que irão melhorar os resultados para os pacientes.

O Beth Israel Deaconess Medical Center (BIDMC) em Boston, um centro médico acadêmico, é um exemplo de instituição que está começando a fazer suas escolhas de linhas de serviços. O BIDMC descobriu que o índice médio de acuidade dos seus serviços era bem similar ao de um hospital comunitário, apesar de suas dependências urbanas serem dotadas de instalações tecnologicamente sofisticadas e pessoal altamente qualificado e de estarem localizadas num bairro de difícil acesso para muitos pacientes. O BIDMC ingressou num processo consciente de migração de serviços que não requeriam o seu atual nível de especialização e base de custo para outros prestadores, como médicos que fazem encaminhamentos e hospitais comunitários. A sua abordagem para atrair encaminhamentos passou a ser mais direcionada a especialistas do que a médicos de assistência primária, porque o BIDMC buscava apenas casos mais complexos que correspondiam à suas capacidades.

Ironicamente, muitos hospitais são extremamente carentes de espaço e de recursos para ampliar a sua capacidade. Eles ignoram a solução mais lógica que o BIDMC compreendeu – utilizar o espaço apenas para aqueles serviços em que o hospital oferece um valor singular. Isso significa redispor e reprojetar as instalações para expandir os serviços excelentes, eliminando outros ou transferindo-os para outros locais.

Apesar da sua atratividade para o valor ao paciente, a migração dos serviços certos para os prestadores certos não é uma tarefa fácil na assistência à saúde, ainda que a atual divisão de trabalho esteja longe da ideal. As preferências dos médicos geralmente afetam as escolhas das linhas de serviços, e em alguns casos para acomodar a sua conveniência pessoal. As instituições carecem de uma compreensão sofisticada de custos, o que as leva a acreditar que o incremento de serviços é lucrativo, mesmo que esses serviços possam ser prestados com muito maior eficácia de custos por outros prestadores. Existe uma certa relutância em compartilhar encaminhamentos ou direcionar pacientes a outros prestadores, por receio de que não haja reciprocidade.

Os pacientes também podem dificultar a alocação eficiente do trabalho entre diferentes locais, quando, inerentemente, dão preferência a centros médicos terciários de alto custo para serviços menos complexos ou de rotina. Os pacientes e os médicos que os encaminham, por não terem dados de resultados, são atraídos pela forte reputação de um centro médico acadêmico e presumem que os resultados deste são melhores em tudo. Com freqüência, o custo para os pacientes, em termos de co-pagamentos e dedutíveis, será igual ao de um tratamento num hospital comunitário. Nisso, e em muitos outros aspectos, as informações, as formulações de preço e as práticas de pagamento funcionam contra o valor na assistência à saúde, como discutiremos mais adiante.

Os desafios de escolher e alocar eficientemente os serviços são substanciais, mesmo entre instituições afiliadas numa rede totalmente proprietária. Aqui, cada instituição tende a querer manter a sua autonomia e preservar uma linha completa de serviços, mesmo que os serviços sejam duplicados ou ineficientemente distribuídos. As instituições solicitadas a abrir mão de serviços complexos ficam com o seu ego machucado. A abordagem de centros de excelência, ao ser adotada por alguns prestadores com múltiplas unidades, normalmente enfrenta este tipo de resistência. Para fazer com que os centros de excelência funcionem, são também necessárias mudanças estruturais na organização das práticas, na gestão e nos processos da prestação dos serviços, como discutiremos adiante.

O problema da divisão ineficiente do trabalho é ainda maior entre organizações prestadoras independentes. O caso do Beth Israel Deaconess revela os desafios e as oportunidades. Quando o BIDMC procurou migrar alguns serviços para hospitais comunitários e conseguir encaminhamentos para casos mais complexos, alguns médicos ficaram com receio de perder o controle do atendimento ao paciente para outra instituição e deixar decisões importantes a cargo de outros médicos. Ao mesmo tempo, os hospitais comunitários independentes ficaram com receio de que o BIDMC tentasse capturar os pacientes encaminhados. Para superar esses obstáculos no atendimento cardíaco, o BIDMC estabeleceu um relacionamento formal com o Milton Hospital, um hospital comunitário oito quilômetros ao sul das dependências do BIDMC no centro de Boston. Os dois hospitais começaram a se apresentar ao mercado juntos no atendimento cardíaco, encorajando os pacientes das comunidades ao sul de Boston a se dirigirem ao Milton. O BIDMC e o Milton concordaram num protocolo comum para avaliar pacientes com sintomas de cardiopatia. Os médicos do Milton executam o diagnóstico preliminar. Os pacientes que apresentarem condições sérias são transportados para o centro de Boston numa ambulância dedicada, enquanto outros são tratados com mais eficácia de custo no Milton. Para esta iniciativa ter êxito, os médicos do BIDMC tiveram que assegurar ao mercado que o Milton se equiparava ao seu alto padrão de qualidade, enquanto os médicos do Milton tiveram que acreditar que os médicos do BIDMC corresponderiam à sua confiança envolvendo-os na continuação do atendimento, e que não roubariam seus pacientes. Este caso ilustra como uma boa coordenação do ciclo de atendimento pode ocorrer entre organizações separadas, um tópico que discutiremos adiante.

A Cleveland Clinic procurou abordar algumas dessas mesmas questões sem afiliações formais com outras organizações prestadoras. A Cleveland Clinic tem a política de tentar devolver os pacientes aos médicos que os encaminham e de manter este médico bem informado. O médico que fez o encaminhamento recebe de imediato um telefonema, fax e uma carta com as descobertas e o resultado da cirurgia e, também por esses três meios, quando da alta do paciente, ele recebe uma notificação com o resumo dos prontuários hospitalares. A Cleveland Clinic também contata os pacientes após a alta, para lembrar-lhes de marcar uma consulta com o médico que fez o encaminhamento. Recentemente, a Cleveland Clinic começou a utilizar a tecnologia da informação para aprofundar a coordenação e a integração ao longo de todo o ciclo de atendimento. Também fornece aos médicos que fazem os encaminhamentos acesso em tempo real ao histórico completo dos pacientes, de modo que esses médicos tenham acesso aos resultados de todos os exames e solicitações e possam acompanhar o atendimento prestado.[11]

Separação de prestadores e planos de saúde. Os prestadores de serviços de saúde se deparam com uma importante questão de escopo estratégico ao decidirem se irão se fundir a um plano de saúde em uma organização verticalmente integrada. No início dos anos 90, inúmeros prestadores também operavam HMOs, embora esse número tenha caído à medida que foram se desiludindo com a fusão. A Kaiser Permanente vem sendo há muito tempo citada como um modelo na operação de um sistema totalmente fechado envolvendo uma HMO, hospitais próprios e médicos assalariados. Outros grupos verticalmente integrados, inclusive o Sentara Healthcare (Virgínia) e o Intermountain Health Care (Utah e Idaho), são amplamente reconhecidos como prestadores destacados. Um número de especialistas em políticas de assistência à saúde acredita que esses sistemas com amplas linhas de serviços e verticalmente integrados são a melhor maneira de organizar a assistência à saúde.[12]

Existem benefícios na fusão de plano de saúde com prestadores, especialmente quando a competição de soma zero é a regra. A integração vertical ameniza o relacionamento adverso entre plano de saúde e prestadores e permite que os incentivos sejam mais alinhados. Por exemplo, organizações integradas podem incorporar compartilhamento de ganhos no sistema de remuneração para motivar melhorias dos processos dos prestadores. A integração vertical também pode facilitar a capacidade de o plano de saúde trocar informações e coordenar entre as entidades prestadoras. A integração vertical pode simplificar as transações de faturamento e promover economias administrativas. Finalmente, o modelo verticalmente integrado permite rigidez no controle orçamentário da rede de prestadores, de modo que a quantidade de serviços fornecida e os custos possam ser gerenciados. Esse controle orçamentário, por sua vez, pode amenizar a demanda gerada pela oferta.

Embora esses benefícios sejam reais no sistema falho de hoje em dia, somos céticos a respeito do modelo de sistema integrado como o único modelo ou o modelo dominante na prestação dos serviços de saúde. A estrutura que ameniza certos aspectos disfuncionais do atual sistema de soma zero não é necessariamente a única estrutura para um novo sistema baseado em valor. Existem dois principais e fundamentais problemas com o modelo verticalmente integrado. Primeiro, a rede que funde plano de saúde e prestadores elimina ou reprime a competição entre prestadores onde ela é mais importante – na abordagem das diferentes condições de saúde. Um inerente conflito de interesses emerge quando os pacientes são tratados apenas (ou primordialmente) por prestadores de um grupo integrado, que estão desta forma isolados da competição. É improvável que um sistema verticalmente integrado contenha os prestadores de maior valor em cada uma das diferentes áreas de serviço, ou que melhorem mais rapidamente que os demais. Além disso, sem uma competição externa, a mensuração e comunicação dos resultados em nível de condições de saúde permanece discricionária. Se o modelo integrado se tornar predominante, o sistema se consolidará em um pequeno número de sistemas integrados, de forma que a competição em resultados em nível de plano de saúde será suprimida. A competição entre prestadores em torno de condições específicas será eliminada.

O segundo problema com o modelo verticalmente integrado diz respeito aos incentivos. A combinação de seguro com prestação de serviços, em essência, recria um sistema de capitação global. O modelo de capitação global cria fortes incentivos para reduzir custos e limitar serviços, porque o sistema de assistência à saúde recebe uma quantia fixa por segurado. Entretanto, uma vez que o plano de saúde controle a organização do prestador, perde-se o equilíbrio advindo das verificações e controles entre planos de saúde e prestadores separados. Portanto, os pacientes têm que confiar que o plano de saúde os colocará em primeiro lugar, as expensas de receitas e margens de curto prazo.

A separação dos planos de saúde e prestadores, ao contrário, aproveita o poder da competição para promover valor ao paciente. Planos de saúde independentes serão motivados a comparar prestadores e ajudar os pacientes a obter atendimento excelente. Os prestadores, sem nenhuma garantia de pacientes e encaminhamentos, serão motivados a demonstrar excelência e melhorar o valor.

À medida que a competição mudar em direção ao valor, os incentivos e benefícios administrativos desfrutados hoje pelos sistemas integrados se dissiparão. Planos de saúde e prestadores independentes aprenderão a simplificar a administração, compartilhar as informações e contratar com base no compartilhamento de ganhos. Com efeito, a competição será capaz de fomentar o progresso numa velocidade muito maior do que a possivelmente alcançada por grandes sistemas monolíticos com posições regionais dominantes.

Finalmente, gerenciar um prestador é um negócio fundamentalmente diferente de administrar um plano de saúde. Ambos têm papéis importantes e singulares que são desempenhados melhor quando independentes. Tanto os planos de saúde quanto os prestadores se beneficiarão de uma total dedicação a seus papéis, livres de quaisquer conflitos de interesses.

Sistemas integrados, portanto, parecem atraentes em vista das falhas do atual sistema, mas são a segunda melhor solução. Eles são atraentes aos que acreditam que o controle de cima para baixo e a supervisão dos prestadores sejam a única esperança, inclusive a alguns dos maiores defensores da assistência gerenciada. Eles são atraentes àqueles que vêem a atual competição de soma zero como inevitável, mas não àqueles que vislumbram um mundo de competição baseada em valor focada em resultados.

Sistemas verticalmente integrados podem ter um lugar num sistema dirigido pelo valor, mas têm que conquistar esse lugar. Sistemas integrados devem ter que competir em resultados em nível de condição de saúde com prestadores não integrados. Além disso, as organizações de prestadores em sistemas verticais têm que estar sujeitas à mensuração e emissão de relatórios de resultados em nível de condição de saúde. Sem transparência sobre os resultados, os segurados em um sistema fechado não terão garantia de que o atendimento que recebem seja excelente. A fatia de mercado servida por sistemas verticalmente integrados deveria ser determinada pelos resultados alcançados, não por decisões políticas de cima para baixo.

Organizar-se em torno de unidades de prática medicamente integradas

A estrutura organizacional típica dos prestadores de serviços de saúde é o que, na terminologia gerencial, se chama de estrutura funcional. O corpo funcional de um hospital, por exemplo, é organizado em departamentos que refletem as especialidades médicas (por exemplo, radiologia, cirurgia, medicina interna, cardiologia, anestesiologia) e em funções compartilhadas (por exemplo, salas de cirurgia, imagem, serviços laboratoriais, unidades de tratamento intensivo, quartos e enfermarias). Os praticantes individuais, extraídos desses departamentos funcionais, se reúnem em grupos temporários para tratar casos individuais, usando facilidades compartilhadas. Os médicos, às vezes, participam desses grupos temporários em diversos hospitais. Num grupo de Boston, por exemplo, alguns anestesistas lidam com casos em cinco ou mais hospitais envolvendo diferentes tipos de cirurgias.

A estrutura funcional é dirigida pela oferta; ela se organiza em torno de tipos de habilidades e instalações. É dessa forma que os negócios no resto da economia eram organizados muitas décadas atrás. Fora do sistema de saúde, a estrutura funcional já foi há muito tempo substituída por uma outra muitíssimo mais eficaz, em torno de produtos e linhas de serviços, comumente conhecida como estrutura de unidades de negócios.

Estruturas de unidades de negócios ou de linhas de serviços organizam-se em torno do cliente – o lado da demanda. Sob um gerente geral com responsabilidade total, elas reúnem todas as habilidades e instalações para atender às necessidades gerais do cliente e permitir a integração da prestação de serviço. Nas estruturas de unidades de negócios, os praticantes individuais às vezes mantêm uma afiliação com colegas de formação similar por meio de estruturas informais ou duais de prestação de contas. Em um modelo menos formal, indivíduos com uma habilidade particular (por exemplo, *marketing*) se reportam a uma unidade de negócio, mas também fazem parte de um conselho de *marketing* que cria um fórum para compartilhar conhecimentos de *marketing*. Em um sistema dual de prestação de contas, geralmente conhecido como estrutura matricial, os indivíduos se reportam a ambos, ao chefe da unidade de negócio e a um membro sênior da sua função (por exemplo, o principal executivo de *marketing*). No entanto, numa verdadeira estrutura de unidades de negócios, o principal relacionamento de subordinação é com a unidade de negócio.

No sistema de saúde, a estrutura funcional tradicional tem que mudar radicalmente para uma estrutura que integre medicamento e atendimento a pacientes portadores de condições de saúde particulares. Chamamos esta estrutura de estrutura de *unidades de prática integradas*.[13] As unidades de prática integradas são definidas em torno de condições de saúde, e *não* de serviços, tratamentos ou exames particulares. Uma unidade de prática integrada inclui a gama completa de especialidades, habilidades técnicas e instalações especializadas necessárias para abordar uma condição de saúde ou um conjunto de condições de saúde relacionadas ao longo do ciclo de atendimento. O ideal é que os indivíduos e instalações envolvidos numa unidade de prática sejam *dedicados* – isto é, sejam focados unicamente naquela unidade de prática. A unidade organizacional fundamental na prestação dos serviços de saúde deveria ser a unidade de prática integrada (UPI). É o atendimento total de uma condição de saúde que cria o valor para o paciente – e não o departamento de radiologia, o grupo de anestesiologia ou o grupo de cardiologia.

A maioria dos prestadores irá operar múltiplas UPIs. Não defendemos a organização por especializações em si mesma, como já discutimos, mas uma nova abordagem de organização e gerenciamento das áreas em que um prestador opera. No entanto, se um prestador não sustentar uma unidade de prática medicamente integrada numa linha de serviços, é preciso questionar se ele deveria estar praticando medicina naquela linha.

Alguns especialistas argumentaram que o conceito de unidades de prática tenderá a fragmentar a prestação dos serviços de saúde em torno de especialidades restritas. Discordamos veementemente. A prestação dos serviços de saúde é extremamente fragmentada hoje, mas *não* de uma forma que crie valor para os pacientes. Muitos prestadores e médicos independentes são generalistas e agentes livres, tratando um pouco de tudo no seu campo. Grande parte da prestação de serviços de saúde não é medicamente integrada, no sentido de ter grupos de indivíduos qualificados trabalhando constantemente juntos ao longo do tempo e de um modo focado para atingir a verdadeira excelência. Muitos prestadores, mas muitos, mesmo, oferecem serviços nos quais carecem de volume e experiência para alcançar eficiência e resultados médicos superiores.[14]

A prestação dos serviços de saúde, hoje, é também altamente fragmentada ao longo do ciclo de atendimento. Os indivíduos e entidades envolvidos em diferentes aspectos do atendimento são organizados separadamente e trabalham quase que independentemente. Há pouca continuidade e integração ao longo do tempo no atendimento tanto de condições agudas quanto crônicas. O conceito de unidades de prática é muito mais medicamente integrado, portanto, do que a maior parte da prestação dos serviços de saúde existente.

Um número cada vez maior de prestadores está mudando para o modelo de UPIs através de institutos, clínicas, centros e outras estruturas mais integradas. A Cleveland Clinic e o M. D. Anderson Cancer Center e o New England Baptist Hospital são exemplos que discutiremos mais adiante. No entanto, até os melhores centros ainda estão por implementar o modelo de UPIs por completo.

Princípios da estrutura de unidades de prática. O modelo de unidades de prática baseia-se em uma série de princípios básicos. Discutimos os princípios nesta seção e, na próxima seção, fornecemos exemplos de como certos hospitais e práticas de médicos estão de fato usando o conceito de UPIs.

As UPIs são centradas nos pacientes e dirigidas por resultados. Os indivíduos em uma unidade de prática trabalham juntos, como um grupo e continuamente, para alcançar excelência na prestação dos serviços de saúde através de aprendizagem, melhorias e inovações contínuas. Médicos e grupos de médicos, mesmo que independentes, compreendem o seu papel como parte da UPI localizada no hospital, e são estreitamente integrados a ela.

O modelo de UPIs incorpora o crescente reconhecimento da importância das abordagens multidisciplinares ao diagnóstico, ao tratamento e ao gerenciamento da doença.[15] No entanto, o foco das UPIs não recai sobre as disciplinas em si, mas na melhor maneira de prestar o atendimento. Parece haver uma tendência para a "fusão" de certas especialidades tradicionais à medida que a prática médica avança. Por exemplo, cardiologistas, cirurgiões vasculares e radiologistas estão agora reparando artérias partindo do seu interior com o uso de cateteres e dispositivos como *stents*. Numa unidade de prática, as melhores abordagens de todos os campos são reunidas para alcançar os melhores resultados para o paciente.

UPIs para uma mesma condição deveriam incluir (ou ter acesso às) as capacidades necessárias para abordar as co-ocorrências prevalecentes. Alguns prestadores poderão preferir definir suas unidades de prática somente em torno de grupos de pacientes com co-ocorrências. As UPIs podem também englobar condições de saúde estreitamente relacionadas, que envolvam habilidades, instalações e abordagens similares.

As UPIs devem englobar todo o ciclo de atendimento ao paciente. A Figura 5-3, por exemplo, ilustra a ampla gama de estágios envolvidos no atendimento a transplante de órgãos, um exemplo que discutiremos no Capítulo 6. (Apresentamos uma estrutura referencial para delinear o ciclo de atendimento em mais detalhes neste capítulo.)

No modelo de UPIs, um paciente pode ter um médico líder, mas o atendimento é prestado por uma equipe. No atual sistema, os pacientes "pertencem" a um único médico para cada aspecto do atendimento. No modelo de unidade de prática, o paciente pertence à UPI, que gerencia as informações, integra as decisões e assegura a continuidade dos repasses. As unidades de prática, portanto, são centradas no paciente, não nos procedimentos ou no médico. As UPIs também têm que aceitar responsabilidade por todo o ciclo de atendimento, e prestar conta dele, *mesmo que outras entidades estejam envolvidas*. Por exemplo, os médicos que fazem os encaminhamentos, os especialistas em reabilitação e os prestadores independentes responsáveis pelo gerenciamento da doença são integrados no processo de prestação dos serviços de saúde.

A Sentara, um grupo de Norfolk, no estado da Virgínia, que inclui hospitais, médicos assalariados e médicos afiliados, ilustra os benefícios da mudança para a perspectiva de ciclo de atendimento, mesmo sem unidades de prática formais. Na prestação dos serviços de saúde para falência cardíaca congestiva, a Sentara descobriu que os pacientes melhoravam no hospital, mas apresentavam problemas depois da alta e precisavam ser novamente hospitalizados. A Sentara concebeu, então, um programa de visitas domiciliares e consultas à distância usando uma tecnologia de monitoração fácil de ser usada, a fim de manter a interação com os pacientes após a alta. Os enfermeiros eram capazes de identificar a exacerbação dos sintomas a tempo de alertar o médico de assistência primária e evitar a vinda do paciente ao atendimento de emergência. Nos casos em que os sintomas não podiam ser controlados usando o plano de tratamento existente, os enfermeiros recomendavam a reinternação. No todo, o programa diminuiu as reinternações em 72% e as vindas ao atendimento de emergência em 77%. Além de conseguir melhores resultados para os pacientes e uma enorme economia de custos, os participantes relataram melhorias na sua capacidade de se alimentar e dormir e um alívio não se sentirem mais um fardo para suas famílias.[16] Com a mudança para o modelo de UPIs e o novo modelo de pagamento com faturas consolidadas por episódio de atendimento (discutido adiante neste capítulo), exemplos como este irão proliferar.

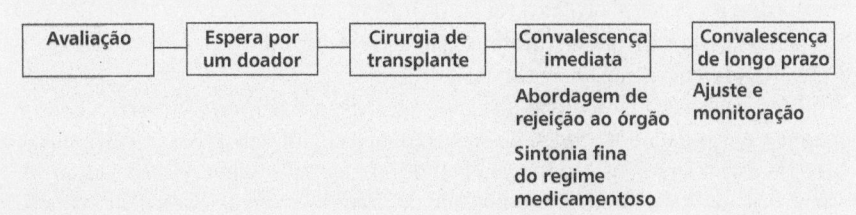

Avaliação	Espera por um doador	Cirurgia de transplante	Convalescença imediata	Convalescença de longo prazo
			Abordagem de rejeição ao órgão	Ajuste e monitoração
			Sintonia fina do regime medicamentoso	

FIGURA 5-3 O ciclo de atendimento em transplantes de órgãos.

No modelo de UPIs, muitos, se não a maioria, dos profissionais são dedicados – trabalham exclusivamente numa condição de saúde. Os profissionais da equipe, inclusive enfermeiros e técnicos especializados, são co-alocados em instalações dedicadas: clínicas dedicadas, instalações de imagem dedicadas, instalações de operações e recuperação dedicadas, quartos/enfermarias dedicadas, andares dedicados, e até prédios inteiros dedicados. Isso permite e estimula uma melhor integração médica, aprofundamento do domínio técnico e customização das instalações à condição de saúde. Na Sentara, por exemplo, os pacientes com derrame, que antes eram acomodados em locais variados, foram concentrados numa única ala de quartos/enfermarias. O atendimento por equipes dedicadas e com domínio técnico especializado praticamente eliminou a pneumonia, uma complicação comum no caso de derrame, e encurtou significativamente os períodos de internação. Esta capacidade de sustentar instalações dedicadas e customizadas traz ainda o benefício de agregar um nível mínimo de volume, por manter um foco estratégico numa área de serviço, seja num único local ou entre os locais envolvidos.

Em última análise, o modelo de UPIs se presta ao conceito de hospitais dentro de hospitais e de práticas dentro de práticas, e não ao conceito de entidades monolíticas estruturadas funcionalmente. As unidades de prática são projetadas em torno da integração do atendimento, abandonando a idéia de uma coleção de especialidades distintas.

Na estrutura de unidades de prática, há significantes benefícios em organizar o diagnóstico como uma função distinta, em vez de combinado ao tratamento.[17] O diagnóstico envolve o seu próprio conjunto de atividades distintas, como análise do histórico médico, exames, avaliações e definição do plano de tratamento. Mobilizar uma série de disciplinas e especialidades para examinar um caso como um todo pode melhorar a qualidade e a eficiência do diagnóstico e o tratamento recomendado, em comparação a enviar o paciente a uma seqüência de especialistas que terão a tendência natural de diagnosticar o que conhecem. Além disso, os melhores profissionais em diagnóstico podem diferir dos mais preparados para realizar as intervenções. Por fim, a separação do diagnóstico permite alinhar melhor os incentivos. É natural que esses profissionais, pagos basicamente pelo tratamento, recomendem tratamentos, e especialmente os que eles próprios estejam aptos a fornecer.

O diagnóstico em si pode ser caro, e a qualidade do diagnóstico tem um grande impacto na qualidade e no custo do atendimento subseqüente. Um diagnóstico correto e na hora oportuna geralmente implica mais chances de plena recuperação, ao passo que um diagnóstico incorreto ou indefinido implica custos adicionais com diagnóstico e pode levar a um tratamento ineficaz ou contra-indicado. A precisão e o custo do diagnóstico, e não apenas do tratamento, precisam ser mensurados e comparados.

Assim, organizar o diagnóstico como uma subunidade distinta no âmbito da unidade de prática integrada pode melhorar o valor, por possibilitar o compartilhamento de consulta e conhecimento, focando a atenção na melhoria dos métodos e encorajando a mensuração de resultados. Para alguns prestadores, o diagnóstico (inclusive um segundo parecer) é um negócio por si mesmo, e uma ferramenta que atrai pacientes. A Mayo Clinic, por exemplo, tem dedicado atenção a diagnóstico como um serviço distinto do tratamento. Os pacientes, ao chegarem, são designados a um médico que coordena o diagnóstico, desde a entrevista inicial sobre os sintomas até a formulação personalizada de uma bateria de exames e a montagem de uma equipe com múltiplos médicos especialistas. A equipe fornece uma explanação detalhada do diagnóstico e das possíveis terapias, e assiste o paciente na escolha do curso de tratamento. É claro que o diagnóstico pode ser interativo e, portanto, é preciso haver vínculos estreitos entre os profissionais da área e aqueles envolvidos no tratamento e outros atendimentos.

A Cleveland Clinic foi mais além no foco sobre o diagnóstico. Ela oferece, em âmbito nacional e a um preço fixo, um serviço de segundo parecer a 300 diagnósticos que ameacem ou alterem a vida do paciente. Isso se faz possível devido a uma extensa infra-estrutura em tecnologia da informação. Dessa forma, cada unidade de prática dispõe de um veículo para fornecer os seus serviços de diagnóstico em âmbito nacional. Para introduzir esse serviço, a Cleveland Clinic teve que superar certos desafios, como o licenciamento dos médicos em nível estadual. No entanto, os resultados para os pacientes em termos de número de diagnósticos e planos de tratamento melhores são encorajadores.

Da mesma forma que os diagnósticos podem ser melhorados com foco de atenção, também o podem funções de mais longo prazo, como prevenção, gerenciamento de risco e gerenciamento de doenças. Unidades encarregadas de tratamentos agudos podem não estar equipadas para implementar e administrar tais funções. A Sentara, por exemplo, ilustra os benefícios de ter um programa explícito e uma equipe dedicada a esses papéis de longo prazo, em vez de esperar que os profissionais do hospital designados a tratamento agudo assumam esses papéis junto com as suas outras responsabilidades. Contudo, unidades focadas em diagnóstico ou no gerenciamento de pacientes a longo prazo têm que ser contidas e integradas numa unidade de prática com total responsabilidade e prestação de contas pelo ciclo de atendimento.

Finalmente, o modelo de unidade de prática integrada pode ser aplicado à assistência primária. A assistência primária pode ser vista como um conjunto de unidades de prática, cuja extensão depende da população de pacientes a ser atendida. Uma UPI é o que se poderia chamar de manutenção geral da saúde. Isso engloba monitoração dos pacientes, atendimento preventivo geral e diagnóstico e tratamento de doenças e lesões rotineiras. Outras unidades de prática envolvem condições mais complexas, como atendimento à asma, atendimento cardíaco e à doença renal crônica. Aqui, o prestador de assistência primária faz parte de ciclos de atendimento maiores. Nessas condições mais complexas, os médicos de assistência primária e respectivas equipes atuam na extremidade inicial (por exemplo, monitoração inicial, diagnóstico preliminar e atendimento preventivo) ou na extremidade final (gerenciamento de doença) do ciclo de atendimento, ou em ambas.

Nas práticas de assistência primária, reconhecer e distinguir essas unidades de prática, e organizar-se em torno delas, renderá dividendos em termos de valor ao paciente. Para manutenção geral da saúde, a prática de assistência primária se encarrega de todo o ciclo de atendimento. Para atendimentos mais complexos, a prática da assistência primária deveria estabelecer relacionamentos estreitos e coordenação eficiente com outros prestadores, para cada condição de saúde. As práticas de assistência primária, como todos prestadores, têm também que mensurar resultados e prestar conta por eles. Os resultados de manutenção geral da saúde e os resultados do gerenciamento de cada condição de saúde complexa devem ser mensurados separadamente.

Algumas práticas de assistência primária podem preferir se concentrar em certas condições complexas, e encaminhar pacientes portadores de outras condições a práticas que tenham profundo domínio da área respectiva. Existem práticas de assistência primária, por exemplo, que se concentram em pacientes idosos ou mulheres na pós-menopausa, entre outras populações de pacientes.

A mudança para unidades de prática integradas (UPIs). Muitos prestadores já estão dando passos em direção a unidades de prática dedicadas, embora o processo esteja apenas começando. Um passo inicial fundamental no conceito de unidade de prática é alocar médicos e outros profissionais preparados para trabalharem juntos numa equipe medicamente integrada, em vez de como praticantes separados. A Intermountain Health Care (IHC), sediada em Utah, começou a instituir verdadeiras precursoras de UPIs nos anos 90. Depois de identificar dez áreas de doenças (incluindo condições que respondiam por 90% dos seus custos), o foco inicial da IHC foi em esforços de redução de custos em cada área. Ao se deparar com um nível de êxito limitado, a IHC resolveu, em 1995, mudar explicitamente o seu modelo, de gerenciamento de custo para gerenciamento da prestação dos serviços de saúde.[18] Ao fazê-lo, ela identificou e reforçou os agrupamentos naturais de médicos envolvidos no tratamento de cada doença ou condição. Desde então, a IHC fez grande progresso em qualidade e custos. Entre 1999 e 2002, por exemplo, as taxas de mortalidade de cirurgia cardiovascular na IHC tinham sido 19,5% abaixo das previstas diante da intensidade de combinações de casos.[19] Isto ilustra os benefícios da simples reunião de médicos em torno de uma condição de saúde.

O Boston Spine Group, localizado no New England Baptist Hospital, um hospital cujas práticas, em sua vasta maioria, são de ortopedia, ilustra como médicos dedicados a uma mesma condição de saúde podem começar a trabalhar juntos e a iniciar a evolução para uma verdadeira UPI. No New England Baptist, como em muitos hospitais, todos os médicos são independentes, livres agentes em práticas privadas. Em 1997, quatro cirurgiões de coluna vertebral decidiram se reunir num grupo focado a fornecer o melhor atendimento a desordens da coluna vertebral com base em mensuração de resultados. A mensuração é particularmente importante no campo de coluna vertebral, por existir um certo ceticismo sobre os benefícios de alguns tipos de cirurgia na coluna.[20] Em 2004, o grupo estava executando anualmente cerca de 200 cirurgias relacionadas à coluna.

O Boston Spine Group foi formado como uma corporação, com cada cirurgião contribuindo com capital para estabelecer uma estrutura comum de apoio administrativo. Embora isso seja comum entre grupos de médicos, o que torna este grupo mais interessante é que os cirurgiões estão investindo na coleta e no uso compartilhado de informações detalhadas sobre a condição inicial de cada paciente, os tratamentos prestados e os resultados alcançados (como a funcionalidade e uma série de movimentos antes e após a operação), tudo isso usando uma estrutura comum. O grupo investe tempo e extensas reuniões internas para compreender as tendências de resultados, explorar problemas e melhorar os métodos e tecnologias de tratamento. Uma variedade de estudos publicados e dispositivos médicos especializados emergiu desse grupo. Esse caso ilustra um aspecto central do modelo de unidades de prática integradas: o trabalho integral como um grupo para atingir melhorias sistemáticas na prestação dos serviços de saúde e no valor ao paciente.

Como muitas práticas localizadas em hospitais, o Boston Spine Group é um grupo de médicos independentes que não fazem parte do quadro funcional formal do hospital. O Boston Spine Group tem um contrato com o hospital para uso da infra-estrutura e de muitos serviços. Contudo, o grupo tem trabalhado estreitamente com o hospital e com outros grupos de médicos para construir, de fato, uma equipe dedicada de enfermeiros, anestesistas, radiologistas e técnicos que se concentram em tratamento da coluna vertebral. Pacientes com desordens na coluna são acomodados num mesmo andar, onde os enfermeiros são todos especializados nessa condição de saúde. O grupo tem investido em instalações ainda mais customizadas, reunidas fisicamente e dedicadas a essa condição de saúde, dentro do hospital.

O Boston Spine Group se apresenta aos planos de saúde como uma unidade de prática, usando a sua crescente base de evidência clínica. Ele tem alcançado significantes melhorias em resultados clínicos, e a sua participação de mercado na região aumentou de 8,6% no ano fiscal de 1998 para 11,1% no ano fiscal de 2002, e continua a crescer. O Boston Spine Group, portanto, está no caminho certo para funcionar como uma unidade de prática. Isso ilustra o caso de uma unidade de prática emergindo espontaneamente com base na visão de médicos parceiros e o apoio do hospital. À medida que o grupo e o hospital continuarem a desenvolver as estruturas e formas de funcionamento, crescerá o potencial para fortalecer a unidade de prática, melhorar a integração do atendimento, acelerar as melhorias de processos e aperfeiçoar as instalações.

O Texas Back Institute, fundado em 1978 com o objetivo de ser para as desordens de coluna vertebral o que o Texas Heart Institute é para doenças cardíacas, ilustra uma unidade de prática mais bem estabelecida e medicamente integrada no mesmo campo que o Boston Spine Group. A equipe do instituto é integrada entre especialidades médicas e inclui terapeutas ocupacionais, fisioterapeutas e instrutores de exercícios físicos. O Texas Back Institute funciona a partir de uma instalação dedicada no Plano Presbyterian Hospital, em parceria com nove clínicas autônomas, com um foco firme no ciclo de atendimento, em vez de em intervenções. Somente 10% dos pacientes do Texas Back Institute são submetidos a cirurgia. Os pacientes que não passam por cirurgia têm um fantástico tempo de recuperação.[21]

A Cleveland Clinic ilustra uma unidade de prática integrada mais desenvolvida em atendimento cardíaco. O Heart Center da Cleveland Clinic situa-se num prédio de vários andares no campus principal do hospital. Todos os especialistas (cardiologistas, cirurgiões cardíacos e anestesistas, entre outros) são co-alocados e têm seus escritórios/consultórios no Heart Center. Todos os enfermeiros e demais integrantes da equipe são integralmente dedicados ao atendimento de doenças cardíacas. As salas de cirurgia e as de outros procedimentos são especialmente projetadas e dedicadas ao atendimento de doenças cardíacas. As UTIs servem apenas a pacientes cardíacos, assim como os leitos regulares do hospital. Os pacientes nas UTIs são agrupados por condição cardíaca específica. Embora os médicos ainda se reportem ao grupo de sua especialidade na forma tradicional, a co-localização de médicos integralmente dedicados já é um passo importante em direção à verdadeira integração da prática. O Heart Center em breve se tornará o Cardiovascular Institute, incorporando especialistas em atendimento vascular à unidade de prática, que passará então a funcionar numa instalação dedicada maior, atualmente em construção. Além de uma unidade de prática integrada em atendimento cardiovascular, a Cleveland Clinic tem uma unidade similar para desordens oculares, o Cole Eye Institute. A Cleveland Clinic está caminhando para o modelo de unidades de prática integradas (através do que ela denomina *institutes*) em todos os principais campos.

O M. D. Anderson Cancer Center é outro exemplo do modelo de unidades de prática integradas em estágio avançado. Durante a última década, o M. D. Anderson estabeleceu mais de 12 clínicas que integram atendimento a tipos específicos de câncer. Cada clínica reúne oncologistas, cirurgiões, radiologistas, patologistas, radioterapeutas e outros especialistas medicamente dedicados em um espaço clínico comum, onde os pacientes podem ser atendidos por vários especialistas na mesma consulta. A clínica dispõe de instalações de imagem num mesmo local e de instalações de quimioterapia num andar próximo. As instalações de internação são também especializadas por tipo de câncer, assim como grande parte das equipes de atendimento hospitalar.

Os especialistas que cuidam de um doente atuam em equipe, sendo um dos médicos designado como capitão de equipe. O capitão e um enfermeiro de prática avançada acompanham o paciente através do diagnóstico, tratamento e recuperação, assim como nos exames de acompanhamento de progresso. O capitão de equipe pode mudar no decorrer do atendimento, e tanto o médico como o paciente tem poder de veto na relação.

Cada clínica é gerenciada por um médico-chefe* e um diretor administrativo de centro (geralmente um enfermeiro sênior). Quando praticando na clínica, todos os médicos estão sob a supervisão do chefe da clínica. Este conduz reuniões regulares sobre melhorias na prática, utilizando várias medidas de resultados e métricas de processos. No entanto, como no caso da Cleveland Clinic, cada médico mantém a sua afiliação com o departamento tradicional correspondente à sua especialidade. O departamento é responsável pelo recrutamento e mentoração.

Nesses exemplos mais avançados de unidade de prática integrada, os médicos especialistas e demais profissionais especializados (incluindo enfermeiros e técnicos) importantes são integralmente dedicados à unidade de prática. Um dos maiores benefícios decorrentes de volume e experiência numa unidade de prática é simplesmente a capacidade de sustentar uma equipe dedicada.

As estruturas de subordinação pelas quais os médicos permanecem nos grupos tradicionais por especialidade ou em que existe subordinação dupla, com prestação de contas tanto ao chefe da unidade quanto ao departamento da especialidade, permanecem a norma. Com o tempo, no entanto, acreditamos que a principal relação de subordinação/prestação de contas dos médicos, para fins operacionais, deverá ser com a UPI, e não com a especialidade médica.

Como discutiremos em mais detalhes, o modelo tradicional de contratação de médicos, pelo qual os médicos são livres agentes independentes, complica o processo de mudança para estruturas de unidades de prática integradas. Mesmo na Cleveland Clinic, onde todos os médicos são assalariados, cardiologistas e cirurgiões cardíacos continuam sendo afiliados aos seus departamentos. Porém, com o passar do tempo, prestadores que têm médicos como seus funcionários efetivos deverão ser capazes de mudar mais rapidamente para o gerenciamento verdadeiramente integrado.[22]

---

* N. de R.: No original, *physician head*.

As UPIs precisam aceitar a responsabilidade pelo ciclo de atendimento completo, mesmo que não o controlem diretamente. Já discutimos como a Cleveland Clinic e o M. D. Anderson são proativos no gerenciamento da continuidade do atendimento no hospital e junto aos médicos que encaminham os pacientes. No New England Baptist Hospital, gerentes de atendimento especializados em cada condição de saúde orientam os pacientes ao longo do ciclo de atendimento após o diagnóstico. Antes da internação para cirurgia, os pacientes são instruídos em sala de aula. O gerente de atendimento orienta o paciente durante a sua estada no hospital e supervisiona o desenvolvimento de um plano de alta escrito em detalhes. Esse plano, o qual é aprovado por todos os médicos envolvidos, documenta os passos subseqüentes a serem tomados pelo pacientes e outras pessoas e o que fazer em caso de dificuldade. Os prestadores ainda estão aprendendo como integrar melhor o atendimento ao longo do ciclo e gerenciar o relacionamento do paciente tanto dentro como fora das dependências do hospital ou do consultório médico.

A organização em unidades de prática, a localização conjunta das equipes em instalações dedicadas e o uso de gerentes de atendimento são meios para atingir um fim, e não um fim em si próprios. A meta central é prestar serviços de saúde de uma maneira diferente, que seja centrada no valor para o paciente. A menos que a equipe envolvida abrace a meta do valor ao paciente, o agrupamento dos seus membros em uma unidade de prática terá pouco impacto. De forma similar, a menos que se aceite o princípio de atendimento integrado, as instalações dedicadas trarão poucos benefícios.

A ThedaCare, atenta a essas questões, preferiu começar o processo de mudança para unidades de prática com *workshops* de uma semana sobre melhoria de processos baseada em equipe. Esses *workshops* têm por objetivo encorajar o pessoal das linhas de serviços a repensar e reestruturar a prestação dos serviços de saúde da perspectiva de valor ao paciente. Com o tempo, a gerência da ThedaCare espera que este novo foco crie as condições necessárias para o êxito de unidades de prática medicamente integradas. A ThedaCare tem resistido à alocação de grupos de médicos a uma instalação dedicada, a não ser que estes estejam obviamente comprometidos com práticas centradas no paciente, sejam orientados a resultados e dedicados a melhorias de processos.

Além dos exemplos que discutimos, há um número crescente de prestadores mudando para o modelo de UPIs. Por exemplo, outros centros de tratamento de câncer, como o Dana Farber, têm dado passos em direção a UPIs focadas por tipo de câncer. O Dartmouth-Hitchcock Medical Center desenvolveu um Centro de Coluna Vertebral integrado. O Brigham and Women's Hospital recentemente anunciou um novo Centro Cardiovascular, que terá um prédio dedicado. Não importa se esses agrupamentos são chamados de institutos, clínicas, centros ou outro nome, contanto que os princípios essenciais sejam os mesmos. Mas chamar um grupo de centro ou de instituto não faz dele uma unidade de prática integrada. O teste decisivo é se o atendimento é centrado no paciente para uma dada condição médica e dedicado e integrado ao longo do ciclo de atendimento.

Criar uma estratégia distinta em cada unidade de prática

Organizar-se em torno de unidades de prática medicamente integradas possibilitará grandes melhorias no valor ao paciente. O valor ao paciente se beneficiará ainda mais se os prestadores encontrarem formas de estabelecer diferentes áreas de excelência *dentro* de cada unidade de prática. Existem inúmeras maneiras pelas quais um prestador pode se distinguir numa unidade de prática: concentrando-se em diagnósticos complexos; servindo a grupos específicos de pacientes, como mulheres ou idosos, com condições co-ocorrentes; oferecendo extraordinária tempestividade ou eficiência; demonstrando excelência no gerenciamento de doenças no longo prazo; e outras. Tudo isso são meios de atingir um fim, o que significa melhores resultados por dólar gasto.

Na assistência à saúde, é comum pensar que existe um único padrão ouro na forma de exercer a prática em cada campo da medicina. Os prestadores buscam o "melhor" protocolo ou padrão de atendimento. E este tende a ser emulado por todos os prestadores que oferecem serviço num determinado campo. Certamente, há ganhos importantes a serem alcançados com diretrizes de prática, como já enfatizamos. Contudo, uma abordagem genérica e do tipo "Maria vai com as outras", que tenta emular as entidades líderes, eleva um prestador a um desempenho médio, mas não o coloca no caminho da verdadeira excelência. A padronização do atendimento numa condição de saúde, embora defendida por muitos, encobre a complexidade da prestação dos serviços de saúde e a variedade das circunstâncias dos pacientes.[23]

Em vez de atendimento padronizado, o melhor modelo a longo prazo é a competição baseada em resultados. Se os prestadores competirem em melhorias nas suas práticas atuais e distinguirem-se pelo seu domínio em abordar as diferenças entre pacientes, os resultados melhorarão mais rapidamente do que através da adesão a diretrizes-padrão.

Outro instinto entre prestadores é o de se dispor a cuidar de qualquer caso que apareça e tentar lidar com toda e qualquer circunstância de um paciente. Essa abordagem impede o desenvolvimento de um domínio aprofundado e dificulta a adequação de instalações às necessidades. Se um prestador se dispuser a encarar toda e qualquer circunstância, o excesso de capacidade será inevitável.

Em cada UPI, um prestador busca ter um foco distinto, que o diferencie de outros concorrentes locais ou regionais. Isso não significa que tudo em uma unidade de prática deva ser diferente. Significa, no entanto, que uma unidade de prática deveria ter como objetivo entregar valor superior (em qualidade, custo, ou ambos) em alguns aspectos do ciclo de atendimento ou para alguns grupos de pacientes. Essa busca por uma abordagem distinta promoverá o desenvolvimento de um domínio mais aprofundado e estimulará inovações nas instalações e nos métodos.

A estratégia de uma UPI, portanto, precisa definir os tipos de serviços nos quais o prestador desenvolverá um especial nível de domínio e a que grupos específicos de pacientes ele estará especialmente apto a atender. Essas escolhas afetarão a maneira como a prestação dos serviços de saúde é configurada e a natureza das instalações necessárias para tanto. Essas escolhas também serão o foco central do *marketing* do prestador. À medida que os prestadores se diferenciarem, o valor ao paciente crescerá rapidamente.

Existem muitas oportunidades para os prestadores se distinguirem em uma condição de saúde, embora nenhum prestador deva perseguir todas elas. As escolhas enumeradas a seguir não são, em absoluto, exaustivas.

Tipos de serviços prestados

- A gravidade e complexidade geral dos casos
- O grau de especialização em determinadas subcondições
- A ênfase em diagnóstico e em uma segunda opinião *versus* tratamento
- A gama de procedimentos ou serviços executados
- A abrangência de serviços da própria UPI no ciclo de atendimento como um todo
- A ênfase relativa em gerenciamento de risco, prevenção, reabilitação e gerenciamento de doença *versus* tratamento agudo
- A qualidade e profundidade de parcerias ou relacionamentos com os melhores centros na condição de saúde
- A conveniência da localização das instalações
- A oportunidade dos serviços (por exemplo, tempo de espera)

Tipos de pacientes servidos

- Idade, sexo e etnia dos pacientes
- O grau de ênfase em pacientes com múltiplas condições
- Os tipos particulares de pacientes servidos em termos de doenças ou variações genéticas (por exemplo, como nos casos de câncer)
- A quantidade de pacientes estrangeiros ou que não falam inglês

Os prestadores escolherão diferentes formas de se distinguir com base em suas localizações e domínio. Um prestador urbano fará escolhas diferentes de um prestador rural, devido à presença de inúmeros concorrentes na redondeza. Prestadores urbanos, por se dirigirem a populações mais numerosas, terão mais escopo nas possibilidades de diferenciação, em termos de condições de saúde, grupos de pacientes e tipos de tratamentos oferecidos. Prestadores rurais tenderão a se diferenciar mais pelo seu papel no ciclo de atendimento. Por exemplo, os prestadores rurais podem se distinguir em condições de saúde restritas, na qualidade dos seus relacionamentos para encaminhamentos e na sua integração médica com centros especializados em condições complexas.

No âmbito de uma UPI, os médicos, individualmente, podem ser encorajados a investir em domínios e subespecializações singulares, que aprofundem a competência geral do grupo. No Centro Cardíaco da Cleveland Clinic, por exemplo, os cirurgiões não são, todos eles, generalistas que tratam da gama completa de condições relacionadas com o coração, mas tendem a se concentrar no desenvolvimento de domínio aprofundado em áreas específicas. A maioria executa cirurgia de pontes coronarianas, por exemplo, mas alguns se concentram em cirurgia da válvula mitral, enquanto outros se concentram em cirurgias da aorta. Contudo, todo o grupo coleta um conjunto comum de informações clínicas e trabalha em equipe para melhorar o processo de prestação do serviço. Um processo similar de subespecialização está em andamento no Boston Spine Group.

Mensurar resultados, experiência, métodos e atributos de pacientes por unidade de prática

Entre os passos mais importantes de um prestador na mudança para a competição baseada em valor é a mensuração de resultados e os fatores que a influenciam. É difícil melhorar o valor sem medir resultados. Nenhum médico ou organização prestadora será de fato eficiente no alcance e sustentação da excelência sem saber onde ele mesmo se situa. Um movimento por parte dos prestadores para medir resultados, tornar os resultados transparentes e usar informações de resultados para melhorar o valor será o passo mais importante na transformação do sistema de saúde.

A maioria dos prestadores tem sido terrivelmente lenta na coleta de informações de resultados, mesmo para propósitos internos, o que dirá para se comparar com outros. A relutância dos prestadores em relação à mensuração tem sido responsável, numa extensão considerável, pelas tentativas de microgerenciamento por partes externas, o que os prestadores detestam. Felizmente, a maré está mudando, e a mensuração de resultados acabará sendo inevitável. A menos que os prestadores assumam a liderança na coleta, análise e disseminação de informações de resultados, eles ficarão cada vez mais vulneráveis à crescente intromissão de terceiras partes nas suas decisões e julgamentos médicos e à exigência de prestação de contas. Um número cada vez maior de prestadores está concluindo que já não é mais uma questão de escolha. Por exemplo, a Tenet Healthcare, com a sua história de problemas, resolveu participar de todas as iniciativas legítimas de mensuração da qualidade, entre elas o compromisso de publicar relatórios.

Como já discutimos, uma série de iniciativas de obtenção de informações está em andamento. A maioria é focada em informações de processos (métodos), e não de resultados, e em medidas que abrangem a instituição como um todo, como a incidência de prescrições computadorizadas ou taxas gerais de infecção. Como já argumentamos, a unidade mais relevante para mensuração são as condições de saúde, e não funções amplas, práticas de médicos ou hospitais como um todo. As informações também precisam abranger todo o ciclo de atendimento a um paciente.[24]

Medindo a hierarquia de informações. Que informações os prestadores deveriam coletar para cada unidade de prática integrada a fim de orientar a melhoria de valor? Apresentamos a hierarquia de informações no Capítulo 4 (ver Figura 4-5). Os prestadores deveriam coletar informações por condição de saúde, em cada nível hierárquico: resultados (conseqüências, custos e preços), experiência (uma ferramenta para orientar futuros encaminhamentos de pacientes a prestadores e uma representação grosseira das habilidades e eficiência), métodos (os processos usados na prestação dos serviços) e atributos do paciente (para controlar as condições iniciais e identificar os fatores causais que afetam os métodos e os resultados esperados).

Cada UPI tem que ser obrigada a desenvolver e implementar um plano de mensuração. Não há uma fórmula simples que determine as medidas específicas a serem seguidas por um prestador, porque cada condição de saúde é diferente. Por fim, cada UPI tem que se encarregar de propor e desenvolver a sua própria métrica em cada nível da hierarquia e melhorá-las ao longo do tempo, tomando por base as melhores práticas externas. Os prestadores deveriam desenvolver, coletar e analisar muito mais medidas para fins de gerenciamento interno do que as exigidas para divulgação externa.

Resultados médicos dos pacientes

- *Medidas de resultados.* Existem várias dimensões de resultados médicos em uma condição de saúde. Em desordens da coluna vertebral, há uma série de medidas que cobrem a redução da dor, a melhoria dos movimentos e a capacidade funcional. Outro resultado importante é o tempo entre o início do tratamento e a volta do paciente ao trabalho e a restauração das atividades normais de vida.

  No mínimo, e na extensão possível, os prestadores devem coletar todas as medidas de resultados que tenham sido validadas em estudos clínicos. Nos casos de coluna vertebral, como em outros campos, foram desenvolvidas algumas métricas já validadas para uso em testes clínicos de dispositivos médicos e medicamentos. A Food and Drug Administration e os Centers for Disease Control and Prevention também definiram algumas medidas de resultado úteis para determinadas doenças. O uso de medidas validadas aumenta o rigor e facilita comparações externas.

  Há uma necessidade premente de expandir o número e a sofisticação das medidas de resultado em praticamente todas as condições de saúde. As unidades de prática deveriam ser encorajadas a desenvolver e testar novas medidas Para propósitos internos, os prestadores deveriam pecar mais pelo excesso de medidas de resultados do que pela sua escassez. O desenvolvimento de normas de padrões de mensuração deveria ser um item prioritário na agenda dos conselhos e associações de medicina, como discutiremos adiante.

  As medidas de resultados deveriam cobrir todo o ciclo de atendimento, não simplesmente as intervenções. O período de tempo em que se devem tomar medidas de resultados referentes a um paciente deve ser condizente com o que seja significativo para o paciente. Medidas de resultados de curto prazo, como taxas de sobrevivência em 30 dias, são enganosas e podem encorajar tratamento contraproducente para driblar as medidas.

- *Complicações, erros e tratamentos fracassados.* Devem ser coletadas medidas para cada tipo de complicação (e a seu grau de severidade) que surja no tratamento de uma condição de saúde ao longo de todo o ciclo de atendimento, junto com as conseqüências em termos de tratamento adicional. Os erros que ocorrerem no tratamento ou no gerenciamento do paciente (por exemplo, erros médicos, erros de procedimento) também devem ser identificados e mensurados, junto com as conseqüências. Finalmente, os prestadores têm que medir os tratamentos que fracassam ou que precisam ser repetidos, o que traz maiores conseqüências para o valor ao paciente.

- *Precisão do diagnóstico.* Como já discutimos, o diagnóstico deve ser tratado como um conjunto distinto de atividades, com grandes conseqüências nos resultados do paciente. Medidas de qualidade do diagnóstico (por exemplo, precisão, tempestividade e custo) deveriam ser concebidas e coletadas. Os planos de tratamento também deveriam ser comparados com o tratamento real e a sua eficácia.

- *Registros (prontuários) dos pacientes.* Devem ser estabelecidos registros para acompanhar os pacientes tratados, por longo período de tempo. Contato periódico com os pacientes ao longo do tempo é imprescindível para julgar o verdadeiro valor do tratamento. Os registros devem também revelar idéias sobre como modificar o tratamento para melhorar os resultados de longo prazo. Os prestadores devem também tomar a liderança no acompanhamento de longo prazo para melhorar a prestação dos serviços de saúde. Os fornecedores de drogas, dispositivos e serviços podem ser parceiros nesses esforços e arcar com parte dos custos.
- *Feedback dos pacientes.* Devem-se conduzir levantamentos junto aos pacientes durante o ciclo de atendimento para obter informações suplementares sobre os resultados médicos, assim como sobre a adequação entre o tratamento prestado e os valores e preferências do paciente. Indagar os pacientes sobre a sua experiência com o serviço (por exemplo, tempo de espera, amenidades) traz benefícios, mas é definitivamente menos importante do que determinar a sua percepção sobre os resultados médicos do tratamento a que foi submetido.

Custo por atividade ao longo do ciclo de atendimento. Informações sobre custos são necessárias para medir o valor do tratamento e, por fim, estabelecer preços. Os custos têm que ser mensurados por atividade ao longo da cadeia de valor da prestação dos serviços de saúde (ver discussão a respeito mais adiante neste capítulo). Atualmente, a mensuração de custos e a acumulação por prestador são rudimentares. Os custos são acumulados e faturados separadamente por consulta, teste, suprimentos, procedimentos, diárias de hospital, e assim por diante. Os honorários de médicos e custos hospitalares são tratados separadamente. Os custos totais de todo o ciclo de atendimento de um determinado paciente raramente são agregados e analisados, se é que foram alguma vez. Os custos de cada serviço tendem a ser uma média derivada de alocações arbitrárias dos custos das instalações, equipamentos e mão-e-obra compartilhados, em vez de os verdadeiros custos gerados pelo tratamento do paciente em uma determinada condição. Outros custos extremamente importantes para conhecer o custo total do atendimento permanecem desconhecidos pelo sistema, como o custo de medicamentos e outras despesas arcadas pelo paciente ou por outros prestadores que faturam em separado.

É impressionante que, num campo tão preocupado com custos, o conhecimento dos custos reais seja normalmente tão precário. O interesse tem sido menor na compreensão e redução de custos do que em aprender a faturar com criatividade a fim de maximizar as receitas. O ônus é simplesmente passado adiante. A atenção dispensada aos custos, em muitos casos, concentra-se no volume de atendimento por dólar, na "produtividade" dos médicos (por exemplo, número de pacientes por dia) e na negociação de preços menores por insumos caros (por exemplo, implantes, drogas e suprimentos em geral). Minimizar esses custos, no entanto, pode não ser a melhor abordagem para melhorar o valor.

Os prestadores precisam projetar sistemas de custeio em torno de UPIs, transações ou procedimentos. Os custos devem ser agregados por atividade (por exemplo, reabilitação no próprio hospital ou clínica) para cada paciente. Os custos totais dos episódios de atendimento (como diagnóstico) devem ser mensurados, inclusive os exames, as consultas e as avaliações pelos especialistas. Custos compartilhados devem ser alocados com base no tempo despendido e nas capacidades ou recursos envolvidos na abordagem de um determinado paciente (por exemplo, o tempo levado para realizar uma ultra-sonografia), não em médias gerais. O custo deve ser acumulado e comparado para cada paciente por ciclo de atendimento. Para sustentar esse tipo de mensuração de custos, é fundamental definir os processos com critério. As atividades distintas envolvidas na prestação dos serviços de saúde têm que ser definidas e documentadas para permitir que os custos sejam atribuídos a categorias significativas, usando-se sistemas de custeio baseado em atividades. (Veja, adiante neste capítulo, a discussão sobre a cadeia de valor da prestação dos serviços de saúde, uma ferramenta para delinear e analisar todo o processo de atendimento.)

Por fim, e de suma importância, é preciso fazer a correspondência entre custos e resultados clínicos para determinar o valor ao paciente. Para aprimorar e sistematizar esse processo, a Intermountain Health Care, em 2005, firmou uma *joint-venture* de US$ 100 milhões e duração de dez anos com a GE Healthcare, para desenvolver um sistema de custeio baseado em atividades, que também permitiria o armazenamento e a análise de um histórico médico eletrônico longitudinal de cada paciente.[25] O IHC achou que os atuais sistemas de TI não incorporavam a capacidade de caracterizar processos clínicos detalhados de forma a permitir a integração de dados financeiros com dados clínicos.[26]

Com informações de custo apropriadas, os prestadores podem ir além de uma análise aleatória, para compreender o custo real de prestar atendimento a cada paciente, e os fatores (como complicações e tempo de recuperação) que afetam esses custos. Os prestadores podem começar a compreender como os custos numa parte do ciclo de atendimento afetam os custos noutra parte do ciclo. Os custos têm que ser combinados com os resultados médicos para que se possa saber o seu valor. O valor e os custos podem então ser analisados em função de variáveis como experiência, métodos e atributos dos pacientes. No longo prazo, isso permitirá o estabelecimento de preços baseados em valor.

Experiência. Os prestadores precisam medir o seu volume anual e sua experiência (volume acumulado) em termos de pacientes servidos em cada condição de saúde. Volume e experiência também devem ser rastreados para cada atividade no ciclo de atendimento (por exemplo, exames de cada tipo, procedimentos cirúrgicos, ciclos de reabilitação, diagnósticos). Tais informações devem ser coletadas discriminando médicos, equipes e instalações, e não apenas por sistema hospitalar ou grupo de médicos como um todo.

Dados de volume e experiência deveriam, por fim, ser suplementados com dados de *cada paciente individual*. Dessa forma, a experiência pode ser decomposta ainda por atributos de pacientes, como idade, sexo e gravidade inicial da doença, assim como condições co-ocorrentes.

Métodos. Os métodos são os processos usados na prestação dos serviços de saúde. Devem-se conceber e coletar medidas dos aspectos relevantes de cada atividade da prestação dos serviços e da qualidade da coordenação entre atividades (por exemplo, seqüência de ações; extensão de tempo envolvida; tipos de profissionais envolvidos; e uso de insumos como exames, dispositivos, suprimentos, compartilhamento de informações e consultas entre atividades). Em certas partes do ciclo de atendimento, como gerenciamento de risco e gerenciamento da doença, as medidas de processos devem cobrir períodos de tempo mais extensos.

As características de processos capazes de afetar o valor ao paciente (os resultados e os custos) são muito numerosas, e o número de medidas relevantes tenderá a aumentar à medida que os prestadores aprenderem a lidar com elas. Ao captar medidas, é melhor que os prestadores pequem pelo excesso, facilitando a aprendizagem e expurgando medidas que não tenham valor para as previsões. À medida que os históricos médicos forem automatizados, as métricas de resultados, custos e métodos poderão ser compilados a um custo muito menor do que seriam hoje.

Atributos de pacientes. Os atributos de pacientes são importantes para controlar os resultados e os custos das condições iniciais, caracterizar mais precisamente a experiência e compreender melhor as causas dos relacionamentos entre métodos e resultados. À medida que o conhecimento se ampliar, a prestação dos serviços de saúde será mais ajustada às circunstâncias particulares do paciente. Os prestadores de serviços de saúde precisam começar a pavimentar o caminho para essas abordagens. Para a maioria das condições de saúde, será relevante coletar os atributos-padrão de pacientes, como idade, sexo, etnia, peso, bem como a presença de outros dados diagnósticos. Outros atributos de pacientes serão importantes para determinadas condições de saúde. Com o tempo, à medida que a tecnologia avançar e os custos de armazenamento de informações e dos exames declinarem, informações genéticas, imagens diagnósticas digitais e resultados de exames complexos poderão ser capturados como condições iniciais. Como com os métodos, os prestadores deverão pecar pelo excesso na captação de características dos pacientes, mesmo que a relação destas com os resultados ainda não tenham sido definitivamente estabelecidas. À medida que o prestador for aprendendo e se aprofundando na sistemática, a gama de atributos de pacientes rastreada continuará a evoluir. A coleta retroativa de dados de atributos de pacientes é muito cara, exceto por atributos invariáveis como constituição genética. Alguns prestadores estão considerando a iniciativa de conseguir amostras de sangue de ex-pacientes que lhes derem consentimento de coletar traços genéticos a serem usados quando a capacidade de personalizar o atendimento se tornar mais próxima à realidade.

Muitos prestadores estão começando a coletar mais informações de resultados e processos, como já discutimos em capítulos anteriores, embora poucos prestadores, se algum, estejam mensurando toda a hierarquia de informações. Um exemplo de prestador que está progredindo no sentido de coletar informações de resultados e métodos é o Boston Spine Group, como mostrado na Figura 5-4. Além disso, o New England Baptist Hospital está implementando um registro de todos os pacientes de ortopedia, inclusive dos pacientes com desordens da coluna vertebral.

Coletando e atuando nas informações clínicas. Por que as informações clínicas, até recentemente, não foram coletadas por muitos prestadores? Discutimos algumas das razões em capítulos anteriores. Coletar e analisar dados é uma atividade dispendiosa que não tem sido recompensada. Os prestadores temem o mau uso dos dados e questionam a precisão dos ajustes de risco. Prestadores com um número limitado de pacientes temem que os dados sejam injustos e não confiáveis.

Embora essas preocupações sejam importantes para explicar por que os dados não foram publicamente relatados, poucos prestadores já coletaram informações abrangentes, até mesmo para propósitos internos. As estruturas organizacionais centradas em funções em vez de em unidades de prática complicam a mensuração. Médicos e outros profissionais qualificados envolvidos no atendimento mantêm práticas separadas. O atendimento e a mensuração são estruturados em torno de procedimentos ou intervenções distintas, e não do ciclo de atendimento. Os métodos de prestação dos serviços de saúde são geralmente idiossincrásicos e não codificados e, assim, fica difícil coletar medidas consistentes. Diferentes unidades de prestadores costumam coletar informações diferentes, que não são integradas. No New England Baptist Hospital, por exemplo, o Boston Spine Group coleta todas as informações do paciente antes e após o tratamento, como a extensão da dor e a capacidade funcional, ao passo que o hospital coleta informações sobre a cirurgia e a estadia (por exemplo, tempo de duração da cirurgia, perda de sangue, infecções, dias de internação). Em muitos hospitais, mesmo quando informações altamente relevantes são coletadas, dificilmente elas são reunidas ao longo do ciclo de atendimento. Alguns prestadores nomearam executivos corporativos seniores como responsáveis pela qualidade, mas as atuais iniciativas nessa área são muito estreitamente focadas na conformidade de processos.

Poucos prestadores já estabeleceram e designaram responsabilidade por informações clínicas e de custo ou institucionalizaram as melhorias de processos. Sem que ninguém tenha sido designado claramente como responsável pela melhoria dos resultados aos pacientes, o processo de mensuração fica por conta da visão e convicção dos médicos como indivíduos. Não foi por mera coincidência que o Minnesota Cystic Fibrosis Center, do Fairview, anteriormente discutido, se tornou um líder na coleta de informações de resultados. O centro é dirigido por Warren Warwick, o mesmo médico que em 1964 aceitou a incumbência, pela Cystic Fibrosis Foundation, de coletar os primeiros dados sistemáticos de resultados das 33 práticas de fibrose cística que funcionavam na época.[27] Seu compromisso pessoal com a mensuração e o *benchmarking* foi mais tarde institucionalizado e há décadas vem provocando uma rápida melhoria de valor no Fairview.

Numa estrutura de unidade de prática, as informações se tornam a ferramenta gerencial central. É com elas que os líderes avaliam o desempenho da UPI, medem o desempenho individual

Resultados		Métodos
Resultados para os pacientes (antes e depois do tratamento, várias vezes) Escala analógica visual (dor) Índice de Incapacidade de Owestry, 10 perguntas (capacidade funcional) Questionário S-36, 36 perguntas (ônus/carga da doença) Duração da internação Tempo de retorno ao trabalho ou à atividade normal **Satisfação com o serviço** (periódico) Métricas de satisfação com as consultas (10 perguntas) **Satisfação com a assistência médica em geral** "Você se submeteria novamente a uma cirurgia para este mesmo problema?"	**Complicações médicas** Cardíacas Infarto do miocárdio Arritmias Falência cardíaca congestiva Trombose vascular venosa profunda Infecções urinárias Pneumonia Delírio pós-operatório Interações medicamentosas **Complicações cirúrgicas** Retornos de pacientes à sala de cirurgia Infecção Lesão de nervo Eventos-sentinela (cirurgias em dependências inadequadas) Falha de *hardware*	**Métricas de processos cirúrgicos** Tempo de operação Perda sangüínea Dispositivos ou produtos usados

FIGURA 5-4 Informações clínicas e de resultados coletadas e analisadas pelo Boston Spine Group.

Fonte: Boston Spine Group

dos colaboradores e estabelecem prioridades de melhorias na prestação dos serviços de saúde. É preciso haver um médico com responsabilidade clara pelas informações da unidade de prática, além de um administrador para coordenar o processo de reunir as informações e preparar os relatórios e as análises. Embora possa haver um grupo central de apoio, a responsabilidade básica pelas informações tem que ficar a cargo de cada unidade de prática.

Para muitos prestadores, a tarefa inicial será a de reunir as informações existentes, que estão espalhadas por vários lugares da organização, e codificar as informações que estão tabuladas em papel. Os prestadores que já mudaram para registros eletrônicos terão mais facilidade em reunir os principais dados de resultados e experiências e as medidas de processos. A recaptação de dados de pacientes pode ser trabalhosa, mas os prestadores podem começar a reunir os históricos médicos para construírem uma massa crítica de dados.

As informações precisam ser compiladas para equipes e indivíduos específicos, para que estes saibam como se situam em comparação a seus pares. A ThedaCare, por exemplo, fornece dados de desempenho a cada grupo de médicos e local de serviço, assim como a cada um dos médicos. Além disso, os médicos que encaminham pacientes precisam de informações sobre a situação dos pacientes encaminhados. Mais prestadores estão agora agindo na coleta de informações de resultados e custos por médico envolvido. A Sentara, por exemplo, envia relatórios individuais aos médicos mostrando como os seus resultados clínicos e de custos se comparam aos resultados médios e aos melhores do sistema. A decisão sobre manter os dados dos médicos confidenciais ou divulgá-los publicamente deve depender do nível de confidencialidade dos dados, como também de os médicos terem tido ou não oportunidade de agir sobre eles e melhorar o seu desempenho. Na ThedaCare, *feedback* aberto sobre algumas medidas é fornecido aos médicos há vários anos.

A quantidade de informações a serem coletadas pode ser assustadora, mas o importante é começar, e logo, pois o valor da informação aumenta à medida que ela se acumula ao longo do tempo. Quanto mais se acumulam dados de diferentes lugares, mais se revelam padrões de variações incomuns nos resultados e processos. Mais dados resultam em mais possibilidade de validação estatística, o que torna os resultados mais convincentes para as partes externas.

As iniciativas de informações precisam começar com passos simples, não com grandes soluções. Até informações simples e diretas podem ter um surpreendente impacto no valor ao paciente, como evidenciado em alguns dos exemplos discutidos neste e noutros capítulos. A variedade de medidas coletadas pode aumentar com o tempo, depois de iniciado o processo de mensuração O impacto no valor da assistência à saúde será enorme, como demonstra a experiência nas áreas que já dispõem de informações comparativas (ver Capítulo 4).

Reunido informações comparativas. Para melhorar o valor, não é preciso dispor de informações comparativas, já que um prestador pode fazer o *benchmarking* contra si mesmo: no tempo, entre instalações, entre pacientes, entre equipes. Contudo, o valor da informação aumenta ainda mais quando ele consegue *se comparar* com outros. O processo de reunir informações nacionais comparativas sobre as condições de saúde tem sido hesitante e até agora só ocorreu em poucos campos, como discutimos no Capítulo 4. (Ver o Quadro "Como surgiram boas informações sobre resultados".). Fora esses campos, as únicas informações comparativas entre muitos prestadores e unidades de prática são os dados de sinistros de todos os pagadores. Esses dados podem ser usados para criar medidas imperfeitas, porém indicativas, de experiência, complicações e mortalidade por prestador, embora raramente tenham sido usadas desta forma. Apesar de só existirem modelos ajustados a risco validados em uns poucos campos, esses campos são extremamente complexos e envolvem pacientes em estado grave, sugerindo que os ajustes de risco devem ser viáveis em muitas UPIs.[28] Não há dúvida de que a melhor maneira de um prestador compreender o efeito dos atributos de pacientes sobre os resultados é analisando os seus próprios dados.

Já que comparar resultados contra outros prestadores ainda é difícil, a maneira de começar, para muitos prestadores, é *internamente*. Cada unidade de prática integrada deve ser encarregada de buscar, medir e analisar todos os *benchmarks* nacionais disponíveis que possam ser extraídos da literatura médica e das associações de medicina. Por exemplo, o Boston Spine Group usa uma série de métricas funcionais validadas (mostradas na Figura 5-4), ao passo que a Cleveland Clinic usa *benchmarks* desenvolvidos pela Society of Thoracic Surgeons. Os prestadores não precisam, e não devem, esperar por algoritmos ajustados a risco aceitos, mas têm que começar a desenvolver a sua própria compreensão dos efeitos das condições iniciais dos pacientes. Os prestadores que se engajarem logo nessa tarefa certamente terão mais benefícios em termos de aprendizagem e melhorias de processos.

Uma maneira de dar partida no desenvolvimento de informações comparativas é firmando um convênio de colaboração com outros prestadores. Os planos de saúde e empregadores também podem ser incluídos. Um exemplo pioneiro é o Wisconsin Collaborative for Healthcare Quality (WCHQ), um consórcio voluntário envolvendo inúmeros hospitais, clínicas e planos de saúde do sul de Wisconsin.[29] Desde 2003, o WCHQ tem publicado resultados comparativos em 42 medidas extraídas de diversas fontes. Ainda que as medidas publicadas, na sua maioria, sejam de processos, algumas são medidas de resultados em doenças específicas. A meta é, com o tempo, expandir esta importante iniciativa.

Tornando as informações transparentes. Uma vez que o prestador comece a desenvolver uma massa de informações, há grandes benefícios em divulgá-la externamente. Revela um verdadeiro comprometimento com o valor ao paciente e catalisa esforços internos para melhorias. Como enfatizou Donald Berwick, fundador do Institute for Healthcare Improvement (IHI), tornar as informações disponíveis aos pacientes é uma condição fundamental para o verdadeiro compromisso com a excelência. Além disso, a transparência e a disseminação aceleram as melhorias e estabelecem a reputação de um prestador. Na ThedaCare, onde os dados começaram a ser divulgados em outubro de 2003, os médicos passaram a se concentrar cada vez mais em melhorias.

A Cleveland Clinic, instituição há muito tempo associada à excelência no atendimento a pacientes, publica um relatório anual sobre sua experiência e seus resultados clínicos em cirurgia cardíaca e torácica, desde 1999. Em 2005, a emissão de relatórios se ampliou a inúmeras outras unidades de prática. A Cleveland Clinic está se estruturando para exigir que *todos* os departamentos desenvolvam e publiquem medidas de resultados nos próximos anos. (Uma visão geral dos relatórios de resultados da Cleveland Clinic e extratos de uma recente edição estão contidos no Apêndice A.)

Outros hospitais começam a fazer o mesmo, o que é um estimulante avanço. Os relatórios da Cleveland Clinic foram um dos fatores que motivaram o University of Pennsylvania Hospital, o Brigham and Women's Hospital (Boston) e o Dartmouth-Hitchcock Medical Center a emitirem relatórios semelhantes. O caso do Dartmouth-Hitchcock é particularmente interessante porque ele não se situa entre os melhores em todas as medidas relatadas.[30]

A mentalidade de sigilo na assistência à saúde é profundamente arraigada, e os médicos e administradores de hospitais temem que resultados abaixo da excelência resultem na perda de pacientes e no aumento de ações judiciais. A grande maioria dos administradores de hospitais entrevistados numa pesquisa de 2005 era contra a publicação de erros médicos.[31] O caso do Dartmouth e a experiência positiva do Cincinnati Children's Hospital ao compartilhar com os pais das crianças dados de resultados abaixo da média, como descrito no Capítulo 4, desmente esta crença. Os pacientes terão admiração por um prestador que esteja disposto a medir seus resultados e se considere responsável por eles, mesmo que no momento ele não se situe entre os melhores. A transparência envia uma forte mensagem de compromisso com os pacientes e com a melhoria. Além disso, a adoção de transparência de resultados pode reduzir o risco de litígio. Se as informações de resultados forem transparentes e os verdadeiros riscos, conhecidos, os pacientes estarão mais bem-informados e acusações de imperícia serão mais dificilmente sustentadas, exceto no caso de prestadores verdadeiramente abaixo dos padrões. Vale notar que os administradores de hospitais entrevistados nos estados em que a emissão de relatórios já era compulsória colaboraram mais, revelando o nome do hospital, do que os administradores que nunca se depararam com a obrigatoriedade de emitir relatórios. Novamente, a maré parece estar mudando.

Por fim, acreditamos que a coleta e emissão de relatórios de resultados serão uma condição para a prática da medicina, e não mais atividades discricionárias. Se um prestador não puder gerar evidência suficiente para documentar seus resultados numa condição de saúde, devido a sua limitada experiência com pacientes, há sérias dúvidas se tal prestador deveria continuar oferecendo esse tipo de serviço.[32] Se, com o tempo, um prestador não conseguir demonstrar bons resultados, há sérias dúvidas se ele deveria continuar a praticar medicina.

Mudar para fatura consolidada e novas abordagens de determinação de preço

A mudança para a competição baseada em valor irá requerer uma transformação no cômputo dos custos, no faturamento e na determinação de preço. Atualmente, os prestadores emitem uma miríade de faturas correspondentes a elementos distintos do serviço. Os hospitais emitem múltiplas faturas por cada atendimento, e até por um único tratamento. Cada médico emite uma fatura separada. Essa abordagem é altamente dispendiosa para todos os integrantes do sistema, e em nada acrescenta ao valor ao paciente. Na verdade, o atual modelo prejudica o valor por obscurecer os custos (e o valor entregue) para todas as partes. Em suma, o atual sistema resulta em muitos preços diferentes pelo mesmo serviço, dependendo da cobertura de saúde do paciente. Isso eleva as despesas administrativas e torna quase impossível, para qualquer um, ser transparente nos preços. Nem mesmo os médicos e os departamentos de cobrança costumam saber os preços *a priori*. Os prestadores precisam melhorar a eficiência dos métodos de faturamento e precisam fazê-lo no curto prazo, sob pena de serem solapados pela tendência de dedutíveis cada vez mais elevados (como acontece com as contas de poupança-saúde) e, conseqüentemente, a crescente necessidade de cobrar diretamente dos pacientes em vez de cobrar do plano de saúde para quantias menores.

Mais cedo ou mais tarde, toda a abordagem de cômputo de custos, faturamento e determinação de preços terá que ser modificada. Os prestadores precisam emitir uma única fatura por episódio de atendimento e, um dia, pelo ciclo de atendimento completo. É o custo do episódio como um todo, não de um serviço separado, que tem significado na avaliação do valor entregue. Os prestadores precisam ter conhecimento desses custos totais e assumir responsabilidade por gerenciá-los. A agregação desses custos totais também levará ao tipo exato de exame, pelos próprios prestadores, que acarretará a melhoria de valor. A quantia cobrada por serviço ou função especializada será comparada a sua contribuição para o valor total. As entidades individuais cujos custos estiverem desalinhados com o valor verão a sua parcela de pagamento diminuir ou ser substituída. Essas decisões serão tomadas por prestadores sensatos, não por partes externas.

As convenções e os obstáculos que impedem a fatura única podem e devem ser superados, como já aconteceu em outros setores. Os maiores obstáculos são a inércia, a fragmentação de profissionais independentes, os sistemas primitivos de custeio e a relutância em divergir das práticas de faturamento do Medicare. Nenhum desses obstáculos é hoje intransponível. Todos eles deixarão de ser obstáculos no futuro.

Para desenvolver capacidade em combinar faturas, pode-se começar por episódios distintos, como consultas diagnósticas (combinando honorários de médicos e cobrança por todos os exames e outros custos associados) e hospitalizações. Com o tempo, virá a capacidade de faturar por ciclos de tratamento com múltiplas consultas. No final, os prestadores terão que aprender como acumular os custos e faturar pelo ciclo de atendimento como um todo. Todos esses passos também ajudarão os prestadores a compreender melhor os seus custos e facilitarão comparações de preço entre pares.

A fatura única irá requerer que profissionais independentes atuem em equipe. Também, que os prestadores definam quem vai ser o agregador, isto é, que entidade montará a fatura, receberá o pagamento e o distribuirá entre as diferentes partes. O hospital é o agregador mais óbvio para o atendimento baseado em hospital. Alguns médicos não vêem os hospitais como parceiros e podem não confiar nas inteções do hospital ou na capacidade deste de gerenciar com eficiência essas transações. No entanto, problemas similares já foram há muito tempo resolvidos em outros setores. Simplesmente, não há justificativa válida para o atual sistema de faturamento. Estamos convencidos de que os planos de saúde e empregadores começarão a exercer pressão cada vez maior por faturas únicas consolidadas.

Os prestadores que começarem agora a criar a capacidade para faturamento consolidado terão vantagem quando do seu advento. Além disso, preparar-se para o faturamento único trará enormes benefícios para os prestadores, mesmo que jamais emitam um, porque estarão equipados para conhecer a fundo os seus custos. O movimento em direção à cobrança por ciclo de atendimento se difundirá muito mais rapidamente se o Medicare abraçar essa tendência, como discutiremos no Capítulo 8.

Acreditamos que o próximo passo, lógico e inevitável, depois das faturas unificadas será um preço único prefixado por consenso por episódio ou ciclo de atendimento (ou por períodos de tempo numa doença crônica). Em vez de simplesmente agregar todas as quantias de fato cobradas, o preço deveria ser estabelecido *a priori*. Este modelo alinha ainda o estabelecimento de preço com o valor ao paciente, e cria incentivos ainda maiores para coordenar e integrar o atendimento. O estabelecimento de preço pelo ciclo de atendimento já está em uso nos serviços de transplante, como discutiremoos no Capítulo 6, e foi usado com êxito numa demonstração do Medicare, como discutiremos no Capítulo 8. Para evitar que um desnecessário custo de seguro contra risco entre no preço, o ciclo de atendimento terá que ser claramente especificado. Além disso, os prestadores deveriam ser remunerados por complicações inesperadas a uma taxa previamente acordada (ver Capítulo 6).

Por que o preço único consolidado ainda não foi adotado? Uma versão radical de preço único foi tentada nos anos 80, sob a forma de capitação, ou seja, um preço fixo por pessoa por ano por todos os serviços fornecidos pelo hospital. A capitação foi mais um dos exemplos funestos de se pensar no nível errado – em nível de hospital ou grupo de médicos como um todo. A capitação cobrindo todo o tratamento de qualquer condição de saúde colocou os prestadores no negócio de gerenciamento de risco e criou incentivos quase irresistíveis para negar serviços. Os prestadores acharam esse sistema insustentável. Hoje, a capitação é rara, exceto no caso de sistemas com plano de saúde e prestadores integrados, como a Intermountain e a Kaiser Permanente. Essas organizações são bem-sucedidas porque têm sido atentas à mensuração da qualidade e dos processos de tratamento para assegurar que os pacientes recebam o atendimento adequado. Um único preço marcado (pelo prestador) para abordar uma condição de saúde conhecida é algo completamente diferente de capitação. O risco é muito menor, e pode ser amenizado ainda mais se houver provisões para complicações inesperadas.

Historicamente, a ausência de informações de resultados e de competição para conseguir pacientes deu aos prestadores poucos incentivos para a adoção de preços únicos, que poderiam se transformar em mais um mecanismo para transferência de custos por parte dos planos de saúde.

Contudo, os planos de saúde irão começar a acumular as contas no ciclo de atendimento, mesmo que os prestadores não o façam, e usar tais informações em benefício próprio. À medida que os dados de resultados forem difundidos, a pergunta para os planos de saúde mudará de "Quanto de desconto podemos ter neste procedimento?" para "Qual é o preço total para ter um bom resultado neste procedimento?" Prestadores superiores se beneficiarão por poderem cobrar preços mais altos ou terem maiores margens de lucro devido a maior eficiência a preços iguais ou menores.[33]

Acreditamos que seja só uma questão de tempo para que os planos de saúde passem a esperar preços únicos com provisões para complicações inesperadas cobradas quase a preço de custo ou a preço de custo (sem margem de lucro). Portanto, os prestadores não se sentirão incentivados a negar atendimento (especialmente se os resultados forem publicados), e tampouco serão recompensados por prestarem mais serviços de saúde do que os esperados ou necessários. Os prestadores cujos tratamentos resultarem habitualmente em complicações perderão pacientes a menos que os dados justificando os resultados sejam convincentes.

Aqueles prestadores que já puderem começar a oferecer esses modelos de preço aos planos de saúde e pacientes, acompanhados de dados robustos de resultados para embasar os preços, estarão em posição de ganhar fatias de mercado. Nesta em tantas áreas aqui discutidas, os prestadores podem ou encontrar razões para resistir à mudança ou tornar-se líderes. Aqueles prestadores que agirem proativamente para alinhar a sua prática com o valor não somente servirão melhor seus pacientes, mas também irão prosperar cada vez mais, à medida que a competição em valor for crescendo.[34]

Por fim, os preços começarão a variar em função da localização física dos serviços. Por exemplo, pacientes que desejem ser tratados em lugares mais caros mas onde não haja diferença em qualidade (por exemplo, um hospital num campus universitário para tratamento de rotina) deverão arcar com o preço mais alto e uma franquia igualmente mais alta. Isso fará com que mais prestadores migrem seus serviços para locais que apresentem mais eficácia de custo.

Além disso, como discutiremos em mais detalhes no Capítulo 6, a determinação de preço precisa incorporar o conceito de compartilhamento de ganhos, de modo a não penalizar prestadores que implementarem melhorias nos métodos de prestação dos serviços de saúde, resultando numa queda de receita mais rápida do que a queda de custos decorrente das melhorias. Atualmente, reduzir a necessidade de hospitalização ou de procedimentos ou exames caros pode resultar numa perda.[35] A determinação de preço por ciclo de atendimento, em vez de por serviço, ajudará a eliminar este problema. Nesse ínterim, porém, os prestadores precisam propor contratos com cláusulas de compartilhamento de ganhos.

Com a evolução das práticas de custeio e precificação, chegará um dia em que certos prestadores poderão começar a estabelecer preços diferenciados de outros prestadores na mesma condição de saúde. Os prestadores capazes de demonstrar resultados superiores numa unidade de prática poderão fixar preços superiores que capturem parte desse valor, ou equiparar ou reduzir preços para atrair um volume maior de pacientes, alimentando assim o círculo virtuoso da melhoria de valor que discutimos anteriormente.[36]

Acreditamos que o atual modelo, o qual permite estabelecer diversos preços pelo mesmo serviço dependendo do grupo de seguro, é insensato e funciona contra o valor na assistência à saúde. Custo e valor nada têm a ver com o grupo ou programa governamental a que um dado paciente pertença. O atual modelo também gera complexidade, tanto para prestadores quanto para planos de saúde, o que aumenta dos custos totais e obscurece as comparações de preço.

Achamos que cada prestador deveria começar a adotar uma determinação de preço mais coerente entre seus pacientes, e buscar persuadir os planos de saúde e outros participantes do sistema sobre os benefícios de um novo sistema A consistência nos preços vai melhorar muito a transparência, porque os preços divulgados serão muito mais significativos do que os atuais preços de tabela, que são muito mais elevados do que os realmente pagos pela maioria dos pacientes. Com a divulgação de preços reais, os prestadores serão capazes de comunicar o valor que eles de fato encerram para os pacientes e atrair clientes cobertos por planos de saúde com os quais eles não mantêm convênio. Os planos de saúde também se beneficiarão no longo prazo, eliminando a enorme despesa e as limitações de redes conveniadas.

Agir para reduzir ou eliminar a discriminação de preços baseada em afiliação é controverso, e os participantes do sistema que atualmente se favorecem de benefícios cruzados podem resistir.

Mudanças regulatórias podem ser necessárias para limitar a distância entre o preço mais alto e o mais baixo para um mesmo tratamento, como veremos no Capítulo 8.

Abordar o mercado com base em excelência, singularidade e resultados dos serviços

O atual *marketing* de serviços de saúde é, em grande parte, baseado em reputação, amplitude de serviços, conveniência, relações que influenciam o encaminhamento e boca-a-boca. Alguns prestadores estão usando amenidades e serviços a médicos e pacientes como ferramentas de *marketing*. O Hackensack University Hospital (Nova Jersey), por exemplo, atrai pacientes com TVs de tela plana nos quartos e camisolões de grife, e atrai médicos com novas salas de cirurgia. Amenidades e serviços não-médicos podem atrair pacientes e gerar receitas incrementais se os pacientes estiverem dispostos a pagar por isso.

O foco do *marketing* na prestação dos serviços de saúde tem que mudar para o valor ao paciente. O valor é determinado no nível de condição de saúde, e não de hospital ou da prática geral. Mais prestadores estão divulgando a sua classificação em avaliações como a do *US News and World Report*, mas essas classificações são em grande parte baseadas em reputação. Mais prestadores estão começando a divulgar suas capacidades em linhas particulares de serviço, uma tendência estimulante. Contudo, esses esforços ainda são, em grande parte, baseados em levantamentos de reputação ou em declarações de que o prestador é experiente e tem médicos de boa qualidade. Mas, na maioria das vezes, falta evidência concreta de experiência e resultados.

O *marketing* tem que mudar de amplitude e reputação para excelência em unidade de prática. Isso significa que os prestadores têm que comunicar em que áreas atingem excelência singular em nível de UPI, em termos de equipes e instalações dedicadas, suas capacidades em diagnóstico, seu domínio na abordagem de casos específicos e sua capacidade de coordenar o atendimento durante todo o ciclo. Em vez de fazerem declarações generalizadas, os prestadores deveriam começar a disseminar as informações que os pacientes, empregadores e planos de saúde querem ter, de fato: a sua experiência, seu domínio, seus métodos e resultados. Os relatórios de resultados da Cleveland Clinic, descritos anteriormente e exemplificados com um excerto no Apêndice A, são um bom exemplo de *marketing* associado ao valor ao paciente.

O papel das marcas também precisa mudar. As marcas deveriam migrar de marcas institucionais amplas para marcas (e submarcas) associadas a unidades de prática. Além disso, o atual modelo de manter a marca de cada instituição adquirida ou parceira deveria migrar para a adoção de um número menor de marcas mais integradas entre os diferentes locais e regiões. Discutiremos essas questões em mais detalhes quando examinarmos a expansão geográfica.

Na reorientação do seu *marketing*, os prestadores podem esperar que os planos de saúde e o governo exijam a revelação de resultados e experiência, ou podem agir proativamente. Os prestadores que começarem voluntariamente a disseminar informações de resultados e experiência estarão enviando uma poderosa mensagem, tanto externa quanto internamente. Eles definirão a sua reputação de uma forma nova e, definitivamente, mais benéfica para os pacientes. Tornando públicos os resultados, os prestadores estarão acelerando a mudança, na cultura interna, para o valor ao paciente.

Os prestadores também têm que reorientar o seu *marketing* para os planos de saúde. Embora a longo prazo, o *marketing* tem que mudar de preço e amplitude para o valor ao paciente em condições de saúde específicas. Os contratos têm que focar o valor em todo o ciclo de atendimento, não os custos fragmentados. Em vez de lutar pelo microgerenciamento do atendimento, os prestadores e os planos de saúde têm que concordar em fazer negócios baseados em resultados. As políticas de preço têm que incorporar o princípio de compartilhamento de ganhos: melhorias no valor devem beneficiar ambos os lados. Tratamos estes e outros aspectos do novo relacionamento entre prestadores e planos de saúde em mais detalhes no Capítulo 6.

Expandir-se nas suas áreas fortes – em âmbito local e geograficamente

A maioria dos prestadores cresceu expandindo o volume total de pacientes em âmbito local, geralmente ampliando o espectro de serviços oferecidos. As aquisições locais (por exemplo, hospitais comunitários, práticas de médicos) têm se destacado entre as estratégias de crescimento. No entanto, como já discutimos, o porte total e a amplitude pouco têm a ver com o valor ao paciente. O esforço de construir grupos de instituições com linhas completas de serviços em diversas regiões tem alcançado um nível moderado de sucesso, porque os benefícios deste modelo consistem, em grande parte, em contratações e prestações de serviço que não se repetem, com pouco impacto sobre o valor dos serviços para os pacientes.

As estratégias de crescimento deveriam ser centradas em unidades de prática, não em instituições com amplitude de linhas de serviços como um todo. Os prestadores deveriam crescer com uma penetração maior em suas áreas de excelência (ver Figura 5-2). Isso alimenta o círculo virtuoso, auto-reforçador do valor na prestação dos serviços de saúde, como já descrevemos.

A maioria dos prestadores terá oportunidades de aumentar a penetração nas suas UPIs mais destacadas, mesmo na sua região local. Ao fazê-lo, eles estarão redirecionando leitos, espaço, recursos e atenção gerencial para um uso mais produtivo. Aumentar a penetração local pode exigir novas instalações e uma reestruturação e integração médica dos profissionais e instalações existentes na unidade de prática. O atendimento será integrado em todo o ciclo de atendimento, com serviços executados em locais que proporcionam eficácia de custo para os pacientes. Instalações de grande porte, com amplitude de linhas de serviços, que têm sido a norma, devem passar a ter menos importância.

A expansão geográfica em condições de saúde específicas oferece uma oportunidade enorme e inexplorada para os prestadores de assistência à saúde. Prestadores excelentes numa unidade de prática podem crescer regionalmente, nacionalmente, ou mesmo internacionalmente. Nesse processo, eles farão uso de escala, domínio técnico e métodos de prestação de serviço, treinamento de equipes, sistemas de mensuração e reputação para servir mais pacientes. E esse número crescente de pacientes na unidade de prática fomenta economias de escala, a subespecialização das equipes e uma divisão de trabalho mais eficiente entre os diferentes locais. Por fim, os melhores prestadores numa determinada unidade de prática podem manter operações em âmbito nacional com extensas redes de instalações dedicadas. Embora essa possibilidade possa parecer radical hoje, as principais barreiras são de atitude e artificiais (por exemplo, exigências estaduais de licenciamento e a prática corporativa arcaica das leis que regulam a medicina).

A atual estrutura, na qual muitos prestadores operam em escala modesta na sua região de origem, é um artefato da história e pouco lógica em termos de valor ao paciente. Mesmo que a maioria dos serviços seja prestada localmente, os serviços em cada unidade de prática podem ser gerenciados ou sustentados por excelentes organizações nacionais integradas. Parte dos benefícios da competição transgeográfica para o valor advém de deslocar os pacientes para locais onde recebam maior valor. No entanto, um benefício equivalente ou maior resultará do gerenciamento integrado dos serviços numa condição de saúde entre locais, alavancando o domínio e a experiência de uma organização com múltiplas unidades. Esse tipo de estrutura transgeográfica é a que observamos em outros serviços profissionais complexos, como os de tecnologia da informação e contabilidade.

A expansão geográfica pode assumir uma variedade de formas. Em algumas unidades de prática, a expansão pode envolver locais alimentadores que prestem serviços de diagnóstico e de acompanhamento pós-intervenção, sendo as intervenções complexas executadas num campus central. Em outros casos, podem-se estabelecer novas instalações, em novos locais, cobrindo todo o ciclo de atendimento, com apenas casos especializados sendo tratados num centro nacional ou regional. A expansão geográfica pode envolver acordos de co-localização ou uso de instalações com instituições de prestadores existentes, outros tipos de parceria ou o estabelecimento de novas instalações de propriedade exclusiva em novos locais.

No entanto, sejam quais forem a estrutura proprietária e a configuração da rede geográfica, cada UPI tem que ser medicamente integrada e, sem dúvida, essa integração deverá abarcar todos os seus locais geográficos. Isso significa que todos os locais precisam fazer parte de uma unidade de prática verdadeiramente integrada e coordenada sob uma gerência comum que abranja o ciclo de atendimento. Nessa estrutura, processos unificados, uma infra-estrutura comum de informações, sistemas comuns de mensuração de desempenho, treinamento compartilhado para médicos e outros profissionais das equipes e uma divisão eficiente do trabalho por local funcionam sob uma estrutura gerencial integrada.

Em princípio, as redes geográficas de prestação de serviços de saúde em unidades de prática podem ser internacionais, ou podem competir internacionalmente por pacientes, utilizando centros de diagnóstico e relações de encaminhamento em outros países. As intervenções no ciclo de atendimento podem ocorrer na maioria dos locais que apresentem eficácia de custo, e estes podem estar localizados em outros países. Hoje, a maioria dos vínculos internacionais envolve encaminhamentos, compartilhamento do conhecimento e treinamento de médicos, em vez de unidades de prática transnacionalmente integradas. No entanto, com certeza a competição internacional nos serviços de saúde aumentará.

O potencial de integração regional e nacional e de expansão em UPIs está apenas começando a se concretizar. As iniciativas assumem uma variedade de formas. O exemplo do Beth Israel Deaconess Medical Center envolvendo o Milton Hospital, discutido anteriormente neste capítulo, é um modelo regional baseado numa parceria formal e em integração extensiva. No caso em questão, um centro médico regional firmou parceria com um hospital comunitário, o Milton Hospital. Ambas as instituições permanecem independentes, mas a parceria coordena e integra medicamente a prática cardiológica. As instalações também permaneceram separadas, mas os serviços são comercializados sob uma única marca. O Dartmouth-Hitchcock Medical Center, em New Hampshire, tem seguido um modelo mais amplo de *hub-and-spoke* (centro e raios) envolvendo práticas de médicos independentes e outros prestadores da região.

As operações da Cleveland Clinic na grande Cleveland constituem um modelo diferente, envolvendo uma combinação de instalações integralmente proprietárias e encaminhamentos independentes. Como muitos outros hospitais, a Cleveland Clinic fundiu-se com um número de hospitais da região, assim como com diversos centros de saúde familiar (*family health centers*) e práticas de médicos com o propósito de constituir uma única fonte de negociação com os planos de saúde.

No entanto, a simples fusão de instituições independentes com amplas linhas de serviços faz pouco sentido para o valor ao paciente. A Cleveland Clinic está começando a integrar verdadeiramente o atendimento entre as instalações em nível de condição de saúde de um ponto de vista regional, começando pelo atendimento a males cardíacos. No atendimento a males cardíacos, todos os hospitais e práticas de médicos estão sendo englobados por uma estrutura gerencial comum. Todos os cirurgiões cardíacos na região fazem parte da mesma unidade de prática integrada, coletam as mesmas informações e seguem as mesmas normas de prática. O objetivo é que o atendimento seja prestado no local que apresenta mais eficácia de custo na região, mas sempre dentro do mesmo nível de qualidade. Em outras unidades de prática, a Cleveland Clinic também mudou o foco das linhas de serviço entre os seus vários hospitais na grande Cleveland. Por exemplo, os serviços de obstetrícia saíram das dependências centrais e foram realocados a hospitais comunitários. O atendimento psiquiátrico está começando a ser reunido no Lutheran Hospital para alcançar o benefício de foco e escala.[37]

A expansão geográfica de unidades de prática integradas fora da região original ainda é rara, mas crescerá no futuro. Alguns hospitais, como a Mayo Clinic e a Cleveland Clinic, têm instalações com amplas linhas de serviços em múltiplos locais. A Mayo Clinic, por exemplo, tem dependências em Rochester, no estado de Minnesota; Jacksonville, na Flórida; e Scottsdale, no Arizona. Além disso, cadeias de hospitais com fins lucrativos têm seguido o modelo de agregar diversos hospitais de linhas amplas de serviços entre vários mercados. No entanto, essas abordagens ainda são caracterizadas por níveis modestos de integração médica entre regiões.

A expansão geográfica com instituições de linhas amplas de serviços não é bem alinhada com o valor na prestação dos serviços de saúde. A sinergia entre instituições de linhas amplas geograficamente dispersas é limitada. Os benefícios potenciais de custo de capital, compras consolidadas e centralização dos custos administrativos aumentam ao logo do tempo. A verdadeira alavancagem vem da integração entre unidades de prática integradas geograficamente dispersas. Como conseqüência, as cadeias de hospitais de amplas linhas administrados separadamente oferecerão benefícios limitados para o valor ao paciente. As cadeias de hospitais com fins lucrativos precisarão abraçar os princípios que descrevemos neste capítulo, ou terão poucas vantagens reais sobre os hospitais comunitários e centros médicos regionais.

A expansão geográfica deve ser focada naquelas condições de saúde em que o prestador é capaz de oferecer um atendimento de fato excelente numa estrutura integrada. Uma abordagem para a expansão geográfica nesses preceitos é gerenciar uma unidade de prática situada nas instalações de uma outra instituição. A Cleveland Clinic, por exemplo, opera a prática de cirurgia cardíaca no Rochester General Hospital mediante um contrato de gerenciamento. Todos os cirurgiões cardíacos no Rochester General Hospital são contratados pela Cleveland Clinic, praticam sob as mesmas normas e padrões, relatam as mesmas informações e são avaliados pela mesma alta gerência. Os médicos do Rochester beneficiam-se do profundo domínio e das inovações da prática como um todo, e também contribuem para tanto. O Rochester também se beneficia do poder de compra da UPI como um todo, no que se refere a dispositivos médicos e outros insumos de alto custo, uma área que gera economias.

Neste exemplo, o Rochester General Hospital é o proprietário das instalações e fornece os serviços de apoio, mas contrata a Cleveland Clinic para o gerenciamento da unidade de prática integrada. Contudo, uma instituição com uma unidade de prática principal poderia ser proprietária de uma unidade de prática em um ou mais hospitais em outras regiões, firmando um contrato com estes hospitais somente para uso de instalações e serviços compartilhados. Ou, um prestador principal poderia ser proprietário ou firmar um contrato para operar um "hospital dentro de um hospital" localizado nas dependências médicas de uma outra instituição. Finalmente, as UPIs poderiam construir instalações inteiramente novas e dedicadas em outras regiões. Dado o excesso de capacidade já instalado nos EUA, muitas vezes pode ser mais prático e econômico gerenciar, firmar parcerias ou assumir e melhorar instalações e hospitais já existentes do que investir começando do nada. Por essa variedade de abordagens, pode-se imaginar um novo modelo de centro médico com uma série de prestadores de classe mundial gerenciando diferentes unidades de prática integradas de destaque em instalações dedicadas porém reunidas num único local.

No entanto, não importando qual seja a estrutura de propriedade, o aspecto mais essencial da expansão geográfica é o foco nas unidades de prática e a verdadeira integração entre os locais geograficamente dispersos. Nisso reside o valor ao paciente.

Os hospitais rurais, com limites naturais no volume de pacientes em muitos dos seus serviços, também deveriam seguir agressivamente os modelos de integração geográfica, tanto no que diz respeito a centros regionais quanto em regiões rurais contíguas. Não há razão por que instituições rurais, promovendo integração médica e firmando parcerias criteriosas em unidades de prática complexas, não possam oferecer a suas comunidades um atendimento de classe verdadeiramente mundial e com um alto nível de eficiência.

As abordagens de medicina remota podem e devem reforçar essas estruturas geográficas. Entre os três campi da Mayo Clinic, por exemplo, a consultoria entre médicos em casos especializados ocorre regularmente usando uma rede de comunicação e videoconferência no estado da arte. De forma mais geral, a tecnologia de telemedicina possibilita a consultoria em diagnósticos e em casos difíceis (mesmo no atendimento de emergência, que é inerentemente local), melhor preparação pré-tratamento e melhor atendimento no acompanhamento de tratamentos executados em outros locais.

A Sentara ilustra como as abordagens de telemedicina na unidade de prática podem aumentar o valor. Em 2000, a Sentara começou a usar a medicina à distância para integrar a operação das

UTIs dos seus diferentes hospitais. Os 90 leitos de UTI entre seus quatro hospitais são monitorados de um local central. As informações sobre os pacientes das UTIs são continuamente transmitidas a uma central de monitoração. Uma câmera no quarto do paciente também proporciona a observação visual. Um médico intensivista monitora todos os pacientes à distância e se comunica com os enfermeiros de cada UTI, que prestam fisicamente os serviços.

A UTI remota, suplementando as rondas regulares e o atendimento pessoal, permite melhor previsão das necessidades dos pacientes e reduz o tempo de resposta. Os resultados de exames laboratoriais no meio da noite, por exemplo, são integrados de imediato no tratamento do paciente. Nos primeiros nove meses de adoção do modelo de UTI remota na Sentara, o custo de UTI caiu US$ 2.150 por paciente, gerando uma economia total de US$ 4,9 milhões sobre um investimento inicial de US$ 1,9 milhões, ou seja, um retorno de 155% sobre o investimento. A mortalidade caiu 20% e a extensão de tempo de internação caiu 17%.[38]

A medicina à distância foi particularmente útil nos hospitais menores. Reduziu a taxa de rotatividade de enfermeiros de tratamento crítico e melhorou a qualidade de vida dos médicos intensivistas, proporcionando-lhes uma agenda mais previsível. Antes da UTI remota, o bip de um médico intensivista de plantão tocava a cada 30 ou 45 minutos, noite e dia. O novo sistema permite que as chamadas noturnas sejam encaminhadas ao intensivista remoto depois das 21:30 horas e, portanto, o médico do plantão local recebe muito menos chamadas.

Contudo, para auferir os benefícios mais importantes da medicina à distância, é preciso contar com a integração médica de uma unidade de prática entre todas as suas localizações geográficas. Sem uma base comum de informações, estruturas de prática compartilhadas, treinamento comum, supervisão gerencial comum e relações pessoais entre os membros da equipe, faltam os ingredientes para tornam a medicina à distância verdadeiramente eficaz. Para deslanchar os benefícios da medicina à distância, potencialmente maiores para valor ao paciente, será necessário reestruturar a prestação dos serviços de saúde em unidades de prática e entre regiões geográficas, como descrevemos neste capítulo. Também será vantajoso abandonar a mentalidade de "podemos fazer qualquer coisa", que ainda prevalece.

Alguns dos benefícios da expansão geográfica de uma unidade de prática podem ser auferidos com um modelo de rede de consultoria e serviços compartilhados. Por exemplo, o ex-chefe de desenvolvimento do Texas Back Institute fundou uma empresa, a Prizm Development, que funciona com grupos de médicos em vários estados dos EUA para melhorar os resultados clínicos nos tratamentos de coluna. Em alguns casos, são estabelecidos centros de atendimento dedicados a desordens da coluna vertebral. A Prizm provê melhorias de processos de tratamento, assim como sistemas de TI para rastrear os resultados e a satisfação dos pacientes. A Prizm tem afiliados nos estados de Novo México, Colorado, Carolina do Sul e Kansas, e o seu modelo de fisiatras trabalhando estreitamente com cirurgiões da coluna é agora amplamente emulado.[39] Os benefícios desta abordagem para o valor podem ser substanciais, mas poderiam ser ainda maiores numa genuína estrutura de unidades de prática integradas.

A expansão geográfica em todas as suas formas tem implicações na construção, desenvolvimento e imagem de marca. Os hospitais tendem a posicionar suas marcas como amplas marcas institucionais abrangendo todos os serviços. Em vez disso, as marcas precisam ser associadas à excelência em unidades de prática específicas. Há também a tendência de manter nomes históricos de hospitais, mesmo após aquisições. Isso é compreensível num sistema cujo foco é a área local. No entanto, num modelo baseado em valor, pelo qual o atendimento é realmente integrado nas unidades de prática por diversas regiões geográficas, toda a rede de uma unidade de prática deveria operar sob a marca da principal instituição daquela unidade de prática (ou, no mínimo, sob uma marca combinada). Isso transmite a mensagem certa tanto aos pacientes quanto ao corpo funcional em relação aos padrões de excelência a serem atendidos, e reforça o fato de que uma dada instalação não é uma instalação isolada.

Imagine o impacto que os modelos de prestação de serviços de saúde geograficamente dispersos aqui descritos podem ter na qualidade e no custo da assistência à saúde. Os pacientes na maioria das comunidades, se não em todas, poderiam ser servidos diretamente ou por meio de parcerias com prestadores excelentes. Os médicos locais poderiam prestar atendimento em instalações no estado da arte e desfrutar dos benefícios de domínio técnico, treinamento e gerenciamento pelos melhores do mundo no seu campo de atuação. A consultoria entre médicos poderia ser fácil e instantânea em todos os aspectos do atendimento. Os encaminhamentos de casos complexos ou especializados a um centro apropriado se tornaria a norma. As intervenções ocorreriam nos locais onde pudessem ser as mais eficientes e eficazes. A continuidade do atendimento depois do tratamento seria automática. Médicos, enfermeiros, técnicos especializados e gerentes seriam treinados, mensurados e acompanhados por verdadeiros especialistas e teriam uma carreira na sua unidade de prática com designações a diferentes locais com base no seu nível de competência, experiência e desempenho.

Os oito imperativos estratégicos que acabamos de descrever são importantes não apenas para as organizações de saúde, mas também para os médicos individualmente. Algumas implicações para os médicos, como indivíduos, são abordadas no quadro "Implicações para os médicos".

Que mudanças na estrutura do setor afetariam a prestação dos serviços de saúde?

Os oito imperativos estratégicos implicam uma transformação da prestação dos serviços de saúde que já é iminente. Os prestadores mais destacados já estão mudando nesta direção, e é apenas uma questão de tempo para que o movimento ganhe impulso. Depois de terminada a redefinição do sistema de saúde, que configuração teria a estrutura do setor?

A competição mudará para unidades de prática integradas e se fundamentará em resultados. A prestação dos serviços de saúde será fundamentalmente reorganizada e integrada por todo o ciclo de atendimento. A mensuração de resultados e outras informações comparativas expandirão drasticamente. A tecnologia da informação permeará todos os aspectos da prestação dos serviços de saúde.

Em cada condição de saúde, a prestação do atendimento será transferida para os prestadores excelentes que tenham volume, extensa experiência, melhores processos e instalações dedicadas. Prestadores abaixo do padrão, incapazes de demonstrar resultados, extinguirão gradualmente suas linhas de serviço. Erros e complicações e o uso excessivo ou insuficiente de tratamentos declinarão notavelmente à medida que os resultados se tornarem o árbitro do que funciona e do que não funciona e de quem deve ou não prestar atendimento.

A oferta de serviços desnecessários ou de pouco valor para os pacientes declinará à medida que os resultados os desvendarem, uma solução muito mais poderosa do que tentar restringir a oferta. A variação nos resultados entre prestadores diminuirá. A qualidade da assistência à saúde a todos os cidadãos, inclusive aos grupos historicamente subservidos, elevará acentuadamente porque os resultados alcançados com cada paciente serão computados na determinação do resultado geral de cada prestador, que responderá por esse resultado.

Os prestadores se expandirão significativamente nas linhas de serviços em que se destacam e nas quais escolherão se concentrar, ao passo que extinguirão ou realocarão as demais. Os espaços nas dependências dos hospitais serão realinhados. O espaço e os recursos nas dependências principais – que forem liberados pelo enxugamento de serviços não associados à área de destaque do hospital, assim como pela transferência dos serviços menos complexos para outras dependências – serão realocados a áreas de genuína excelência.

Os pacientes passarão a não achar natural recorrer à mesma instituição para todo e qualquer problema de saúde. Contudo, a coordenação do atendimento entre prestadores, por todo o ciclo de atendimento e através do tempo, será significativamente maior.

Implicações para os médicos

- A prática médica tem que ser projetada em torno do *valor para os pacientes*, e não da conveniência para os médicos.
- O negócio dos médicos é a abordagem de *condições de saúde*, e não o desempenho de uma especialidade. Os médicos têm que compreender os diferentes negócios em que estão envolvidos.
- O valor ao paciente vem do domínio, da experiência e do volume nas *condições de saúde específicas*. Os médicos têm que escolher as condições de saúde nas quais irão participar e alcançar verdadeira excelência, em vez de tentarem fazer um pouco de tudo.
- O valor na assistência à saúde é maximizado por uma *equipe integrada*, e não por indivíduos atuando e pensando como agentes livres. Os médicos precisam saber de que equipe ou equipes fazem parte, e assegurar que esta(s) esteja(m) funcionando de fato como equipe(s).
- Os médicos raramente têm controle total do valor entregue ao paciente, porém eles são *parte de ciclos de atendimento*. Precisam saber em quais ciclos de atendimento estão envolvidos e como integrar o atendimento com as demais entidades a montante e a jusante a fim de assegurar bons resultados para o paciente.
- Todo médico tem que *prestar contas dos resultados*. Intuição e experiência pessoal não são mais suficientes.
- Os médicos não têm o direito de prestar serviços de saúde sem *demonstrar bons resultados*. Os resultados devem ser colocados à disposição dos pacientes, de outros provedores e dos planos de saúde, assim que os dados resultantes da medição estiverem prontos e confiáveis.
- Os *encaminhamentos* pelos médicos devem se basear em resultados excelentes para o paciente, junto com a capacidade, pelos prestadores em questão, de compartilhar informações e integrar o atendimento entre todas as entidades envolvidas no ciclo de atendimento.
- *Registros eletrônicos* e a capacidade de intercâmbio e compartilhamento de informações são indispensáveis para a boa prática médica. Os médicos limitarão a eficácia se não abraçarem a TI com ardor.
- Todo médico deve ser responsável por *melhorar o seu próprio processo de prestação de serviço de saúde*, usando métodos sistemáticos baseados na mensuração de resultados, experiência, métodos e atributos de pacientes.
- Os médicos devem procurar firmar *parcerias e relacionamentos com prestadores excelentes* nas suas área de prática, a fim de ter acesso a conhecimento e melhorar a integração do atendimento ao paciente.

Um número menor de prestadores oferecerá atendimento a cada condição de saúde, e o atendimento prestado por eles terá mais valor. A fragmentação do atendimento local declinará, e a atual duplicidade e excesso de capacidade reduzirá significativamente. Os problemas de demanda dirigida pela oferta declinarão substancialmente.

A competição permeará áreas geográficas e a maioria dos pacientes poderá ter acesso a tratamento excelente fora da sua área imediata. A competição pela melhoria dos resultados em comparação a *benchmarks* nacionais reduzirá a variação nos resultados. Com o tempo, haverá menos necessidade de deslocamento físico para ter acesso a tratamento excelente.

Haverá um número crescente de prestadores regionais e nacionais funcionando em diversas áreas geográficas, vinculados a instituições locais mediante vários tipos de parcerias. Essas parcerias possibilitarão a aprendizagem por meio de gestão do conhecimento sobre uma base mais ampla de praticantes e pacientes, o que, por sua vez, expedirá a difusão das melhores práticas.

Os hospitais comunitários e os hospitais rurais se tornarão mais focados, porém estreitamente conectados em relacionamentos e parcerias com centros regionais. A telemedicina e as consultas remotas se tornarão lugar comum, de uma forma hoje inconcebível. A viabilidade financeira será alcançada por hospitais comunitários e hospitais rurais, como uma conseqüência natural do valor demonstrado nos serviços prestados.

Os médicos de assistência primária continuarão sendo atores centrais no sistema. De fato, armados com muito mais informações e mais alternativas para o encaminhamento de pacientes, os médicos de assistência primária acrescentarão mais valor do que nunca. As práticas de assistência primária se tornarão cada vez mais a linha de frente e a retaguarda dos ciclos de atendimento integrados. Com o passar do tempo, o gerenciamento de doenças se tornará uma parte integrante do ciclo de atendimento da maioria dos prestadores, fechando a lacuna hoje preenchida por empresas independentes contratadas para esta tarefa. Como resultado final de todas essas mudanças, o valor da assistência à saúde aumentará drasticamente.

Possibilitando a transformação

A mudança para a competição baseada em valor representa uma descomunal agenda para os prestadores. Três importantes elementos habilitadores ajudarão a abordar os imperativos estratégicos e organizacionais. O primeiro é a cadeia de valor da prestação dos serviços de saúde, uma abordagem sistemática para a identificação e análise dos processos. O segundo habilitador é a tecnologia da informação. A introdução da tecnologia da informação nos atuais modos de prática irá gerar benefícios limitados. A verdadeira oportunidade é usar a informação para transformar o processo de prestação dos serviços de saúde. O terceiro habilitador é o uso de processos sistemáticos para o desenvolvimento do conhecimento a fim de apoiar as melhorias contínuas na prestação dos serviços de saúde. A maioria dos esforços de melhoria de processos, hoje, é informal e focada primordialmente em assegurar conformidade com as diretrizes de prática. O desenvolvimento sistemático do conhecimento em nível de condições de saúde deslanchará um índice muito mais elevado de melhorias nos métodos de prestação dos serviços de saúde englobando todo o ciclo de atendimento.

Analisar a cadeia de valor na prestação de serviços de saúde

A competição baseada em valor requer a transformação da prestação dos serviços de saúde. O modelo de unidades de prática integradas implica uma concepção de prestação dos serviços de saúde bem diferente da prevalecente no sistema atual. A assistência é organizada em torno de condições de saúde e é medicamente integrada através das especialidades, tratamentos e serviços, e ao longo do tempo. Equipes dedicadas utilizam instalações projetadas para proporcionar valor máximo na prestação de serviços à condição de saúde que está sendo abordada. A assistência é estreitamente coordenada através de todo o ciclo de atendimento, e as informações sobre o paciente são acumuladas e extensamente compartilhadas. Os resultados (de saúde e respectivos custos) são mensurados, analisados e relatados. Todas as entidades envolvidas na unidade de prática integrada aceitam responsabilidade conjunta e prestação de contas pelo desempenho.

Para implementar esse novo modelo de prestação dos serviços de saúde, os prestadores precisam delinear e analisar sistematicamente os seus processos de prestação dos serviços no nível de condição de saúde. A cadeia de valor, uma ferramenta desenvolvida para analisar a concorrência entre empresas e outras organizações, oferece tal estrutura referencial.[40] A cadeia de valor é baseada na observação de que o fornecimento de qualquer produto ou serviço consiste na execução de inúmeras atividades separadas. As escolhas feitas em relação a como essas atividades são configuradas e integradas geram valor e deveriam guiar a estrutura organizacional.

Com base em nossas pesquisas e discussões com uma série de médicos em uma variedade de campos da medicina, adaptamos a noção de cadeia de valor à prestação dos serviços de saúde. A cadeia de valor na prestação de serviços de saúde (CDVC) mostrada na Figura 5-5 é a ferramenta

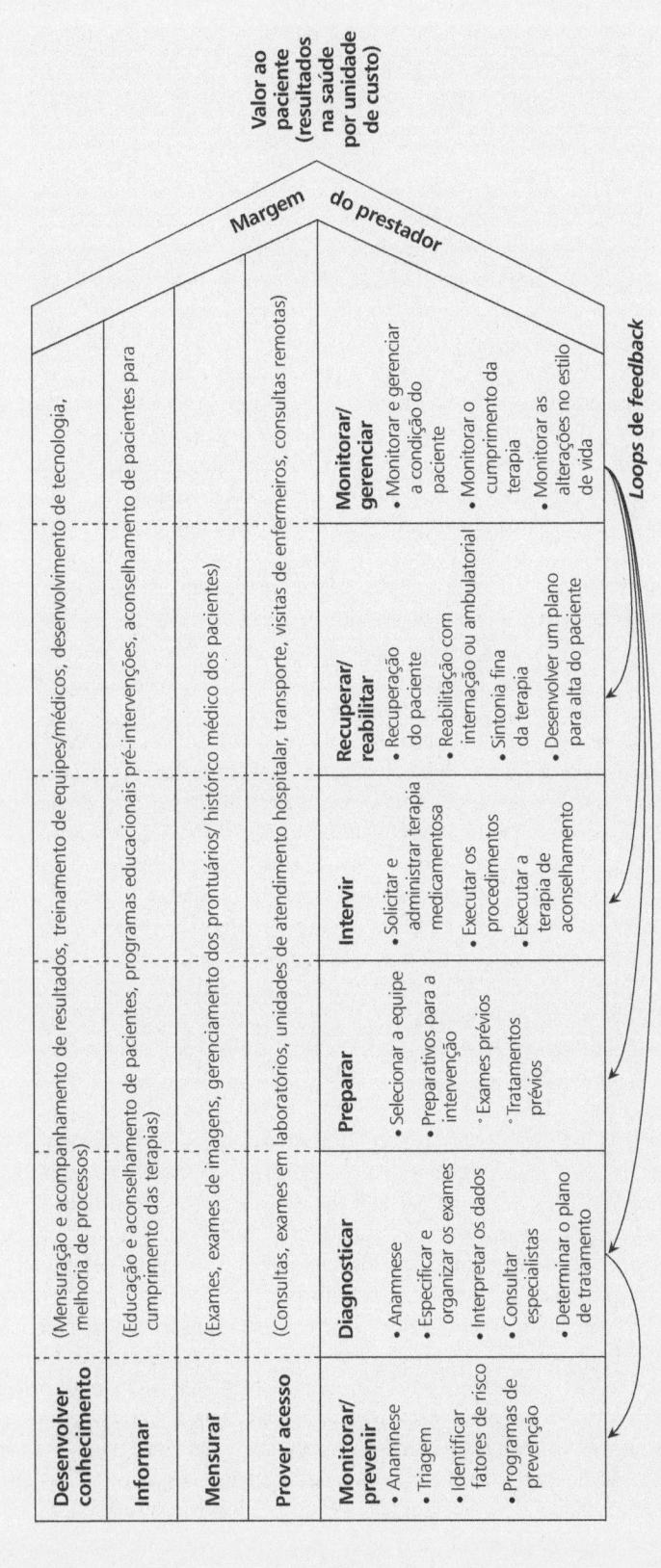

CAPÍTULO 5 • IMPLICAÇÕES ESTRATÉGICAS PARA OS PRESTADORES DE SERVIÇOS DE SAÚDE

Valor ao paciente (resultados na saúde por unidade de custo)

Margem do prestador

Desenvolver conhecimento	(Mensuração e acompanhamento de resultados, treinamento de equipes/médicos, desenvolvimento de tecnologia, melhoria de processos)				
Informar	(Educação e aconselhamento de pacientes, programas educacionais pré-intervenções, aconselhamento de pacientes para cumprimento das terapias)				
Mensurar	(Exames, exames de imagens, gerenciamento dos prontuários/ histórico médico dos pacientes)				
Prover acesso	(Consultas, exames em laboratórios, unidades de atendimento hospitalar, transporte, visitas de enfermeiros, consultas remotas)				
Monitorar/ prevenir	**Diagnosticar**	**Preparar**	**Intervir**	**Recuperar/ reabilitar**	**Monitorar/ gerenciar**
• Anamnese • Triagem • Identificar fatores de risco • Programas de prevenção	• Anamnese • Especificar e organizar os exames • Interpretar os dados • Consultar especialistas • Determinar o plano de tratamento	• Selecionar a equipe • Preparativos para a intervenção ◦ Exames prévios ◦ Tratamentos prévios	• Solicitar e administrar terapia medicamentosa • Executar os procedimentos • Executar a terapia de aconselhamento	• Recuperação do paciente • Reabilitação com internação ou ambulatorial • Sintonia fina da terapia • Desenvolver um plano para alta do paciente	• Monitorar e gerenciar a condição do paciente • Monitorar o cumprimento da terapia • Monitorar as alterações no estilo de vida

Loops de feedback

FIGURA 5-5 A cadeia de valor da prestação de serviço de saúde em uma unidade de prática integrada.

ideal para projetar uma UPI. Ela retrata os tipos de atividades envolvidas no atendimento aos pacientes em uma determinada condição de saúde durante tido o ciclo de atendimento. Esse ponto de partida genérico pode ser especializado a uma condição de saúde específica ou a uma combinação particular de condições co-ocorrentes. (Discutimos essa estrutura em mais detalhes por meio de diferentes exemplos aplicando-a a doença renal crônica, câncer de mama e derrame cerebral (AVC), no Apêndice B.)

Cada prestador já tem cadeias de valor de prestação de serviços de saúde para cada condição de saúde, ainda que não estejam explicitamente delineadas. A estrutura de CDVC descrê, primeiramente, as atividades atuais em cada condição de saúde e, depois, o que é mais importante, analisa formas de aumentar o valor dos serviços aos pacientes. A configuração das atividades deve então determinar como a UPI deveria ser estruturada da melhor forma.

Os prestadores devem delinear e analisar a CDVC numa condição de saúde para todo o ciclo de atendimento, em vez de para intervenções ou serviços particulares. As atividades na CDVC podem ser divididas em duas categorias amplas. As atividades envolvidas no atendimento/tratamento propriamente dito do paciente são o foco de nossa análise. Os prestadores também se envolvem em atividades de apoio, como assinatura de contratos, faturamento, obtenção de suprimentos e gerenciamento de instalações[41], que geralmente consomem uma dose de atenção gerencial. Não excluímos da Figura 5-5 essas atividades, mas elas deveriam ser configuradas para reforçar, e não para diminuir o valor ao paciente. Incluímos um tipo de atividade de apoio, o desenvolvimento de conhecimento, que se refere ao conjunto de atividades envolvidas na aprendizagem de como melhorar os processos e resultados do atendimento. O desenvolvimento formal de conhecimento pelos prestadores de serviços de saúde continua raro, mas precisa se tornar uma norma. O desenvolvimento de conhecimento é um elemento habilitador fundamental da competição baseada em valor, como discutiremos adiante neste capítulo.

Toda cadeia de valor de prestação dos serviços de saúde começa com *monitoração* e *prevenção*. As atividades de monitoração e prevenção abrangem rastrear as circunstâncias do paciente, avaliar os riscos e tomar os passos para prevenir ou reduzir a gravidade da doença ou lesão. A CDVC progride, passando por diagnóstico, preparação, intervenção e reabilitação, e termina com a *monitoração* e o *gerenciamento*. Este último consiste nas atividades envolvidas na gestão de uma condição de saúde através do tempo para sustentar bons resultados e minimizar re-ocorrências.

Atravessando os estágios do ciclo de atendimento, há três tipos adicionais de atividades de prestação de serviços de saúde: prover acesso, mensurar e informar. *Prover acesso* refere-se aos passos envolvidos na obtenção de acesso para o paciente, inclusive acesso a consultas, movimentação dentro do hospital ou entre instalações de tratamento e outros meios, como monitoração remota e consultas pela Internet. *Mensuração* refere-se à avaliação das circunstâncias de saúde de um paciente. *Informar* engloba as atividades envolvidas em notificar, instruir e prover aconselhamento contínuo ao paciente.

Essas três atividades transversais, discutidas em mais detalhes no Apêndice B, permeiam todos os estágios do ciclo de atendimento – ou seja, a mensuração ocorre no monitoramento, no diagnóstico, na intervenção, e assim por diante. Uma vez que atravessam o ciclo de atendimento, essas atividades são a liga que mantém o ciclo de atendimento coeso. Gerenciá-las bem de uma perspectiva integrada e abrangendo todo o ciclo é importante para o valor ao paciente e absolutamente essencial para a prevenção e o gerenciamento de doenças.

A CDVC fornece uma estrutura para descrever os atuais processos de prestação de serviços de saúde, analisar como o processo de prestação dos serviços de saúde pode ser melhorado, examinar a localização dos serviços, projetar expansão geográfica, medir resultados e computar os custos. (Descrevemos com mais detalhes como mapear e delinear a cadeia de valor para o ciclo de atendimento e fornecemos alguns exemplos no Apêndice B.) A CDVC também é uma ferramenta que auxilia a definir onde começar e terminar o ciclo de atendimento e traçar as fronteiras apropriadas para as unidades de prática. Discutiremos essas questões mais adiante neste capítulo e no Apêndice B.

Os atuais esforços de melhoria de processos (por exemplo, controle de infecções) tendem a atravessar as CDVCs de todas as condições de saúde que um prestador tem por alvo. Repensar o processo de prestação dos serviços de saúde para cada condição de saúde específica proporcionará o potencial máximo para a melhoria de valor.

A cadeia de valor da prestação de serviços de saúde na prática. A CDVC diferirá por condição de saúde, e pode variar um tanto na mesma condição de saúde por grupo de pacientes, devido a circunstâncias individuais peculiares. Devido, em parte a essse motivo, a CDVC de abordagem de uma certa condição de saúde pode diferir significativamente entre prestadores. Os prestadores podem ter diferentes populações de pacientes e podem também ter feito escolhas diferentes no passado em relação a como organizar o atendimento. A análise das diferenças entre as CDVC de prestadores para uma mesma condição de saúde e as suas conseqüências para os pacientes geralmente gera subsídios para a melhoria do valor.

A Figura 5-5 enfatiza que a extensão do ciclo de atendimento completo vai bem além da perspectiva e do campo de visão da maioria das atuais organizações prestadoras. Em termos de ciclo de atendimento, por exemplo, a alta do paciente de um hospital não é o término do ciclo de atendimento, assim como a admissão no hospital não é o início.

Muitas partes da CDVC, como informar ou preparar, geralmente não são tratadas como atividades distintas no total do atendimento, e tampouco são mensuradas e analisadas da perspectiva do valor. Parte do problema é a falta de sistemas de informações. Os sistemas de informações existentes em geral são estruturados em torno de funções distintas ou "silos" no processo de prestação dos serviços de saúde e são difíceis de serem integrados.

Os estágios do ciclo de atendimento geralmente se desenrolam iterativamente. Um diagnóstico seguido de uma intervenção, por exemplo, pode levar a um *loop* de *feedback* que esclarece o diagnóstico e resulta numa outra intervenção, e assim por diante. Ou então a deterioração da condição de um paciente durante a recuperação pode disparar um *loop* de *feedback* que leve a uma nova intervenção. Quando a monitoração identifica a progressão de uma doença (por exemplo, de um paciente com doença renal crônica), ela acarreta um *loop* de *feedback* ao diagnóstico e, talvez, a um plano de tratamento revisado. Ou, se um paciente não tolerar um determinado tratamento ou medicamento, há um *loop* de *feedback* para o tratamento a fim de descobrir outro que funcione melhor. Essas iterações geram custo e reduzem a qualidade de vida do paciente até que se alcancem bons resultados.

Na medicina, o caráter iterativo da prestação dos serviços de saúde é inerente até certo ponto, mas pode ser reduzido com um projeto criterioso de métodos e redução de erros. A iteração ou eficiência recorrente é um sinal de perigo em qualquer processo ou negócio. Grande parte da atual iteração é causada por equívocos, processos ruins e ausência de atenção ao ciclo de atendimento. Um diagnóstico incorreto, por exemplo, pode fazer um paciente percorrer todo um ciclo de atendimento ineficaz e até prejudicial, tornando inevitável a iteração. Prestadores excelentes tenderão a minimizar a iteração. Analisar a incidência, a natureza e as causas das iterações no atendimento é um aspecto importante na melhoria do valor ao paciente.

A cadeia de valor da prestação de serviços de saúde normalmente envolverá atividades desempenhadas por inúmeros indivíduos, equipes, departamentos e até organizações totalmente diferentes. Em casos de derrame cerebral (AVC), por exemplo, algumas atividades cruciais são executadas por técnicos de emergência médica (TEMs) ou socorristas, que transportam o paciente até o hospital. A coordenação e o gerenciamento dos vínculos entre atividades, unidades e entidades são cruciais para o valor ao paciente. Portanto, a capacidade dos técnicos de emergência para proceder a uma avaliação preliminar de pacientes com derrame cerebral e comunicar essa informação ao hospital durante o trânsito pode ser importante para a tempestividade e adequação do subseqüente diagnóstico e intervenção.

No âmbito de um prestador, as unidades operacionais têm que enxergar além da sua atividade e reconhecer que fazem parte de um processo maior. O processamento de imagem, por exemplo, não é um serviço isolado, mas uma atividade num ciclo de atendimento maior. Hoje, as muitas entidades ou departamentos envolvidos no atendimento tendem a focalizar seus próprios papéis, com pouca interação com as unidades a montante e a jusante no ciclo. Para usar nossa terminologia anterior, eles vêem o seu negócio de forma muito restrita. Assim, as entidades não aceitam responsabilidade, ou nem mesmo se percebem responsáveis, pelo que se passa ao longo do ciclo de atendimento. Então, os médicos que tentam zelar pelos seus pacientes através do ciclo geralmente têm que despender muito tempo para assegurar que o atendimento correto está sendo prestado.

Prestadores excelentes integram a cadeia de valor não apenas nas suas próprias organizações, mas também com entidades independentes envolvidas no ciclo de atendimento (por exemplo, médicos de assistência primária, clínicas de reabilitação). O M. D. Anderson Cancer Center é um exemplo interessante, porque somente cerca de um terço dos seus pacientes moram na vizinhança do hospital. O M. D. Anderson oferece um portal na Web personalizado e projetado para agilizar os encaminhamentos de pacientes e melhorar as comunicações entre o hospital e os médicos que encaminham pacientes. Os médicos que encaminham pacientes têm acesso a uma agenda do paciente, a documentos transcritos, serviço seguro de troca direta de mensagens com as equipes do M. D. Anderson, informações referentes aos ensaios clínicos do M. D. Anderson e um *link* para a biblioteca de pesquisa médica do centro. Pacientes que residem em outras cidades são devolvidos aos cuidados de um oncologista local ao voltarem para casa, mas um médico do M. D. Anderson junto com um enfermeiro de práticas avançadas também acompanha o progresso de cada paciente. O enfermeiro faz visitas de acompanhamento para verificar a continuidade do atendimento local, e o médico que fez o encaminhamento pode continuar a se comunicar com o médico do tratamento por meio do portal personalizado na Web.[42] Essa integração com entidades independentes pode ser desnecessariamente dificultada pelas leis Stark, que precisam ser modificadas, como discutiremos no Capítulo 8. Os prestadores podem aprofundar a sua compreensão da CDVC, delineando as atividades paralelas a que o paciente terá que se submeter, tanto dentro quanto fora do hospital ou consultório. A identificação de uma cadeia de atividades para o paciente que corresponda à cadeia de prestação dos serviços de saúde vai revelar idéias para melhorar o atendimento, fornecer informações à coordenação do atendimento à medida que o paciente se desloca entre as entidades no ciclo de atendimento e sugerir formas de ajudar os pacientes a cumprirem melhor as ações recomendadas e a contribuírem mais para o valor do seu tratamento.

Delinear a CDVC também reforça uma observação que fizemos antes – existe um descompasso significativo entre as atuais estruturas de pagamento e o valor ao paciente. O pagamento é vinculado ao que é realizado numa unidade em particular ou por um especialista em particular, e não ao valor como um todo. Por exemplo, uma organização prestadora que impõe ou transfere custos a jusante ou a montante no ciclo de atendimento não tem que arcar com esses custos, mas somente com os custos incorridos na própria organização. Essa é uma das razões por que as faturas únicas consolidadas por episódios e ciclos de atendimento serão importantes a longo prazo para a competição baseada em valor. Atualmente, algumas das atividades mais importantes na CDVC simplesmente não são reembolsadas, mas têm que ser subsidiadas com cobranças por outras funções. Um bom exemplo disso é informar os pacientes e ajudá-los a transitar pelo ciclo de atendimento. No entanto, existem grandes oportunidades para melhorar o valor ao paciente, mesmo com o atual sistema de pagamento.

A CDVC não é apenas uma ferramenta para os prestadores, mas também um meio para outros atores do sistema examinarem os papéis e atividades. Os fornecedores, por exemplo, têm que compreender onde os seus produtos ou serviços se encaixam na cadeia de prestação dos serviços de saúde, e como eles, fornecedores, podem tanto mensurar quanto melhorar o valor que entregam (ver Capítulo 7). Da mesma forma, os planos de saúde podem usar a CDVC para compreender melhor onde são capazes de adicionar valor, seja apoiando prestadores, aconselhando pacientes ou coordenando o atendimento entre atividades e entidades (ver Capítulo 6).

Embora seja importante desenvolver uma boa descrição das atividades atuais, o que traz retorno de fato é de caráter normativo: encontrar maneiras de melhorar o atendimento. Uma série de perguntas fundamentais deve guiar a análise da CDVC para uma condição de saúde (ver o Quadro "Transformando a cadeia de valor da prestação dos serviços de saúde"). As respostas a essas perguntas revelarão idéias sobre como a prestação dos serviços de saúde pode ser melhorada.

Atrelando o poder da tecnologia da informação

A tecnologia da informação é uma poderosa ferramenta para possibilitar muitas das mudanças estratégicas, organizacionais e de prestação dos serviços de saúde que descrevemos. A prestação dos serviços de saúde gera e consome muita informação. Toda atividade na cadeia de valor da prestação dos serviços de saúde pode ser aperfeiçoada com a TI. Por exemplo, as prescrições podem se tornar mais eficientes, convenientes e menos sujeitas a erros. Os históricos/prontuários médicos podem ser gerados e compilados mais facilmente, de forma mais completa e compartilhados com todos que precisem deles. A medicina remota torna-se possível.

A TI oferece a espinha dorsal para a coleta, compilação e utilização das informações sobre pacientes, atividades, métodos, custos e resultados, para cada paciente ao longo do ciclo de atendimento e do tempo. À medida que a prestação do atendimento passar de intervenções distintas para ciclos de atendimento, e de silos para equipes integradas, a TI se tornará ainda mais importante.

A tecnologia da informação é uma ferramenta poderosa na assistência à saúde há mais de uma década. Até pouco tempo, no entanto, ela era mais uma promessa. A introdução da TI sofreu resistência de médicos, que a viam como onerosa e com benefícios incertos. Os custos de capital para desenvolver e implementar os sistemas de TI desanimavam muitas organizações carentes de recursos financeiros, especialmente porque muitas das iniciativas eram caras demais em relação ao valor que proporcionavam. O resultado final é um chocante subinvestimento em tecnologia da informação no campo de assistência à saúde. Os investimentos em TI por trabalhador no setor de assistência à saúde somam, em média, US$ 3.000, sendo que na indústria privada a média por trabalhador é de US$ 7.000 a US$ 15.000 num campo igualmente intensivo em informações, como o setor bancário.[45]

Hoje, no entanto, a pergunta não é mais se os investimentos em TI são necessários, mas sim como implementá-los. O clamor por avanços na adoção da TI vem de todos os participantes do sistema, inclusive do governo federal. Aplicações de TI sob medida para a assistência à saúde tornam-se cada vez mais presentes no mercado, e inúmeros estudos de caso demonstram os seus benefícios.[46] Os médicos agora estão menos hesitantes em abraçar certos tipos de recursos de TI. Existem muitos produtos, iniciativas, programas e comitês em andamento relacionados à TI. Manter-se atualizado com todos os avanços pode ser assustador.

Embora a TI seja crucial, ela não é a cura para todos os males. Automatizar os modos de prática atuais só vai gerar benefícios limitados. A TI não é um fim em si mesma, mas um elemento habilitador da competição baseada em valor. Para auferir todos os benefícios da TI, faz-se necessária a fundamental reestruturação da prestação dos serviços de saúde que descrevemos neste capítulo. Ela não funcionará bem até que as UPIs sejam definidas, a cadeia de valor da prestação dos serviços de saúde seja delineada e os padrões de informações sejam estabelecidos. A real oportunidade não está em simplesmente automatizar as transações hoje documentadas em papel, como ordens de serviço, registros e cronogramas, mas sim em usar a TI como uma plataforma para a gestão integrada e baseada em resultados.

Um número de princípios se aplica à introdução da TI na prestação dos serviços de saúde. Primeiro, o paciente – e não médicos, funções, departamentos ou categorias de custos – tem que ser a unidade fundamental em torno da qual as informações são coletadas e armazenadas. O valor ao paciente é a meta final da prestação dos serviços de saúde. Todas as informações têm que poder ser vinculadas longitudinalmente a um paciente como indivíduo.

(continua na página 189)

Transformando a cadeia de valor da prestação dos serviços de saúde

1. *O conjunto e a seqüência* de atividades na CDVC estão alinhados com o valor?

   A simples ação de delinear as atividades envolvidas no atendimento ao paciente já irá gerar perspectivas importantes. Irá revelar as lacunas, a duplicação de tarefas, a redundância de exames e as inconsistências decorrentes de práticas idiossincrásicas.

   Um estudo criterioso da CDVC revela, por exemplo, que grande parte dos esforços pode não agregar valor para o paciente. Os estudos mostram, por exemplo, que o percentual de tempo que os enfermeiros e médicos passam de fato com os pacientes é muito pequeno em relação ao tempo total de trabalho.[43] Isso ocorre, em grande parte, porque os processos de prestação dos serviços de saúde não foram sistematicamente analisados.

   A simples documentação da CDVC e das atividades individuais revela oportunidades para melhorias. Cada atividade deve ser comparada com as melhores práticas conhecidas. Examinar as CDVCs de outros prestadores será igualmente revelador.

   A delineação da CDVC geralmente sugere uma divisão de trabalho mais eficiente entre as entidades, assim como formas de aumentar o valor para o paciente combinando, alterando a seqüência ou a localização dos passos. A ação de mapear as atividades pode também ressaltar importantes tipos de atividades que geralmente são omitidas ou não são sistematicamente gerenciadas (informar, por exemplo). Como ilustração, empregar um educador ou defensor dedicado ao paciente, mesmo que não reembolsável pelos planos de saúde, pode melhorar os resultados e liberar muitas horas da agenda do médico.

2. O *mix de habilidades* apropriado está presente em cada atividade e entre atividades, e os indivíduos trabalham como uma equipe?

   São necessárias múltiplas habilidades e especialidades em todos os estágios do ciclo de atendimento de uma condição de saúde. No atendimento à doença renal crônica, por exemplo, podem ser envolvidos médicos de assistência primária, nefrologistas, cardiologistas, endocrinologistas e urologistas, entre outros. A pergunta é: qual é o melhor conjunto de habilidades do ponto de vista de valor? O atendimento está estruturado de forma que os indivíduos com o preparo necessário sejam reunidos como uma equipe?

   Atualmente, os indivíduos envolvidos e a divisão de trabalho geralmente variam para a mesma condição de saúde. No atendimento a câncer de mama, por exemplo, tanto cirurgiões de mama quanto cirurgiões gerais executam intervenções cirúrgicas, sendo que os cirurgiões de mama costumam assumir também outros papéis no ciclo de atendimento (ver Apêndice B). Quais indivíduos, com quais habilidades, devem assumir a liderança no ciclo de atendimento? Alterar o *mix* de habilidades, ou melhorar a integração entre habilidades, aumentará o valor ao paciente?

3. Existe *uma coordenação apropriada* entre as atividades distintas no ciclo de atendimento, e os repasses são suaves, sem interrupção?

   Identificar as atividades na CDVC irá revelar as inúmeras áreas que precisam ser coordenadas na prestação dos serviços de saúde, tanto entre as atividades em si quanto no ciclo de atendimento como um todo. Os especialistas precisam consultar-se e coordenar-se em reciprocidade, por exemplo, ao tempo que uma seqüência de tratamentos e serviços ao paciente tem que ser agendada com o mínimo de retardo. Identificar os tipos de coordenação necessários e se eles vêm ocorrendo a contento irá revelar oportunidades para melhorar o valor. Um indicador de coordenação eficaz são os retardos, que introduzem ineficiências na prestação dos serviços de saúde e pioram os resultados. Outros sinais de perigo são a necessidade de recriar informações,

(continua)

verificar agendamentos e decisões e conduzir inúmeras comunicações bilaterais envolvendo diferentes partes.

A coordenação é melhorada através de melhores processos e sistemas de informações. É também melhorada através de co-localização de pessoal e melhor projeto das instalações. E, no âmbito de um hospital ou de uma clínica, por exemplo, a co-localização de especialistas nas instalações clínicas e o uso compartilhado de uma equipe de apoio pode melhorar muito a coordenação, e pode também permitir a aprendizagem, tanto formal quanto informal, por equipes multifuncionais.

4. O atendimento está estruturado de forma a permitir *controlar e aproveitar os vínculos* entre as diferentes partes do ciclo de atendimento?

   A análise da cadeia de valor da prestação dos serviços de saúde numa condição de saúde geralmente revelará oportunidades significativas para controlar e aproveitar dos vínculos ao longo do ciclo de atendimento. Um vínculo ocorre quando a maneira como uma atividade é realizada afeta os resultados ou os custos de outras. Por exemplo, mais esforço ou um esforço diferente numa atividade reduzirá o esforço necessário noutras. Os vínculos criam oportunidades de melhorar o valor, examinando-se a cadeia de prestação dos serviços de saúde como um todo, e não apenas melhorando cada atividade separadamente.

   Os vínculos são abundantes na assistência à saúde. Uma melhor monitoração do paciente pode reduzir o custo de tratamento ou melhorar os resultados. Um diagnóstico mais completo pode melhorar o valor do tratamento. O gerenciamento da recuperação pode melhorar os resultados de cirurgias. Por exemplo, o New England Baptist Hospital percebeu que dedicar recursos extras à fisioterapia imediata no próprio hospital rende dividendos na forma de um período de reabilitação mais curto e melhores resultados gerais para o paciente. Além disso, uma vez que os pacientes costumam falar com mais freqüência e mais abertamente com o fisioterapeuta do que com o médico, a terapia imediata no próprio hospital cria a oportunidade de identificar e gerenciar problemas com mais rapidez.

   Dada a atual natureza fragmentada da prestação dos serviços de saúde, esses vínculos são geralmente negligenciados ou totalmente ignorados. Uma oportunidade generalizada para melhorar o valor está em dedicar mais atenção a informar os pacientes e a envolvê-los no atendimento.

5. As *informações certas* são coletadas, integradas e utilizadas ao longo do ciclo de atendimento?

   Como enfatizamos, a informação é fundamental para a entrega de valor na prestação dos serviços de saúde. Informações são necessárias para tomar boas decisões médicas, prestar bons serviços de saúde e rastrear custos e resultados ao longo do ciclo de atendimento. A CDVC é uma ferramenta básica para definir, organizar, auditar e melhorar as informações utilizadas tanto nas decisões médicas quanto no gerenciamento do processo de prestação dos serviços de saúde. A unidade de prática integrada é a unidade básica em torno da qual é preciso integrar os sistemas de informações.

   Além de definir e captar as informações certas, os prestadores têm que assegurar que elas cheguem aos indivíduos certos. Parte da avaliação de uma CDVC, portanto, consiste em saber se as informações são efetivamente compartilhadas e se elas apóiam a coordenação necessária no ciclo de atendimento.

6. As atividades na CDVC são executadas nas *instalações e nos locais apropriados*?

   Identificar a CDVC proporciona um quadro referencial sistemático para examinar a adequação das instalações utilizadas na prestação dos serviços de saúde. São inúmeras as oportunidades de melhorar o valor melhorando-se as instalações. Muitos hospitais e outros centros de tratamento cresceram organicamente com expansões ou reformas incrementais, em vez de com um projeto sistêmico em torno do processo de prestação dos serviços de saúde. As atividades normalmente são realizadas em instalações mais dispendiosas do que as necessárias, e em locais longe de serem ideais. O espaço é organizado em torno de especialidades e serviços compartilhados (por exemplo,

(continua)

suítes de imagem, salas de cirurgia, clínicas especializadas), em vez de em torno de ciclos de atendimento a condições de saúde. Instalações compartilhadas, que não são sob medida para determinadas condições de saúde, normalmente introduzem ineficiências no processo de atendimento. O deslocamento físico de médicos e pacientes é oneroso e leva a substanciais tempos de espera e tempos ociosos. Os projetos das instalações com freqüência impedem a coordenação transversal de pessoas e serviços, complicam a integração do atendimento através do ciclo de atendimento completo e trabalham contra a aprendizagem e a inovação pelas equipes. De modo geral, a expansão e a melhoria das instalações na prestação dos serviços de saúde tendem a ser incrementais e seriamente limitadas por tradições.

A CDVC permite que se reexamine as instalações através de todo o ciclo de atendimento do ponto de vista do valor para o paciente. Para cada atividade, que tipo de espaço maximizará o valor entregue? Que especialistas e equipes deveriam ser co-alocados? Que partes da cadeia de prestação dos serviços de saúde deveriam ser abrigadas em instalações dedicadas e sob medida para a unidade de prática? Os espaços referentes a diagnósticos e exames? As salas de operações e procedimentos? Imagens e outros exames? Unidades de recuperação e reabilitação? Enfermarias? Instalações centradas nos pacientes e projetadas para as necessidades específicas de uma unidade de prática em geral serão mais produtivas do que instalações compartilhadas entre múltiplas unidades de prática, porém algumas instalações altamente especializadas e com baixo volume podem ser compartilhadas.[44]

Como deveriam ser fisicamente dispostos os serviços da CDVC? Em um único prédio dedicado? Em uma rede de locais dispersos? Que estruturas de custo e *overhead* das instalações poderão melhor atender às necessidades das atividades envolvidas? A resposta a essas e outras questões relativas a instalações serão singulares a cada prestador e unidade de prática. A Cleveland Clinic e o M. D. Anderson Cancer Center, discutidos anteriormente, oferecem notáveis exemplos de instalações projetadas em torno de condições de saúde e ciclos de atendimento. Uma intensa dose de análise crítica e reconfiguração das instalações de prestação de serviços de saúde é urgentemente necessária, não apenas em hospitais, mas em todos os tipos de atendimento.

7. Que departamentos, unidades e grupos estão envolvidos no ciclo de atendimento? A *estrutura organizacional* do prestador é alinhada com o valor?

Os relacionamentos entre estrutura organizacional e relatórios gerenciais devem refletir e reforçar o processo de prestação dos serviços de saúde. Como já discutimos, a unidade organizacional fundamental deve ser a unidade de prática integrada dedicada a uma condição de saúde. A CDVC define as fronteiras apropriadas da unidade de prática. Uma unidade de prática deveria abarcar todas as atividades importantes do ciclo de atendimento em que o prestador está envolvido. Deve haver um indivíduo com responsabilidade geral pela unidade de prática e pelos resultados ao longo de todo o ciclo de atendimento. Subunidades de serviços específicos devem ser claramente definidas dentro da unidade de prática, mesmo que não submetidas a relatórios formais. Responsabilidade e prestação de contas explícitas pela coordenação e os repasses no ciclo de atendimento devem ser claramente designadas. Cada unidade organizacional e seu grupo de médicos deve ser mensurada e prestar contas conjuntamente pelos resultados gerais.

8. Que entidades independentes estão envolvidas no ciclo de atendimento, e quais são os relacionamentos entre elas? O *escopo de serviços* de um prestador no ciclo de atendimento deve ser expandido ou contraído?

O envolvimento de entidades independentes na CDVC para uma condição de saúde pode complicar a coordenação do atendimento e a capacidade de controlar e aproveitar os vínculos das diferentes partes ao longo do ciclo de atendimento. Onde houver envolvimento de entida-

(continua)

des independentes no atendimento, deve haver uma estrutura formal para fins de coordenação, mensuração conjunta e prestação de contas pelos resultados, e um mecanismo estruturado de melhoria de processos, no qual as organizações separadas trabalhem em colaboração para avaliar os resultados e aperfeiçoar os métodos. Um movimento em direção a parcerias e alianças mais formais entre as entidades nos ciclos de atendimento a certas condições de saúde será provavelmente uma tendência crescente. A parceria entre a Beth Israel Deaconess e o Milton Hospital, discutida neste capítulo, é um bom exemplo.

Cada prestador tem também que examinar o seu escopo de serviços no ciclo de atendimento. Ao mesmo tempo em que o prestador trabalhar para melhorar a coordenação com todas as entidades independentes envolvidas no atendimento, ele terá que assegurar que o seu escopo de serviços permita a excelência na entrega de valor. Em certos casos, a entrega de valor por unidades de prática totalmente integradas pode possibilitar bons resultados. O Memorial Sloan-Kettering Cancer Center, por exemplo, alcança melhores resultados quando a quimioterapia é feita em suas próprias unidades em vez de por prestadores de serviço independentes. Os prestadores precisam fazer escolhas conscientes sobre o escopo adequado de serviços em cada unidade de prática integrada, tendo em mente que o controle interno é um meio de obter maior integração do atendimento, e não um fim em si mesmo.

Um exemplo dos tipos de escolhas necessárias em termos de linhas e locais de serviços é a iniciativa da Sentara de estabelecer instalações ambulatoriais de reabilitação autônomas, convenientes e com eficácia de custo, em vez de tentar proteger o seu negócio baseado em hospital. Operando com as suas próprias instalações autônomas, a Sentara tem a oportunidade de integrar melhor a reabilitação no ciclo de prestação do atendimento, em comparação a hospitais que têm que formalizar a uma coordenação à distância com prestadores de reabilitação independentes. Instalações autônomas permitiram que a Sentara tivesse êxito ao competir com prestadores de reabilitação independentes. No entanto, sua capacidade para aproveitar plenamente esta oportunidade vai requerer um verdadeiro modelo de unidades de prática, com coordenação sem intersecções e com uma visão integrada do ciclo de atendimento completo.

Segundo, os registros médicos eletrônicos de cada paciente, inclusive as imagens, são a espinha dorsal. Os registros eletrônicos dos pacientes têm muitos benefícios: eles melhoram a legibilidade (uma grande fonte de erros), a documentação e as informações disponíveis aos clínicos, ao tempo em que reduzem a duplicação de exames e a reunião de informações. Os registros eletrônicos permitem maior integração entre médicos e locais e são muito mais econômicos do que os métodos atuais para extrair informações de resultados, experiências, métodos e atributos de pacientes. Registrar o que é realizado, a essência de um registro eletrônico, é a linha de frente para sistemas de custeio sofisticados. Adotar registros eletrônicos para os novos pacientes e gradualmente codificar os registros de pacientes antigos é uma prioridade estratégica para todos os prestadores. (Ver também a discussão sobre registros médicos de pacientes no Capítulo 6.)

Terceiro, as informações administrativas e financeiras têm que ser reunidas. Automatizar informações administrativas e financeiras sem ter a capacidade de vinculá-las a informações clínicas, ou vice-versa, desconsidera o fato de que o valor é a meta maior e final da prestação dos serviços de saúde. A Intermountain, por exemplo, fracassou duas vezes na melhoria de processos com base puramente em dados de custos, sendo que a cada vez destinou milhões de dólares a um projeto que teve que ser abandonado. A Intermountain só teve êxito no uso de informações para promover melhorias quando reuniu resultados clínicos, medidas de serviços e custos.

Quarto, todos os dados do sistema têm que ser compartilhados e todas as aplicações têm que ser interoperáveis para apoiar a integração do ciclo de atendimento, e não criar silos de informações. Os sistemas de internação, agendamentos, prescrições e outras funções têm que se integrar plenamente uns aos outros, sem intersecções. Além disso, é essencial selecionar plataformas tecnológicas, padrões de dados e de segurança que permitam e facilitem o intercâmbio, a integração e a comparação de registros entre todos os prestadores e com outras entidades externas.

Quinto, as informações têm que ser agregadas por unidade de prática integrada e por condição de saúde, e não pelo hospital como um todo, nem por grupo de médicos, nem função. A condição de saúde é a unidade básica na qual o valor é gerado e o rastreamento dos pacientes é mais significativo. Os gabaritos e telas na cadeia de valor da prestação dos serviços de saúde têm que ser customizados para cada unidade de prática a fim de facilitar a entrada e o uso dos dados. Um erro comum é tentar introduzir a TI sem primeiro chegar a um consenso na definição da unidade de prática e dos processos. Na ThedaCare, por exemplo, a implementação da TI numa das principais unidades de prática foi adiada até que houvesse um consenso na definição dos processos, uma lição que a ThedaCare aprendeu a duras penas em outras áreas de serviço.

Finalmente, a implementação de TI mais bem-sucedida procede em incrementos gerenciáveis fundamentados em um plano de longo prazo. O sistema é implementado em passos projetados de forma a desenvolver a confiança e segurança no seu uso.[47] Por exemplo, os sistemas de apoio à tomada de decisões pelos médicos tiveram uma grande aceitação em 2005. No entanto, o apoio a decisões fracassará a menos que os médicos aceitem os fundamentos do gerenciamento de prescrições e históricos/prontuários médicos de pacientes.

A Cleveland Clinic é um exemplo de prestador que percorreu bem o caminho que prescrevemos para o desenvolvimento da tecnologia da informação. A sua infra-estrutura de TI, conhecida como e-Cleveland Clinic, utiliza um único banco de dados comum organizado longitudinalmente por paciente. Todas as aplicações são visões deste banco de dados comum, em contraste com a estrutura mais freqüentemente em uso, que envolve diferentes bancos de dados: um de dados financeiros, outro de agendamentos, outro de registros clínicos, e assim por diante. O sistema emprega os padrões de informações mais aceitos e potentes para cada tipo de registro: por exemplo, identificadores padronizados para consultas e serviços médicos (Terminologia Clínica de Procedimentos, CPT4; e Códigos de Avaliação e Gerenciamento, E&M), tabelas de Códigos Nacionais de Drogas (NDC), e categorização padronizada de doenças (Classificação Internacional de Doenças, ICD9). Para permitir o intercâmbio de dados, é usado o padrão de Nível de Doença 7. O banco de dados armazena um grande espectro de dados digitais, incluindo imagens, resultados de exames e laudos médicos. Quando possível, os computadores-laboratórios e dispositivos médicos transmitem dados diretamente ao banco de dados. Onde houver dados digitais (por exemplo, ecocardiogramas), valores digitais são extraídos e alimentados no banco de dados.

A partir do banco de dados digital, a Cleveland Clinic implementou uma série de aplicações. Aos pacientes, o MyChart permite acesso em tempo real a todas as informações de um paciente, com exceção de certas informações delicadas, que são filtradas, de forma a serem primeiro comunicadas ao paciente pelo próprio médico. O MyChart pode gerar um perfil para a triagem de pacientes e as implicações envolvidas, e pode acompanhar todas as prescrições. Um recurso acrescentado recentemente, a renovação automática de prescrições, vem gerando um aumento no uso do site.

O MyPractice é o site para os médicos e outros profissionais da Cleveland Clinic. Ele reúne dados de atendimento ao paciente e todas as funções clínicas e administrativas.

O Dr.Connect é um site para os médicos que fazem os encaminhamentos. Eles têm acesso online em tempo real a todas as informações relacionadas aos seus pacientes. Este site gera benefícios importantes, como menos telefonemas, economia de tempo e duplicidade de testes. Ao fornecer esse *software* aos médicos externos, a Cleveland Clinic teve que superar alguns obstáculos impostos pelas leis Stark, uma barreira que precisa ser removida, como discutiremos no Capítulo 8.

Finalmente, o MyConsult oferece aos pacientes (e a seus respectivos médicos) acesso a segundos pareceres em cerca de 300 diagnósticos que envolvem risco de vida ou alteração significativa da qualidade de vida. Esse serviço, descrito anteriormente, estende nacionalmente a pacientes externos o mesmo processo utilizado nos diagnósticos internos.

A Cleveland Clinic está continuamente melhorando, estendendo e aprofundando a sua infraestrutura eletrônica. A estrutura é projetada para permitir o máximo de flexibilidade em termos de aplicações, visões e formas de agregar os dados. Por exemplo, um site, o eResearch, está sendo introduzido para apoiar pesquisas laboratoriais e ensaios clínicos. À medida que se acumulam mais dados, se agregam dados históricos e se integram dados de outros prestadores, os benefícios da tecnologia para o valor ao paciente só tendem a aumentar.

Todo prestador precisa de um plano abrangente, de longo prazo, que reflita e reforce a sua estratégia e suas linhas de serviços. Como o valor da informação cresce à medida que mais informações são acumuladas, as instituições que começarem logo a fazê-lo terão grandes benefícios. Ainda assim, os prestadores devem lembrar que a TI não transformará a organização. Ela irá possibilitar e acelerar a mudança quando as unidades de prática forem definidas, a cadeia de prestação dos serviços de saúde for delineada e os padrões de informação tiverem sido estabelecidos.

Sistematizar o desenvolvimento do conhecimento

Em toda unidade de prática, é preciso haver um processo formal de desenvolvimento do conhecimento. Só há uma maneira de uma organização de fato aprender e possibilitar melhorias contínuas na prestação dos serviços de saúde. O desenvolvimento do conhecimento precisa ser um processo sistemático, em vez de aleatório.

A sistematização do desenvolvimento do conhecimento ainda é rara entre prestadores. Existem muitos esforços e melhorias em andamento, mas geralmente eles não fazem parte da gestão contínua. Além disso, grande parte da melhoria de processos se concentra nos processos gerais, comuns a todo o hospital (por exemplo, triagem de enfermeiros, internação de pacientes, mitigação de infecções). Existem muitas vantagens a serem obtidas nessas áreas, mas a maior vantagem ocorrerá no nível das condições de saúde.

O modelo mais comum de melhoria de processos no atendimento clínico em nível de condição de saúde reside atualmente em diretrizes de prática. Diretrizes podem servir como uma base ou um ponto de partida para a melhoria da prestação dos serviços de saúde, mas são apenas o início. A meta não é ter uma medicina padronizada ou genérica, mas sim resultados excelentes. Os prestadores podem aprender com as diretrizes, com as práticas dos centros de excelência e com a sua própria experiência a transformar e aperfeiçoar suas estruturas, seus métodos e instalações para produzir melhores resultados.

O desenvolvimento sistemático do conhecimento consiste em, pelo menos, três componentes: medir e analisar resultados, identificar as melhorias de processos e treinar o quadro de pessoal. O esforço precisa de um gerenciamento contínuo por parte dos médicos e auxiliares competentes trabalhando juntos como uma equipe sob uma liderança envolvida.[48] Requer uma abordagem estruturada, orientada para dados. Medir e sistematizar todos os quatro níveis de dados na hierarquia de informações de uma unidade de prática provêem a matéria-prima necessária. As unidades de prática integradas precisam destinar tempo a reuniões regulares para proceder à análise crítica de resultados, examinar as causas de questões problemáticas, explorar soluções possíveis e aprender com as anomalias e variações dos resultados entre patrimônio dos acionistas. Resultados abaixo dos padrões têm que ser discutidos e analisados, de modo que todo o grupo aprenda e se aperfeiçoe. (Essa abordagem tem sido mais comum em cirurgias, mas precisa se estender a outras disciplinas e condições de saúde.) É necessário buscar continuamente novas idéias do ambiente externo, particularmente das melhores unidades em qualquer parte do mundo, assim como de dentro da própria unidade. Finalmente, os médicos e outros profissionais especializados têm que integrar o processo e ser recompensados e responsabilizados pelo progresso.

Em grandes organizações, consultores e pessoas do quadro corporativo podem suplementar as equipes das unidades de prática. Na Intermountain, por exemplo, os médicos têm acesso a um banco de dados de apoio a decisões. Na M. D. Anderson Cancer Center, equipes de informática assistem os chefes de clínica na compilação dos dados e na análise de resultados.

Melhorias relativamente simples nos processos podem fazer uma grande diferença no valor ao paciente. Por exemplo, uma iniciativa da qualidade vencedora de um prêmio em New Hampshire envolveu uma estrutura na qual os vários médicos que atendiam aos mesmos pacientes faziam as rondas ao mesmo tempo, de forma a discutirem juntos o estado do paciente. Essa mudança relativamente simples melhorou as comunicações e reduziu acentuadamente os erros, baixando a taxa de mortalidade para 2,1%, de uma previsão de 4,8%.[49] Essa mudança requereu tão somente que os médicos se dispusessem a repensar o atendimento ao paciente e procurassem formas de proceder melhor. (O Capítulo 4 descreveu outros exemplos de boas melhorias de processos.)

O programa pioneiro do Institute for Healthcare Improvement de salvar 100.000 vidas nos hospitais também se baseou na disseminação do conhecimento sobre mudanças relativamente modestas nos processos executados em praticamente todos os hospitais. As seis mudanças de processos – reunir equipes de ação em função de determinados sintomas, aplicar um processo baseado em evidências para tratar de ataques cardíacos, prevenir eventos de reação negativa a medicamentos, prevenir infecções nas instalações cirúrgicas, prevenir infecções nas linhas centrais de serviço e prevenir pneumonia associada a ventiladores pulmonares – requerem, todas elas, pouco ou nenhum investimento ou tecnologia avançada para a maioria dos prestadores. No entanto, se amplamente adotados, esses princípios podem reduzir drasticamente a mortalidade decorrente de erros.[50]

Os ganhos em valor decorrentes do desenvolvimento do conhecimento podem ser enormes, mesmo no atual sistema. A Intermountain Health Care, por exemplo, tornou-se conhecida pelos seus esforços sistemáticos de melhoria de processos. Seus esforços para acertar da primeira vez fizeram com que os custos do sistema com pacientes do Medicare ficassem 34% abaixo da média nacional e 14% abaixo dos hospitais não pertencentes à Intermountain em Utah.[51] Deve-se destacar que os esforços de melhoria de processos da Intermountain pendem pesadamente para a melhoria do atendimento clínico em condições de saúde específicas. A abordagem do Intermountain é fundamentada numa filosofia de que a melhoria decorre de mensurar resultados clínicos e financeiros, aprender o que funciona e possibilitar que os profissionais coloquem em prática aquilo que funciona. Como explica Brent James, da Intermountain, "assistência gerenciada *(managed care)* significa [clínicos] gerenciando processos de atendimento [aos pacientes], e não [administradores] gerenciando médicos e enfermeiros".[52]

Um número de organizações provê conhecimento e recursos para o *benchmarking* e melhoria de processos. Uma instituição líder é a Healthcare Improvement, uma organização sem fins lucrativos que tem por objetivo melhorar a assistência à saúde ajudando prestadores a aumentarem a segurança e a qualidade. Ela fornece treinamento, ferramentas, literatura e fóruns de discussão para apoiar os esforços de prestadores na melhoria tanto das práticas quanto dos processos hospitalares gerais numa série de unidades de prática específicas.

Uma das responsabilidades mais importantes do CEO de uma organização prestadora de serviços de saúde é estabelecer e supervisionar as atividades formais de desenvolvimento do conhecimento em cada unidade de prática. O desenvolvimento do conhecimento precisa ser uma parte aceita e celebrada da cultura de toda organização prestadora de serviços de saúde.

Superando barreiras à competição baseada em valor

Como as organizações podem superar as barreiras à transformação? Para competir em valor, os prestadores têm que superar um espectro de barreiras externas e internas. Em função de sua história e suas estruturas, alguns prestadores terão mais facilidade em fazê-lo do que outros.

Práticas dos planos de saúde. Historicamente, as práticas dos planos de saúde trabalham contra a competição baseada em valor. Os planos são focados no tamanho dos descontos, em vez de no valor ao paciente. Eles buscam firmar contratos com prestadores de amplas linhas de serviços e estimulam a duplicação improdutiva de serviços. Têm tentado microgerenciar os prestadores, em vez de recompensá-los por excelência de resultados, enviando-lhes mais pacientes. Redes integradas de planos de saúde e prestadores têm amenizado muitas dessas práticas disfuncionais, o que permitiu que essas organizações dessem alguns passos em direção à melhoria do valor na última década. No entanto, como discutimos anteriormente, a competição baseada em valor funcionará melhor se os planos de saúde forem separados dos prestadores.

O Capítulo 6 discutirá como os planos de saúde têm que transformar os seus papéis e práticas.

Pagamento do Medicare. O pagamento feito pelo Medicare, que exerce uma forte influência nas práticas de pagamento do sistema como um todo, trabalha contra a competição baseada em valor, como já descrevemos. Por exemplo, os níveis de pagamento do Medicare não são vinculados a custo nem a valor, levando a subsídios cruzados e excesso de capacidade. O pagamento favorece procedimentos de tratamento, em vez de melhorar o valor no ciclo de atendimento. A estrutura de pagamento também atua contra inovações que reduzam o custo dos métodos de tratamento. O Capítulo 8 irá discorrer, em detalhes, sobre como o Medicare pode modificar as suas práticas para estimular a competição baseada em valor focada em resultados.

Regulamentação. Inúmeros impedimentos regulatórios e legais trabalham contra as estratégias e estruturas de melhoria de valor. O regulamento de Certificado de Necessidade protege instituições já estabelecidas, em vez de estimular novos concorrentes de alto valor. A lei Stark e as leis da prática corporativa da medicina, trabalham contra a integração do ciclo de atendimento. O licenciamento de nível estadual trabalha contra a integração transgeográfica da prestação dos serviços de saúde. (Discutiremos sobre as áreas que carecem de uma reforma regulatória no Capítulo 8.)

Governança. As exigências legais e as estruturas de governança dos prestadores trabalham contra as estratégias baseadas em valor, como já discutimos. O viés que incentiva a restrição geográfica e favorece prestadores com linhas completas de serviços é reforçado pelos conselhos locais e pela obrigatoriedade de prestação de serviços às comunidades locais. Existe resistência em eliminar qualquer serviço e fechar um hospital inteiro está fora de cogitação, mesmo que haja outras instituições de melhor qualidade a redondeza. A mentalidade de "quanto mais perto melhor" está profundamente arraigada entre os conselhos, líderes comunitários e políticos. Os conselhos de administração de alguns hospitais começaram a perseguir estratégias baseadas em valor, mas estes ainda são minoria.

Os conselhos têm que abraçar o valor ao paciente como uma meta central. Um hospital ou clínica vai gerar mais valor para mais pacientes se prestar somente serviços cujos resultados sejam excelentes. Os pacientes locais também se beneficiarão de atendimento regionalmente integrado e desenvolvido em parceria com outras instituições excelentes.

Atitudes e mentalidades. Antigos pressupostos, atitudes e mentalidades estão por toda parte na assistência à saúde. O viés que incentiva a amplitude de serviços está profundamente arraigado. Alguns médicos se preocupam bastante com a idéia de prestar contas por resultados. Outra mentalidade prevalecente na medicina é a de que é errado competir, porque a medicina é colaborativa, e a competição só resultará em redução de preço. Essas atitudes e mentalidades mudarão à medida que o sistema realinhar o seu foco em torno do paciente, os prestadores implementarem os passos que esboçamos neste capítulo, e outros atores do sistema mudarem suas estratégias e abordagens (ver Capítulo 8).

Capacidades gerenciais. O domínio de questões gerenciais entre prestadores de serviços de saúde é limitado, especialmente entre indivíduos com formação médica. Esses recursos gerenciais limitados serão violentamente testados pelos tipos de estruturas organizacionais e pelos métodos e processos de prestação de serviços aqui descritos, que demandam muito mais habilidade gerencial do que as estruturas tradicionais de prestação de serviços de saúde. Melhorar a capacidade gerencial será um desafio para todos os prestadores, especialmente porque a cultura da medicina não tem encarado "gestão" como algo importante ou que traga prestígio.

Os prestadores precisarão montar uma estratégia consciente para fornecer treinamento apropriado às equipes médicas à medida que suas responsabilidades gerenciais se ampliam, e também precisarão buscar indivíduos com bagagem gerencial ao recrutarem novos talentos. As escolas de administração estão desenvolvendo currículos programáticos sob medida para profissionais de assistência à saúde. As escolas de medicina também precisarão expandir seus componentes gerenciais (ver seção a seguir).

Educação médica. As escolas de medicina não equipam os jovens médicos para o seu papel em um sistema de saúde orientado para o valor, nem atendem às necessidades de médicos experientes. A formação médica não inclui tópicos essenciais, como o papel das equipes, atendimento integrado, ciclos de atendimento, mensuração de resultados, processos de desenvolvimento do conhecimento, tecnologia da informação e gestão de unidade de prática. É necessário repensar a educação médica de uma forma mais ampla (ver o Quadro "Repercussões na educação médica").

A estrutura da prática médica. É difícil conseguir melhorar a prestação dos serviços de saúde quando médicos que agem como livres agentes vêem o processo de melhoria como um fardo, o que hoje é a norma. O que estamos descrevendo também está longe daquelas típicas rondas em que médicos experientes sabatinam os residentes como parte da educação médica. A melhoria de processos, portanto, é uma das muitas áreas em relação às quais as atitudes e hábitos tradicionais dos médicos precisarão mudar.

Talvez a barreira mais complexa para as estratégias baseadas em valor venha das estruturas e organização tradicionais da prática médica. Como já observamos, os modos tradicionais de agrupar e organizar os médicos não estão bem alinhados com o valor ao paciente. A organização dos médicos é sacramentada em conselhos e associações envolvidas com certificações e no treinamento médico. As associações de medicina, como atualmente constituídas, às vezes restringem a mudança para novas estruturas de prestação de serviços de saúde e mensuração de resultados, em vez de possibilitá-las (ver Quadro "Repercussões para as associações de medicina", no Capítulo 8).

Outra descomunal barreira à estratégia é o modelo de livre agente, tão comum na medicina. Muitos médicos são, em grande parte, profissionais independentes com afiliações frouxas a hospitais e grupos de médicos. Cada livre agente é, na verdade, um negócio separado, normalmente emitindo uma fatura separada e arcando com custos administrativos separados. O resultado são múltiplas faturas, pessoal redundante e má coordenação.[62] O modelo de livre agente também consagra a fragmentação. É difícil fazer com que livres agentes façam parte da mesma equipe e mudem na mesma direção. Livres agentes querem lidar com um espectro de casos e fazê-lo à sua moda, em vez de entrar num consenso sobre padronização de processos.

Em linhas gerais, o modelo de livre agente significa que a prestação dos serviços de saúde é centrada no médico, em vez de no paciente e no valor. Sem mensuração e competição em resultados, os processos e as estruturas são organizados em torno do que os médicos desejam. Muitos médicos ainda encaram o desejo dos pacientes por melhores informações ou por serem encaminhados a outros prestadores como um sinal de deslealdade, e não como algo a ser estimulado.

Esses problemas são particularmente agudos nos hospitais-escola, nos quais os médicos geralmente praticam, ensinam e conduzem pesquisa simultaneamente. O atendimento a pacientes pode ser uma modesta parcela do tempo do médico, o que reduz o foco no processo de prestação dos serviços de saúde. O chefe de um grupo ou departamento é chefe de tudo, em vez de especificamente encarregado de melhorar o atendimento ao paciente. Os desafios de reunir médicos em unidades

(continua na página 198)

Repercussões na educação médica

Tanto o conteúdo e como a cultura da educação médica precisam ser alinhados em torno do alcance da excelência no valor ao paciente. A educação médica precisa se livrar da camisa de força da especialização e abraçar uma prestação de serviços de saúde integrada e melhorada.

Modificar os currículos será um desafio nas escolas organizadas em torno de especialidades, que têm geralmente se concentrado em preparar os alunos para exames e conselhos, em vez de para a prática clínica. A mudança de mentalidade, de credenciais acadêmicas e pesquisas laboratoriais como fonte de prestígio, para a excelência no atendimento clínico será substancial. A julgar por nossa própria experiência em redesenhar currículos em instituições acadêmicas, escolas de medicina totalmente novas poderão ser pioneiras em algumas das mudanças estruturais necessárias.

Onde deveria ocorrer o treinamento clínico

Os prestadores encarregados do treinamento clínico de futuros médicos deveriam ter que demonstrar excelentes resultados. Atualmente, os estudantes são treinados em atendimento clínico por grupos de prática que têm credenciais acadêmicas, mas podem estar defasados em relação ao estado da arte da prestação de serviços de saúde. Pior ainda, esses grupos podem não saber onde se situam porque não medem nem analisam seus próprios resultados. Nenhum hospital ou médico que não adote mensuração de resultados ou que não esteja disposto a relatá-los deveria ter permissão para educar alunos.

Em todos os campos, os estudantes devem ser treinados em um centro local ou regional com resultados conhecidos naquele campo. O hospital universitário ou outros hospitais da redondeza podem não ser os melhores lugares para o treinamento clínico em todas as unidades de prática. Hoje mesmo, em algumas escolas de medicina, alunos que têm interesse por um campo não praticado no hospital afiliado à escola podem propor fazer essa rotação num local diferente. Restringir o treinamento a centros que demonstram excelência em cada unidade de prática traria o benefício adicional de conscientizar estudantes de medicina e médicos sobre os lugares com bons resultados.

Trabalhar em equipes de unidades de prática integradas

Hoje, o treinamento é organizado em torno de papéis especializados e dirigidos por departamentos especializados, refletindo a organização funcional típica dos hospitais. A educação médica precisa preparar futuros doutores para trabalharem em equipes integradas com múltiplas especialidades, que abordam determinadas condições de saúde. Além disso, muitos médicos aprendem o atendimento clínico como praticado por grupos de pessoas *ad hoc* em uma série de casos, em grande parte, não relacionados. Eles não são ensinados a prestar serviços de saúde em equipes estáveis, com os membros trabalhando juntos ao longo do tempo para melhorar os resultados para os pacientes através de melhorias de processo sistemáticas.

Os currículos de medicina estão mudando em direção a uma melhor apreciação do papel da colaboração entre especialidades e à contribuição de profissionais da área que não são médicos. Mas esta mudança curricular é lenta. À medida que os prestadores se organizarem em torno de unidades de prática, haverá grandes oportunidades para modelos melhorados de treinamento médico, pelos quais grupos de estudantes de medicina e residentes trabalharão como parte de novas unidades organizacionais integradas.

Gerenciar o ciclo de atendimento completo

O treinamento médico reflete e reforça o sistema de atendimento truncado construído em torno de procedimentos e intervenções distintos. No entanto, o valor ao paciente depende de coorde-

(continua)

nação e integração da prestação dos serviços ao longo de todo o ciclo de atendimento. O ideal seria que os estudantes desenvolvessem domínio do ciclo de atendimento como um todo, inclusive que tivessem treinamento em triagem, prevenção e gerenciamento de doença a longo prazo. Eles deveriam compreender as necessidades que ocorrem antes de a sua especialidade ser envolvida no atendimento, como também o que dever acontecer depois.

Atualmente, o treinamento é altamente concentrado no contexto hospitalar. O sistema educacional na área médica também precisa fazer com que os médicos dominem contextos ambulatoriais, com uma compreensão dos estágios mais crônicos do gerenciamento de doenças e lesões. O treinamento deve ser estruturado, por exemplo, de forma que um residente envolvido no tratamento de um episódio agudo de falência cardíaca congestiva permaneça envolvido com o atendimento ao paciente depois da alta.[53]

Demonstrar competência na prática clínica

O currículo programático das escolas de medicina nos EUA* baseia-se em dois anos de curso (sala de aula e laboratório) seguidos de uma série de rotações (aulas práticas) predeterminadas. O equilíbrio entre as necessidades de ciências básicas e aplicadas (clínica) precisa ser reexaminado. Tópicos como anatomia básica, por exemplo, são extensamente cobertos devido à tradição e ao conteúdo das provas. Algumas escolas oferecem farmacologia molecular, mas omitem a farmacologia clínica, na esperança de que os alunos aprendam sobre interação medicamentosa durante a residência.

Algumas escoals estão mudando para currículos baseados em competência, que enfatizam o que os estudantes precisam, de fato, aprender e ser capazes de fazer, o que é um avanço bem-vindo. Contudo, a definição de competência ainda é influenciada pelo conteúdo das provas, em vez de pelas realidades da prática clínica.

Em nível de residência, a educação médica é organizada em torno de um modelo pelo qual espera-se que o residente aprenda um procedimento pela observação e pela prática.[54] Isso gera o dilema de equilibrar o bem-estar do paciente com o treinamento dos médicos e dificilmente leva à excelência clínica. Alguns hospitais-escola estão começando a exigir treinamento em procedimentos comuns antes que estudantes e residentes possam trabalhar com pacientes. Por exemplo, os hospitais do grupo Partners, em Boston, agora exigem treinamento em inserção em linhas centrais para todos os residentes.[55]

Alguns centros acadêmicos também estabeleceram ou estão desenvolvendo laboratórios de bio-habilidades, nos quais os médicos e equipes podem ministrar treinamento usando manequins e cadáveres antes de trabalharem em pacientes reais. O uso de simuladores também vem crescendo. Onde viável, tanto médicos experientes quanto novatos devem praticar e demonstrar competência nos simuladores, da mesma forma que pilotos de aeronaves devem fazer a cada dois anos.

Treinamento em mensuração de resultados

Projetar medidas de resultados, coletar informações clínicas e investigar sistematicamente os relacionamentos entre métodos e resultados clínicos são tópicos que atualmente não constam nos currículos médicos. No entanto, os médicos de amanhã precisam conhecer os melhores resultados e o que significam; como ajustá-las adequadamente às condições iniciais dos pacientes; e como

(continua)

---

* N. de T.: Diferentemente do que ocorre no Brasil, o currículo programático norte-americano só inicia após o bacharelado em ciências afins.

levantar e usar as informações já coletadas. Toda rotação (aula prática) clínica deveria incluir atenção à mensuração de resultado e de processos. Os formandos precisam saber identificar os centros nacionais e regionais que alcançam os melhores resultados. Precisam saber onde estão os médicos mais experientes em áreas especializadas, e saber utilizar os dados de resultados, para fazer encaminhamentos baseados em evidência.

Os formandos também precisam ser ensinados que a comparação com os pares é uma parte normal do desenvolvimento profissional, além de uma obrigação para com os pacientes. Se a mensuração se tornar normal e esperada, ela reduzirá o medo da avaliação e criará fortes incentivos para que todos os médicos se aperfeiçoem continuamente.[56]

Melhorar os processos clínicos

Todo aspirante à carreira médica deve receber treinamento em abordagens sistemáticas à melhoria da prestação de serviços de saúde. Isso inclui ferramentas para a definição explícita de processos, a análise de variações e anomalias nas práticas, sistemáticas para comparar seus próprios métodos de prestação de serviços contra os de outros prestadores e as melhores práticas na organização e gerenciamento de processos de solução de problemas em equipe. A participação formal na melhoria da prestação dos serviços de saúde deve se tornar uma parte esperada do trabalho de um médico, não apenas uma eventualidade.

Novos modelos de educação continuada

Existem exigências há muito estabelecidas em relação à educação médica continuada, porém as atuais práticas são uma aberração. Os médicos precisam de treinamento estruturado sobre as mais recentes práticas clínicas e *coaching* para dominar os métodos mais atuais na prestação dos serviços de saúde. O treinamento precisa ser estruturado de modo condizente com as pressões de tempo e sobrecarga de informações com que os médicos se deparam no dia-a-dia.

Os formandos aprendem inicialmente a prática clínica em contextos hospitalares terciários, circundados de muitos colegas. No entanto, muitos médicos na verdade praticam tratando sozinhos dos pacientes, em ambientes ambulatoriais de assistência primária ou secundária. Depois de completarem o seu treinamento formal, os médicos raramente têm a chance de observar colegas e obter *feedback* sobre o seu próprio desempenho. Os médicos costumam ter poucas e preciosas oportunidades de dominar as técnicas de prestação de serviços de saúde em um ambiente que ofereça apoio e onde não haja influência de fornecedores (de medicamentos e equipamentos).[57]

Atualmente, a maioria dos congressos médicos está fora de tom. São apresentações e documentos de pesquisa frouxamente estruturados, cabendo aos médicos compreendê-los por si próprios. Embora cirurgiões cardíacos e ortopédicos assistam a demonstrações de técnicas cirúrgicas nessas reuniões profissionais, este tipo de programa prático e orientado para a prestação dos serviços de saúde é incomum.

A educação continuada deve ser organizada em torno de condições de saúde. As escolas de medicina, as associações médicas e os grupos de prestadores precisam projetar e oferecer cursos orientados para os praticantes e focados na prestação dos serviços de saúde. Tais cursos precisam sintetizar as descobertas das pesquisas e integrá-las com a aprendizagem oriunda na prática clínica, em cursos estruturados sobre os mais recentes métodos de atendimento clínico e formas de mensurá-los.

A Intermountain Health Care movimentou-se nessa direção. Cada um dos programas da IHC (por exemplo, problemas cardiovasculares, tratamentos preventivos, saúde da mulher e saúde

(continua)

de recém-nascidos) conta com uma equipe experiente de médicos dedicados à análise e aprendizagem, tanto a partir da literatura médica quanto dos dados de resultados da própria IHC e de práticas clínicas. Essas equipes treinam os clínicos sobre as novas descobertas, como também os ajudam a implementar, melhorar e atualizar os protocolos de tratamento baseados nas melhores práticas. A idéia é fazer com que o processo de manter-se atualizado se torne uma tarefa fácil, esperada e normal.

Sistemas de apoio a decisões dos médicos estão sendo introduzidos como parte das iniciativas de registros eletrônicos de prontuários e históricos médicos. Tais sistemas serão mais úteis se forem projetados para melhorar as informações que embasam as decisões dos médicos, em vez de algemar os médicos com diretrizes de processos. O uso de sistemas de apoio a decisões precisa ser ensinado nas escolas de medicina.

Finalmente, simuladores e outras ferramentas para aprender fazendo, sem envolver pacientes de verdade, também têm um papel na educação continuada clínica. Mesmo sem essas tecnologias de alto custo, como simuladores do corpo humano completo, os laboratórios de bio-habilidades podem capacitar a aprendizagem de novas técnicas cirúrgicas em um ambiente de participação ativa. Por exemplo, o Orthopaedic Learning Center, em Rosemont, Illinois, tem um laboratório de bio-habilidades com 25 estações cirúrgicas que permitem que os médicos pratiquem em cadáveres ou manequins.[58] O Bioskills Learning Center do New England Baptist tem duas salas de cirurgia com capacidades de multimídia e teleconferência, nas quais os médicos podem praticar técnicas e fazer demonstrações. A tecnologia de comunicação de mão dupla permite que os treinandos não apenas observem os cirurgiões executando os procedimentos mais modernos, mas que também façam perguntas e recebam *feedback* imediato sobre o seu desempenho.[59]

Desenvolver habilidades de gerenciamento de unidades de prática

Já nos primeiros anos de residência, os médicos têm que assumir tarefas como triagem para estabelecer prioridades de atendimento em função dos recursos e fazer agendamentos, sem o benefício de qualquer treinamento em administração. Mais tarde em suas carreiras, chefes de divisão e líderes hospitalares têm que dominar projeto de processos de prestação dos serviços de saúde, gerenciamento de equipes multidisciplinares, planejamento estratégico, orçamento, gestão de recursos humanos e papéis de mentoração, novamente sem nenhum treinamento.[60] Alguns hospitais e organizações profissionais, como a Society of Thoracic Surgeons e a American Academy of Family Physicians,[61] estão começando a oferecer aos futuros líderes oportunidades de participação em programas de educação gerencial. No entanto, é urgente a necessidade de um melhor treinamento gerencial, que inclua os conceitos de unidades de prática e gerenciamento de ciclos de atendimento completos, assim como treinamento básico em melhorias de processos, gestão de inovações, análise de sistemas e gestão de tecnologia da informação.

de prática integradas, organizar o atendimento em torno de ciclos de atendimento e implementar a coleta disciplinada de informações e melhorias de processos são muito maiores no ambiente médico acadêmico, onde o foco nas especialidades tradicionais é ainda maior, devido às missões de pesquisa e ensino.

Os hospitais-escola são também, notoriamente, dotados de linhas amplas de serviços, mesmo em áreas que exigem pouca especialização ou tecnologia. Justificam as amplas linhas de serviços como necessárias para o cumprimento da sua missão de ensino; contudo, não são obrigados a demonstrar resultados excelentes para se qualificarem a treinar futuros médicos. As estruturas e processos tradicionais da prestação dos serviços de saúde são ainda defendidos.

Alguns prestadores, inclusive centros como a Cleveland Clinic e a Mayo Clinic, seguem um modelo pelo qual os médicos pertencem ao corpo funcional assalariado com claras relações de prestação de contas. O modelo oferece vantagens importantes para a mudança para estratégia baseadas em valor. O modelo assalariado tende a facilitar a reorganização em unidades de prática, a coleta das informações certas e a instituição de melhorias sistemáticas nos processos. Além disso, o projeto apropriado de estruturas de remuneração no modelo assalariado pode reduzir os incentivos ao supertratamento ou ao excesso de casos em tratamento.

No entanto, embora o modelo ofereça vantagens para a migração para abordagens baseadas em valor, ele está longe de ser a cura para todos os males. O modelo de quadro médico assalariado, por si, não funcionará, a menos que a estrutura organizacional, as estruturas de prestação dos serviços de saúde e as práticas de mensuração sejam modificadas. Mudar para o modelo de quadro médico assalariado é complicado por potenciais problemas de incentivos, como a seleção adversa de médicos que sejam menos competentes e questões de produtividade que podem surgir quando os médicos não são donos da sua prática.[63] Esses problemas de incentivo são superados por instituições de prestígio como a Cleveland Clinic e a Mayo Clinic, mas podem ser um desafio para o prestador médio.

Mudar para estruturas de unidades de prática integradas irá exigir novas estruturas de contratação de pessoal e incentivos. Alguns hospitais e práticas grupais estão pagando salários por tempo dedicado a tarefas gerenciais e de melhoria de processos na unidade de prática. Por exemplo, o Beth Israel Deaconess paga por uma parcela do tempo dos médicos que fazem encaminhamentos como compensação pelo envolvimento deles nos esforços da instituição.

A Intermountain Health Care aborda essa questão selecionando entre os seus médicos independentes aqueles que se distinguem no campo e estejam dispostos a assumir papéis de liderança nos esforços para o alcance das metas da unidade de prática. Esses médicos são remunerados por um quarto do seu tempo, usando uma escala de remuneração diferenciada entre especialidades. Eles são responsáveis por estudar a literatura médica, reunir-se com colegas e participar das reuniões de comitês e do conselho da Intermountain, conforme o caso.

Alguns prestadores têm se movimentado para modificar o relacionamento entre o hospital e os médicos afiliados. Tradicionalmente, os contratos com os médicos consistem, na sua maioria, em acordos financeiros. No entanto, os contratos estão começando a incluir metas e mensurações de resultados. Na ThedaCare, os cirurgiões ortopedistas são agora obrigados a usar a medida SF-36 (que mede o impacto na qualidade de vida) em cirurgias de joelho e quadril.[64] Na Tenet Healthcare, médicos com a intenção de realizar cirurgias bariátricas (obesidade) têm que concordar com padrões de prática a serem alcançados ou excedidos antes de terem permissão para usar as instalações do hospital. Condições desse tipo, e outras que precisam ser desenvolvidas, são focadas em valor, informações e melhorias da prática. Com o tempo, espera-se que essas condições se tornem recíprocas, com hospitais e médicos comprometidos em atingir altos padrões.

Os hospitais-escola precisam assumir a liderança na mudança para a competição baseada em valor, em vista dos seus papéis reais e simbólicos na medicina. Muitos hospitais-escola precisarão competir mais estrategicamente, enxugando linhas de serviços e firmando parcerias com outros prestadores para entregarem mais valor aos pacientes. A esse respeito, modelos como a parceria do Beth Israel Deaconess com o Milton Hospital, e o acordo gerencial da Cleveland Clinic com a prática de cirurgia cardíaca do Rochester General Hospital, são instrutivos.

Os hospitais-escola têm que reconhecer que pesquisa, ensino e atendimento a pacientes são negócios diferentes, e têm que ser gerenciados como tal. No atendimento a pacientes, têm que ser responsabilizados pelos resultados. O treinamento e a pesquisa laboratorial não podem comprometer o atendimento aos pacientes. O treinamento de médicos deveria ocorrer em unidades de prática que demonstrem excelência em resultados. Também serão necessárias mudanças significativas na educação médica para alinhar o treinamento com os imperativos da prestação dos serviços de saúde.

As vantagens de começar logo

Como dar início ao processo de mudança? Quem assumirá a liderança? A realidade é que a transformação dos prestadores de atendimento à saúde já está a caminho. Apesar das barreiras e dos desafios, alguns prestadores estão agindo para desenvolver estratégias baseadas em valor; para realinhar as suas estruturas em torno de unidades de prática, para integrar as atividades ao longo do ciclo de atendimento, para coletar, analisar e disseminar resultados, e para fornecer atendimento integrado entre diferentes áreas geográficas. Quanto mais passos como esses forem dados, mais rapidamente o valor aumentará, porque os passos se reforçam mutuamente.

Competir em valor trará benefícios para prestadores e pacientes, ainda que nada mais mude no sistema. A competição baseada em valor é uma soma positiva. Quando prestadores saem ganhando, empregadores e planos de saúde também saem ganhando, porque a qualidade e os custos terão melhorado notavelmente. Nenhum dos passos que defendemos são radicais ou arriscados, pois os prestadores de destaque já os estão tomando.

Os prestadores que começarem a mudar logo sairão ganhando, à medida que forem alimentando o círculo virtuoso da prestação dos serviços de saúde. Os primeiros a se movimentar serão líderes no estabelecimento do foco estratégico e na criação de áreas de excelência. Eles construirão sua reputação num campo menos congestionado. Os que se movimentarem logo começarão mais cedo a dominar as estruturas organizacionais e padrões de prática apropriados e a acumular informações clínicas. Serão os primeiros a firmar parcerias estratégicas e novos tipos de relacionamentos com outros prestadores e estarão em posição vantajosa para servir aos planos de saúde que se movimentam e que continuarão a se movimentar em direção a modelos mais dirigidos pelo valor.

Movimentar-se logo é particularmente importante no aspecto de informações clínicas. Um maior acervo de informações não apenas promoverá a melhoria da prática, como também permitirá demonstrações de excelência mais convincentes e aprofundará a compreensão dos custos. Os prestadores que forem precoces e atuantes na coleta e análise de informações de resultados também estarão em posição de influir nas medidas usadas e estabelecer padrões que os demais terão que seguir.

Não é preciso esperar pela perfeição. Praticamente qualquer prestador pode provocar grandes melhorias no valor da assistência à saúde por ele prestada, melhorias estas que se reforçarão reciprocamente.

6

Implicações Estratégicas para os Planos de Saúde

OS PLANOS DE SAÚDE TÊM um papel singular e essencial na competição baseada em valor na assistência à saúde, como alguns planos de vanguarda começam a demonstrar. No entanto, a maioria dos planos de saúde não corresponde a esse potencial. Ao contrário, eles agem de forma a reforçar a competição de soma zero, deixando de fornecer valor máximo a seus clientes. Mudanças significativas de mentalidade, atitude e modos de operação serão necessárias.

No passado, as estratégias e práticas dos planos de saúde diminuíram o valor com burocracia, custos administrativos, restrições às escolhas de médicos e pacientes, limitação de serviços, tentativas de microgerenciar a prática médica e, geralmente, emperrando o andamento dos trabalhos com relacionamentos adversos com prestadores e com seus clientes. Essas práticas não só deixaram de adicionar valor do ponto de vista da saúde, mas também deixaram de alcançar o resultado desejado: controlar rapidamente a elevação dos custos. Como conseqüência, os planos de saúde acabaram difamados e talvez tenham se transformado no menos confiável e admirado entre os participantes do sistema de saúde. A percepção que clientes, prestadores e formuladores de políticas têm dos planos de saúde é tão negativa que muitos se perguntam se os planos são capazes de adicionar qualquer valor que seja.

Acreditamos que possam fazê-lo, mas precisarão repensar e reorientar toda a sua abordagem em torno da competição baseada em valor. Os planos de saúde têm que se tornar organizações de saúde, e não simplesmente organizações de seguro. Têm que ser participantes na saúde, e não apenas pagadores, um termo que cremos ter se tornado contraprodutivo. Quando focarem o valor da saúde para os pacientes, os planos de saúde poderão recuperar o respeito de pacientes, médicos e outros participantes do sistema.

Neste capítulo, começamos descrevendo como os papéis dos planos de saúde têm que mudar. Depois, esboçamos as práticas estratégicas, organizacionais e operacionais que permitirão que os planos de saúde de fato acrescentem valor aos pacientes. Essa mudança necessária (deixar de acentuar a competição de soma zero e possibilitar a competição baseada em valor) não apenas beneficiará imensamente os pacientes, mas também abrirá muito mais oportunidades para os planos de saúde se distinguirem e gerarem vantagens competitivas de significância. À medida que os prestadores de serviços de saúde também se transformarem, como descrevemos no Capítulo 5, a transformação dos planos de saúde reforçará a dos prestadores, e vice-versa. O valor ao paciente melhorará exponencialmente.

Muitos planos de saúde terão que superar barreiras descomunais para adotarem esses novos papéis que adicionam valor. Para alguns planos, será difícil transpor a mentalidade de desconto, a postura de que prestadores e clientes precisam ser microgerenciados de cima para baixo, e a cultura de recusa. Contudo, sentimo-nos encorajados pelo número crescente de planos que começam a abordar esses desafios, com resultados promissores. Como no caso dos prestadores, os planos de saúde que se dispuserem logo a abraçar a competição baseada em valor colherão benefícios duradouros.

Neste capítulo, abordamos os planos plenamente segurados e os planos auto-segurados juntos. Como frisamos na introdução deste livro, os planos de saúde caem em uma dessas duas categorias amplas. Cerca de metade da cobertura de saúde baseada em empregadores é auto-segurada, significando que o empregador arca com o risco financeiro, embora os planos auto-segurados normalmente ainda sejam administrados por uma empresa de planos de saúde. Os planos auto-segurados têm muito mais flexibilidade para definir cobertura, termos e condições porque não são regulados como seguro.

Os dois tipos de plano são tratados juntos porque os princípios e os papéis que delineamos aplicam-se a ambos. As práticas passadas dos planos de saúde refletem uma combinação de escolhas não apenas pelos planos de saúde e administradoras dos planos, mas também pelos empregadores (por exemplo, teto de benefícios e falta de gerenciamento de doenças). A mudança de papel dos planos de saúde requer, portanto, que os empregadores adotem novas abordagens. Eles precisarão parar de pensar a curto prazo a respeito de custos e precisarão estruturar os planos para incorporarem princípios de valor (ver discussão das implicações para os empregadores no Capítulo 7).

Papéis anteriores e papéis futuros dos planos de saúde

No passado, e até certo ponto ainda hoje, os papéis dos planos de saúde foram definidos pela mentalidade de transferência de custos – uma mentalidade de soma zero – e pela premissa errônea de que os serviços de assistência à saúde são uma *commodity* cujo custo pode ser minimizado. Como já descrevemos, a transferência de custos é um caminho sem saída que já fracassou, e a assistência à saúde nada tem de *commodity*. Na verdade, quanto mais a assistência à saúde for tratada como uma *commodity*, mais os esforços para transferir custos e microgerenciar os prestadores elevarão os custos.

É comum os participantes do sistema – e especialmente os defensores de um sistema de pagador único – culparem os planos de saúde e suas práticas por quase todos os problemas no sistema de saúde. Discordamos. Os planos de saúde oferecem um potencial singular para adicionar valor de diferentes formas. Mas para fazê-lo, eles têm que mudar os seus papéis em cinco áreas, mostradas na Figura 6-1. Muitos planos de saúde já se afastaram dos antigos papéis. No entanto, poucos planos de saúde (se é que algum) desempenham plenamente os novos papéis. Atualmente, a maioria dos planos de saúde está operando de uma forma que nada tem a ver com a competição baseada em valor.

Possibilitar a escolha e o gerenciamento da saúde

Nos anos 90, os planos de saúde tentaram controlar os custos limitando as escolhas, dos pacientes e dos médicos que os encaminham, a redes de prestadores pré-aprovados. As redes eram determinadas com base em contratos favoráveis em vez de em evidência de qualidade ou valor. Os planos de saúde também requeriam aprovação dos encaminhamentos a especialistas, mesmo que estes pertencessem à rede, como também aprovação das opções de tratamento. Os planos entraram no negócio de definir a "necessidade médica", o que, de maneira geral, os colocou num "relacionamento adversário" com os seus clientes e os médicos. Pacientes e médicos, insatisfeitos com essa abordagem, ficaram indignados.

Papel antigo: cultura de negação	Papel novo: possibilitar a competição baseada em valor focada em resultados
Restringir a escolha de prestadores e de tratamentos	➡ Possibilitar a escolha bem embasada por pacientes e médicos e o gerenciamento da saúde dos pacientes.
Microgerenciar os processos dos prestadores e as escolhas feitas por eles.	➡ Mensurar e recompensar os prestadores com base nos resultados.
Minimizar o custo de cada serviço e tratamento.	➡ Maximizar o valor dos serviços de saúde ao longo do ciclo de atendimento.
Engajar-se em papelada e transações administrativas complexas com os prestadores e clientes para controlar os custos e liquidar as faturas.	➡ Minimizar a necessidade de transações administrativas e simplificar o faturamento.
Competir na minimização dos aumentos das mensalidades pagas pelos clientes.	➡ Competir em resultados de saúde para os clientes.

FIGURA 6-1 Transformando os papéis dos planos de saúde.

Na competição baseada em valor, ao contrário, os papéis fundamentais dos planos de saúde consistem em ajudar os seus clientes a melhorar a saúde e possibilitar a escolha de prestadores excelentes pelos médicos que fazem os encaminhamentos e pelos pacientes. O valor da saúde só aumentará no longo prazo se os pacientes junto com seus médicos e conselheiros médicos, e não os planos de saúde, assumirem a responsabilidade pela escolha.[1] Isso implica grandes mudanças na mentalidade dos planos de saúde. Os planos de saúde têm que se tornar organizações dedicadas a informações, apoio e serviço a pacientes e médicos, e não organizações de serviços administrativos, de auditoria e financeiros. Tudo que os planos fizerem tem que ser centrado, antes e acima de tudo, nos pacientes e na sua saúde.

Os planos de saúde precisam deixar de ser adversários para ser verdadeiros parceiros na criação de valor para os pacientes, e não meros intermediários paternalistas. Em contra-resposta a reclamações, os planos de saúde criaram redes de prestadores mais amplas e eliminaram muitas das incômodas exigências de aprovação. Porém, a maioria dos planos permanece focada na obtenção de descontos pelos prestadores e mantém a mentalidade de rede.

Os planos de saúde têm também que se livrar dessa postura de restringir as escolhas feitas pelos pacientes e supervisionar as práticas dos médicos, sob a alegação de que são medidas necessárias para assegurar um bom atendimento à saúde. Várias vezes ouvimos executivos de planos de saúde gracejarem que os consumidores e médicos querem ter o direito de fazer suas próprias más escolhas e, portanto, os planos de saúde têm que protegê-los. Ao contrário, os planos de saúde deveriam ver como seu papel essencial o de *possibilitar* que os pacientes e seus médicos obtenham atendimento excelente, sem tentar restringir as escolhas destes. Para desempenhar esse papel, os planos precisarão alterar profundamente os seus pressupostos e construir um nível de confiança hoje inexistente.

Os planos de saúde estão numa posição inerentemente melhor do que a de qualquer organização prestadora isolada para apoiar e possibilitar a escolha de prestadores e tratamentos. Os prestadores têm uma tendência quase inevitável, e incentivos, de fazer encaminhamentos dentro do seu grupo de prestadores e de recomendar tratamentos que eles têm condições de prestar. Os planos de saúde, especialmente aqueles independentes de qualquer prestador, deveriam se preocupar somente com que prestador e que tratamento gerarão o máximo de valor, porque é isso que realmente interessa a seus clientes e ao próprio plano. Além disso, os planos de saúde, diferentemente de qualquer prestador isolado, deveriam se preocupar com as necessidades gerais de saúde do paciente e assumir a perspectiva de ciclo de atendimento desde a monitoração e prevenção até o gerenciamento contínuo da doença – especialmente se os planos puderem adotar uma perspectiva de longo prazo.

À medida que os planos mudarem para mensurar resultados, possibilitar escolhas bem embasadas e reconhecer a excelência dos prestadores na abordagem das condições de saúde, eles também estarão encorajando e motivando o tipo certo de competição entre prestadores. Quando os prestadores redefinirem as suas estratégias em torno de resultados, como descrito no Capítulo 5, os planos de saúde serão mais capazes de ajudar os seus clientes e médicos a fazer boas escolhas.

Mensurar e recompensar os prestadores com base nos resultados

Os planos de saúde caíram numa armadilha de montar grandes redes de prestadores e depois usar a sua influência para pechinchar preços e, ao mesmo tempo, tentar microgerenciar a prestação dos serviços de saúde revisando ou especificando as atividades dos prestadores. Essa prática de se sobrepor aos pareceres dos prestadores fracassou, e o conseqüente acúmulo de custos administrativos revelou-se uma grave falha na forma de implementação da assistência gerenciada (managed care).

O microgerenciamento de cima para baixo não só é oneroso, como requer considerável esforço, aliena os prestadores, desestimula as inovações e pode, na verdade, não servir aos pacientes, como discutimos em capítulos anteriores. Os esforços de alguns planos de controlar exames diagnósticos caros com exigências de aprovação e especificações de processos ilustram algumas das armadilhas do microgerenciamento. A Aetna, por exemplo, contratou radiologistas para revisar as solicitações de exames caros de ressonância magnética e outros de imagem, sobrepondo-se à decisão dos médicos sobre a necessidade dos exames, em vez de mensurar e comparar a qualidade e os custos gerais dos diagnósticos dos médicos que utilizam esses exames para ver se eles alcançavam bons resultados e se o uso desses exames no diagnóstico acrescentava valor em comparação a abordagens alternativas.[3]

A Highmark, uma afiliada da Blue Cross Blue Shield, foi mais além, especificando como as clínicas de imagem deveriam ser administradas. A Highmark recusou-se a cobrir exames de imagem em qualquer clínica que não oferecesse uma linha ampla de serviços (inclusive cinco diferentes tipos de exames de imagem), que não ficasse aberta pelo menos 40 horas por semana e também em alguns sábados, e que não tivesse pelo menos um radiologista credenciado em tempo integral.[4] A intenção era direcionar os exames a instalações de alto volume a fim de evitar a onerosa duplicidade de equipamentos. Em vez disso, essas regras geraram o incentivo para que todos os prestadores realizassem todos os tipos de exames de imagem, levando, portanto, à duplicidade de investimento. Além disso, a noção de que um alto volume geral entre toda uma ampla linha de serviços gera valor, em contraposição com volume em um exame em particular, é questionável. Por exemplo, os médicos ressaltam que em casos de lesões músculo-esqueléticas, a leitura das imagens por um ortopedista pode ser mais eficaz do que por um radiologista. Nessas situações, um centro de imagens menor e especializado dentro de uma prática de ortopedia poderia produzir resultados com melhor relação custo-benefício, mas a política do plano de saúde encoraja o oposto. Mesmo que os motivos da Highmark fossem bons, este exemplo ilustra a dificuldade e inconseqüência de regular os processos em vez de atacar de frente a tarefa de medir resultados e recompensar de acordo com eles. O que importa aqui são custos, precisão e utilidade dos exames, e não como os prestadores de exames de imagem se organizam.

Além da filosofia de microgerenciamento de processos, muitos planos de saúde insistem em tentar elevar o padrão de todos os prestadores, em vez de recompensarem os bons prestadores excelentes com mais pacientes. É certo que há oportunidades para todos os prestadores adotarem melhores práticas, mas o objetivo não é trazer todo o atendimento para a média. Nivelar o campo de atuação só fragmentará mais ainda a prestação dos serviços de saúde e retardará a melhoria de valor.[5] Ao contrário, o objetivo é que uma maior parcela do atendimento seja prestada por prestadores verdadeiramente excelentes. Isso aumentará drasticamente o valor médio no sistema.

Um princípio básico da teoria econômica e gerencial é que faz mais sentido estabelecer metas e medir resultados do que especificar métodos e fiscalizar o cumprimento. Os pacientes devem receber apoio para acesso a bons prestadores que devem ser distinguidos dos medíocres. Contudo, os planos de saúde, ainda focados no poder de negociação com a finalidade de controlar custos, insistem que precisam formar grandes redes para ter mais influência sobre os prestadores. Os planos de saúde temem que buscar os melhores prestadores para seus clientes provocará a elevação dos custos. Porém, os melhores prestadores são com freqüência os de mais baixo custo, como discutimos nos Capítulos 4 e 5. Os planos de saúde que estão formando redes baseadas em qualidade (ver discussão adiante neste capítulo) estão descobrindo que bons prestadores geralmente oferecem estruturas de preço mais favoráveis porque são mais eficientes.

Encaminhar os pacientes aos melhores prestadores diminui os custos e alimenta o círculo virtuoso da melhoria de valor ilustrado na Figura 5-2. Recompensar por bons resultados com o encaminhamento de pacientes é uma maneira de motivar os prestadores a melhorar. É também a melhor maneira de tratar do excesso de oferta, porque os prestadores que não conseguirem demonstrar valor numa unidade prática não serão mais viáveis.

Na competição baseada em valor, os prestadores e os planos de saúde precisarão desenvolver um novo tipo de relacionamento. Os prestadores irão competir, na melhor acepção da palavra, para demonstrar valor e inovar na prestação dos serviços de saúde. Os planos de saúde ajudarão os médicos que fazem encaminhamentos fornecendo informações, educando os pacientes e trabalhando em colaboração com os prestadores para saber o que funciona e o que não funciona. Para desenvolver relacionamentos construtivos, que hoje podem parecer radicais, será preciso grandes mudanças culturais de ambas as partes. A maioria dos médicos ainda vê os planos de saúde como obstáculos para a assistência à saúde. No entanto, o movimento de alguns planos de saúde em direção a serviços de gerenciamento de doenças vem fazendo com que a atitude dos médicos comece a mudar.

Atualmente, muitos planos de saúde estão embarcando em iniciativas de qualidade sob a bandeira do pagamento por desempenho. Como discutimos em capítulos anteriores, no entanto, a maioria dos esforços não enfoca a qualidade em si, mas a conformidade de processos.[6] Embora este seja um passo útil na transição, o pagamento por desempenho corre o risco de se tornar nada menos que a última versão de microgerenciamento, tentando especificar todas as práticas que os prestadores devem seguir. O pagamento por desempenho também pressupõe que a recompensa pela qualidade tenha que consistir em preços mais altos. Se, por outro lado, bons resultados forem recompensados com mais pacientes, os bons prestadores terão então margens maiores devido ao aumento de aprendizagem e eficiência. Este procedimento recompensa a qualidade sem exigir preços progressivamente mais altos.

Maximizar o valor dos serviços de saúde ao longo de todo o ciclo de atendimento

No atual sistema, as taxas de rotatividade de clientes indicam que até um quarto do total pode mudar de plano de saúde em um período de cinco anos. Como resultado, muitos planos de saúde, conscientemente ou não, assumiram uma perspectiva de curto prazo focada em controlar e minimizar o custo de cada consulta, serviço, medicamento ou tratamento. O foco em intervenções distintas aceita, e até exacerba, a natureza fragmentada e transacional da prestação dos serviços de saúde, o que corrói o valor. A atual rotatividade de clientes é tida como inevitável, e até estimulada. Como já discutimos, isto não vem ao encontro dos reais interesses do paciente, nem do empregador, nem do plano de saúde.

O valor da assistência à saúde é determinado pelo ciclo de atendimento como um todo. Para saber se o atendimento foi adequado é preciso tomar por base o ciclo completo, como discutimos em capítulos anteriores. Existem também vínculos poderosos ao longo do ciclo – por exemplo, a prevenção de riscos pode minimizar a necessidade de intervenção.

Uma perspectiva de ciclo de atendimento transforma o papel de um plano de saúde na sua natureza. Como descreveram alguns gerentes de plano de saúde, o foco tem que mudar de reduzir o pagamento de uma diária de hospital para como ajudar a manter a saúde do paciente para que ele não precise ser hospitalizado.

Os planos de saúde têm que se tornar a força motriz para organizar, avaliar e facilitar o atendimento médico ao longo de todo o ciclo de atendimento. Os planos têm também que aceitar o papel de ajudar os pacientes a transitar pelo ciclo de atendimento, apoiar a coordenação, facilitar o intercâmbio de informações e assegurar a continuidade. Os planos têm que assumir um papel de liderança na compilação e análise dos resultados na saúde dos clientes ao longo de todo o ciclo de atendimento. Essa mudança de foco trará enormes dividendos em termos de resultados para os pacientes, gerenciamento de custos e simplificação administrativa. Pacientes, prestadores e planos de saúde serão, todos, vencedores. Os planos, em alguns aspectos, estão mais bem equipados do que qualquer prestador para desempenhar esse papel, ao contrário do que se costuma pensar.

Os planos de saúde estão apenas começando a pensar em termos de ciclo de atendimento. Embora alguns planos ofereçam um pouco de gerenciamento de doença, tem havido uma certa relutância em abraçar plenamente essa abordagem, para não atrair pacientes "caros". Poucos planos já reuniram informações para acompanhar os pacientes ao longo do ciclo de atendimento. Além disso, as administradoras de planos de saúde empresarial às vezes deixam de comunicar com a devida veemência o valor da abordagem de ciclo de atendimento para os patrocinadores do plano, talvez pela preocupação indevida de que estes busquem estruturas que minimizem custos no curto prazo.

Minimizar a necessidade de transações administrativas e simplificar o faturamento

Nos antigos sistemas e, com freqüência, ainda hoje, os planos de saúde se envolvem em muita burocracia para aprovar encaminhamentos e tratamentos, pagar faturas, controlar gastos, limitar serviços e comunicar-se com pacientes. Os contratos com prestadores ainda são complexos. Mesmo para uma única condição de saúde, os planos de saúde lidam rotineiramente com uma multiplicidade de entidades, negociam uma miríade de contratos separados e fazem um monte de verificações para assegurar que as condições dos contratos sejam cumpridas. Inúmeras faturas são processadas, mesmo para um único episódio de tratamento. Os procedimentos de faturamento e cobrança são intrincados e cheios de contestações. Os processos administrativos não são transparentes para os clientes, que não recebem o custo total do tratamento e não conseguem decifrar as rubricas das contas. Os custos administrativos dos próprios planos representam cerca de 10% do preço dos planos. As exigências estabelecidas pelos planos de saúde impõem custos ainda maiores a outras partes do sistema.[7] Em qualquer outro campo, empresas que funcionassem desta forma logo teriam que fechar as portas.

A complexidade administrativa continua sendo uma ferramenta para controlar os custos. Por exemplo, ainda que muitos planos tenham amenizado as restrições a encaminhamentos fora da rede, alguns exigem que o *cliente* comprove que tal prestador de fora da rede é superior aos prestadores da rede para conseguir pagamento. No entanto, os prestadores do plano não informam sobre a sua qualidade ou experiência. A inevitável conclusão é que o mecanismo não visa a assegurar o tratamento mais apropriado para os clientes, mas simplesmente a evitar o pagamento de tratamento fora da rede. É inexplicável que se invista tanto esforço e despesa para justificar a recusa de pagamento, em vez de simplesmente pedir que os prestadores fora da rede cobrem o mesmo preço de contrato vigente na rede. Toda a abordagem de controle de custos é equivocada.

Essa mentalidade dos planos de saúde tem que ser revisada e alterada. Muitas, se não a maioria, das transações administrativas no atual sistema não adicionam valor. O foco de atenção deveria estar em como minimizá-las ou eliminá-las. Como os planos de saúde podem simplificar a sistemática de pagamentos? Como os planos de saúde podem mudar de múltiplas faturas separadas por intervenção para uma única fatura por episódio de atendimento? Como os planos de saúde podem agregar e gerenciar as informações médicas dos pacientes para eliminar a papelada redundante, a duplicidade de exames e de históricos médicos de paciente?

Muitas das atuais funções administrativas dos planos de saúde devem (e vão) se tornar anacrônicas quando os planos reestruturarem os seus papéis. A complexidade administrativa vai diminuir à medida que eles passarem a fornecer informações e aconselhamento a pacientes e médicos, em vez de criarem redes restritas, a medir resultados em vez de tentarem microgerenciar a prestação dos serviços de saúde, e a se orientarem em torno do ciclo de atendimento completo em vez de em intervenções distintas.

A maioria dos planos de saúde reconhece a meta de reduzir custos administrativos, mas carece de mentalidade para alcançá-la com êxito. Quase todos os planos de saúde já reduziram as exigências de aprovação administrativa e os planos mais avançados já permitem transações eletrônicas. Mas essas abordagens incrementais têm por objetivo realizar tarefas antigas de forma mais eficiente, e não reestruturar o sistema para melhorar o valor.

Competir em resultados para os clientes

Os planos de saúde têm lutado principalmente para diminuir os custos e limitar o crescimento dos preços dos planos. Isso tem resultado em uma competição de soma zero. No futuro, os planos de saúde precisam competir com base em resultados para os clientes, ajustados pelas suas condições de saúde iniciais. Eles têm que provar que os resultados de saúde dos clientes, por unidade de gasto, são excelentes. Esse é o maior atestado de que um plano criou valor.

Os planos de saúde devem ser medidos pela saúde total dos seus clientes. Isso criará um foco forte na saúde dos clientes. Ajudar os clientes a reduzir o risco de doenças e a gerenciar sua condição de saúde será uma tarefa fundamental em benefício do próprio plano de saúde (e dos clientes). Ajudar os clientes a encontrar o prestador e o tratamento que lhes entreguem o melhor valor será uma necessidade. Os planos de saúde também serão motivados a reunir o maior número de informações de saúde dos clientes, a partir dos prestadores, e a manter um histórico médico abrangente, como já discutimos. Competir nos resultados de saúde dos clientes também trará outros benefícios – abrirá muito mais oportunidades para os planos de saúde se distinguirem de seus pares.

Os planos de saúde reclamam que os empregadores só procuram baixar os preços dos planos e só estão preocupados em minimizar os custos a curto prazo. Mas o que os planos de saúde poderiam esperar se não medem resultados nem educam os empregadores sobre a maneira de melhorar o valor – na adoção de um modelo centrado na excelência dos prestadores, no gerenciamento do ciclo de atendimento e na prevenção de risco?

Alguns planos de saúde já estão começando a mensurar o seu sucesso de uma forma diferente. Por exemplo, a CIGNA publicou dados sobre melhorias em resultados e custos com pacientes diabéticos nos seus programas de gerenciamento de doenças num periódico de artigos médicos revisados por pares, em 2004.[8] A Blue Cross Blue Shield de Minnesota publicou evidência de melhorias em resultados e custos a partir de uma combinação de gerenciamento de doenças e gerenciamento de risco.[9] Nesses casos, a evidência de resultados de saúde de clientes não foi diretamente divulgada aos clientes e patrocinadores. Contudo, os planos de saúde líderes estão se movimentando nesta direção. Em 2005, alguns planos de saúde começavam a divulgar as suas classificações tanto em satisfação dos clientes como em medição de processos e da qualidade, compiladas pelo National Committee for Quality Assurance (NCQA).[10] Por exemplo, a Harvard Pilgrim Health Care, de New England, pode se apresentar ao mercado como o melhor plano de saúde entre 260 outros avaliados pelo NCQA em 2004.[11] Com o tempo, as medidas utilizadas para avaliar resultados têm que passar de medidas de processos para verdadeiras medidas de resultados por dólar gasto com plano de saúde. Alguns planos de saúde de vanguarda já estão analisando medidas de saúde de seus clientes em relação à população geral. Até agora, os dados de saúde dos clientes são confidenciais. Chegará o dia, no entanto, que os planos de saúde mais avançados começarão a publicar os resultados de seus clientes. Um deles vai publicar um índice de saúde dos clientes composto que inclui medidas de resultados, segurança e prevenção, em 2006.

Um sistema de saúde no qual os planos de saúde competem para fornecer resultados superiores aos seus clientes irá gerar ganho de valor muito maior e inovações do que um sistema de um único pagador.[12] Diferentemente de um único pagador, que não enfrenta concorrência ou prestação de contas, os planos de saúde concorrentes se esforçarão para fornecer as informações mais úteis, facilitar o melhor tratamento e simplificar as transações para pacientes e prestadores. Este modelo irá gerar ganhos no valor ao paciente muito mais rapidamente e terá controle sobre todos os concorrentes.

Hoje, alguns planos de saúde e prestadores são verticalmente integrados numa única organização. Como já descrevemos, isso pode diminuir alguns dos aspectos disfuncionais do atual sistema, melhorando o relacionamento operacional entre plano e prestadores, diminuindo os incentivos para a transferência de custos e simplificando os contratos e a burocracia. Organizações integradas como a Intermountain Health Care e a Kaiser Permanente têm colhido consideráveis benefícios e agido mais rapidamente na melhoria dos métodos de prestação dos serviços de saúde.

Contudo, a integração entre pagador e prestador gera um inerente conflito de interesses na escolha de prestadores dentro de uma rede fechada. Isso pode obstruir à competição em nível de condições de saúde, como discutimos nos Capítulos 2 e 5. A competição entre sistemas fechados acabará por ser menos eficaz. As organizações integradas têm também que lidar com o inevitável incentivo de limitar os serviços dos prestadores e racionar tratamentos porque a organização como um todo recebe um pagamento fixo por cliente inscrito no plano, cobrindo todas as necessidades de atendimento, o que é conhecido como capitação. Um plano independente, sem infra-estrutura ou capacidade instalada de prestação de serviços, terá mais liberdade para aumentar o valor, migrando os serviços para prestadores excelentes e para tratamentos mais modernos e eficazes, do que uma rede integrada com uma base de prestadores e uma estrutura de custo predefinidas. Com a competição baseada em valor, essa flexibilidade dos planos independentes deverá capacitá-los a alcançar mais ganhos de valor no atendimento a condições de saúde específicas do que um pagador-prestador integrado, que depende da implementação de melhorias de processos ou controles de custo por um conjunto fixo de prestadores.

No futuro sistema de saúde, as organizações integradas deverão ocupar o lugar que, em última análise, os seus resultados determinarem. Contudo, cremos que o valor ao paciente é mais facilmente alcançado em um sistema no qual a maioria dos planos de saúde seja independente de prestadores, o pagamento pelos serviços seja referente a ciclos de atendimento em nível de condição de saúde (em vez de se adotar a capitação em todo o sistema) e planos de saúde concorrentes promovam a competição entre prestadores para melhorar o valor.

A competição aberta e a escolha irrestrita serão cada vez mais importantes à medida que a publicação de informações de resultados ajustados a risco se torne a norma, de maneira que bons resultados numa condição de saúde específica possam ser recompensados com um fluxo maior de pacientes. À medida que os incentivos adversos, a contenção da competição e os altos custos administrativos do atual sistema forem corrigidos, as vantagens da integração vertical irão retroceder, ao passo que o valor de encaminhamentos abertos e sem vieses irá crescer.

A mudança para a competição baseada em valor: imperativos para os planos de saúde

Para apoiar esses novos papéis que adicionam valor, os planos de saúde têm que mudar suas estratégias, estruturas organizacionais, práticas operacionais e formas de lidar com prestadores e clientes. Esses passos vão exigir mudança substancial, mas são viáveis e já estão sendo dados. Como no caso dos prestadores, cada uma das recomendações para planos de saúde está sendo implementada ou em desenvolvimento em algum plano de saúde ou prestador de serviços, embora nenhum plano tenha ainda abraçado todos os imperativos. A Figura 6-2 resume os passos que os planos de saúde podem dar em diversas áreas.

Fornecer informações de saúde e apoio aos pacientes e médicos

A principal transformação estratégica para os planos de saúde é redefinir o seu negócio, passando-o de administração de benefício-saúde e controle de custos para fornecimento de informações de saúde, aconselhamento e apoio contínuo a clientes. O cliente primordial tem que ser o segurado/paciente, e não o patrocinador do plano. O médico tem que ser tratado como um aliado na melhoria da saúde do paciente, e não como adversário. Temos certeza de que se os planos de saúde criarem valor para os seus clientes, o apoio e a fidelidade dos patrocinadores virão como conseqüência.

Organizar-se em torno de condições de saúde, e não em função de áreas geográficas ou administrativas. Os planos de saúde, como os prestadores, precisam alinhar as suas estruturas organizacionais em torno dos principais propulsores da criação de valor. Como já discutimos, o valor na assistência à saúde é criado tratando condições de saúde particulares ao longo de todo o ciclo de atendimento. Nos planos de saúde, as principais unidades organizacionais deveriam ser definidas em torno de grupos com condições de saúde afins, junto com uma unidade dedicada à assistência primária. Para facilitar a exposição, chamaremos essas unidades organizacionais de *unidades de gestão de condições de saúde* (UGCSs). Essas unidades são análogas às unidades de prática integradas (UPIs) que descrevemos no Capítulo 5. Apenas a ação de alinhar as estruturas organizacionais de planos de saúde e prestadores em torno de condições de saúde já fará proliferar oportunidades de criação de valor. Todo um novo diálogo/relacionamento de trabalho pode ser criado.

Fornecer informações de saúde e apoio aos pacientes e médicos
- Organizar-se em torno de condições de saúde, e não em função de áreas geográficas ou administrativas.
- Desenvolver medidas e reunir informações de resultados sobre prestadores e tratamentos.
- Apoiar ativamente a escolha de prestadores e tratamento com informações e aconselhamento imparcial.
- Organizar as informações e o apoio ao paciente em torno do ciclo completo de atendimento.
- Oferecer gerenciamento abrangente de doenças e serviços de prevenção para todos os clientes, mesmo os saudáveis.

Reestruturar o relacionamento entre plano de saúde e prestadores
- Mudar a natureza do compartilhamento de informações com prestadores.
- Recompensar a excelência de prestadores e as inovações que aumentam o valor para o paciente.
- Mudar a sistemática de faturamento para uma única fatura para episódios e ciclos de atendimento, e preços únicos.
- Simplificar, padronizar e eliminar papelada e as transações.

Redefinir o relacionamento entre plano de saúde e clientes
- Mudar para contratos de vários anos com o cliente e alterar a natureza da contratação do plano.
- Acabar com as práticas de transferência de custos, como reformulação de contrato, que corroem a confiança nos planos de saúde e nutrem a descrença.
- Prestar assistência no gerenciamento dos históricos médicos.

FIGURA 6-2 Imperativos para os planos de saúde.

As UGCSs devem reunir o melhor conhecimento médico em prevenção, diagnóstico, tratamento e gerenciamento de longo prazo das condições de saúde que elas abordam. Eles devem mensurar e contratar prestadores, compilar e interpretar as informações sobre os clientes ao longo de todo o ciclo de atendimento, interagir com os médicos que fazem os encaminhamentos, apoiar os clientes/pacientes nas suas escolhas, tanto de prestadores quanto de tratamentos, e ajudar os clientes a transitarem pelo ciclo de atendimento.[13] A análise da cadeia de valor da prestação dos serviços de saúde para cada condição de saúde (discutida no Capítulo 5 e no Apêndice B) é uma ferramenta para os planos de saúde compreenderem e desempenharem efetivamente esses papéis e facilitarem a integração do ciclo. Em alguns casos, as UGCSs desenvolverão subunidades com especial domínio de certos aspectos do ciclo de atendimento, como avaliação de risco e prevenção, diagnóstico, tratamento e gerenciamento da doença no longo prazo. As UGCSs devem ser avaliadas com base nos resultados de saúde dos clientes, nas condições de saúde que elas supervisionam, em relação ao custo do atendimento, e também em relação aos resultados alcançados por outros planos.

Alguns planos de saúde, como a CIGNA, estão começando a se movimentar nesta direção. Esses planos têm unidades responsáveis por gerenciar casos de tratamento agudo de uma série de condições de saúde e outras unidades responsáveis pelo gerenciamento da doença em certas condições crônicas. Uma estrutura assim é um bom começo, mas ela pode ser estendida a todas as condições de saúde importantes. Em última análise, a estrutura precisa abraçar o modelo de ciclo de atendimento, em vez de separar artificialmente tratamento agudo e crônico.

As UGCSs deveriam atravessar áreas geográficas quando um plano de saúde operar em múltiplas regiões. Isso aumentará o domínio da especialidade, assim como a eficiência na reunião de informações e no aconselhamento de pacientes e na mensuração de prestadores e gerenciamento de relacionamentos transregionais. Organizar-se por região, ao contrário, perpetua uma mentalidade local na prestação dos serviços de saúde e protege os prestadores locais contra o alcance dos padrões dos melhores concorrentes. Um modelo regional também pode gravitar em torno da contratação de poucas entidades presentes maiores, em vez de assumir uma abordagem de contratação por unidade de prática, acionada pela excelência em si.

Além de UGCSs, os planos de saúde precisam de uma unidade comum dedicada a reunir, validar e analisar informações abrangentes sobre a saúde dos clientes, trabalhando estreitamente com cada UGCS para compilar as informações certas e utilizá-las a fim de melhorar a saúde dos clientes e a eficácia do atendimento. Esta unidade, que pode ser chamada de unidade de gestão de informações (UGI), deve descobrir formas inovadoras de trabalhar com os clientes e seus médicos e assegurar que todas as informações necessárias sobre os clientes estejam disponíveis aos clientes e médicos, que se evite a duplicidade de exames, que os riscos à saúde sejam compreendidos e que as informações de médicos e prestadores sejam reunidas e intercambiadas. Por fim, esta unidade deve também supervisionar o processo de montagem e verificação do histórico médico completo de cada cliente (discutido mais adiante neste capítulo). Esta unidade deve ser avaliada com base na qualidade das informações fornecidas.

Demais funções administrativas dos planos de saúde, como tecnologia da informação, processamento de transações, *marketing*, serviços a clientes, contabilidade e manutenção de relacionamentos com empregadores e patrocinadores do plano, são funções de apoio. Essas unidades devem ser estruturadas como organizações de serviço, com a missão de possibilitar que as UGCSs e as UGIs atinjam suas metas de valor à saúde e se comuniquem com os diferentes integrantes do sistema. Elas devem ser recompensadas por bons serviços e por atingirem metas funcionais específicas.

Desenvolver medidas e reunir informações de resultados sobre prestadores e tratamentos. Uma das formas mais importantes de os planos de saúde adicionarem valor advém da sua capacidade de reunir e canalizar informações objetivas sobre saúde para o benefício dos pacientes e dos médicos que os encaminham. Diferentemente de qualquer prestador, os planos de saúde têm experiência e dispõem de dados que permeiam muitos clientes, muitos prestadores, muitos médicos individualmente, muitos tratamentos, praticamente todas as condições de saúde e todo o ciclo de atendimento. Os planos de saúde, através das UGCSs, devem ser capazes de mensurar e comparar prestadores. Também, devem ser capazes de reunir evidência externa e desenvolver seus próprios dados sobre a eficácia de vários tratamentos. Em última análise, os planos de saúde têm de ser propulsores da competição baseada em resultados. Os planos de saúde não precisarão se sobrepor às decisões de tratamento tomadas pelos médicos, porque os resultados do prestador já indicarão se a decisão foi adequada.

Como descrito nos capítulos anteriores, quatro tipos de informações de prestadores são particularmente relevantes: resultados, experiência, métodos e atributos de pacientes. Resultados médicos, consistindo em conseqüências, custos e preços, são as mais importantes. As conseqüências (resultados para os pacientes) são multidimensionais, como já discutimos e incluem a funcionalidade do paciente, tempo de vida, qualidade de vida e tempo de recuperação, dores, complicações e erros médicos. Conseqüências relacionadas a valores pessoais dos pacientes também podem ser importantes em áreas como efeitos colaterais, agressividade do tratamento e necessidade de internação.[14] As conseqüências relacionadas a preços determinam o valor.

Embora os serviços a pacientes (como amenidades e aconchego) sejam significativos e devam ser levantados, os resultados médicos prevalecem em importância. Portanto, os levantamentos junto a pacientes precisam abordar o ponto de vista do paciente sobre os resultados médicos, e não apenas os tipos de medidas de serviço a pacientes que têm sido enfocadas na maioria dos processos de *feedback* de clientes.

Em vista das atuais limitações na obtenção de dados de resultados em muitas áreas de tratamento, muitos planos de saúde se atêm apenas a custos e descontos. Isso reforça o velho modelo de focar-se em serviços separados e direcionar os pacientes a prestadores dispostos a oferecer baixos preços, em vez de informar os pacientes e possibilitar que eles façam escolhas embasadas no valor ao longo do ciclo de atendimento.

Pacientes e planos precisam ter informações não somente sobre os tratamentos, mas também sobre as demais partes do ciclo de atendimento: diagnóstico, gerenciamento e prevenção de doenças. Alguns planos estão fazendo progressos na medição dessas áreas, mas a prática atual ainda está engatinhando. Mensurar a eficácia do diagnóstico dos prestadores (por exemplo, precisão e custo total, incluindo exames e necessidade de novas consultas) é crucial para o valor, não apenas em termos de alcançar bons resultados para os pacientes, mas também de evitar tratamentos desnecessários e até prejudiciais, que podem elevar drasticamente os custos. Os planos de saúde têm que considerar esta parte como separada do tratamento e saber quais são os prestadores excelentes em diagnóstico.

Os planos de saúde também precisam dominar as abordagens de gerenciamento de doenças e conhecer as medidas de eficácia de vários prestadores de gerenciamento de doenças ou dos próprios esforços do plano de saúde nessa área. Finalmente, os planos de saúde têm que se tornar especialistas em ajudar os clientes a compreender os fatores que afetam sua saúde, as melhores abordagens à prevenção de doenças e as taxas de êxito dos prestadores de serviços de prevenção de doenças (inclusive, em potencial, o próprio plano de saúde).

Para mensurar o valor, os planos de saúde precisam assumir a liderança na agregação de informações de pacientes sobre múltiplas intervenções e, em última análise, ciclos de atendimento completos. Isso envolve tanto informações sobre conseqüências de longo prazo como informações sobre os custos totais, incluindo tratamentos repetidos ou recorrentes. Os planos de saúde precisam reunir e integrar as informações sobre intervenções distintas, que atualmente costumam ser coletadas, analisadas e tratadas separadamente. Com o tempo, à medida que os prestadores mudarem as suas estruturas de prestação dos serviços de saúde (ver Capítulo 5), é de se esperar que os próprios prestadores apresentem seus resultados e custos desta forma.

Os planos de saúde podem dar início ao processo de mensuração de resultados partindo de inúmeras fontes de informações, ainda que nenhuma delas seja plenamente satisfatória. Primeiro, os planos de saúde têm acesso a informações sobre os seus clientes atuais e do passado, bem como sobre os prestadores que trataram desses clientes e a abordagem de tratamento utilizada. Essas informações raramente são analisadas sistematicamente, se é que já foram analisadas, em nível de condições de saúde e englobando todo o ciclo de atendimento. No entanto, elas são fundamentais para a verificação de melhorias de valor. A CIGNA, por exemplo, combina resultados de exames laboratoriais e dados de farmácia com dados de sinistros médicos de clientes inscritos nos programas de gerenciamento de doenças. Ela descobriu que pode melhorar a detecção de erros, lacunas e omissões no atendimento ao paciente, e medir a eficácia e o retorno sobre o investimento de diferentes fornecedores de gerenciamento de doenças e abordagens alternativas.

Segundo, os dados de sinistros do Medicare são uma importante fonte para a compreensão e comparação, assim como o são os dados de todos os pagadores (*all-payer data,* que incluem pacientes não cobertos pelo Medicare), sempre que disponíveis. Esses dados permitem a comparação de custos de diferentes intervenções ou tratamentos distintos, separados por condição de saúde específica entre prestadores e regiões geográficas. Os dados também revelam diferenças nas opções de tratamento e em uma dimensão de resultado: mortalidade. Embora os dados existentes ainda não facilitem uma mensuração mais ampla dos resultados ou a comparação entre pacientes em todo o ciclo de atendimento, uma análise sofisticada pode utilizar códigos para inferir complicações e fazer os ajustes para as condições de saúde iniciais dos pacientes.[15] Alguns executivos de planos de saúde crêem que a análise sofisticada dos dados *all-payer* existentes podem constituir um bom ponto de partida para dados comparativos sobre resultados de tratamentos entre muitos prestadores. Contudo, alertam que esses dados ainda se referem a médicos individuais dispersos e sobre atendimento prestado fora de hospitais.

Terceiro, dados objetivos e sistemáticos sobre resultados já são coletados em relação a certas doenças, inclusive algumas condições de saúde complexas, como discutimos no Capítulo 4 (ver Quadro "Como surgiram boas informações de resultados", no Capítulo 4). Por exemplo, dados sobre doença renal em estágio terminal foram coletados pelo governo federal, e existem medidas de eficácia de tratamento relativas a todos os centros de hemodiálise dos EUA para pacientes acima de 19 anos. Embora os pacientes de diálise costumem ter vários outros problemas de saúde, muito se tem aprendido com a análise desses dados. Eles revelam, por exemplo, uma enorme variação em anos de sobrevivência depois da falência renal, e que grande parte dessa variação se deve ao tratamento recebido. Cerca de 20% dos pacientes morrem em um ano; cerca de 50% morrem em três anos; e cerca de 30% vivem por mais de cinco anos. Há também uma enorme variação na taxa de filtração (uma medida da eficácia da diálise). No entanto, nem mesmo esses dados são usados na extensão do potencial que oferecem. Embora prestadores que apresentam resultados ruins sejam revisados e orientados sobre a implementação de melhoria dos processos, as informações não são usadas pelo Medicare para direcionar os pacientes a prestadores excelentes. Isso não apenas levaria a melhores resultados de saúde, mas também promoveria a melhoria pelos prestadores que têm resultados abaixo da média.

Um outro exemplo de informações de resultados existentes são os dados nacionalmente coletados pelo Scientific Registry of Transplant Results, que também revelam uma grande variação nos resultados de transplantes. Poucos médicos que fazem encaminhamentos parecem estar conscientes do poder dos dados, já que a maioria continua valendo-se apenas da sua experiência pessoal e seus relacionamentos pessoais ao fazerem os encaminhamentos. Contudo, no caso de transplantes, alguns planos de saúde e seus prestadores subcontratados estão começando a usar dados disponíveis para capacitar pacientes e médicos que os encaminham a fazerem melhores escolhas, como discutiremos adiante neste capítulo. Mesmo que os médicos sejam lentos em procurar e utilizar dados de resultados, os planos de saúde podem desempenhar o papel de facilitador.

Quarto, várias organizações independentes já coletam informações relacionadas à qualidade de hospitais e de alguns médicos, muitas delas ainda baseadas em levantamentos de reputação ou dados de medição de processos. Os levantamentos de reputação são um começo, mas, infelizmente, em geral reforçam impressões que não se baseiam em resultados objetivos.

Finalmente, um plano de saúde pode simplesmente pedir que os prestadores apresentem seus resultados e preços na forma mais significativa possível. Não há necessidade de esperar por normas que cubram todo o território nacional. Se os planos de saúde desafiarem os prestadores a medir resultados em nível de condição de saúde e ciclo de atendimento, e recompensar aqueles que realizarem trabalhos excelentes, por certo melhorias ocorrerão na qualidade dos serviços.

A quantidade e a abrangência dos dados de resultados certamente crescerão. Não há papel mais importante para os planos de saúde do que atuar como catalisador no fomento de informações de resultados, tanto individualmente como em colaboração com outros planos, empregadores e prestadores. De fato, o setor de planos de saúde deve investir em pesquisa sobre mensuração de resultados e no relacionamento entre resultados e prática clínica. Não há área mais importante para o valor a longo prazo entregue pelo setor.

Para conseguir relatórios sobre todas as condições de saúde, como discutimos no Capítulo 8, o governo ou as organizações de interesse público, como o Institute of Medicine, podem precisar de um decreto para retificar as medidas e os modelos de ajuste de risco, supervisionar a coleta, e disseminar os resultados. No entanto, os planos de saúde têm que se movimentar para utilizar o que já existe, como já estão fazendo alguns planos mais avançados e certas empresas de serviço.

Grande parte da função de compilação e análise de informações de um plano de saúde deve ocorrer na própria empresa, porque as informações médicas são fundamentais para a missão de um plano e para a sua competitividade. No entanto, terceirizar determinadas funções de coleta e análise, como as relativas a condições de saúde especializadas, pode melhorar a eficiência e permitir um nível mais aprofundado de domínio da matéria.

Com o tempo, os planos de saúde evoluirão e definirão o que realizar na empresa e o que terceirizar das funções de compilação de informações e aconselhamento de pacientes. As economias de escala com a subcontratação de especialistas para a realização de certas funções de informações serão convincentes em certos campos, especialmente nas condições de saúde mais raras, nas quais um determinado plano de saúde pode não ter um número significativo de casos. Os planos de saúde também podem fazer a escolha estratégica de se especializar em acumular capacidade interna no tratamento de informações sobre determinadas condições de saúde, tornando-se um prestador de serviços a outros planos de saúde. Esta é apenas uma das formas em que a competição baseada em valor permitirá que os planos de saúde se distingam. Aqueles que começarem logo a reunir e a compreender as informações de resultados por prestador ganharão uma vantagem competitiva fundamental.

Apoiar ativamente a escolha de prestadores e o tratamento com informações e aconselhamento imparcial. Um papel fundamental dos planos de saúde é o de ajudar pacientes e médicos que os encaminham a obter o tratamento adequado por um prestador. Os planos de saúde em geral presumem que os pacientes não tomarão ou não são capazes de tomar boas decisões sobre o tratamento da sua própria saúde. Pior ainda, muitos planos de saúde presumem que os pacientes sempre optarão por receber mais tratamentos. No entanto, esta posição não é confirmada por estudos criteriosos, como discutimos nos Capítulos 2 e 4. Pacientes bem informados geralmente preferem ter menos tratamentos e tratamentos menos onerosos porque estão equipados para fazer boas escolhas sobre o atendimento à sua saúde e querem evitar procedimentos médicos arriscados, dolorosos e prolongados.

Quando melhores informações de resultados estiverem disponíveis, muitos clientes de planos de saúde e os seus médicos farão melhores escolhas. Mas não basta que os planos de saúde publiquem as informações na Web e esperem que seus clientes (e os médicos que fazem encaminhamentos) as encontrem. Faz-se necessária a defusão de aconselhamento e apoio a decisões. Os planos de saúde que esclarecerem as opções desde o início e orientarem os pacientes sobre a qualidade dos resultados adicionarão enorme valor, especialmente nas condições de saúde complexas e crônicas.

O velho modelo é tentar controlar as escolhas dos pacientes por meio de restrições de rede ou de aprovações. Em vez disso, os pacientes e os médicos que os encaminham devem ter direito, e serem de fato encorajados, a buscar um prestador excelente. Os planos de saúde têm que desenvolver capacidades para apoiar esse processo e adquirir conhecimento bastante para compreender as áreas singulares de especialização e distinção de cada prestador (ver Capítulo 5) em relação às necessidades do paciente. Assim procedendo, eles vão melhorar os resultados de saúde e conter os custos. Prestadores experientes e especializados, que utilizam métodos mais eficazes e menos invasivos, acertarão da primeira vez, evitarão complicações e erros onerosos e conseguirão recuperações mais rápidas e mais plenas. Se o paciente receber tratamento de um excelente prestador, haverá maior probabilidade não apenas de os resultados serem melhores, mas que os custos, tanto de curto quanto de longo prazo, sejam menores. Os resultados e o valor tornam-se as considerações dominantes, e não se o prestador é local ou se o plano tem contrato com um prestador mais barato para um determinado serviço.

Os pacientes vão confiar nos médicos para aconselhamento. A idéia de que os pacientes podem ou deveriam se tornar especialistas em saúde e dirigir o seu próprio tratamento é equivocada e irrealista. Os médicos serão inevitavelmente parte do processo, e dar apoio aos médicos que fazem os encaminhamentos será um importante papel do plano de saúde. No entanto, os planos de saúde deveriam desempenhar o papel de informar e aconselhar, porque são independentes e o afiliado é o paciente, e não um prestador ou tratamento, qualquer que seja. O plano de saúde, quando não vinculado a qualquer rede de prestadores, deveria ser mais objetivo que qualquer prestador, e estar em melhor posição para recomendar um centro regional no lugar de um prestador local, se justificável. Transmitindo informações e apoiando pacientes e médicos, os planos de saúde se tornarão formadores de mercado e possibilitadores da competição baseada em valor.

Para desempenhar esses papéis, os planos de saúde precisam construir confiança e credibilidade, tanto junto aos pacientes quanto junto aos médicos que fazem os encaminhamentos. Quando as escolhas são restringidas e as redes, definidas em função de custo, sem considerar o valor, a confiança é destruída. Com base em anos de experiência, os clientes passaram a desconfiar que a única motivação dos planos de saúde é a de restringir tratamentos e direcioná-los ao prestador que oferece ao plano o maior desconto. Enquanto os planos de saúde mantiverem restrições de rede e preços artificialmente altos para tratamentos fora da rede, a sua objetividade e credibilidade estarão comprometidas.

Muitos planos de saúde estão tentando mudar o seu relacionamento com os clientes e médicos para passarem a ser um conselheiro e defensor da saúde. O crescente número de planos de saúde mudando nessa direção, entre eles o Harvard Pilgrim e o UnitedHealth Group, demonstra ser possível transformar o relacionamento entre plano de saúde e cliente. Contudo, será necessário um esforço sustentado para recuperar a confiança dos clientes, e mais ainda a dos médicos.

Os esforços da United Resource Networks (U.R.N.), uma unidade do UnitedHealth Group, ilustram o êxito das escolhas feitas pelos pacientes. A U.R.N. não é um plano de saúde em si, mas fornece serviços a planos de saúde, inclusive à sua empresa-mãe. Aproveitando a disponibilidade de dados em âmbito nacional, a U.R.N. se especializou em serviços a pacientes de transplante de órgãos, e o fez tão bem, que outros planos de saúde a contrataram para atender a seus clientes de transplante. No total, a U.R.N. gerencia mais de 7.000 casos por ano. O seu programa de transplante de órgãos ajuda os pacientes a encontrar prestadores excelentes, alcançar bons resultados e reduzir os custos com atendimento de melhor qualidade. Às vezes isso possibilita um transplante, em outros casos significa oferecer ao paciente um prestador de elevado nível de especialização para tratá-lo com êxito, sem necessidade de recorrer a um transplante.

Para identificar os centros de excelência, a U.R.N. usa os dados nacionais sobre resultados e experiência em transplantes de órgãos, bem como seu processo de credenciamento interno, que se baseia em interações aprofundadas com bons prestadores. Os centros de excelência em transplante são identificados separadamente, por órgão transplantado; por exemplo, os melhores centros para transplante de medula podem não ser os melhores para transplante de rim, porque cada um deles requer uma diferente cadeia de valor de prestação de serviços de saúde. A U.R.N. só negocia contratos com centros que estejam entre os mais experientes e que tenham demonstrado resultados superiores.

A U.R.N. não impõe ao paciente a escolha de prestador; os pacientes que são seus clientes não estão confinados a uma rede pelos seus planos de saúde. Ela fornece, tanto aos médicos que fazem os encaminhamentos quanto aos pacientes, informações sobre os resultados de cada prestador, as avaliações de pacientes sobre as suas experiências com o serviço do prestador e os custos extras com que os pacientes terão que arcar ao serem tratados por aquele prestador, dependendo da cobertura que o cliente tenha do seu plano de saúde. Cada paciente é orientado ao longo do processo por um enfermeiro especializado, que não apenas apóia a escolha inicial de prestador, mas também se torna um conselheiro no decurso do tratamento. A decisão final é decididamente do paciente. A U.R.N. descobriu que embora os dados sobre resultados na área de transplantes sejam de excelente qualidade e estejam abertamente disponíveis num *web site*, é praticamente impossível para a maioria dos pacientes compreendê-los na forma em que estão. Além disso, como mencionamos anteriormente, os médicos que fazem os encaminhamentos não usam consistentemente esses dados.[16] Portanto, o papel de um conselheiro confiável é essencial para explicar os dados e as escolhas disponíveis ao paciente, como também ao médico de assistência primária ou ao médico de encaminhamento.

A U.R.N. tem sucesso. Os seus pacientes têm alcançado melhores resultados a custos mais baixos. Por exemplo, a John Deere contratou a U.R.N. em 1993. Em 1999, 129 pacientes cobertos já tinham recebido transplantes. Em cada um dos casos, sem nenhuma restrição de escolha, o paciente escolheu um prestador de alta qualidade. Em cada episódio de transplante, a John Deere economizou, em média, 35% do que é cobrado por um transplante padrão.[17] A U.R.N. descobriu que cerca de um quarto das economias de custo eram decorrentes de menos complicações. O equilíbrio vinha de preços menores que os prestadores excelentes estavam dispostos a oferecer em troca de um volume maior de pacientes. E isso é coerente com a maior eficiência dos prestadores excelentes, um resultado do círculo virtuoso da prestação dos serviços de saúde que descrevemos no Capítulo 5. E, com a disponibilidade de dados de resultados, não foi necessária nenhuma restrição de rede para alcançar o fluxo de pacientes aos melhores centros de transplante. Os pacientes não escolheram simplesmente o prestador mais conveniente e mais próximo.

Com base nesse sucesso, a U.R.N. está expandindo seus serviços para outras áreas de atendimento em que já exista uma evidência de qualidade crível, ou que tal evidência possa ser construída. Por exemplo, menos de 3% dos casos de câncer em adultos são tratados sob protocolos de pesquisa, e as taxas de cura de adultos ficam muito aquém das de crianças.[18] A U.R.N. está trabalhando para melhorar os resultados em pacientes adultos com câncer, coletando dados de resultados sobre os tipos de câncer para os quais pesquisas revisadas por pares já tenham demonstrado que os melhores resultados clínicos são alcançados por prestadores que têm experiência e alto volume. Quando os dados da U.R.N. revelam melhores resultados clínicos em um centro experiente, a U.R.N. procura desenvolver um relacionamento com esse centro e busca negociar um contrato para atender a seus pacientes. Novamente, a U.R.N. não restringe a escolha dos pacientes ou dos médicos que os encaminham, mas possibilita melhores escolhas fornecendo informações de resultados e aconselhamento.

Em certos casos, o tratamento e o prestador preferido ficam fora da área local. Nesse caso, um plano de saúde pode ajudar providenciando a agenda e a viagem. A U.R.N. descobriu que quando existem dados comparativos, a perspectiva de viajar para obter um tratamento de fato especializado causa muito menos apreensão nos pacientes do que as pessoas imaginam. A U.R.N. estendeu seus serviços ao atendimento de doença cardíaca congênita no período neonatal. Pretende assegurar que os casais que estejam esperando um filho com anomalia cardíaca viajem para o lugar certo, de forma que a criança possa faça uma cirurgia com os melhores especialistas, ao nascer. Como nos transplantes de coração (ver Figura 2-4), a cirurgia em anomalias congênitas é realizada em muitos hospitais dos EUA, mas as taxas de êxito variam muito. Prestadores excelentes reduzem o risco de prejuízos tanto físicos quanto mentais, fazendo uma grande diferença por toda vida do paciente. A U.R.N. descobriu que os pais que esperam uma criança nessas condições são altamente receptivos à viagem, quando bem informados a respeito.

Para facilitar as escolhas de prestadores excelentes pelos pacientes, os planos de saúde deveriam pagar pela viagem quando isso implicar diferenças significativas no valor ao paciente (como com todas as nossas recomendações para os planos de saúde, esta também se aplica a planos empresariais). Como a U.R.N. descobriu, a cobertura de viagem para o paciente e um acompanhante encoraja a escolha do melhor prestador e, em muitos casos, economiza dinheiro, porque o melhor prestador sai mais barato considerando-se o custo total do ciclo de atendimento. Muitos empregadores, com a idéia fixa de minimização de custos, têm hesitado em incluir o pagamento da viagem nos seus planos de saúde. Alguns planos de saúde também têm hesitado em pagar viagens, com medo de que, fazendo-o, prejudicarão a competição entre prestadores locais. Mas o efeito seria justo o oposto. Fazer com que os pacientes comparem os resultados dos prestadores locais com os resultados dos melhores prestadores de toda a nação fará um bem muito grande à competição local, já que motivará os prestadores locais a se equipararem aos padrões mais elevados.

Ao passo que a U.R.N. oferece um exemplo de como ajudar pacientes a encontrarem os melhores prestadores, existe uma variedade de outros modelos também sendo introduzidos. Alguns planos de saúde, seguindo os princípios básicos que descrevemos, começam a definir novos tipos de redes que não envolvem restrição de escolha. São criados diferentes escalões de prestadores com base em qualidade e valor, em vez de em localização. Encorajando os pacientes a considerarem prestadores de alta qualidade sem restringir-lhes a escolha, os planos de saúde preparam ainda mais a competição para melhorar a qualidade dos prestadores.

A CIGNA, por exemplo, desenvolveu "redes de qualidade" para várias doenças a respeito das quais já existiam dados disponíveis. O princípio orientador é que essas redes não deveriam restringir a escolha dos pacientes, mas sim motivá-los a fazerem melhores escolhas fornecendo-lhes informações, acesso a conselheiros de saúde e incentivos econômicos. Esses incentivos vêm na forma de uma cota menor dos custos para pacientes que obtiverem tratamento em prestadores excelentes. Similarmente à abordagem da U.R.N., os prestadores excelentes devem ser recompensados com maior volume de pacientes, à medida que o plano de saúde comunicar os seus bons resultados. A CIGNA negocia melhores preços com esses centros e compartilha as economias com os pacientes.

A CIGNA também descobriu que a qualidade e a eficiência são correlacionadas. Por exemplo, cardiologistas que são 10% melhores em medidas de resultados (ou acima disso, dependendo da medida), são, na média, cerca de 10% mais eficientes. No todo, a CIGNA descobriu que os médicos do primeiro escalão são de 8 a 10% menos onerosos, incluindo todos os custos médicos e farmacêuticos de tratamentos hospitalares e ambulatoriais. Os dados da CIGNA indicam que mais de 80% dos médicos reconhecidos pelo National Committee for Quality Assurance (NCQA) são também mais eficientes do que os médicos não reconhecidos.[19] Infelizmente, só existe reconhecimento da NCQA para tratamentos do coração, derrame cerebral e diabetes, porque consistem em condições de saúde para as quais já existem informações objetivas e de boa qualidade sobre resultados nacionais.

A CIGNA levou sua abordagem mais adiante, identificando centros hospitalares de excelência para 19 internações específicas (correspondentes a condições de saúde) com base numa série de outras fontes de informações: resultados ajustados a risco extraídos de dados *all-payer* (nos estados em que são coletados), dados Medpar (que são dados do Medicare para estados que não têm dados *all-payer*), dados da Leapfrog e dados internos da CIGNA sobre o custo total por episódio de tratamento hospitalar. No todo, o tratamento nesses centros de excelência é não só de melhor qualidade (medida por melhores taxas de sobrevivência ou menos complicações, ou ambas), mas também menos oneroso.[20]

É essencial que abordagens como redes de qualidade ou centros de excelência sejam de fato dirigidas por resultados, e não baseadas em descontos. Devem ser também opcionais, em vez de simplesmente restrições de rede reembaladas. A integridade das chamadas redes de qualidade ficará sob suspeita se o único critério para se qualificar à rede for custo mais baixo. Os clientes dos planos de saúde e os médicos que os encaminham precisam ser claramente informados sobre como um determinado prestador se qualificou para a rede, quando tanto medidas de qualidade quanto de custo forem usadas para delinear a rede. Além disso, o modelo de rede de qualidade será depreciado se os planos de saúde o reverterem em coerção, tornando o tratamento fora da rede proibitivamente caro. O uso de redes restritivas é uma muleta desnecessária. Sem redes, mas com informações, os incentivos serão atraentes tanto para planos de saúde quanto para prestadores.

Alguns observadores têm questionado se os pacientes usarão de fato as informações para alterarem as suas escolhas, citando experimentos em Cleveland e na Pensilvânia, nos quais as informações publicadas tiveram pouco impacto no comportamento dos pacientes.[21] Cremos que os pacientes e os médicos que os encaminham serão muito receptivos, mas os planos de saúde terão que desempenhar um papel de possibilitador que hoje ainda é raro. Nos experimentos iniciais, não havia ninguém atuando como um conselheiro bem informado e confiável, justo o papel de que os planos de saúde abdicaram.

Os planos de saúde, hoje, precisam reunir, embalar e comunicar as informações numa forma que os pacientes possam compreender. Como o exemplo da U.R.N. ilustra, pessoas bem preparadas e especializadas, como enfermeiros ou mesmo médicos, serão necessárias para supervisionar a coleta de informações nos planos de saúde e desempenhar o papel de conselheiro. Os planos de saúde aprenderão a configurar e entregar esses serviços com eficácia de custo, inclusive o gerenciamento de doenças crônicas. A recente evidência de planos de saúde ou seus subcontratados desempenhando papel de conselheiros no diagnóstico, tratamento e gerenciamento de doenças é encorajadora.

Os planos de saúde precisam também oferecer aconselhamento adicional como um serviço especial aos clientes (ou aos patrocinadores do plano) que o desejem. A CIGNA, por exemplo, oferece um programa de aconselhamento por um enfermeiro, que prevê comunicação por telefone, *e-mail* ou correio entre paciente e enfermeiro. O enfermeiro-conselheiro fornece instruções de ambientação a pacientes antes e após a hospitalização, orientação na avaliação de riscos à saúde, acompanhamento geral e assistência para encaminhamentos mediante solicitação do próprio paciente, entre outros serviços. O programa de conselheiro de saúde foi, até hoje, selecionado por empregadores totalizando, juntos, um milhão de membros no plano.

Os planos de saúde precisam desenvolver competência interna para prover informações e serviços de aconselhamento em muitas condições de saúde, porque isso é essencial para sua proposta de valor e sua capacidade de se distinguir dos concorrentes. Para condições altamente especializadas, contudo, essas funções podem ser terceirizadas a especialistas como a U.R.N., que agrega pacientes de vários planos de saúde. Esses especialistas terão mais possibilidade de arcar com investimentos para aprofundar o domínio, obter pessoal especializado e rastrear os resultados nacionalmente. Eles também terão o volume de pacientes necessário para desenvolver relacionamentos significativos e terem influência junto aos melhores prestadores. Os especialistas também podem apresentar particular eficácia de custo naquelas condições cuja raridade exige a mensuração e avaliação de prestadores de várias regiões.

A U.R.N. é um exemplo desse tipo de especialista, na prestação de serviços referentes a transplantes de órgãos, doença renal em estágio terminal, tratamento da infertilidade e cirurgia cardíaca neonatal. Um outro exemplo é a Preferred Global Health, uma organização de serviços a pacientes que oferece apoio a decisões e possibilita acesso a tratamento de classe mundial para pacientes na Europa e Oriente Médio que se deparam com uma das 15 doenças sérias que ela aborda. Quando há suspeita de uma dessas doenças, o cliente recebe ajuda especializada para confirmar o seu diagnóstico e compreender as opções de tratamento e suas implicações. Como no caso da U.R.N., um enfermeiro especializado numa doença particular trabalha com o paciente para assegurar que as informações disponíveis sejam bem compreendidas. A Preferred Global Health também fornece apoio para identificar e avaliar um prestador de classe mundial na abordagem de tratamento escolhida pelo paciente.

Alguns planos de saúde podem escolher determinadas condições de saúde nas quais tenham desenvolvido capacidade para servir não apenas a seus clientes, mas também aos clientes de outros planos de saúde. Esses serviços podem ser customizados para as necessidades de populações particulares de pacientes. Por exemplo, a especialidade geriátrica envolveria o fornecimento de aconselhamento e rastreamento de doenças, lesões e condições concomitantes que geralmente ocorrem na idade avançada. Esses serviços também poderiam ajudar os clientes a entenderem a cobertura do Medicare, prestar informações sobre a qualidade do atendimento em casas geriátricas ou comunidades de aposentados, e ajudar no acompanhamento de condições múltiplas e medicamentos. Tais serviços poderiam ser lançados em âmbito regional ou nacional. Fornecer tais serviços a outros planos de saúde é outro meio de os planos se distinguirem na competição baseada em valor.

Organizar as informações e o apoio ao paciente em torno do ciclo completo de atendimento. Os papéis dos planos de saúde, relacionados à provisão de informações, assessoria, ao aconselhamento e apoio a pacientes, têm que englobar todo o ciclo de atendimento, e não apenas consultas, exames, procedimentos ou tratamentos distintos. Discutimos extensamente nos capítulos anteriores a lógica para o foco no ciclo de atendimento. A atual mentalidade de tentar fragmentar os custos (para drogas, exames, consultas ou procedimentos distintos) estimula a transferência de custos em vez de estimular a criação de valor. Deixa de aproveitar os poderosos vínculos entre as partes do ciclo de atendimento, que podem baixar o custo total. Também ignora a fundamental importância da prevenção e do gerenciamento de doenças no longo prazo.

A organização em torno de ciclos de atendimento é desafiadora porque nem os planos de saúde nem os prestadores são gerenciados atualmente dessa forma. Informações abrangentes sobre os pacientes raramente são coletadas e agregadas ao longo do tempo porque a maioria do atendimento médico ocorre em resposta à presença de um sintoma ou condição e a maioria dos pagamentos é organizada por tipo de consulta, procedimento ou tratamento. Os planos de saúde obtêm a maior parte das informações sobre seus clientes somente quando já estão no processo de pagamento, e os registros de seguro são baseados em intervenções separadas codificadas. Os pacientes costumam não querer que informações que indiquem risco de problemas de saúde futuros sejam reveladas por temerem perder a cobertura de saúde ou deparar-se com aumentos no preço do seguro num sistema de soma zero. Os prestadores têm se organizado em torno de intervenções distintas, e não em torno do ciclo de atendimento, como discutido no Capítulo 5. Inúmeras unidades e entidades separadas são envolvidas no atendimento. A coordenação do atendimento e dos repasses ao longo do ciclo de atendimento deixa muito a desejar.

É razoável argumentar que o plano de saúde é a entidade em melhor posição para agregar informações sobre todo o ciclo de atendimento ao paciente, inclusive o acompanhamento do tratamento, em vista do provável envolvimento de uma combinação de médicos, farmacêuticos, terapeutas e outros profissionais de saúde de diferentes entidades. Os planos de saúde podem usar a cadeia de valor da prestação dos serviços de saúde (discutida no Capítulo 5 e no Apêndice B) para mapear o ciclo de atendimento; identificar e facilitar os vínculos entre os diferentes prestadores, laboratórios e organizações de serviço envolvidos no atendimento; e prever as potenciais lacunas na coordenação.

O plano de saúde também está na melhor posição para ajudar o paciente a transitar pelo ciclo de atendimento. Para tanto, é preciso assegurar que os repasses sejam suaves; que as informações necessárias para o atendimento sejam transferidas; que não ocorram interrupções no atendimento; e que o acompanhamento não deixe de acontecer. Pode não ser prático ou viável um prestador desempenhar esse papel, embora os prestadores precisem urgentemente assumir mais responsabilidades. Organizar os planos de saúde em torno de condições de saúde englobando todo o ciclo de atendimento facilitará muito a capacidade de desempenhar esses papéis.

Os serviços de transplantes de órgãos da U.R.N. são um bom exemplo do papel dos planos de saúde ao longo de todo o ciclo de atendimento. Como descrito no Capítulo 5, os transplantes de órgãos envolvem um processo prolongado e multifacetado de atendimento, que se estende por muitos anos. A U.R.N. estuda e apóia todo o ciclo de atendimento, desde a confirmação do diagnóstico, a seleção do prestador e a espera pelo órgão até a cirurgia e o acompanhamento de longo prazo. O valor depende da excelência conjunta de todos estágios, e não apenas da cirurgia. E assim também se passa com o custo final do atendimento.

Ao gerenciar o ciclo de atendimento completo, é importante distinguir o diagnóstico como um conjunto de atividades, separado do tratamento. Como já discutimos, acertar no diagnóstico traz enormes benefícios de custo e valor. Gerenciar o processo de obtenção de diagnóstico completo e preciso é uma responsabilidade fundamental do plano de saúde. Os planos de saúde podem achar que certos prestadores são especialmente eficazes no diagnóstico, mesmo que o tratamento seja conduzido por outra entidade. A independência do diagnóstico também é importante para eliminar viés no tratamento, como discutimos no Capítulo 5.

Os esforços dos prestadores para integrar o atendimento ao longo do ciclo de atendimento estão apenas começando. Os planos de saúde podem encorajar essa integração, agregando e compartilhando suas próprias informações do ciclo de atendimento e trabalhando com os prestadores para identificar oportunidades de melhorar a coordenação. Uma forte integração do ciclo de atendimento deveria ser um dos timbres de distinção de prestadores excelentes recomendados pelos planos de saúde. Alguns incentivos também podem encorajar os prestadores a se movimentarem mais rapidamente, como discutiremos adiante.

Agregar informações de saúde dos clientes, organizadas em torno de ciclos de atendimento a condições de saúde, deveria ser um papel central das unidades de gestão de informações de clientes dos planos de saúde, descritas anteriormente. Os planos de saúde precisarão de novos tipos de sistemas de informações para apoiar à gestão do ciclo de atendimento. Atualmente, a maioria dos planos de saúde tem apenas registros de consultas e dos tratamentos cobertos, mas não dos resultados. Cada vez mais, os planos de saúde estão compilando informações sobre prescrições que podem ser usadas para ajudar a gerir o caso. Em certas circunstâncias, os planos de saúde também têm acesso aos resultados dos laboratórios. No entanto, grandes lacunas de informações limitam a capacidade de os planos de saúde terem uma visão do ciclo de atendimento completo, que dirá medir os resultados e os custos gerais. Os dados dos pacientes podem ser agregados ao longo do tempo em torno de condições de saúde, mesmo com a tecnologia hoje disponível. Os planos de saúde não devem esperar até terem registros médicos eletrônicos completos para iniciar esse trabalho.

Oferecer um gerenciamento abrangente de doenças e serviços de prevenção para todos os clientes, mesmo os saudáveis. Uma implicação fundamental em termos de ciclo de atendimento é que os planos de saúde têm que expandir o seu escopo e aceitar responsabilidade pelo ciclo completo. Como discutimos em capítulos anteriores, isso significa mensurar e minimizar o risco de doenças (a chamada prevenção ou gerenciamento de risco) e gerenciar as condições de saúde ao longo de todo o ciclo de atendimento para melhorar os resultados e prevenir ou minimizar recorrências (o chamado gerenciamento de doenças).

O reconhecimento do valor do gerenciamento de doenças talvez esteja mais avançado. Existe uma volumosa e crescente evidência de que o gerenciamento de doenças, e não apenas o diagnóstico inicial e o tratamento de uma condição de saúde, contribui para o valor da assistência à saúde. O Institute of Medicine revisou a literatura médica e concluiu que existe "substancial evidência de que programas de aconselhamento, educação, *feedback* de informações e outros serviços de apoio a pacientes portadores de condições crônicas estão associados a melhores resultados".[23] Temos cada vez mais exemplos de retorno do investimento em gestão de doenças.[24] A Blue Cross Blue Shield (BCBS) de Massachusetts, por exemplo, registrou melhorias nos resultados e também reduziu custos com programas de gerenciamento de doenças, em falência cardíaca congestiva, diabetes, doença arterial coronariana e doenças raras, como esclerose múltipla e doença de Tay-sachs. A CIGNA documentou melhores resultados e eficiência em diabetes, falência cardíaca congestiva, doença pulmonar obstrutiva crônica, asma e dores lombares.[25] Dados da Wellpoint documentam a melhoria de resultados clínicos e redução de custos dos clientes que participaram de programas de gerenciamento de doenças para asma, diabetes e doença cardíaca, inclusive uma redução de 27% a consultas de emergência e 15% de redução na taxa glicêmica média de pacientes diabéticos.

A Blue Cross Blue Shield de Minnesota (BCBSMN), uma das líderes nessa área, ampliou seu programa de gerenciamento de doenças para englobar 17 doenças que afetam de 12% a 15% da sua população de clientes.[27] Para criar um programa de escala, eles compilaram vários milhões de históricos médicos de pacientes, contrataram 120 enfermeiros, estabeleceram um *call center* e firmaram um acordo de dez anos com a American Healthways, especializada em serviços de gerenciamento de doenças. A BCBSMN identificou clientes elegíveis para o programa usando dados de sinistros, dados das prescrições e encaminhamentos. Ela inscreveu todos os clientes elegíveis, menos os que preferiram não participar, e conseguiu uma taxa de 97% de participação entre os elegíveis. Como a BCBSMN não aplicou o programa em planos financiados por empregadores (que teriam que pagar pelo programa e duvidaram do seu valor), a BCBSMN teve automaticamente um grupo controle com o qual ela pôde comparar resultados. Em relação ao grupo controle, os resultados foram melhores e os custos baixaram US$ 500 por participante no primeiro ano.[28] No primeiro ano, a BCBSMN relatou 14% de redução da taxa de internações hospitalares, uma queda de 18% nas consultas de emergência e um retorno de US$ 2,90 para cada dólar investido (totalizando uma economia acima de US$ 36 milhões) em relação a um outro grupo controle, similar, que não participou do programa.[29] Em vista desse êxito, a BCBSMN está ampliando o programa para incluir nove tipos de câncer, doença renal e depressão.[30] Como alguns especialistas sugerem que os benefícios do gerenciamento de doenças começam a surtir efeito nove meses após o início do programa, e que os benefícios do programa devem persistir no longo prazo, esses resultados são muito encorajadores.

O gerenciamento de doenças é especialmente importante para condições crônicas, que respondem por nada menos que 75% das despesas totais com assistência à saúde e, segundo as projeções, afetará mais pacientes nas próximas décadas.[31] Atualmente, 45% da população com uma ou mais condições crônicas respondem por 69% das internações, 80% das diárias hospitalares e 55% das consultas de emergência.[32] Apesar de os indivíduos com mais de 65 anos geralmente apresentarem uma condição crônica, 75% das pessoas com condições crônicas têm menos de 65 anos. O impacto da melhoria de valor na prestação dos serviços de saúde para condições crônicas seria enorme para o Medicare e o Medicaid, que pagam 40% da assistência médica para condições crônicas (excluindo despesas com hospitais de longa permanência) *versus* 20% das despesas de tratamento de doenças agudas. Embora as condições crônicas sejam incuráveis, a qualidade de vida pode ser melhorada, e a necessidade de serviços médicos pode ser significantemente reduzida com o tipo adequado de tratamento. A avaliação de risco, junto com tratamento que reduza os riscos ou evite que se contraia a doença ou lesão, é fundamental para a competição baseada em valor. A avaliação de riscos, somada a informações e aconselhamento, cria uma compreensão personalizada da necessidade de alterar hábitos de vida e de cumprir as terapias preventivas. Esta é outra mudança de mentalidade crítica: no lugar de pagar por tratamento da doença no estágio agudo, passar a minimizar ou prevenir a doença com uma intervenção mais precoce. A aprendizagem de abordagens preventivas dessa natureza vem se acumulando rapidamente, e se tornará cada vez mais importante com o avanço da genética e da medicina personalizada. Por exemplo, estão sendo desenvolvidos modelos de previsão que antecipam quais indivíduos têm maior risco de contrair determinados problemas de saúde. A BCBSMN, cujos programas de gerenciamento de doenças descrevemos aqui, também oferece um programa para clientes de alto risco que ainda não tiveram um evento agudo.

Um exemplo de plano de saúde abraçando o gerenciamento de riscos e a prevenção é a BCBS de Massachusetts, que está pilotando um programa com seus próprios empregados, no qual os indivíduos fornecem voluntariamente informações que são usadas para prever o risco de doença futura, principalmente doença arterial coronariana. Embora os patrocinadores de planos empresariais ainda não tenham se convencido a abraçar esta abordagem, os empregados do próprio plano de saúde foram muito receptivos em fornecer informações para ajudar a reduzir o seu risco de contrair doenças. O programa voluntário está conseguindo mais participantes do que o esperado. E os resultados iniciais são positivos no que se refere à satisfação dos pacientes.

Aos pacientes identificados como de alto risco é oferecido um Blue Health Coach, que entra em contato com eles duas vezes por semana nos primeiros meses (e com menor freqüência mais tarde) para dar conselhos e responder a perguntas sobre questões como cumprimento das medicações, peso, exercícios e como expor o andamento do caso aos médicos, e o que os resultados dos exames significam, de fato. Os resultados preliminares com uma pequena amostra de pacientes com alto risco de doença arterial coronariana indicam melhores resultados na saúde como também redução de custos.

O serviço de aconselhamento à saúde da CIGNA, mencionado anteriormente, também inclui a oportunidade de os clientes participarem voluntariamente na avaliação de risco e subseqüente acompanhamento na redução de risco. Esse serviço está sendo oferecido através de planos autosegurados por empregadores e tem maior participação do que a inicialmente esperada.

Um outro exemplo dos benefícios do gerenciamento de risco é o programa da Aetna focado em casos de gravidez de alto risco. Consultas com perinatologistas e visitas domiciliares por enfermeiros educam futuras mães de alto risco sobre os sinais de trabalho de parto prematuro. Apesar de a Aetna já ter tido uma política abrangente que buscava inscrever todas as mulheres grávidas num programa geral de cuidados com a saúde, ela agora se concentra exclusivamente na população de alto risco. A Aetna relata uma redução de 20% no tempo de permanência na UTI neonatal para bebês cujas mães entraram no programa no primeiro trimestre. Essa redução significa melhor saúde para o bebê e uma economia de US$ 4.000 por dia de atendimento.[33]

O valor adicionado com a avaliação e o gerenciamento de risco também é revelado pelo programa de gravidez saudável da U.R.N. no aumento da capacidade de identificar bebês que nascerão com condições complexas. Esse programa complementa os serviços à doença cardíaca congênita mencionados anteriormente neste capítulo.[34] A U.R.N. descobriu que o atendimento apropriado e oportuno pode melhorar os resultados de saúde de bebês de risco ao mesmo tempo em que alcançam reduções de custo de nada menos que 50%. Os resultados médicos para os recém-nascidos cobertos são muito melhores quando eles nascem em prestadores que dispõem de instalações e capacidades apropriadas para cuidar deles. A avaliação de risco é importante neste caso porque normalmente é muito mais fácil e menos oneroso encontrar e assegurar tratamento por um prestador dessa natureza antes do nascimento da criança do que numa situação de emergência.

Em cada um desses exemplos de gerenciamento de risco, o plano de saúde não tenta gerenciar como o prestador atende os pacientes, nem tenta se superpor a decisões de tratamento já prestado. Ao contrário, o gerenciamento de risco é projetado para proporcionar aos pacientes (e aos médicos que os encaminham) informações compreensíveis e confiáveis na hora em que são necessárias, e até antes de os sintomas se apresentarem. Isso possibilita escolhas que minimizam a doença e permitem um tratamento bem planejado daquilo que, de outra forma, seria uma situação de emergência.

A aplicação de recursos de previsão em muitas das áreas médicas e de doenças, e em toda a base de clientes de um plano de saúde, oferece grande potencial de ganhos de valor. O gerenciamento de risco não apenas beneficia os pacientes, mas reforça ainda mais a competição entre prestadores pelo alcance de resultados médicos excelentes – o tipo de competição coerente com a profissão médica e com as obrigações de ordem ética.

Todo plano de saúde precisa conduzir programas abrangentes de gerenciamento de riscos e de prevenção e gerenciamento de doenças, dos quais participem muitos, se não a maioria, dos clientes do plano. A maioria dos planos de saúde oferece poucas áreas de gerenciamento de doenças (tipicamente de uma a quatro), embora o interesse por elas venha crescendo. À medida que os planos passarem progressivamente a competir em resultados na saúde e os seus horizontes de tempo se ampliarem, programas de prevenção e gerenciamento de doenças serão elementos essenciais das estratégias dos planos de saúde. Com a sua capacidade de abranger todo o ciclo de atendimento e de agregar informações sobre clientes, os planos de saúde têm uma capacidade singular de adicionar valor.

Uma razão citada por muitos planos para não oferecer mais programas de gerenciamento (e prevenção) de doenças é que, se os clientes mudarem de plano, tais esforços só beneficiarão os concorrentes. No entanto, a probabilidade é que os programas de prevenção e gerenciamento de doenças aumentem a fidelidade do cliente e reduzam a sua rotatividade entre planos. Os planos de saúde, às vezes, também têm encarado clientes com doença crônica (e, portanto, relativamente caros) ou de alto risco como algo a ser evitado, o que retardou os programas de prevenção e gerenciamento de doenças na década passada. Contudo, esses programas geram valor, e todos os clientes e patrocinadores do plano se beneficiarão. Os planos de saúde que não tiverem esses programas perderão posição de mercado na nova competição.

Os empregadores (e alguns planos de saúde) focados em custos de curto prazo têm, às vezes, feito corpo mole na prevenção e gerenciamento de doenças. A desculpa é que os ganhos com esses programas são difíceis de medir e que é complexo isolar os benefícios dos programas de outras variáveis causais. Essa forma de pensar está obsoleta, como evidenciado pelos inúmeros estudos anteriormente discutidos nesta seção. A CIGNA se sente confiante o bastante para incluir todos os seus cinco programas de gerenciamento de doenças em todos os planos de saúde cujos riscos financeiros são arcados por ela mesma. Em contraste, somente cerca de 65% dos empregadores que contratam a CIGNA simplesmente para administrar o plano decidiram incluir *qualquer* programa de gerenciamento de doença no seu plano de saúde auto-segurado. Contudo, há indicações de que um número crescente de empregadores está começando a adotar o gerenciamento de doenças e pagar por ele. Essa tendência vai acelerar à medida que as empresas medirem o valor e os resultados na saúde, e não simplesmente os custos de curto prazo dos seus programas de benefício-saúde. Voltaremos a esse assunto com mais detalhes no Capítulo 7.

O sucesso da prevenção e gerenciamento de doenças depende do relacionamento com os clientes e médicos, que não seja mais adverso e de soma zero, mas sim baseado em confiança e criação de valor. Sem confiança, os pacientes simplesmente não participam. Além disso, o lado sombrio do gerenciamento de risco e da medicina preventiva é o medo de que os planos de saúde venham a usá-lo para justificar a "renovação" contratual e a discriminação, ambas formas de competição de soma zero. Os pacientes têm que estar convencidos de que esta não é a razão nem a conseqüência planejada desses programas. Num sistema de confiança e parceria, os clientes forneceriam voluntariamente as informações para ajudar no gerenciamento da sua saúde.

Todos os planos de saúde precisarão desenvolver algumas capacidades na própria empresa relativas à prevenção e ao gerenciamento de doenças, porque estas são funções essenciais para melhorar a saúde e o valor da assistência à saúde. A maioria dos programas de prevenção e gerenciamento de doenças envolve pessoas qualificadas que interagem com os clientes, sob títulos como *coach* de saúde (BCBS de Massachusetts), *coach* de vida ou conselheiro de pacientes. Com o tempo, uma porcentagem cada vez maior de empregados dos planos de saúde precisará dessas habilidades.

Os planos de saúde podem terceirizar a especialistas alguns elementos das funções de prevenção e gerenciamento de doenças. Existiam aproximadamente 160 fornecedores de gerenciamento de doenças em 2005. Com o tempo, os prestadores também começarão a incorporar serviços de prevenção e gerenciamento de doenças nas suas linhas de serviços, como parte de modelos consistentes e contínuos de prestação dos serviços de saúde.

Reestruturar o relacionamento entre plano de saúde e prestadores

Para competir em valor e desempenhar novos papéis de apoio a pacientes, os planos de saúde terão que desenvolver relacionamentos muito diferentes com os médicos e as organizações prestadoras de serviços de saúde. Alguns médicos descreveriam as suas atuais interações com os planos de saúde como uma "guerra".[35] Essa mentalidade de adversário tem que desaparecer, e alguns planos de saúde já estão dando passos para erradicá-la. No seu lugar deveria emergir um espírito de colaboração, no sentido da criação de valor para os pacientes. Quando os planos de saúde e os prestadores trabalharem juntos em torno de valor e resultados de saúde, a eficiência melhorará exponencialmente e os custos administrativos cairão.

O apoio por parte dos médicos é crítico para o sucesso dos planos de saúde, porque a maioria dos pacientes irá (e deveria) tomar suas decisões médicas e fazer suas escolhas comportamentais com a orientação do seu médico. Se o plano de saúde e o médico oferecerem informações e orientações antagônicas, os pacientes geralmente confiarão no seu médico. Ao contrário, se o plano de saúde e o médico estiverem em sincronia, ampliam-se as possibilidades de boas decisões e de comportamento adequado por parte do paciente.

A reestruturação do relacionamento entre planos de saúde e prestadores envolve duas áreas: mudar a natureza e o tipo de compartilhamento de informações e mudar os incentivos baseados em fluxo de pacientes e pagamento.

Mudar a natureza do compartilhamento de informações com prestadores. Os executivos dos planos de saúde costumam reclamar que os médicos não ouvem nem usam o que eles têm para ensinar. Em vista da história, isso não surpreende. Não tem havido um relacionamento de colaboração centrado no valor ao paciente.

Os planos de saúde precisam reconhecer que os médicos são e serão sempre importantes nas contribuições para as escolhas pelos pacientes. O plano de saúde pode ajudar os pacientes e seus médicos a reunir informações, compreender as suas opções de tratamento, buscar o melhor prestador para abordar as suas circunstâncias, assegurar que os prestadores envolvidos no atendimento tenham informações atualizadas, e ajudar nos repasses e trânsito dos pacientes pelo ciclo de atendimento. Por exemplo, a U.R.N. descobriu que, antes de ela se envolver, muitos pacientes já haviam sido encaminhados a um cirurgião de transplante de órgão. A informação que a U.R.N. dispõe pode sugerir que o encaminhamento é questionável em vista das evidências de resultados. A U.R.N. entrará em contato com o médico que fez o encaminhamento para explicar que, embora ela não seja a dona da verdade, os dados sugerem uma escolha diferente. Ela pede a esse médico que a U.R.N. ajude a se informar a respeito do especialista indicado por ele, e se assegura de que o médico que fez o encaminhamento esteja ciente de toda a gama de escolhas disponível ao paciente. Na maioria dos casos, o médico surpreende ao saber que o paciente tem acesso ao melhor atendimento e acaba preferindo que ele seja tratado num dos centros de excelência identificados pela U.R.N. O médico pode então conversar com o paciente sobre o conjunto mais amplo de opções disponíveis.

Os planos de saúde também podem apoiar os médicos com muitos outros tipos de informações difíceis de reunir. Os formulários de aquisição/pagamento de remédios, por exemplo, podem oferecer oportunidades para desvendar e compartilhar informações sobre o cumprimento de prescrições pelos pacientes. Um gerente de plano de saúde descreveu um caso em que um cliente com diabetes estava com dificuldade de controlar a sua taxa de glicose. O sistema do plano de saúde descobriu que o cliente deveria estar tomando o remédio duas vezes ao dia, mas só voltava a adquirir o remédio no dobro do intervalo de tempo esperado, indicando que não estava seguindo a prescrição. O plano de saúde compartilhou essa informação com o médico. Aconteceu que, embora o médico já tivesse perguntado ao paciente se ele estava tomando o remédio regularmente, e este respondera que sim, o paciente não havia entendido bem a freqüência. Agora, os níveis de glicose do cliente estão sob controle, reduzindo os risco à saúde. Por meio de relacionamentos colaborativos baseados em compartilhamento da informação, o médico está prestando melhor atendimento, o paciente está apresentando um estado de saúde melhor e os custos reduzirão. Esse tipo de exemplo pode se tornar comum.

Os planos de saúde também podem ajudar os médicos a reunir resultados antes de fazer encaminhamentos. No atual sistema, os padrões de encaminhamento tendem a ser de rotina, em vez de baseados em evidência real. Somente informações confiáveis e relevantes compartilhadas com os médicos podem mudar esses padrões e permitir que os médicos que fazem os encaminhamentos melhorem os resultados dos seus pacientes.

Os planos de saúde deveriam também comunicar sempre aos médicos os resultados alcançados com os seus encaminhamentos. Se os médicos pudessem comparar os resultados dos seus encaminhamentos com os de outros prestadores, eles fariam o tipo de investigação adequado e usariam de escrutínio antes de realizarem encaminhamentos.

Os planos de saúde também podem fornecer recursos para apoiar os médicos no que se refere a diagnóstico e tratamento. Por exemplo, cerca de 50 empresas de plano de saúde usam os serviços da Best Doctors para ajudar a obter o diagnóstico correto e o melhor plano de tratamento para pacientes com condições complexas. A Best Doctors tem uma equipe de medicina interna que reavalia os casos difíceis e identifica os tipos de especialistas que precisam ser envolvidos. Ela é também capaz de contatar e reter os melhores especialistas para ajudar o médico encarregado do tratamento a revisar o diagnóstico e o plano de tratamento. Às vezes um especialista é recrutado para participar do tratamento. As revisões críticas da Best Doctors já levaram à modificação do diagnóstico em 22% dos casos e à alteração do plano de tratamento de mais de 60% dos casos. Uma análise retrospectiva desses serviços pela seguradora American Re revelou diagnósticos mais agudos: uma redução de 27% em incapacidade permanente; a realização de um ou mais procedimentos cirúrgicos invasivos foram evitados em 63% dos pacientes; uma economia de US$ 44.000 por caso em despesas com reabilitação.[36] Esse compartilhamento de informações, que apenas em casos extremos envolve a troca de médicos, pode não apenas melhorar o atendimento, mas também ajudar os médicos a melhorar o valor que entregam aos pacientes.

Em casos de traumas complexos, quando um paciente é levado ao hospital, a Best Doctors é contatada pela seguradora e envia um de seus enfermeiros ao local onde se encontra o paciente para servir como gerente de caso e coordenar a comunicação. A Best Doctors reúne rapidamente uma equipe para uma consulta especializada pelo telefone com os médicos que estão assistindo o paciente. Essa abordagem tem reduzido significativamente complicações desnecessárias, que, segundo as estimativas da American Re têm economizado US$ 250.000 por caso de traumatismo.

À medida que a competição baseada em valor se difunde, mais pacientes serão encaminhados a prestadores excelentes, e os próprios prestadores construirão redes de relacionamentos com especialistas para consultas em casos difíceis. Contudo, os planos de saúde terão que desempenhar um importante papel em fornecer informações e a sua especialização em apoio, que vem da sua independência e dos seus relacionamentos com inúmeros prestadores. Contanto que este processo seja colaborativo e focado nos resultados para o paciente em vez de em limitação de serviços, ele contribuirá para o valor.

Finalmente, os planos de saúde têm um papel na superação da relutância dos prestadores em adotar a mensuração de resultados. Dada a fidelidade dos clientes aos seus prestadores, os planos de saúde às vezes relutam em comparar prestadores por temerem um revés. Isso tem reforçado a tendência de tratar todos os prestadores igualmente. Uma análise minuciosa dos resultados dos prestadores requer um processo disciplinado, objetivo e justo. Também requer medidas que sejam indicadores relevantes e significativos para os resultados médicos. Prestadores excelentes serão receptivos a essa mensuração, especialmente se o valor que eles entregam for recompensado com mais pacientes e margens mais altas. O movimento para a mensuração também deverá disparar mais coleta de novos dados, se os prestadores constatarem que os planos de saúde usarão as melhores informações disponíveis. Quando os prestadores compreenderem que a mensuração de resultados é inevitável, eles contribuirão para o refinamento dos dados.

O progresso no desenvolvimento de medidas de resultados pode ser mais rápido, se os planos de saúde se engajarem com os prestadores na criação de medidas clínicas específicas para cada condição de saúde. Alguns planos de saúde, como o Antehem (no estado da Virgínia, e agora pertencente ao Wellpoint), estão solicitando a grupos de médicos em áreas específicas de atendimento que desenvolvam critérios para avaliação do seu desempenho. Isto ajuda a assegurar que o sistema de medição seja significativo e encoraja a adesão. É também necessário que os médicos sejam envolvidos nas reavaliações e melhorias do sistema de medição.

Os planos de saúde deveriam comunicar os resultados aos prestadores e dar tempo para que eles façam as correções. Isso vai melhorar a precisão dos dados e aumentar a confiança dos médicos na razoabilidade do processo. A inclinação dos médicos para fazer encaminhamentos baseados em evidência se fortalecerá se eles próprios e seus colegas verificaram os dados.

Recompensar a excelência de prestadores e as inovações que aumentam o valor para os pacientes. As atuais práticas de contratação e pagamento dos planos de saúde são vinculadas a valor. Ou todos os prestadores de um determinado serviço são pagos igualmente, ou as taxas de contratação dependem de poder de negociação. As estruturas de valor dos pagamentos tendem a seguir de perto as do Medicare, cuja estrutura de pagamento falha não é alinhada com custos, resultados e valor para o paciente. O pagamento pelo plano de saúde é vinculado a transações e serviços separados em vez de a episódios ou ciclos de atendimento completos. Existem cobranças separadas para cada médico, uso de instalações e produtos farmacêuticos.

Os prestadores não são recompensados pela excelência. E o que é pior, são pagos por tratamento, não por conceberem métodos melhores e mais econômicos. Na verdade, os prestadores podem até ser penalizados por apresentarem melhor desempenho ou inovações utilizando um tratamento menos invasivo. Reduzir tratamentos e número de consultas ou evitar complicações sérias levam a menores receitas para o prestador. As receitas podem cair mais do que os custos, gerando assim uma *penalidade* por ter melhorado o valor! No atual sistema, os prestadores também têm pouca recompensa além da satisfação profissional por aconselharem pacientes no gerenciamento e prevenção de doenças. Ainda não existem mecanismos consolidados para remunerar prestadores por serviços nessas áreas.

De modo geral, falta no sistema o conceito de compartilhamento de ganhos, seja com prestadores que alcançam bons resultados, seja com prestadores que melhoram os resultados de longo prazo. Nada disso faz sentido em termos de valor para o paciente. Os planos de saúde têm que encontrar novas formas de pagamento que recompensem o valor e a melhoria do valor, em vez de trabalharem na contra-mão. Os planos de saúde não podem mais adotar simplesmente a solução mais fácil e seguir o Medicare, mas têm que usar toda a sua influência para ajudar a conduzir o pagamento para a competição baseada em valor.

Recompensando a excelência dos prestadores. Antes de mais nada, os planos de saúde precisam recompensar prestadores pela sua excelência. Alguns planos de saúde estão dando passos nessa direção com seus programas de pagamento por desempenho, como discutimos nos capítulos anteriores. O contrato de pagamento por desempenho da Harvard Pilgrim com o Partners HealthCare System, em 2001, por exemplo, foi o primeiro contrato cooperativo de incentivo pelo desempenho entre um plano e um grande sistema de prestadores nos EUA. A Harvard Pilgrim expandiu substancialmente o seu sistema de pagamento por desempenho e reconhece publicamente os melhores prestadores na sua Lista de Honra.

A BCBS de Massachusetts estabeleceu modelos de determinação de preços relacionados à qualidade para médicos de assistência primária, a práticas de grupos especializados e a hospitais. Como as medidas de resultados existentes ainda são rudimentares, iniciativas como a da BCBS e outras similares baseiam suas recompensas principalmente em medidas de processos. Para médicos de assistência primária, a BCBS usa uma versão melhorada das medidas HEDIS[37] do National Committee for Quality Improvement, como os índices de mamografias e os protocolos de tratamento de diabetes.[38] Além disso, há recompensas pela prescrição de genéricos de antibióticos e pelo uso de ferramentas de apoio a decisões (uma de escolha própria, e não uma especificada pela BCBS). Todas essas são medidas de processos. A meta final da BCBS é basear as recompensas em medidas de resultados relatadas publicamente.

Para os hospitais, a BCBS baseia as recompensas em metas de melhoria de desempenho mutuamente estabelecidas, específicas para cada hospital, em vez de utilizar as mesmas metas para todos os prestadores. Nas áreas escolhidas para melhoria, são usadas medidas amplas de resultados desenvolvidas pela Agency for Healthcare Research and Quality (AHRQ), como taxas de infecção e taxas de infarto agudo do miocárdio após cirurgias. Os hospitais que superarem as suas metas de melhoria específicas podem receber 2% de aumento no pagamento, o que pode implicar milhões de dólares para um hospital de médio porte. Novamente, a meta de mais longo prazo é basear as recompensas em resultados em vez de em processos.

De processos a resultados. Como já discutimos, as abordagens de pagamento por desempenho, com sua ênfase em conformidade de processos, são apenas um começo. O pagamento por desempenho não recompensa de fato a excelência. Embora o programa da BCBS de Massachusetts recompense por áreas de melhoria, é menos provável, por exemplo, que ele estabeleça uma meta de melhoria numa área em que o prestador seja de fato muito bom. Haveria muito mais incentivo ao desenvolvimento de verdadeira excelência se a BCBS desse mais um passo e criasse uma recompensa para hospitais que se distinguissem mais ainda nos seus melhores serviços.

Em última análise, os hospitais deveriam ser encorajados não apenas a melhorar os processos abaixo do padrão, mas a alcançar resultados claramente superiores. De uma perspectiva de valor, os resultados são mensurados e mais bem recompensados no nível de condições de saúde, e não em resultados gerais como mortalidade ou complicações genéricas. As bonificações do pagamento por desempenho deveriam ser específicas por condição de saúde, e não indiscriminadas, por atendimento geral. As recompensas por melhoria precisam ser as mesmas para todos os prestadores. Os planos de saúde deveriam encorajar os prestadores a fortalecer as áreas em que já são muito bons.

O foco das atuais iniciativas de pagamento por desempenho reflete o desejo de promover a segurança. No entanto, se os *resultados* da segurança forem mensurados, como o número de pacientes com infecções pós-cirúrgicas ou com pneumonia associada a ventilador, a atenção às práticas de segurança aumentará acentuadamente. Os planos de saúde não têm que monitorar tudo que um hospital faz, mas sim assegurar que os médicos e pacientes sejam adequadamente focados em resultados.

Competição por pacientes. Embora bonificações para recompensar a excelência sejam benéficas, talvez a recompensa mais poderosa para a excelência e o valor seja o encaminhamento de mais pacientes. Prestadores que sejam excelentes e eficientes ganharão margens maiores, mesmo que cobrem o mesmo que outros prestadores. São as margens (receitas menos custos), e não os preços, que de fato contam para os prestadores. O aumento do volume de pacientes de um prestador em uma condição de saúde gera grandes melhorias em valor e margens, como já discutimos (ver Figura 5-2).

Os planos de saúde deveriam resistir à tentação de procurar nivelar o campo, tentando elevar todos os prestadores a um nível aceitável. Em vez disso, os melhores prestadores numa condição de saúde deveriam ser recompensados com encaminhamento de pacientes. Nivelar o campo funciona contra o poderoso papel de volume e domínio para gerar valor, como já discutimos. Além disso, a motivação dos prestadores mais fracos para recuperar os pacientes perdidos melhorando os resultados será muito mais forte do que os incentivos incrementais de pagamento por desempenho.

Compartilhamento de ganhos. As estruturas de pagamento têm que evoluir para recompensar prestadores por melhorias que aumentem o valor e reduzam a necessidade de serviços. Atualmente, os planos de saúde, ao contrário, os castigam por isso. Visto que os atuais pagamentos estão vinculados ao fornecimento do serviço, e o preço de um dado serviço reflete a sua complexidade, partir para um tratamento menos invasivo ou minimizar a necessidade de internações ou consultas pode reduzir as receitas mais rapidamente que os custos, como descrevemos no Capítulo 4. Nos seus contratos com os planos de saúde, por exemplo, a Intermountain Healthcare descobriu que as suas melhorias no atendimento a pneumonia adquirida na comunidade reduziram seus custos em 12,5%, mas as receitas caíram 17%. A Intermountain começou a apontar essas anomalias e a definir modelos para compartilhar as economias.[39] Um modelo, por exemplo, poderia ser aquele em que um plano de saúde garantisse margens iguais aos prestadores *durante o ciclo de atendimento* por métodos de prestação de serviços que fossem novos e inovadores, junto com uma fórmula de compartilhamento das economias alcançadas. O ideal seria que os planos de saúde também recompensassem inovações de processos encaminhando mais pacientes.

Outra maneira de encorajar melhorias de valor é permitir que os prestadores consigam ganhar com as melhorias em eficiência, mantendo os preços estáveis por períodos de tempo (porém medindo resultados). Os prestadores ficarão motivados a melhorar a eficiência (sem sacrificar a qualidade mensurada) porque durante esse tempo eles reterão as melhorias de eficiência.

Preços baseados em valor. Numa verdadeira competição baseada em valor, os preços deveriam ser baseados no valor para a saúde em vez de em esforços, complexidade do serviço ou custos totais. Assim, o diagnóstico seria reconhecido, mensurado e recompensado como um serviço distinto. O preço refletiria a eficiência e eficácia geral do diagnóstico e o fato de um diagnóstico agudo ter uma enorme influência nos custos e resultados subseqüentes.

Uma das maiores falhas no atual sistema de preços é que a consulta é desvalorizada em relação aos demais procedimentos. O preço baseado em valor mudaria tudo isso. Serviços baseados em consulta que tenham um impacto claro na saúde e que reduzam a necessidade de tratamentos caros deveriam ser recompensados com pagamentos atraentes. Isso também ajudará a evitar o viés a favor de tratamentos.

Um exemplo encorajador de pensamento baseado em valor é o movimento para recompensar a comunicação entre médicos e pacientes por telefone ou *e-mail*. Tais consultas não costumam ser pagas. Cria-se um viés para idas ao consultório ou para não se abordar questões precocemente, o que eleva os custos. Alguns planos de saúde estão começando a pagar pela comunicação entre médico e paciente via *e-mail*; entre eles, os planos da Blue Cross and Blue Shield na Califórnia, Nova York, Flórida, Massachusetts, New Hampshire, Colorado e Tennessee, como também a Anthem Blue Cross (agora pertencente à Wellpoint), CIGNA, Harvard Pilgrim e Kaiser Permanente. O médico geralmente recebe entre US$ 24 e US$ 30, e os pacientes normalmente pagam ente US$5 e US$10 para desencorajar comunicações desnecessárias. O Medicare também vem conduzindo experimentos com comunicação *on-line* entre pacientes e médicos, e foi encaminhado um projeto de lei para permitir que o Medicare "pague bonificações" aos médicos pelas consultas por *e-mail*. Esses movimentos são um passo para o reconhecimento da importância da consulta, mas geram mais um exemplo de pagamento extremamente fragmentado. Serão necessários modelos de preços mais abrangentes por serviços como atendimento preventivo e gerenciamento de doenças.

Também serão necessários modelos baseados em valor para serviços de avaliação de riscos, prevenção e gerenciamento de doenças. Os preços deveriam refletir o valor entregue em termos de resultados para a saúde do paciente e economias de custo. O ônus deveria recair sobre os prestadores para que estes demonstrem valor, o que melhorará a disponibilidade de informações de resultados e dados abrangentes sobre os custos. Em cada uma dessas áreas de serviço, os melhores prestadores deveriam ser recompensados com mais pacientes.

O ideal seria que os prestadores estabelecessem seus preços com base em valor, em vez de terem o valor de pagamento pré-estipulado. Diferentes prestadores poderiam estabelecer preços diferentes, dependendo dos casos e dos resultados que costumam alcançar. Como mencionado anteriormente, porém, os prestadores com melhores resultados geralmente serão mais eficientes e, portanto, terão mais lucro, ainda que cobrem o mesmo preço que os concorrentes. Os princípios da competição baseada em valor deixam claro que a recompensa mais poderosa é o afluxo de pacientes. Se os planos de saúde encorajarem e apoiarem a competição para atrair pacientes com base nos resultados alcançados, isso não apenas permitirá que prestadores excelentes melhorem ainda mais o valor (através do círculo virtuoso), mas também levará os prestadores medíocres a melhorar ou a perder clientes.

Mudar para fatura única por episódio e ciclo de atendimento, e preços consolidados. Alinhar pagamento e valor ao paciente irá exigir que o atual modelo de pagamentoo separado para cada médico, hospital, cobrança ou serviço seja substituído por um sistema envolvendo um preço consolidado por conjunto de serviços, episódio de atendimento e, em última análise, pelo ciclo de atendimento completo. O atual sistema introduz transações desnecessárias e complexidade que não trazem benefícios para os pacientes. Obscurece o valor. As principais razões para a adoção de preços consolidados são a transparência de preços e a equiparação do preço ao valor.

Valor e custo só podem ser mensurados considerando os episódios e ciclos de atendimento completos, como discutimos em capítulos anteriores. É o que resulta de todas as intervenções juntas que importa, e não os serviços individualmente. Só é possível medir o verdadeiro custo somando todos os custos, inclusive o custo do atendimento de acompanhamento, dos tratamentos repetidos e o custo de erros e complicações. A mudança para um único preço por todo o ciclo de atendimento irá encorajar a adoção de estruturas de prestação de serviços adequadas e as devidas trocas e compensações entre tipos de tratamento (como tratamento medicamentoso *versus* cirurgia; cirurgias novas e menos invasivas *versus* métodos ultrapassados; mais preparação *versus* tratamento; e maior atenção ao atendimento de acompanhamento).

A mudança para preços consolidados também será um enorme passo em direção à transparência dos custos. Sem um preço consolidado pelo conjunto de serviços, a transparência nos preços de serviços separados é menos útil para os pacientes, planos de saúde e outros participantes do sistema. Com os preços totais que deveríamos nos preocupar, não com os preços de centenas de itens de linha. O faturamento e a explicação dos benefícios ficam muito mais simples com um método de preço consolidado.

A mudança para a determinação de preço por ciclo de atendimento já está ocorrendo. Em transplantes, por exemplo, a U.R.N. negocia um preço pelo caso, sendo que cada prestador cobre o ciclo completo de tratamento do paciente. O ciclo de atendimento é minuciosamente definido e inclui uma fase pós-transplante imediata de 90 dias e uma de acompanhamento prolongado, que termina após 365 dias. Como observado anteriormente, a U.R.N. só contrata prestadores de alta qualidade. Em troca de preços favoráveis, os clientes da U.R.N. (ou seja, os planos de saúde) concordam em reduzir o risco financeiro do prestador nos casos de rara complexidade. Se o tratamento de um paciente ultrapassa o teto previamente acordado, as despesas adicionais são reembolsadas a preço de custo. Como o prestador não corre o risco de arcar com custos excedentes, o preço contratado é mantido baixo para a maioria dos pacientes.

Um dos argumentos válidos contra o preço único consolidado por ciclo de atendimento é que os pacientes diferem tanto que o preço tem que ser elevado para cobrir o risco de tratamentos não previstos. No entanto, como ilustrado pelo exemplo da U.R.N., pagar os prestadores por complicações a uma taxa previamente acordada pode diminuir a necessidade de elevar preços para todos os pacientes. É claro que prestadores que incorrem habitualmente em complicações acabarão por sofrer nas comparações de qualidade e valor, e no fluxo de pacientes.

Observe que os preços únicos consolidados que estamos descrevendo são muito diferentes de capitação, na qual uma organização prestadora recebe um pagamento fixo para *quaisquer* serviços médicos que se façam necessários. A capitação aborda a competição no nível errado – o de hospital ou organização prestadora como um todo. Ela cria fortes incentivos ao corte de custos independente da qualidade, em vez de melhorar o valor do atendimento a uma condição de saúde definida.

O diagnóstico também poderia ficar sujeito a preço consolidado, englobando todas as consultas, exames e análises. Os preços de diagnóstico também poderiam ser estruturados para incluir recomendações a respeito do melhor curso de tratamento. Isso aumentará a eficácia e a eficiência do diagnóstico, ao mesmo em tempo que separa o diagnóstico do tratamento para minimizar o risco de viés. Embora o diagnóstico possa se repetir com o tratamento, o grupo diagnosticador permanece responsável pelos serviços de diagnóstico sob um único preço até completar o diagnóstico. Isso destaca o custo total do diagnóstico e chama atenção para a necessidade de melhorar os processos envolvidos.

Mudar para preços únicos consolidados por ciclo de atendimento leva a outras mudanças importantes para planos de saúde e prestadores. Os planos de saúde firmarão contratos com mais eficiência, com menos necessidade de especificações detalhadas do tratamento em si e de qual tratamento específico está sendo pago. Em vez disso, os prestadores serão medidos pelos resultados. O preço único consolidado também dispara mudanças benéficas pelos prestadores. Estes serão motivados a medir os custos globais, em vez de somente os custos por cada parte do serviço. Por fim, os prestadores serão incentivados a integrar medicamente o atendimento entre instalações e especialistas. Os benefícios econômicos e de saúde para os pacientes serão notáveis.

Na mudança para preços consolidados, um passo intermediário é pedir aos prestadores que emitam uma fatura única por episódio de atendimento, discriminando as cobranças por rubrica e fornecendo o total. Pode-se designar uma entidade (por exemplo, um prestador-líder) para montar a conta, conforme discutido no Capítulo 5. Alternativamente, o plano de saúde poderia inicialmente montar uma única conta juntando as cobranças separadas, se os prestadores hesitarem em fazê-lo. Para cada episódio, o plano de saúde faria um pagamento, e o prestador designado ou outra entidade ficaria então responsável por distribuir o pagamento entre os médicos ou partes envolvidas. À medida que os dados de contas consolidadas forem se acumulando, a mudança para o preço consolidado seria menos intimidante.

Os planos de saúde podem incentivar a prestadores para a adoção de uma fatura consolidada em vista da economia de custos com a redução da papelada. Contudo, a simplificação da transação está longe de ser o benefício mais importante. Tanto os planos de saúde como os prestadores sairão ganhando com a simplificação das faturas, pois a mudança facilitará o alcance de melhores resultados para a saúde. Iniciar o diálogo sobre o faturamento como um todo, e sobre como ele poderá ser simplificado, já trará benefícios.

Simplificar, padronizar e eliminar papelada e transações. O atual sistema encoraja a complexidade administrativa porque é baseado em serviços distintos e no envolvimento de múltiplas entidades separadas, sem integração do atendimento. A complexidade administrativa é também inerente à restrição dos serviços, à transferência de custos e à contestação das contas. A competição baseada em valor, ao contrário, busca minimizar qualquer custo que não contribua diretamente para o valor ao paciente. Os planos de saúde precisarão simplificar e otimizar drasticamente os seus processos administrativos. Contudo, a burocracia e a mentalidade reinante serão obstáculos tanto para os planos de saúde quanto para os prestadores que desenvolveram sua própria burocracia defensiva.

Para reduzir a complexidade administrativa será preciso diminuir o número de transações. Adotar uma fatura única, preços consolidados e contratos baseados em ciclos de atendimento já será meio caminho andado. Adotar a mensuração de resultados no lugar de exigir documentação de processos e fazer revisões críticas dos tratamentos também reduzirá drasticamente os custos administrativos. As interações com prestadores também podem ser simplificadas padronizando-se as solicitações de informações e estabelecendo padrões de informações entre os planos de saúde, evitando assim sistemas paralelos de compilação de informações e relatórios.

A introdução de transações on-line relativamente recente. As transações eletrônicas trazem grandes benefícios em custo, precisão de dados e redução de contestações. A introdução de históricos médicos eletrônicos vai eliminar ainda mais a papelada, simplificar as transações e reduzir muito a necessidade de informações redundantes. O uso proativo da tecnologia da informação também propiciará que os pacientes solicitem o compartilhamento do seu histórico médico junto a prestadores e fornecedores de serviços de gerenciamento de doenças. (Examinaremos a questão de registros eletrônicos e o papel da TI mais adiante neste capítulo.)

Padronização, interoperabilidade e sistemas abertos são vitais para reduzir os custos administrativos em todo o sistema. Os planos de saúde, como um setor industrial, precisam atribuir um grau de urgência à obtenção de um consenso sobre a padronização de definições, formulários e interfaces. Como um legado da mentalidade de transferência de custos, os planos de saúde ainda usam um monte de diferentes formulários de solicitação de aprovação e pagamento. A padronização oferece importantes oportunidades para melhorar o valor. A lei de portabilidade e responsabilidade do seguro-saúde (HIPPA) já foi um passo à frente na direção certa no que se refere à padronização, mas os detalhes ainda precisam ser postos em prática.

O progresso na definição dos dados e respectivos formatos a serem padronizados vão melhorar o valor e permitir que os planos de saúde terceirizem o processamento. Como já foi demonstrado em tantos outros setores industriais, a terceirização de serviços de informações específicos pode trazer economias de escala e benefícios devido ao maior foco e especialização de terceiros em gerenciá-los. A terceirização seletiva também alivia os planos de saúde para que eles possam redirecionar mais atenção às funções que agregam valor do ponto de vista do paciente.

Os planos com franquias dedutíveis de vulto e contas de poupança-saúde (HSAs) são mais uma oportunidade para reduzir papelada administrativa, já que a maioria dos beneficiários desses planos tende a ter despesas médicas relativamente baixas. Muitos pacientes não gastam em assistência à saúde mais do que o patamar da HSA, que varia de US$ 1.000 a US$ 5.000 ao ano. Portanto, grande parte da papelada e dos custos administrativos envolvidos no processamento das faturas dos prestadores pode ser reduzida para esses beneficiários, gerando economias diretas nos custos. Empregadores cautelosos em relação às HSAs argumentam que essas economias no processamento podem ser consumidas pelo custo da mudança para o modelo HSA. Mas custos de transição não constituem uma boa razão para evitar uma mudança que acarreta benefícios potencialmente altos em termos de eficiência administrativa, como também o benefício de estimular nos consumidores um comportamento assumido com base em informações e em valor.

Com passos como os que descrevemos, é possível alcançar as economias administrativas de um sistema de um único pagador, sem a necessidade de eliminar a competição entre planos de saúde ou de introduzir um pesado papel para o governo, como discutido no Capítulo 3.

Redefinir o relacionamento entre plano de saúde e clientes

Competir em valor também irá exigir um novo relacionamento com os clientes. As formas tradicionais de contrato entre planos de saúde e clientes têm que mudar, a fim de prolongar os horizontes de tempo e alinhar melhor os interesses. As práticas de transferência de custos envolvendo clientes têm que ceder lugar a um relacionamento baseado em valor adicionado e responsabilidade mútua pela saúde. Finalmente, os planos de saúde têm que assumir verdadeiramente a responsabilidade pela saúde geral dos clientes a longo prazo. Assistir os membros na compilação e gerenciamento de um histórico médico completo é um papel importante dos planos de saúde e um serviço que estes deveriam oferecer.

Mudar para contratos de vários anos com o cliente e alterar a natureza da contratação de plano. O contrato entre plano de saúde e cliente numa base anual é um artifício da competição de soma zero e desalinhado com o valor na assistência à saúde. As escolhas de tratamento eficaz do ponto de vista do paciente, sem mencionar a prevenção e o gerenciamento de doença, exigem um horizonte de vários anos. Como já discutimos, o valor só pode ser compreendido tomando-se todo o ciclo de atendimento. Além disso, muitas condições de saúde se desenvolvem lentamente, e leva tempo para atacá-las completamente. O diagnóstico precoce costuma trazer benefícios e, portanto, considerar o diagnóstico numa perspectiva mais estendida no tempo agrega valor.

Mudar voluntariamente a vigência dos contratos para vários anos alinhará melhor os incentivos a planos de saúde, pacientes e empregadores. Os planos de saúde serão motivados e capacitados a considerar o valor de longo prazo para a saúde do paciente do que os custos de curto prazo. Os pacientes serão motivados a estabelecer relacionamentos colaborativos com os seus planos de saúde e médicos, bem como a participar nos cuidados com a sua saúde. Contratos de vários anos de vigência também permitirão economias significativas por transação, uma vez que custos de *marketing*, contratuais e de tecnologia da informação associados, os quais não contribuem com o valor à saúde do paciente, serão evitados.

Historicamente, os clientes desejam flexibilidade para poderem abandonar um plano cujo atendimento não seja do seu agrado ou cujas mensalidades venham subindo muito. Isso é compreensível num sistema construído em cima de relacionamentos adversos e transferência de custos. No entanto, um período de vigência de vários anos é necessário para ambos, clientes e planos de saúde, alcançarem bons resultados.

Os planos de saúde deveriam cultivar a fidelidade dos clientes. Indivíduos e empresas deveriam construir relacionamentos de longo prazo com planos de saúde (ver Capítulo 7). A atual taxa de rotatividade de clientes aponta mais para falhas do sistema do que para o valor de relacionamentos de longo prazo. Os planos de saúde têm às vezes encorajado a rotatividade para expurgar clientes que geram despesa, em vez de focar o valor à saúde. À medida que os planos de saúde mudarem de postura, as taxas de rotatividade declinarão notavelmente. No entanto, contratos de vários anos de vigência acentuarão os benefícios.

Um compromisso de longo prazo deve ser voluntário, mas os planos de saúde podem oferecer alguns incentivos para persuadir os clientes e os patrocinadores do plano a adotarem-no. Somente as economias de custo das transações já seriam suficientes para custear por melhorias significativas no plano (um ganho para os clientes) ou preços mais baixos por assinatura (um ganho tanto para os clientes quanto para os empregadores). Um teto nos aumentos de preço dos planos por períodos de tempo definidos também encorajaria compromissos de longo prazo.

Os planos de saúde precisam também projetar produtos que facilitem a portabilidade, a fim de reter os clientes. Os clientes que perderem cobertura pelo empregador deveriam ter direito e serem encorajados a se inscreverem num plano comparável com cobertura similar à que tinham antes.[40]

Mesmo com contratos anuais, os planos de saúde podem desempenhar um papel mais construtivo, oferecendo uma estrutura de planos com maior eficácia de custo e ajudando os clientes a selecionar a estrutura adequada para a sua família. A oferta de estruturas de plano envolvendo HSAs pode estimular melhores escolhas pelos pacientes, ao mesmo tempo que proporcionam uma estrutura de poupança para cobrir futuras necessidades médicas. Alguns estudos sugerem uma notável mudança de comportamento quando os pacientes se sentem responsáveis pelas suas escolhas de assistência à saúde, como discutimos no Capítulo 3. Contudo, um interesse financeiro nas decisões de tratamentos não é uma cura para todos os males. Sem os demais papéis dos planos de saúde que descrevemos anteriormente, co-pagamentos e franquias dedutíveis acrescentarão pouco valor e só resultarão em auto-racionamento e transferência de custos (ver Capítulo 7).

As ofertas de produtos dos planos de saúde estão mudando, e vem crescendo o número de planos ou alternativas dentro de um plano em termos de franquias dedutíveis, co-pagamentos, contas de gastos flexíveis e HSAs. Muitos clientes carecem de informações ou conhecimento especializado para selecionar a estrutura de plano com mais eficácia de custo e para compreender o que o seu plano de fato cobre e como tirar vantagem dos serviços. Os planos de saúde podem desempenhar um papel importante nessas áreas. A Harvard Pilgrim, por exemplo, introduziu uma nova abordagem aos contratos com clientes, testada inicialmente com seus próprios empregados, pela qual ela provê informações sobre os gastos médicos passados do cliente (tanto dos pagamentos pelo empregado como pelo empregador) junto com ferramentas financeiras simples para ajudar o cliente a escolher um plano. A Harvard Pilgrim descobriu que muitos clientes concluem que eles têm comprado seguro em excesso. O crescimento dos preços dos seguros desacelerava consideravelmente quando os clientes mudavam para planos com franquias dedutíveis mais altas.

Acabar com práticas de transferência de custos como a reformulação de contratos que corroem a confiança e nutrem a descrença. A competição de soma zero leva não apenas a uma rotatividade ineficiente entre planos, mas também a interações adversas com os clientes e a práticas como reformulação de contrato, pelas quais os clientes caros são expurgados dos planos com o artifício de lhes impor preços absurdos. Muitos planos usam essas práticas na tentativa de aumentar seus lucros. Tais práticas de transferência de custos persistem mesmo em planos de saúde que em outros aspectos são orientados para o valor.[41]

Essas práticas não apenas levam os pacientes a uma situação financeira difícil, mas também quebram a continuidade do tratamento, que é essencial para os resultados na saúde. Também contribuem para a raiva e a descrença que tantos clientes sentem em relação aos planos de saúde. Ainda que um cliente não tenha passado por essas experiências, ele sabe da história de um amigo ou vizinho que tenha sofrido essas imposições.

O desligamento sumário de um paciente é proibido por lei. A reformulação de contrato também deveria ser ilegal (e em alguns estados dos EUA já o é), como recomendaremos no Capítulo 8. Ambas as práticas são injustas e, acima de tudo, incoerentes com a lógica de contrair seguro. Os planos de saúde deveriam eliminar voluntariamente a reformulação de contrato, mesmo que seja legal. Expurgar clientes que não sejam protegidos por seguro em grande grupo, em vez de fornecer-lhes o valor pelo qual pagaram quando contrataram o plano, corrói a confiança por parte de clientes e médicos.

A reformulação de contrato e outras práticas adversas também reforçam a mentalidade interna errada. Um plano que abrace de verdade as abordagens que descrevemos aqui não pode tratar um membro de forma a violar esses princípios essenciais. Fazê-lo irá tão somente deteriorar a eficácia do plano de saúde no atendimento a todos os seus clientes. Ao contrário, os planos deveriam almejar baixa taxa de rotatividade e contratos de longa vigência para alinhar melhor os interesses e reforçar o seu foco na redução de risco, prevenção e gerenciamento de doença. Essas são abordagens muito melhores de lidar com os membros de alto risco ou que venham a adoecer.

Nossa pesquisa concluiu que os EUA devem exigir que todos os seus habitantes tenham um plano de saúde, como discutiremos no Capítulo 8. Junto com o seguro obrigatório deveria vir o *pooling* de risco, pelo qual todo plano tenha que arcar com a sua parcela do custo de membros onerosos. Um dos maiores benefícios dessa política é que os incentivos para eliminar pacientes de alto risco se reduziriam drasticamente, já que outro paciente oneroso substituiria aquele eliminado. Ao contrário, os planos de saúde terão que focar o seu papel adequado: adicionar valor.

Ajudar no gerenciamento do histórico médico completo do cliente. Existem razões convincentes para completar, integrar e verificar o histórico médico dos pacientes, para que sejam prontamente acessíveis a qualquer prestador ou conselheiro com quem o paciente tenha contato.[42] Isso melhora as informações disponíveis aos médicos, aprimorando as decisões e reduzindo erros decorrentes de reações alérgicas ou interações medicamentosas. Um histórico completo reduz os custos de se compilarem informações e duplicarem os testes, e reduz retardos no diagnóstico e tratamento enquanto se espera pelo histórico. Atualmente, muitos diagnósticos e outras decisões médicas são feitos sem acesso ao histórico médico completo (ou até sem nenhum).

Sem um histórico médico completo é provável que o paciente esqueça de relatar fatos importantes que possam interferir na sua atual condição de saúde. Mesmo quando os pacientes, conscientemente, trazem o histórico médico com eles, esses históricos não estão organizados, e o próximo médico não tem condições de verificar a precisão dos resultados de testes passados ou a qualidade dos tratamentos anteriores. Sem essa verificação, os históricos passados podem ser desconsiderados – e, às vezes, com razão.

Um histórico médico completo não apenas melhora todos os aspectos do tratamento, mas também facilita a integração do tratamento ao longo de todo o ciclo de atendimento. Um histórico médico completo é indispensável para o gerenciamento de risco, a prevenção e o gerenciamento de doenças. Finalmente, um histórico médico completo possibilita a competição de soma positiva entre prestadores, diminuindo a transferência de custos com a troca de prestador e a utilização de múltiplos prestadores.

A importância de um histórico médico completo é bem compreendida, mas os EUA têm encontrado obstáculos à implementação da idéia. Em vista da compreensível preocupação dos americanos com a privacidade, um repositório governamental central de históricos médicos individuais seria uma opção, ainda que de ordem prática. A lei de portabilidade e responsabilidade do seguro-saúde (HIPPA) concedeu a cada paciente o direito de obter e ir completando o seu próprio histórico médico existente em cada prestador envolvido com a sua saúde. Em teoria, isso tornou possível acumular os históricos médicos individuais. Na prática, porém, reunir e manter o histórico completo ainda é uma questão difícil.

Hoje, os históricos médicos estão dispersos. Existem históricos médicos separados em diversos consultórios médicos e instalações de tratamento. Os especialistas geralmente enviam resumos para o prestador de assistência primária ou médico de família do paciente, mas não o resumo completo do tratamento prestado. Os históricos não são mantidos de uma forma que facilite a integração.

As atuais propostas de gerenciamento de históricos visam a facilitar as solicitações de históricos pelos vários prestadores quando necessárias (o chamado sistema de ponteiros). No entanto, essa abordagem é trabalhosa, tecnologicamente questionável e inerentemente cara. Os pacientes precisam ter propriedade dos seus próprios históricos médicos. Precisam de um histórico médico pessoal seguro e completo, que tenha crédito em qualquer lugar embora não haja necessidade de os históricos serem todos armazenados num único lugar. A disponibilidade eletrônica (com a devida permissão) permitirá que se tenha acesso rápido aos históricos, inclusive em situações de emergência.

Será preciso que uma terceira parte confiável desempenhe as funções de manter, acumular e verificar os históricos médicos dos pacientes e torná-los disponíveis quando, e somente quando, o paciente autorizar. Embora o médico de assistência primária seja uma parte confiável e tenha a perspectiva completa do paciente, os médicos de assistência primária não estão no negócio de compilar e manter históricos médicos todo-abrangentes de seus pacientes e prover históricos completos quando solicitados. Assumir esse papel é simplesmente impraticável para os prestadores de assistência.

Os planos de saúde estão numa posição singular para adicionar valor nessa área. Os planos de saúde são a outra entidade do sistema que deveriam estar focadas no paciente como um todo, abrangendo todas as suas necessidades médicas permeando todos os prestadores. Atualmente, os planos de saúde já mantêm alguns registros de serviços realizados e pagos por eles, mas estes não constituem históricos médicos completos.

Essa é uma idéia radical e impensável em vista das atitudes que se tem tido em relação aos planos de saúde e dos papéis tradicionalmente desempenhados pelos planos de saúde. Se os planos conseguirem estabelecer confiança e parceria com os pacientes, eles estarão numa boa posição para servirem de repositório e integrador dos históricos médicos dos pacientes, de forma tal que nenhum prestador (inclusive os médicos de assistência primária) seria capaz de viabilizar.

À medida que os planos de saúde mudarem os seus papéis, eles precisarão acumular mais e mais informações sobre a saúde dos seus membros, como já descrevemos. Manter históricos completos é o próximo passo lógico. Um histórico médico consolidado, acessível e verificado gera benefícios para o valor à saúde, o que é de interesse dos planos de saúde e serve de base para os seus outros papéis, também. A integração médica ao longo de todo o ciclo de atendimento e o gerenciamento de doenças e maior eficiência na prevenção de doenças são funções centrais dos planos de saúde. Com efeito, manter um histórico completo no plano de saúde criaria grande sinergia, porque, de qualquer forma, os planos precisarão muito das informações para desempenhar os seus papéis de adição de valor. E, como os planos de saúde também estarão medindo os resultados alcançados nos pacientes, existem sinergias na validação da qualidade dos históricos. O membro, contudo, deve ser o dono do seu histórico médico, de forma que o direito à privacidade fique claro e que o histórico integrado seja transferido em tempo certo e sob regras e diretrizes absolutamente transparentes caso o paciente mude para outro plano.

Um número de prestadores afiliados a planos ou independentes está começando a oferecer históricos médicos individuais de pacientes, seja através do plano de saúde, de prestadores ou diretamente ao indivíduo.[43] A Aetna Health Information Management, por exemplo, está trabalhando na compilação de históricos de saúde pessoais dos seus membros com base em informações de diagnósticos, resultados de laboratórios e prescrições que são objeto de pleito e pagamento. Outros, como a eHealth Trust, estão começando a anunciar históricos médicos individualmente controlados através dos prestadores, sendo que os prestadores são pagos por alimentarem os registros no sistema do eHealth. Os pacientes podem utilizar os registros e podem alimentar seus históricos médicos num formulário na Web antes de irem ao médico. Uma abordagem alternativa para criar históricos individualmente controlados, que são então verificados, está sendo desenvolvido pela Patient Command, Inc. Os planos de saúde ou empregadores poderiam patrocinar esse serviço para os seus membros. Os beneficiários autorizariam a transmissão eletrônica do histórico completo aos prestadores, que teriam a segurança de precisão dos dados. É possível reduzir a necessidade de voltar a realizar os testes, e os prestadores poderiam reduzir erros, detectando alergias, outras prescrições e condições de saúde existentes, antes de tratarem o paciente. Esses são apenas alguns dos inúmeros modelos que serão explorados para atender à necessidade de ter históricos médicos integrados.

É fundamental que se tenha confiança na gestão dos históricos médicos. Os membros devem estar seguros da confidencialidade e de que o plano de saúde não usará as informações dos históricos médicos para estabelecimento de preço e exigências de plano. Se a reformulação de contrato, bem como termos e condições seletivas forem decretados ilegais, como recomendamos no Capítulo 8, esse risco será menor.

Para um plano de saúde, o fornecimento de serviço de agregação de históricos médicos não apenas facilitaria os papéis de adição de valor que descrevemos, mas também aumentaria a fidelidade ao plano. Fortaleceria o interesse comum no bem-estar do paciente e encorajaria relacionamentos de longo prazo com os clientes.

Seria ideal que a gestão de históricos médicos completos (fornecida pelo plano ou por uma subcontratada independente) se tornasse um serviço-padrão nos planos de saúde, tendo o seu custo incluído no preço do plano. As economias diretas poderiam muito bem compensar por parte ou pelo total dos custos. A função de gestão de históricos poderia também ser oferecida como um serviço de valor agregado de certos planos. Nesse ínterim, os planos de saúde poderiam desejar fazer uma experiência, subscrevendo ou projetando um modelo de gestão de históricos e implementando, com a anuência dos membros, para pacientes com doenças crônicas múltiplas, condições agudas complexas, alergias potencialmente perigosas ou outras necessidades médicas complicadas. Nesses casos, o acesso melhorado aos históricos poderia gerar benefícios imediatos no que se refere a custo e valor. Os planos de saúde também podem preferir oferecer serviços de históricos médicos primeiro a seus próprios empregados, caso em que a confiança pode ser mais facilmente estabelecida, a aprendizagem pode ser acumulada e a credibilidade, construída.

Não será fácil conquistar a confiança dos pacientes para que os planos de saúde gerenciem seus históricos médicos. Os planos precisarão transformar radicalmente o seu relacionamento com membros e médicos se quiserem desempenhar este papel de agregar valor ao sistema. No entanto, os benefícios de valor à saúde são tão grandes, que vale a pena um esforço significativo para superar o obstáculo da confiança. Talvez nesse ínterim, os planos de saúde terão que contratar uma empresa independente para realizar esses serviços, em nome dos seus beneficiários.

Normas de privacidade e de acesso bem claras deverão ser incorporadas ao processo, não obstante quem desempenhar a função de gerir os históricos médicos. Além disso, os padrões de informações, assim como os procedimentos aceitos de verificação de históricos serão obviamente importantes, não obstante como os históricos sejam armazenados e organizados. Finalmente, a capacidade de transferir facilmente os históricos para outro plano de saúde ou empresa contratada independente é certamente essencial e, portanto, os planos de saúde têm que estruturar os serviços de maneira que os membros tenham propriedade do seu respectivo histórico.

Superando barreiras à transformação dos planos de saúde

Mudar os papéis dos planos de saúde não é uma tarefa sem desafios. Para realizar essa transformação, os planos se confrontarão com uma série de barreiras, similares, em muitos aspectos, àquelas com que os prestadores se deparam e que discutimos no Capítulo 5.

Estabelecer confiança

Muitos clientes encaram os planos de saúde com apreensão, se não com total desconfiança. Muitos pacientes e médicos vêem os planos de saúde como os principais vilões no sistema de saúde. Essas atitudes foram construídas ao longo de anos e vão se dissipar lentamente. Construir confiança será crucial para um plano de saúde ter êxito na transformação dos seus papéis. Serão necessárias mudanças visíveis para convencer os clientes e os médicos.

Total honestidade deve caracterizar esses relacionamentos. Os pacientes precisam acreditar que os planos de saúde não usarão a "qualidade" para encobrir o mesmo comportamento de sempre – limitar os serviços e direcionar os pacientes a prestadores favorecidos pelo simples fato de oferecerem um "negócio" melhor. Os planos de saúde têm que assegurar a precisão e confiabilidade dos seus dados de resultados clínicos e distinguir onde existem informações válidas e onde elas ainda não foram desenvolvidas a contento.

Melhorar as informações

Como já observamos, as informações relativas a resultados ainda são inadequadas, o que limita os planos de saúde no desempenho de certos papéis que agregam valor. Todos os caminhos têm que ser tomados para melhorar esse estado de coisas, inclusive esforços colaborativos. Como discutiremos no Capítulo 8, o governo deve assegurar que informações adequadas e consistentes sobre resultados e custos sejam coletadas e disseminadas.

Construir capacidades no plano de saúde

Para desempenhar com êxito esses papéis agregadores de valor, os planos de saúde precisarão melhorar as suas capacidades internas. Duas áreas se sobressaem: recursos humanos e tecnologia da informação. O desempenho desses novos papéis exigirá novas habilidades e novos tipos de pessoas. Os planos de saúde deixarão de ser organizações administrativas e processadoras para ser verdadeiras organizações de saúde. Um maior grau de especialização médica será necessário. Mais médicos, enfermeiros e outros profissionais de saúde serão empregados, não para se superpor às decisões dos prestadores, mas para desempenhar uma gama de papéis que agregam valor, já descritos neste livro. Interações mais substanciais com clientes e médicos irão requerer muito mais conhecimento.

Sem o nível adequado de especialização e de pessoas nos planos de saúde, em contrapartida, a competição baseada em valor será retardada. Encontramos prestadores tentando mudar para a competição em resultados, que lamentavam que os gerentes dos planos de saúde às vezes não tinham especialização para avaliar os seus dados de experiência e resultados. Em contrapartida, as reuniões viravam discussões de negociação voltadas para conseguir descontos. A mudança da constituição do quadro funcional será uma prioridade, de muita urgência, mesmo que os planos de saúde comecem a terceirizar algumas funções administrativas.

A tecnologia da informação também é um elemento possibilitador de muitas das melhorias de valor que descrevemos. Ela automatiza e reduz o custo das transações administrativas, mas isso é apenas o começo. Os novos papéis dos planos de saúde consomem muita informação e incluem a compilação e a agregação de informações dos membros e também o rastreamento de resultados e de custos entre inúmeras condições de saúde. Os sistemas de informações para apoiar essa atividade precisarão ser muito mais avançados do que os sistemas hoje em funcionamento.

Embora um tratamento detalhado das questões de TI para prestadores e planos de saúde esteja além do escopo deste livro, fica claro que um histórico médico eletrônico (HME ou EMR, sigla de *eletronic medical record*) é central e indispensável do ponto de vista de valor à saúde. Um histórico médico eletrônico bem projetado traz consigo uma série de benefícios convincentes para prestadores, planos de saúde e, em última análise, pacientes:

- Reduz o custo das transações e elimina papelada.
- Reduz o custo de manter registros completos de todas as ações tomadas a favor do paciente e de todas as instalações utilizadas. É não apenas um grande apoio às decisões médicas, mas também permite que se tenha uma compreensão detalhada dos custos em nível de atividade.
- Torna as informações sobre os pacientes instantaneamente disponíveis para os médicos.
- Permite o compartilhamento de informações em tempo real entre médicos e instituições para melhorar a tomada de decisões e eliminar testes e esforços redundantes.
- Facilita a agregação de informações do paciente através dos episódios e do tempo.
- Integra as ferramentas de apoio a decisões na prestação dos serviços de saúde, à medida que os médicos fazem solicitações e especificam os tratamentos, reduzindo erros e difundindo entre prestadores a aprendizagem das melhores práticas de diagnóstico e tratamento.
- Cria uma plataforma de informações da qual se podem extrair resultados de prestadores e métricas de experiência a um custo muito baixo, se comparado à entrada manual de dados a partir de planilhas em papel.

Os planos de saúde têm a urgente necessidade de assumir um papel de liderança em tornar os HMEs uma realidade e em atrelar os seus benefícios. Eles também têm um forte incentivo econômico para fazê-lo, que é tão grande ou maior do que o dos prestadores. Os planos de saúde deveriam apoiar os esforços de adoção de HMEs universais pelos prestadores, em colaboração com outros planos de saúde e com toda a comunidade de saúde dos territórios geográficos de um plano. A BCBS de Massachusetts, por exemplo, assumiu o papel de liderança na iniciativa eHealth Collaborative no seu estado de origem, ajudando a formar um consórcio de 33 organizações para desenvolver um plano de desenvolvimento e implementação de HME em todo o estado. A BCBS de Massachusetts vê os HMEs como uma tecnologia de base para o seu negócio, e comprometeu US$ 50 milhões para apoiar o projeto piloto.

Os planos de saúde deveriam estar preparados para oferecer incentivos financeiros aos primeiros prestadores que abraçarem HMEs. Esses incentivos podem ser estruturados de diversas formas. Uma delas seria acrescentar uma pequena quantia a todos os pagamentos de serviços cobertos por HMEs. Outra seria adiantar uma parcela dos custos de capital de instalação dos sistemas HME, a ser restituída na forma de pequenas deduções nos pagamentos. A oferta de software HME gratuito aos consultórios médicos, feita pelo Medicare é um passo na direção certa. Qualquer que seja a abordagem, os planos de saúde deveriam insistir em sistemas abertos e dados padrão que permitam a consistência de informações, assim como no fácil intercâmbio entre os sistemas de diferentes fornecedores. Caso contrário, os benefícios mais importantes do HME serão desperdiçados.

Superar o ceticismo dos prestadores

Alguns prestadores resistirão a um maior envolvimento dos planos de saúde em mensuração de resultados, aconselhamento de pacientes e coordenação do atendimento através do tempo, vendo essas atribuições como próprias de prestadores. Outros prestadores se sentirão ameaçados pela coleta de dados e reclamarão que a emissão de relatórios é muito dispendiosa. Alguns prestadores, assoberbados com as históricas práticas de contratação e resistentes em envolver-se na coordenação de cobranças e faturas junto com outros prestadores, embargarão as faturas consolidadas, sem mencionar os preços únicos, por episódio de atendimento. Haverá prestadores, pelo menos no início, que terão poder de negociação para se recusar a competir em valor.

Os planos de saúde precisarão agir com sensibilidade, mas também com firmeza, durante a transição para a competição baseada em valor. Os médicos têm que ser tratados como parceiros respeitados na melhoria da saúde dos pacientes. O relacionamento com prestadores precisa mudar para um em que os resultados tenham importância e o foco seja no ciclo de atendimento, em vez de em intervenções separadas. O compartilhamento de ganhos tem que se tornar uma realidade, de forma que os prestadores tenham benefícios financeiros com a melhoria e a eficiência dos resultados. Os prestadores precisam ter voz a respeito de que dados são necessários e que medidas serão usadas. Medidas comuns precisam ser definidas, de forma que os prestadores não tenham de lidar com diferentes exigências para cada plano. Uma vez analisadas e compiladas as informações, os prestadores devem ter a oportunidade de verificar os dados e reagir a eles, antes que sejam usados. Isso irá melhorar a precisão dos dados e estimular os prestadores a aprimorarem os resultados nas áreas em que não tiveram bom desempenho.

No entanto, os planos de saúde não podem deixar dúvidas de que o *status quo* é inaceitável. Será necessário que os planos de saúde, individual ou coletivamente, defendam com veemência que o sistema precisa mudar. Grandes planos de saúde, que exercem mais influência, deveriam usar essa vantagem e tomar logo a iniciativa. Os planos de saúde têm que partir da idéia de que qualidade e resultados importam, de fato, e serão recompensados (ou que a ausência deles será penalizada). Quando ficar claro que a questão reside em quais medidas usar, e não mais em ser ou não ser preciso fornecer informações, o ritmo da mudança vai acelerar. Quando ficar claro que é preciso uma fatura consolidada para obter o pagamento, os prestadores aprenderão rapidamente a montar uma.

Como com qualquer outra mudança, os planos de saúde deveriam se dirigir primeiro aos prestadores mais esclarecidos. Com o passar do tempo, os prestadores que não se dispuserem a mudar terão que aprender a conviver com as conseqüências no que diz respeito à reputação e fluxo de pacientes. Os esforços podem se concentrar inicialmente num punhado de condições de saúde. Com o tempo, o sucesso e o entusiasmo dos pacientes propulsionarão o movimento e a sua expansão.

Ultrapassar o Medicare

O Medicare cria restrições de ordem prática no que o setor privado pode fazer em termos de pagamento e outras políticas. Até mesmo planos de saúde de grande porte podem parecer pequenos em comparação ao Medicare. (Em Massachusetts, por exemplo, os dois maiores planos de saúde respondem por apenas 30 a 35% das receitas de um prestador privado típico, ao passo que o Medicare e Medicaid representam 50% dessas receitas.) Os prestadores têm que manter a infra-estrutura administrativa necessária para sustentar os serviços ao Medicare e Medicaid, que estão crescendo.

No entanto, as práticas do Medicare não impedem o progresso. Os planos de saúde de vanguarda estão demonstrando a cada dia que todas as recomendações contidas neste capítulo podem ser implementadas independentemente de Medicare e Medicaid. Todos os planos de saúde deveriam seguir em frente em cada uma dessas áreas.

Haverá grandes benefícios se as práticas do Medicare mudarem nas direções que defendemos. Outros planos de saúde o seguiriam, como tem ocorrido repetidamente nos últimos 25 anos. No Capítulo 8, discutiremos direções para o Medicare e Medicaid, inclusive alguns experimentos promissores atualmente em desenvolvimento. Os planos de saúde, individual ou coletivamente, têm que empurrar o Medicare na direção certa.

Cultivar novas mentalidades

A maior barreira com que os planos de saúde se deparam para a adoção desses novos papéis talvez consista nas crenças e mentalidades internas profundamente arraigadas. Uma é que os consumidores não são sofisticados o bastante para lidar com decisões de assistência à saúde. Como discutimos no Capítulo 2 e discutiremos mais no Capítulo 7, os consumidores já estão provando que essa premissa não procede. Em vez de encontrar desculpas para manter o *status quo*, os planos de saúde precisam descobrir formas de abraçar e encorajar um papel mais construtivo para o consumidor.

Existe uma história paralela na experiência dos serviços financeiros. Quando os fundos de pensão dos empregados eram gerenciados por terceiros, os empregados eram relativamente mal informados e passivos. Agora que muitos indivíduos têm que gerenciar as suas próprias contas de previdência privada ou de poupança-aposentadoria com impostos diferidos, eles buscaram assessoria e se tornaram mais conhecedores de gestão financeira. Os indivíduos raramente gerenciam os seus próprios fundos sozinhos, mas buscam ajuda para fazê-lo. Antes dessa mudança, acreditava-se que os mercados financeiros eram complicados demais para que os indivíduos em geral fossem capazes de reunir informações, buscar assessoria e tomar decisões sensatas. Fazendo uma retrospectiva, fica claro que essa mentalidade subestimava a capacidade dos indivíduos para assumir um papel ativo nas escolhas de importância para o seu bem-estar.[44]

A experiência inicial com as HSAs (poupanças-saúde) também é encorajadora. Como discutimos no Capítulo 3, a evidência revela que as HSAs mudam o comportamento de compra e reduzem os custos[45], como também encorajam os pacientes a buscar mais informações sobre o seu atendimento médico e passam a gastar mais em atendimento preventivo.[46] Com a mudança para a competição baseada em valor, os benefícios das HSAs só aumentarão. Os pacientes terão mais informações e mais serviços de apoio para fazerem escolhas baseadas em valor, junto com os seus médicos, sobre onde obter atendimento.[47]

Uma segunda mentalidade dos planos de saúde que retardará a mudança é a premissa de que os pacientes sempre escolherão ter mais tratamentos ou o tratamento mais caro. No atual sistema, com tão poucas informações sobre resultados, os pacientes têm dificuldade em saber quais tratamentos e prestadores são eficazes, e que alternativas existem. Na ausência de outras informações, o preço mais alto é normalmente visto pelos pacientes como um sinal de qualidade superior. Os hospitais-escola são universalmente tidos como melhores na prestação dos serviços de saúde.

Os dados de resultados no nível de condição de saúde terão uma maior influência no comportamento, como discutiremos no Capítulo 7. A crença de que os consumidores têm uma demanda infinita por tratamentos médicos confunde melhor saúde com quantidade de tratamento. A maioria dos consumidores quer atendimento mais eficaz, e não mais cirurgias, internações mais longas ou mais complicações. A evidência sugere que pacientes informados e envolvidos escolhem tratamentos menos invasivos, cumprem melhor as instruções médicas e expressam mais satisfação com o atendimento que recebem.[48]

Outra crença perigosa que afeta os planos de saúde é a de que os pacientes não estão dispostos a se deslocar fisicamente para serem tratados. Contudo, existe pouca informação para justificar uma viagem no atual sistema; pouca assessoria sobre prestadores alternativos fora da área local e inúmeros impedimentos à busca de tratamento fora da redondeza. Por exemplo, os médicos que fazem os encaminhamentos tendem a ter relacionamentos e conhecimentos locais e podem resistir de fato a encaminhamentos fora da área, vendo-os como um sinal de deslealdade. Ao gerenciar pacientes de transplantes, a U.R.N. geralmente se depara com pacientes que foram encaminhados pelos seus respectivos médicos a um centro da redondeza que apresenta resultados abaixo do padrão. Quando o paciente compreende os dados de resultados relevantes, a relutância em viajar para obter tratamento excelente é superada. Os planos de saúde podem ter uma influência maior para assegurar tratamento excelente fora da área local, como discutimos anteriormente.

Finalmente, os planos de saúde são emperrados pela mentalidade reinante, tanto entre planos de saúde como entre empregadores, de que descontos e restrições a tratamentos são formas de economizar. Os planos de saúde têm que se desvencilhar da muleta das redes, e em seu lugar focar-se no apoio a escolhas baseadas em resultados e no envolvimento de médicos e pacientes no atendimento como um todo.

Nenhum dirigente de plano de saúde deveria subestimar a tarefa de extirpar essas velhas formas de pensar. Não obstante quão comprometidos com a mudança possam estar o principal executivo e a alta gerência, a organização precisará vir junto. Provavelmente será necessária uma considerável troca de gerentes nos planos de saúde.

Redefinir a cultura e os valores

Os novos papéis para os planos de saúde envolvem uma transformação radical não apenas nos relacionamentos com os pacientes e prestadores, mas também na cultura interna. O legado, em muitos planos de saúde, é a cultura da recusa: recusa de reivindicações, recusa de serviços, recusa de escolhas, recusa de autonomia aos médicos e recusa de responsabilidade pelos resultados na saúde dos clientes. Embora os planos de saúde estejam tentando se afastar dessa cultura, a maioria retém a visão paternalista de que precisa supervisionar os processos dos prestadores com pagamento por desempenho e continuar a restringir a escolha de prestadores pelos pacientes, com o uso de redes.

Os planos de saúde precisam substituir a cultura de recusa pela cultura de saúde ao paciente. A comunicação desses valores estará não apenas no que o plano diz, mas também no que ele faz. Responsividade, justiça, consistência, confiabilidade, integridade e capacidade de ouvir serão necessárias em todas as interações com todas as partes para dissipar a desconfiança que se acumulou.

Aqueles planos de saúde que conseguirem se mover nas direções que traçamos aqui terão funcionários muito mais motivados e dedicados. A satisfação de criar valor para os pacientes e de trabalhar com prestadores centrados em resultados, em vez de restringir e se superpor a decisões, serão palpáveis para todos os envolvidos.

Os benefícios de mudar logo

Da mesma forma que os prestadores, os planos de saúde que abraçarem logo a mudança aqui descrita desfrutarão de benefícios irrefutáveis. Eles estarão à frente na compilação de dados, no aprender como agregar as informações, no desenvolvimento de relacionamentos com os melhores prestadores, no recrutamento dos melhores profissionais, na implementação dos sistemas de informações adequados e na busca dos melhores especialistas e parceiros terceirizados. O benefício da boa reputação junto aos pacientes e patrocinadores do plano será marcante. Os planos de saúde não têm que se mover em todas essas direções simultaneamente. Contudo, quanto mais passos forem tomados, maiores os benefícios, porque esses benefícios se complementam. Cada passo facilita os demais e os torna mais eficazes.

Em vez de se comportar como uma indústria de *commodities* – como tantos planos de saúde o fizeram no antigo modelo – os pioneiros abrirão um leque de oportunidades para se diferenciar dos seus pares. Ao longo do caminho, eles descobrirão diferentes posições estratégicas que atrairão diferentes grupos de clientes. Os planos de saúde serão capazes de construir vantagens competitivas instigantes e sustentáveis.

Imagine se um plano de saúde fosse visto como um especialista em saúde e o maior defensor dos seus membros. Imagine se um plano de saúde informasse e aconselhasse os seus membros e reduzisse a ansiedade da doença. Imagine se os membros soubessem que seu plano de saúde se dedica a obter o melhor prestador para a condição de saúde deles, e recebessem o tratamento mais eficaz e atual. Imagine se os planos de saúde assumissem responsabilidade por ajudar um paciente a transitar pelo sistema. Imagine se os membros e os planos de saúde trabalhassem juntos para manter o membro saudável. Imagine se os interesses dos planos de saúde, pacientes, prestadores e patrocinadores do plano estivessem todos fundamentalmente alinhados. Se os planos de saúde fossem dedicados à saúde, as conseqüências em termos de criatividade, inovações e valor da assistência à saúde seriam enormes.